Ökologie
Lerntext, Aufgaben mit Lösungen,
Glossar und Zusammenfassungen

Markus Bütikofer, Oliver Lüde,
Guido Rutz, Felix Zürcher und Andrea Grigoleit

3., überarbeitete Auflage 2015

Ökologie
Lerntext, Aufgaben mit Lösungen, Glossar und Zusammenfassungen
Markus Bütikofer, Oliver Lüde, Guido Rutz, Felix Zürcher und Andrea Grigoleit

Grafisches Konzept und Realisation, Korrektorat: Mediengestaltung, Compendio Bildungsmedien AG, Zürich
Druck: Edubook AG, Merenschwand
Coverbild: © 2015, Thinkstock

Redaktion und didaktische Bearbeitung: Andrea Grigoleit

Artikelnummer: 13074
ISBN: 978-3-7155-7069-3
Auflage: 3., überarbeitete Auflage 2015
Ausgabe: U1065
Sprache: DE
Code: XBI 005

Alle Rechte, insbesondere die Übersetzung in fremde Sprachen, vorbehalten. Der Inhalt des vorliegenden Buchs ist nach dem Urheberrechtsgesetz eine geistige Schöpfung und damit geschützt.

Die Nutzung des Inhalts für den Unterricht ist nach Gesetz an strenge Regeln gebunden. Aus veröffentlichten Lehrmitteln dürfen bloss Ausschnitte, nicht aber ganze Kapitel oder gar das ganze Buch fotokopiert, digital gespeichert in internen Netzwerken der Schule für den Unterricht in der Klasse als Information und Dokumentation verwendet werden. Die Weitergabe von Ausschnitten an Dritte ausserhalb dieses Kreises ist untersagt, verletzt Rechte der Urheber und Urheberinnen sowie des Verlags und wird geahndet.

Die ganze oder teilweise Weitergabe des Werks ausserhalb des Unterrichts in fotokopierter, digital gespeicherter oder anderer Form ohne schriftliche Einwilligung von Compendio Bildungsmedien AG ist untersagt.

Copyright © 2008, Compendio Bildungsmedien AG, Zürich

Dieses Buch ist klimaneutral in der Schweiz gedruckt worden. Die Druckerei Edubook AG hat sich einer Klimaprüfung unterzogen, die primär die Vermeidung und Reduzierung des CO_2-Ausstosses verfolgt. Verbleibende Emissionen kompensiert das Unternehmen durch den Erwerb von CO_2-Zertifikaten eines Schweizer Klimaschutzprojekts.

Mehr zum Umweltbekenntnis von Compendio Bildungsmedien finden Sie unter: www.compendio.ch/Umwelt

Inhaltsverzeichnis

	Vorwort zur dritten Auflage	7

TEIL A	**Grundlagen, Biotop und Populationen**	**9**
	Einstieg	10
1	**Grundlagen**	**11**
1.1	Fragen und Ziele der Ökologie	11
1.2	Lebewesen und Umwelt	12
2	**Abiotische Ökofaktoren**	**16**
2.1	Ökologische Potenz	16
2.1.1	Toleranzkurve und Kardinalpunkte	16
2.1.2	Unterschiede in der ökologischen Potenz	17
2.1.3	Verbreitung, Zeigerarten	18
2.1.4	Zeitliche Schwankungen	19
2.1.5	Dauerstadien	19
2.1.6	Zusammenwirken von Ökofaktoren	19
2.1.7	Limitierender Faktor	20
2.1.8	Indirekte Wirkungen	21
2.1.9	Anpassungen der Lebewesen an abiotische Faktoren	21
2.1.10	Übersicht	24
2.2	Temperatur	25
2.2.1	Wirkung der Temperatur auf die Lebensvorgänge	25
2.2.2	Bedeutung der Temperatur für Pflanzen	26
2.2.3	Wirkung der Temperatur auf wechselwarme Tiere	28
2.2.4	Wirkung der Temperatur auf gleichwarme Tiere	28
2.3	Licht	34
2.3.1	Bedeutung des Lichts für Pflanzen	34
2.3.2	Bedeutung des Lichts für Tiere	37
2.4	Wasser	38
2.4.1	Allgemeine Bedeutung des Wassers für die Lebewesen	38
2.4.2	Wasserhaushalt der Wasserbewohner	38
2.4.3	Landtiere	39
2.4.4	Wasserhaushalt der Landpflanzen	40
3	**Beziehungen zwischen den Lebewesen**	**44**
3.1	Innerartliche Beziehungen	44
3.1.1	Kooperation und Konkurrenz	44
3.1.2	Organisation des Zusammenlebens	45
3.1.3	Beziehung zu den Nachkommen	46
3.2	Zwischenartliche Konkurrenz und Einnischung	48
3.2.1	Konkurrenz zwischen verschiedenen Arten	48
3.2.2	Ökologische Nische	48
3.2.3	Konkurrenzausschluss	50
3.2.4	Ursachen der Verdrängung	51
3.2.5	Optimum und Verbreitung	52
3.2.6	Äquivalente Planstellen	54
3.3	Fressfeind-Beute-Beziehungen	55
3.3.1	Arten von Fressfeinden	55
3.3.2	Nahrungserwerb	55
3.3.3	Feindabwehr	56
3.3.4	Frass-Schutz bei Pflanzen	57
3.4	Parasit-Wirt-Beziehungen	58
3.4.1	Schädliche Nutzniesser	58
3.4.2	Viren, Bakterien und Pilze	59
3.4.3	Tiere als Ektoparasiten	60
3.4.4	Tiere als Endoparasiten	60
3.4.5	Tiere als Parasiten von Pflanzen	62
3.4.6	Höhere Pflanzen als Parasiten	63
3.4.7	Kommensalen	63

3.5	Symbiosen	64
3.5.1	Bedeutung	64
3.5.2	Flechten	64
3.5.3	Mykorrhiza	65
3.5.4	Blütenpflanzen und Bestäuber	66
3.5.5	Blütenpflanzen und Verbreiter	66
3.5.6	Knöllchenbakterien und Hülsenfrüchtler	67
3.5.7	Weitere Symbiosen	67
4	**Populationen**	**70**
4.1	Bedeutung, Grösse und Verteilung der Population	70
4.1.1	Definition	70
4.1.2	Variabilität und Genpool	70
4.1.3	Merkmale einer Population	71
4.1.4	Bestimmung der Populationsgrösse	71
4.1.5	Räumliche Verteilung	72
4.2	Populationswachstum	73
4.2.1	Zuwachsrate und Wachstumsrate	73
4.2.2	Exponentielles Wachstum	73
4.2.3	Logistisches Wachstum	74
4.3	Regulation der Populationsdichte	76
4.3.1	Dichteunabhängige Faktoren	77
4.3.2	Dichteabhängige Faktoren	77
4.3.3	Innere Faktoren	78
4.4	Wechselwirkungen zwischen Räuber und Beute	79
4.4.1	Einfache Räuber-Beute-Systeme im Labor	79
4.4.2	Die Volterra-Regeln	80
4.4.3	Räuber-Beute-Beziehung in der Natur	81
4.5	Vielfalt und Stabilität	82

TEIL B	**Biozönosen und Ökosysteme**	**85**
	Einstieg	86
5	**Biozönosen und Ökosysteme**	**87**
5.1	Produzenten, Konsumenten und Destruenten	87
5.1.1	Produzenten	88
5.1.2	Konsumenten	88
5.1.3	Destruenten	89
5.1.4	Vollständige und unvollständige Biozönosen	89
5.2	Nahrungskette und Nahrungsnetze	90
5.3	Produktivität und Energiedurchfluss	92
5.3.1	Primärproduktion	92
5.3.2	Verwertung der Nettoprimärproduktion	93
5.3.3	Energiefluss	94
5.3.4	Energie- und Nahrungspyramide	95
5.4	Stoffkreisläufe	96
5.4.1	Kohlenstoffkreislauf	97
5.4.2	Stickstoffkreislauf	98
5.4.3	Phosphorkreislauf	99
5.4.4	Sauerstoffkreislauf	100
5.5	Gleichgewicht, Stabilität und Vielfalt	102
5.5.1	Biozönotisches Gleichgewicht	102
5.5.2	Stabilität	103
5.6	Entwicklung von Ökosystemen: Sukzession	105
6	**Der See als Ökosystem**	**107**
6.1	Lebensräume und Bewohner eines Sees	107
6.1.1	Gliederung	107
6.1.2	Uferzone	108
6.1.3	Freiwasserzone (Pelagial)	111
6.2	Horizontale Schichtung und Zirkulation	113
6.3	Nährstoffgehalt und Eutrophierung	114
6.4	Verlandung	116

7	**Der Wald als Ökosystem**	**119**
7.1	Definition und Struktur des Waldes	119
7.2	Waldentwicklung und Waldtypen	121
7.2.1	Waldfläche	121
7.2.2	Entwicklung der Wälder in der Schweiz	121
7.2.3	Forst	122
7.2.4	Wichtige Baumarten	122
7.2.5	Waldtypen	124
7.2.6	Sukzession	124
7.3	Stoffproduktion und die Nahrungspyramide im Wald	126
7.4	Bewohner des Waldes	128
7.4.1	Bewohner eines Buchen-Mischwalds	128
7.4.2	Artenreichtum und Stabilität	130
7.5	Wirkung und Bedeutung des Waldes	130
7.5.1	Lokalklima	131
7.5.2	Wasserhaushalt	131
7.5.3	Schutz gegen Erosion, Erdrutsche, Steinschlag und Lawinen	131
7.5.4	Luftfilter	132
7.5.5	Wälder als Senken für Kohlenstoffdioxid	132

TEIL C Mensch und Umwelt 133

	Einstieg	134
8	**Globale Umweltprobleme, Bevölkerungswachstum**	**135**
8.1	Der Mensch als Verursacher globaler Umweltprobleme	135
8.2	Bevölkerungsentwicklung	137
8.3	Ökologischer Fussabdruck	139
8.4	Steigender Bedarf und Verschleiss	141
8.4.1	Nahrungs- und Wasserverbrauch	142
8.4.2	Energieverbrauch	142
8.4.3	Güterproduktion	142
8.4.4	Überbauung und Verstädterung	142
8.5	Ziele und Instrumente des Umweltschutzes	143
8.5.1	Ziele des Umweltschutzes	143
8.5.2	Emissionen und Immissionen	143
8.5.3	Vorgehen	144
8.5.4	Grenzwerte	144
8.5.5	Massnahmen	144
8.5.6	Vorsorge	144
8.5.7	Verursacherprinzip	144
9	**Beschaffung von Wasser und Nahrung**	**146**
9.1	Wasser	146
9.1.1	Wasserverbrauch	146
9.1.2	Wasservorräte, Trinkwassergewinnung	147
9.1.3	Wassergewinnung	147
9.2	Nahrungsbedarf und Nahrungsproduktion	148
9.2.1	Agrarflächen	148
9.2.2	Zunahme der Nahrungsproduktion	148
9.3	Entwicklung der Landwirtschaft	150
9.3.1	Grüne Revolution	150
9.3.2	Von der Mosaiklandschaft zu Monokulturen	151
9.3.3	Der Acker als künstliches Ökosystem	151
9.3.4	Mechanisierung und Globalisierung	151
9.3.5	Neue Sorten	152
9.3.6	Düngung und Überdüngung	153
9.3.7	Massentierhaltung	153
9.4	Pflanzenschutz	154
9.4.1	Chemische Schädlingsbekämpfung mit Pestiziden	154
9.4.2	Biologische Schädlingsbekämpfung	157
9.4.3	Biotechnische Schädlingsbekämpfung	158
9.4.4	Integrierter Pflanzenschutz	158
9.5	Biologische Landwirtschaft und Integrierte Produktion	158
9.5.1	Biologische Landwirtschaft	158
9.5.2	Integrierte Produktion (IP)	159

10	**Energieverbrauch**	**160**
10.1	Entwicklung des globalen Energieverbrauchs	160
10.2	Fossile Energie	161
10.2.1	Belastung der Umwelt durch Förderung und Transport	162
10.2.2	Belastung der Umwelt durch Verbrennungsprodukte	162
10.3	Kernenergie	167
10.4	Erneuerbare Energien	167
10.4.1	Übersicht	167
10.4.2	Biomasse	169
10.4.3	Wasserkraft	169
10.4.4	Sonnenenergie	169
10.4.5	Erdwärme	170
11	**Veränderungen von Ökosystemen und Biozönosen**	**171**
11.1	Landschaftsveränderungen	171
11.2	Veränderungen von Biozönosen	171
11.2.1	Ausrottung der Fleischfresser	172
11.2.2	Aussetzen neuer Arten	172
12	**Belastungen der Luft und Klimaveränderungen**	**175**
12.1	Grundlagen	175
12.1.1	Stockwerke der Atmosphäre	175
12.1.2	Bedeutung anthropogener Emissionen	175
12.1.3	Die wichtigsten globalen Luftbelastungen (Übersicht)	176
12.2	Veränderung des Erdklimas	177
12.2.1	Treibhauseffekt	177
12.2.2	Die beobachtete Klimaänderung	178
12.2.3	Ursachen der Klimaänderung	179
12.2.4	Prognosen für die Klimaentwicklung	183
12.2.5	Folgen der Klimaänderung	184
12.3	Smog	187
12.3.1	Wintersmog	187
12.3.2	Sommersmog und Ozon	187
12.4	Saurer Regen	190
12.4.1	Ursachen der sauren Niederschläge	190
12.4.2	Auswirkungen der sauren Niederschläge	190
12.5	Ozonabbau in der Stratosphäre	192
12.5.1	Bildung und Bedeutung der Ozonschicht	192
12.5.2	Abbau der stratosphärischen Ozonschicht	192
12.5.3	Das Ozonloch über der Antarktis	194
12.5.4	Folgen des Ozonabbaus	195
12.6	Luftqualität in der Schweiz (Bilanz)	196
13	**Belastungen von Gewässern und Böden**	**198**
13.1	Belastungen der Gewässer	198
13.1.1	Übersicht	198
13.1.2	Gewässergüteklassen und Selbstreinigung	198
13.1.3	Wasserverschmutzungen	199
13.2	Abwasserreinigung in der Kläranlage	202
13.2.1	Übersicht	202
13.2.2	Verschmutzungen vermeiden	205
13.3	Belastungen des Bodens	206
13.3.1	Aufbau und Funktionen des Bodens	206
13.3.2	Chemische Veränderungen und Verschmutzungen	207
13.3.3	Erosion, physikalische Belastungen und Veränderungen	209
TEIL D	**Anhang**	**211**
	Gesamtzusammenfassung	212
	Lösungen zu den Aufgaben	234
	Glossar	246
	Stichwortverzeichnis	259

Vorwort zur dritten Auflage

Die Ökologie ist heute ein populäres, in allen Medien präsentes Fachgebiet. Themen wie der Klimawandel, der CO_2-Anstieg, der Verlust der Artenvielfalt werden täglich diskutiert. Leider werden aber selten fundierte Kenntnisse vermittelt, entsprechend vage sind viele Diskussionen und Stellungnahmen zu ökologischen Themen. Dieses Buch soll Ihnen fundierte Informationen als Basis für Ihre persönliche Meinung und Ihre eigenen Entscheide liefern.

Die ersten zwei Teile des Buchs befassen sich mit den wissenschaftlichen Grundlagen der Ökologie. Der dritte Teil ist der angewandten Ökologie gewidmet und untersucht die Belastungen der Umwelt durch den Menschen und sucht Wege, sie zu vermindern. Viele dieser Belastungen sind global und gefährden die Umwelt in einem Ausmass, das auch für den Menschen schwerwiegende Folgen haben wird.

Wirtschaftliche Interessen und Trägheit verleiten zur Verharmlosung der anstehenden Probleme, während die Sorge um die Zukunft der Umwelt und der Menschen, aber auch Sensationslust und politisches Kalkül der Dramatisierung Vorschub leisten. Wir haben uns in unserem Buch um eine objektive Darstellung bemüht.

Inhalt und Aufbau

Das vorliegende Lehrmittel «Ökologie» setzt drei Schwerpunkte:

- Im Teil A befassen wir uns mit den allgemeinen Zielen und Fragestellungen der Ökologie. Wir beschreiben unbelebte (abiotische) Umweltfaktoren wie Temperatur, Licht und Wasser und betrachten deren Wirkung auf Pflanzen und Tiere in verschiedenen Lebensräumen. Daraufhin gehen wir auf die Beziehungen zwischen den Lebewesen ein und betrachten Beziehungen zwischen Artgenossen (innerartliche) und Beziehungen zwischen den Lebewesen verschiedener Arten (zwischenartliche). Wir befassen uns in diesem Teil auch mit Eigenschaften und Gesetzmässigkeiten von Populationen.
- Im Teil B geht es um ganze Ökosysteme und ihre Lebensgemeinschaften (Biozönosen), die aus vielen Populationen zusammengesetzt sind. Es werden verschiedene Stoffkreisläufe dargestellt und Zusammenhänge zwischen abiotischen Faktoren aufgezeigt. Nischenvielfalt und Stabilität des biozönotischen Gleichgewichts sind hier ebenfalls wichtige Themen. Anhand von zwei Beispielen, den Ökosystemen See und Wald, erfahren Sie, wie sich Naturflächen im Lauf der Zeit verändern und wie solche Sukzessionen verlaufen.
- Der Teil C ist der angewandten Ökologie gewidmet und behandelt die wichtigsten Fragen im Zusammenhang mit den Umweltveränderungen durch den Menschen. Dabei nehmen wir zwei verschiedene Perspektiven ein: Zunächst analysieren wir die Folgen, die das Wachstum der Bevölkerung und die verschiedenen menschlichen Aktivitäten für die Umwelt haben. In einem anderen Ansatz betrachten wir die Umweltbelastungen und ihre Folgen, geordnet nach Umweltbereich (Luft, Wasser, Boden) und Problemkreis (Klimaänderung, Smog, Ozonloch, Gewässerverschmutzung, Bodenerosion etc.). Im Zusammenhang mit den Prognosen für zukünftige Entwicklungen betrachten wir auch mögliche Gegenmassnahmen.

Auf der Internetseite www.compendio.ch/biologie finden Sie weitere Angaben zu den Inhalten dieses Lehrbuchs. An gleicher Stelle werden auch Korrekturen und Aktualisierungen zum Buch veröffentlicht.

Zur aktuellen Auflage

Das Lehrmittel erscheint in einem neuen, zeitgemässen und leserfreundlichen Layout. Die bewährten Grundlagenteile A und B wurden inhaltlich nicht verändert. Der Teil C «Mensch und Umwelt» wurde hingegen aufgrund des neuesten IPCC-Berichts des Zwischenstaatlichen Ausschusses über Klimaveränderung der Vereinten Nationen von 2014 aktualisiert.

In eigener Sache

Haben Sie Fragen oder Anregungen zu diesem Lehrmittel? Sind Ihnen Tipp- oder Druckfehler aufgefallen? Über unsere E-Mail-Adresse postfach@compendio.ch können Sie uns diese gerne mitteilen.

Zusammensetzung des Autorenteams

Dieses Lehrmittel wurde von Markus Bütikofer unter Mitarbeit von Oliver Lüde, Guido Rutz und Felix Zürcher verfasst. Die vorliegende dritte Auflage, namentlich der Teil C, wurde von Andrea Grigoleit und Guido Rutz überarbeitet.

Zürich, im Juni 2015

Markus Bütikofer, Autor,
Andrea Grigoleit, Redaktorin

TEIL A
Grundlagen, Biotop und Populationen

Einstieg

In Kapitel 1 befassen wir uns mit den Zielen und Fragestellungen der Ökologie. Sie lernen am Beispiel eines Teichs die wichtigsten ökologischen Grundbegriffe kennen und Sie erfahren, was der Begriff Umwelt für ein Lebewesen konkret bedeutet. Dabei erhalten Sie auch erste Einblicke in die verschiedenartigen Beziehungen zwischen den Lebewesen.

Das Kapitel 2 beschreibt «unbelebte» Umweltfaktoren wie Temperatur, Licht und Wasser. Diese abiotischen Ökofaktoren können die Entwicklung und das Leben der Lebewesen beeinflussen, beschränken und regulieren. Dabei sind neben den Höchst- und Tiefstwerten auch die täglichen und jährlichen Schwankungen von Bedeutung. Sie lösen periodische Vorgänge wie den Tag-Nacht-Rhythmus, die Balz der Vögel und das Blühen der Blütenpflanzen aus. Neben den grundsätzlichen Fragen zur Wirkung abiotischer Faktoren werden wir die Wirkung der Faktoren Temperatur, Licht und Wasser auf Pflanzen und Tiere in verschiedenen Lebensräumen (Luft, Wasser, Boden) betrachten.

Die Beziehungen zwischen den Lebewesen sind das Thema des Kapitels 3. Wir unterscheiden Beziehungen zwischen Artgenossen (innerartliche) und Beziehungen zwischen den Lebewesen verschiedener Arten (zwischenartliche). Gleichartige Lebewesen arbeiten z. B. bei der Versorgung der Nachkommen zusammen, kommen sich aber auch in die Quere, weil sie dieselben Ansprüche stellen. Ihr Zusammenleben wird oft durch eine Rangordnung oder durch die Verteilung auf Reviere geregelt.

Auch Lebewesen von zwei verschiedenen Arten können Konkurrenten sein. Die Arten haben sich aber im Verlauf der Stammesgeschichte so spezialisiert, dass Arten, die im gleichen Lebensraum leben, unterschiedliche Ansprüche stellen, oder umgekehrt formuliert: In einem Lebensraum leben nie zwei Arten mit sehr ähnlichen oder gleichen Ansprüchen. Weil von zwei Arten in der Regel eine konkurrenzstärker ist und mehr Nachkommen hat, verdrängt sie ihre Konkurrenten. Lebewesen unterschiedlicher Arten können sich auch in einer Räuber-Beute- oder in einer Wirt-Parasit-Beziehung gegenüberstehen oder sie können als Partner in einer Symbiose zum gegenseitigen Nutzen kooperieren.

Die Lebewesen einer Art, die im gleichen Lebensraum leben und sich miteinander fortpflanzen könnten, bilden eine Fortpflanzungsgemeinschaft (Population). Eine Population ist mehr als eine Ansammlung von gleichartigen Individuen, sie funktioniert und wächst nach bestimmten Gesetzmässigkeiten. Mit diesen befassen wir uns im Kapitel 4. Da sich die Individuen einer Population in der Regel in ihren Eigenschaften leicht unterscheiden, bilden sich durch die geschlechtliche Fortpflanzung laufend Varianten mit neuen Eigenschaftskombinationen, von denen einige vielleicht bessere Überlebenschancen haben als andere. Die Population passt sich der Umwelt an, indem die besser angepassten Individuen mehr Nachkommen haben. Je grösser die Vielfalt der Varianten, umso höher sind Überlebenschancen der Population, wenn sich die Bedingungen ändern.

Das Wachstum einer Population ist abhängig von der Differenz zwischen der Zahl der Geburten und der Zahl der Todesfälle. Steht einer Population alles, was sie braucht, ausreichend zur Verfügung, wächst sie immer schneller und unbegrenzt. In der Natur ist das aber höchstens für eine beschränkte Zeit möglich, weil früher oder später ein Faktor, z. B. die Nahrung, knapp wird und limitierend wirkt. Dann erreicht die Dichte der Population ein Maximum und das Wachstum endet. Die Dichte von Räubern und Parasiten ist von der Dichte ihrer Beute bzw. Wirte abhängig.

1 Grundlagen

Lernziele	Nach der Bearbeitung dieses Kapitels können Sie … • die Begriffe Ökologie, Biotop, Biozönose, Population definieren und an Beispielen erklären. • an einem Beispiel darlegen, was zur Umwelt eines Lebewesens gehört.
Schlüsselbegriffe	Biotop, Biozönose, Ökologie, Ökosystem, Population, Umwelt

Leitwissenschaft — Die Ökologie war ursprünglich ein Teilgebiet der Biologie, hat sich aber über deren Rahmen hinaus entwickelt. Ökologische Modelle und Sichtweisen finden heute auch in den Geistes- und Wirtschaftswissenschaften Anwendung. Als «ökologisch» bezeichnet man auch hier eine ganzheitliche Betrachtung, die möglichst viele Zusammenhänge berücksichtigt.

1.1 Fragen und Ziele der Ökologie

Definition — Ökologie[1] ist die Wissenschaft vom Haushalt der Natur. Sie befasst sich mit den Beziehungen zwischen den Organismen und ihrer belebten und unbelebten Umwelt sowie mit dem Stoff- und Energiehaushalt der Erde und ihrer Ökosysteme.

Zusammenhänge — Die Ökologie untersucht die Beziehungen zwischen den Lebewesen und die Gemeinschaften, die sie bilden. Diese sind mehr als Ansammlungen von Organismen, denn auch hier gilt wie innerhalb der Lebewesen: Das Ganze ist mehr als die Summe seiner Teile. Nicht alle Erkenntnisse über das Ganze lassen sich aus den Eigenschaften der Teile ableiten. Wie die Gemeinschaft der Lebewesen eines Waldes «funktioniert», hängt zwar mit den Eigenschaften der Einzellebewesen zusammen, lässt sich aber nicht aus diesen ableiten.

Interdisziplinär — Die Ökologie ist interdisziplinär. Sie setzt das Wissen der klassischen Biologie über die Lebewesen voraus, arbeitet mit anderen biologischen Disziplinen wie Evolutionsbiologie und Genetik zusammen und ist auf Fakten aus Geografie, Physik und Chemie angewiesen. In der angewandten Ökologie, die sich mit den Belastungen der Umwelt und mit der Lösung von Umweltproblemen befasst, spielen auch technische, soziale, ökonomische, juristische und politische Aspekte eine wesentliche Rolle.

Ökonomisch? — Ökologische Erkenntnisse zeigen uns oft die negativen Folgen menschlicher Aktivitäten auf und führen zu Auseinandersetzungen über Notwendigkeit, Nutzen und Realisierbarkeit von Gegenmassnahmen. Oft widersprechen oder konkurrenzieren sich ökologische und ökonomische Forderungen und führen zu einer Polarisierung, die eine sachliche Darstellung der Fakten erschwert.

Schlagworte — Bei der Popularisierung ökologischer Erkenntnisse werden leider viele Fachbegriffe ungenau verwendet. In Diskussionen zu ökologischen Themen dominieren oft Schlagworte und Allgemeinplätze. Die Tatsache, dass sich komplexe ökologische Systeme nicht so exakt beschreiben lassen wie einfache Objekte, darf nicht zu vagen oder ungesicherten Aussagen verleiten.

Zusammenfassung — Die Ökologie befasst sich mit den Beziehungen zwischen den Organismen und ihrer belebten und unbelebten Umwelt sowie mit dem Stoff- und Energiehaushalt der Erde und ihrer Ökosysteme. Die angewandte Ökologie analysiert die Belastungen der Umwelt und sucht Lösungen für die meist vom Menschen verursachten Umweltprobleme.

---

[1] Gr. *oikos* «Haus».

1.2 Lebewesen und Umwelt

Zur Einführung wichtiger Grundbegriffe betrachten wir einen Teich mit seinen Bewohnern aus der Perspektive eines Wasserfrosches.

Ökosystem — Ein Teich ist ein mehr oder weniger deutlich abgegrenzter Bereich, in dem bestimmte Bedingungen herrschen und der viele verschiedenartige Lebewesen beherbergt. Wir nennen einen solchen Bereich mit all seinen Bewohnern und Bedingungen ein Ökosystem. Im Ökosystem unterscheiden wir Biotop und Biozönose:

Biotop
- Das Biotop[1] ist der Lebensraum, der durch Faktoren wie Wasser, Licht, Temperatur, Bodenqualität etc. charakterisiert ist.

Biozönose
- Die Biozönose ist die Gemeinschaft aller Lebewesen, die im Ökosystem leben. Neben Pflanzen und Tieren gehören zur Biozönose auch Mikroorganismen wie Einzeller und Bakterien.

[Abb. 1-1] Ein Teich als Ökosystem

Ein Teich ist ein Ökosystem, in dem bestimmte Bedingungen herrschen (Biotop) und das viele verschiedenartige Lebewesen (Biozönose) beherbergt. Bild: © Markus Bütikofer

Abgrenzung — Obwohl ein Teich in der Regel weder einen Zu- noch einen Abfluss hat, ist seine Biozönose nicht völlig isoliert. Samen von Pflanzen werden vom Wind oder von Tieren zu- und weggetragen. Insekten, die sich aus den Larven im Wasser entwickeln, fliegen weg, während andere zur Eiablage zufliegen. Kröten, Frösche und Krebse wandern aus und ein. Eier und kleine Wasserbewohner reisen im Gefieder von Vögeln. Selbst die festsitzenden Muscheln können als Larven von Vögeln in andere Gewässer getragen werden.

Umwelt — Aus der Perspektive eines Wasserfrosches sieht der Teich sicher anders aus als für uns. Seine Umwelt besteht aus den Faktoren des Biotops und der Bizönose, die sein Leben bestimmen oder mindestens beeinflussen. Man bezeichnet die Einflüsse der Biozönose, d. h. der anderen Lebewesen, als biotische Faktoren. Die Faktoren des Biotops, die nicht von Lebewesen ausgehen, nennt man abiotisch. Wir betrachten einige dieser Faktoren.

[1] Gr. *bios* «Leben», gr. *topos* «Ort».

Abiotische Faktoren

Temperatur

Vom Faktor Temperatur ist der Frosch ganz direkt abhängig, denn er gehört zu den wechselwarmen Lebewesen, d. h., seine Körpertemperatur ändert sich mit der Umgebungstemperatur. Weil er bei tiefer Temperatur kalt, starr und inaktiv wird, zieht er sich im Herbst auf den Boden des Teichs zurück und kann nur überleben, wenn der Teich nicht bis zum Boden durchfriert.

Sauerstoff

Der Sauerstoffgehalt des Wassers ist für den Frosch v. a. im Winter wichtig, wenn er untergetaucht am Boden des Teichs überwintert und nur durch die Haut atmet. Auch für die Larven des Wasserfroschs, die als Kaulquappen im Wasser leben, ist der Sauerstoffgehalt entscheidend, weil sie – wie Fische – durch Kiemen atmen. Der Sauerstoffgehalt des Wassers wirkt auch indirekt auf den Wasserfrosch, weil er auch Lebewesen beeinflusst, von denen der Wasserfrosch abhängig ist. So kann sich ein hoher Sauerstoffgehalt günstig auswirken, indem er das Nahrungsangebot erhöht, oder ungünstig, indem er Fische begünstigt, die Fressfeinde oder Konkurrenten sind.

Licht

Das Licht braucht der Frosch, der ähnliche Augen besitzt wie wir, zur Orientierung. Da das auch für seine Fressfeinde gilt, hat die Sonne aber auch ihre Schattenseiten. Zudem können die kurzwelligen UV-Strahlen des Lichts dem Frosch, der eine sehr dünne Haut besitzt, schaden. Das Licht wirkt sich für den Frosch auch indirekt aus, weil es das Wachstum der Wasserpflanzen beeinflusst.

Biotische Faktoren

Artgenossen

Von den biotischen Faktoren interessieren den Wasserfrosch sicher seine Artgenossen. Er braucht ja mindestens für die Fortpflanzung einen Partner oder eine Partnerin. Auch wenn ein Fressfeind auftaucht, erweisen sich die Artgenossen als nützlich, weil der Feind vielleicht einen von ihnen vorzieht. Weil alle Wasserfrösche dieselben Ansprüche stellen, kommen sie sich aber auch in die Quere. Sie stehen in Konkurrenz um Nahrung und Lebensraum. Damit die Konkurrenz z. B. beim Wettbewerb um die Weibchen nicht zu zerstörerischen Auseinandersetzungen führt, «kämpfen» die Männchen auf laute, aber friedliche Art mit ihrem Gequake.

Population

Die Wasserfrösche eines Teichs könnten sich – soweit das Geschlecht passt – theoretisch alle paaren: Sie bilden eine Fortpflanzungsgemeinschaft oder Population. Diese Population ist je nach Lage des Teichs von den Wasserfrosch-Populationen anderer Gewässer mehr oder weniger vollständig isoliert. Die Frösche einer Population stimmen in vielen Merkmalen überein, unterscheiden sich aber doch auch mehr oder weniger stark, weil ihr Erbgut etwas unterschiedlich ist. Jeder Frosch hat ein individuelles Erbgut und wird sich je nach Eigenschaften und Bedingungen mehr oder weniger stark fortpflanzen können. Ändern sich die Bedingungen, besteht die Chance, dass von den verschiedenen Varianten in der Population mindestens eine überlebt. Je grösser und variantenreicher die Population ist, umso grösser ist diese Chance und damit das Anpassungspotenzial der Population.

Nahrung

Von den anderen Lebewesen der Biozönose stehen Insekten, Insektenlarven, Würmer u. Ä. auf der Speisekarte des Wasserfroschs. Weil er andere Lebewesen frisst (konsumiert), gehört er zu den Konsumenten. Konsumenten sind heterotroph, d. h., sie ernähren sich von organischem Material. Ihre Nahrung muss Proteine (Eiweisse), Kohlenhydrate und Fette enthalten. Zuständig für die Produktion dieses organischen Materials sind die autotrophen Pflanzen, die man Produzenten nennt. Sie können in ihren Chloroplasten durch Fotosynthese mithilfe von Sonnenenergie aus Kohlenstoffdioxid und Wasser Zucker und Sauerstoff herstellen. Aus dem Zucker produzieren sie auch die Bausteine der anderen organischen Verbindungen, insbesondere die Aminosäuren als Bausteine der Proteine.

Je grösser das Angebot an Nahrung ist, umso besser geht es den Fröschen und ihren Nachkommen: Sie vermehren sich, die Froschpopulation wächst. Das kann sich negativ auf das Nahrungsangebot auswirken, was wiederum das Wachstum der Population verlangsamt. Ähnliches gilt auch für andere Umweltfaktoren: Das Wachstum der Froschpopulation wird durch die Umwelt reguliert.

Feinde, Parasiten

Zu den Lebewesen, die das Leben der Frösche entscheidend beeinflussen, gehören Feinde und Parasiten. Feinde wie der Graureiher, die Ringelnatter oder der Hecht fressen Frösche, Froscheier oder Kaulquappen. Parasiten wie Bakterien, Pilze oder Egel leben auf oder im Frosch und fügen ihm Schaden zu. Feinde und Parasiten sind – auch wenn der Frosch, der ihr Opfer wird, dies selber wohl nicht so sieht – nötig für die Population. Sie sorgen dafür, dass die Froschbevölkerung des Teichs nicht aus den Nähten platzt. Damit der Erfolg der Fressfeinde nicht zu gross wird, können sich die Frösche gegen sie schützen. So verderben Ausscheidungen der Hautdrüsen vielen Fressfeinden den Appetit oder sind sogar giftig. Gegenüber Schlangen, die auf die Bewegung der Beute reagieren, bewährt sich oft die Methode des Totstellens. Vor Parasiten wie Bakterien, die durch die dünne Haut leicht eindringen könnten, schützen sich die Frösche ebenfalls mit Stoffen, die sie durch die Haut ausscheiden.

[Abb. 1-2]   Die Umwelt des Wasserfroschs

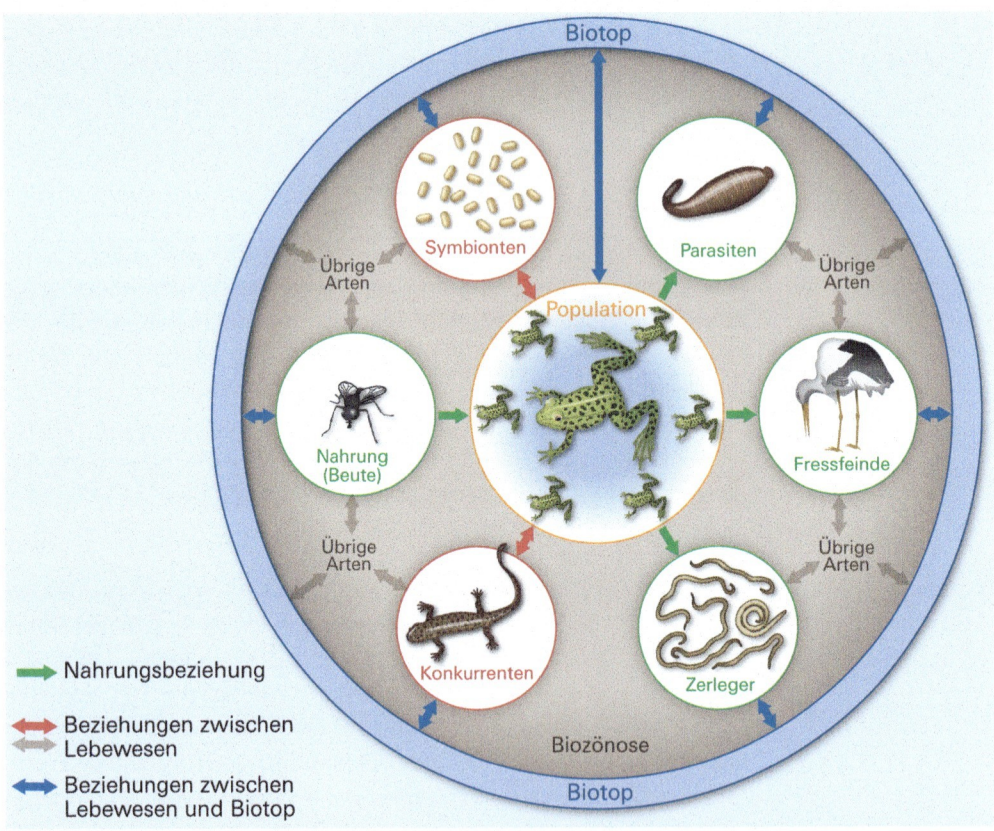

Destruenten

Etwas weniger auffällig, aber auf lange Sicht sehr wichtig sind für den Frosch und die ganze Biozönose die Lebewesen, die das beseitigen, was er ausscheidet. Sie sind heterotroph wie die Konsumenten, fressen aber nicht Lebewesen, sondern ihre Reste und Ausscheidungen. Weil sie das organische Material zerlegen und wieder in anorganische Stoffe umwandeln, nennt man sie Destruenten[1]. Im Idealfall ist die Zahl der Zerleger so gross, dass alles anfallende organische Material zerlegt und abgebaut wird.

Konkurrenten

Von den weiteren Populationen im Teich kommen dem Wasserfrosch einige als Konkurrenten um Nahrung oder Platz in die Quere. Am härtesten ist die Nahrungskonkurrenz durch andere Frosch- und Krötenarten. Sie kann so gross sein, dass eine Art die andere verdrängt. Das bedeutet aber in der Regel nicht, dass Tiere der einen Art Tiere der anderen Art angreifen und aktiv vertreiben. Die Verdrängung geschieht meist indirekt und langsam und basiert darauf, dass sich die eine Art stärker vermehrt, weil sie z. B. beim Nahrungserwerb

[1] Lat. *destruere* «zerstören», «zersetzen».

im Vorteil ist. Auf lange Sicht leben darum in einem Ökosystem nie zwei Arten mit den gleichen Ansprüchen.

Weitere Arten

Viele Arten der Biozönose scheinen für den Wasserfrosch auf den ersten Blick unwichtig. Bei genauer Betrachtung zeigt sich allerdings, dass eigentlich alle irgendwie von Bedeutung sind. So locken Blütenpflanzen, die weder der Frosch noch seine Larve frisst, Insekten an, die Beutetiere des Froschs sind. Eine hohe Dichte dieser Pflanzen ist also für den Frosch grundsätzlich günstig, kann sich aber auch negativ auswirken, indem sie die Vermehrung der Konkurrenten begünstigt. Das Moderlieschen, ein Fisch, der sich von Kleinlebewesen ernährt, ist weder ein Feind noch ein Konkurrent. Moderlieschen haben aber z. T. die gleichen Feinde wie der Frosch. Somit ist es für den Wasserfrosch günstig, wenn es viele Moderlieschen gibt, weil dann z. B. die Graureiher mehr Moderlieschen und weniger Wasserfrösche fressen.

Indirekte Wirkung

Durch die Beziehung zu anderen Arten wird auch die Antwort auf die Frage nach der Bedeutung eines abiotischen Faktors sehr schwierig. Es genügt ja nicht, zu beschreiben, wie sich die Temperatur auf die Froschpopulation auswirkt. Wir müssen auch die Wirkung auf andere Populationen und Umweltfaktoren in Rechnung stellen. So kann sich eine Erhöhung der Temperatur für den Wasserfrosch günstig auswirken, weil er aktiver wird. Vielleicht profitieren aber seine Konkurrenten und seine Feinde noch stärker, sodass der Wasserfrosch bei höherer Temperatur letztlich die schlechteren Karten hat. Zudem sinkt bei steigender Temperatur die Konzentration des im Wasser gelösten Sauerstoffs. Das kann sich auf die Frosch-Larven negativ auswirken. Es kann aber auch sein, dass die feindlichen Fische mehr darunter leiden, sodass die Überlebenschancen der Froschpopulation steigen.

Zusammenfassung

Ein Ökosystem ist ein mehr oder weniger deutlich abgegrenzter Bereich, in dem bestimmte Bedingungen herrschen und der viele verschiedenartige Lebewesen beherbergt. Ein Ökosystem besteht aus Biotop und Biozönose:

- Das Biotop ist der Lebensraum, der durch die abiotischen Faktoren wie Wasser, Licht, Temperatur, Bodenqualität etc. charakterisiert ist.
- Die Biozönose ist die Lebensgemeinschaft aller Lebewesen eines Ökosystems. Die von Lebewesen ausgehenden Einflüsse auf ein Individuum nennt man biotische Faktoren.

Die Umwelt eines Lebewesens umfasst die abiotischen Faktoren des Biotops und die biotischen Faktoren der Biozönose, die sein Leben beeinflussen. Zur Biozönose gehören Artgenossen, Beute, Feinde und Konkurrenten.

Aufgabe 1

Gartenteiche werden oft als «Biotope» bezeichnet. Warum ist das fachlich nicht korrekt?

Aufgabe 2

Welche der folgenden räuberischen Fischarten, die alle keine Wasserfrösche fressen, würden Sie sich, wenn Sie ein Wasserfrosch wären, in Ihrem Teich wünschen?

A] Fisch A, der Eier Ihrer Feinde frisst.

B] Fisch B, der Feinde Ihrer Konkurrenten frisst.

C] Fisch C, der Ihre Feinde bei der Alternativnahrung konkurrenziert.

D] Fisch D, der Ihre Konkurrenten frisst.

E] Fisch E, der eine Alternativbeute für Ihre Feinde ist.

2 Abiotische Ökofaktoren

Lernziele

Nach der Bearbeitung dieses Kapitels können Sie …

- die Wirkung abiotischer Faktoren und ihrer Schwankungen an Beispielen erklären.
- Toleranzkurven interpretieren und die Bedeutung der Kardinalpunkte und der ökologischen Potenz erörtern.
- an Beispielen erklären, was Zeigerorganismen sind.
- das Zusammenwirken mehrerer Ökofaktoren an Beispielen diskutieren und das Konzept des limitierenden Faktors erläutern.
- die Anpassung durch Modifikation bzw. durch Mutation und Selektion erklären.
- Wirkungen der Temperatur auf Pflanzen und Tiere an Beispielen beschreiben.
- die Unterschiede zwischen Gleichwarmen und Wechselwarmen aufzeigen.
- die Klimaregeln (die Bergmann'sche und die Allen'sche Regel) erläutern.
- Wirkungen des Lichts auf Pflanzen und Tiere an Beispielen beschreiben.
- Unterschiede zwischen Land- und Wassertieren erörtern.

Schlüsselbegriffe

abiotische Faktoren, Allen'sche Regel, Bergmann'sche Regel, Gleichwarme, Kardinalpunkt, limitierender Faktor, Modifikation, ökologische Potenz, Toleranzkurve, Wechselwarme

Abiotische Faktoren wie Temperatur, Licht und Wasser beeinflussen die Aktivitäten und die Leistungen der Lebewesen. Sie begrenzen die Existenz der Lebewesen und die Verbreitung einer Art.

2.1 Ökologische Potenz

2.1.1 Toleranzkurve und Kardinalpunkte

Toleranzkurve

Die direkte Wirkung eines abiotischen Ökofaktors auf ein Lebewesen bzw. eine Population wird experimentell ermittelt, indem man misst, wie sich eine bestimmte Leistung, z. B. das Wachstum oder die Fotosynthese, verändert, wenn der Wert des Ökofaktors geändert wird. Die grafische Darstellung der Messresultate ergibt die Toleranzkurve.

Toleranzbereich Kardinalpunkte

Abbildung 2-1 links zeigt die Toleranzkurve für die Wachstumsgeschwindigkeit junger Maispflanzen bei verschiedenen Temperaturen:

[Abb. 2-1] Toleranzkurven und Kardinalpunkte

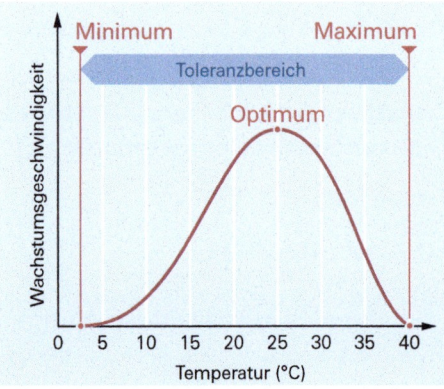 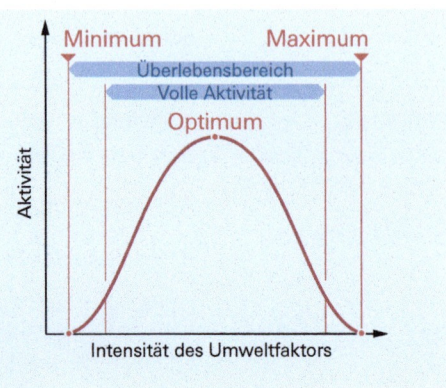

Toleranzkurve für die Wirkung der Temperatur auf das Wachstum junger Maispflanzen.   Toleranzkurve für die Aktivität einer Art.

Der Temperaturbereich, in dem die Pflanzen wachsen, heisst Toleranzbereich. Er liegt zwischen dem Minimum und dem Maximum. Innerhalb des Toleranzbereichs liegt das Optimum, bei dem das Wachstum am stärksten ist. Minimum, Optimum und Maximum werden als Kardinalpunkte eines Ökofaktors bezeichnet. Die Fähigkeit eines Lebewesens, Schwankungen eines Umweltfaktors innerhalb des Toleranzbereichs zu ertragen, nennt man ökologische Potenz.

Aktivitätsbereich < Überlebensbereich

Am genausten lässt sich der Einfluss eines Ökofaktors auf messbare Leistungen wie Stoffwechsel, Fotosynthese, Wachstum, Entwicklungsdauer etc. ermitteln. Praktisch relevant sind Kurven, die zeigen, in welchem Bereich eine Art leben kann und wo ihre Aktivitäten am höchsten sind. In einer solchen Kurve entspricht der Toleranzbereich dem Bereich, in dem das Lebewesen überlebt. Unter dem Minimum und über dem Maximum stirbt es. Innerhalb des Toleranzbereichs liegt das Optimum, bei dem die Aktivitäten am höchsten sind. Bei vielen Lebewesen ist der Bereich, in dem sie überleben, grösser als der Bereich, in dem sie voll aktiv sind und sich auch fortpflanzen (vgl. Abb. 2-1 rechts).

Einfluss anderer Faktoren

Da die Wirkung eines Faktors von anderen Faktoren abhängig sein kann, können sich die Form der Kurve und die Lage der Kardinalpunkte ändern, wenn sich einer dieser Ökofaktoren ändert. So ist z. B. die Optimaltemperatur meist von der Luftfeuchtigkeit abhängig. Bei der Ermittlung der Wirkung eines Ökofaktors müssen darum alle anderen Faktoren konstant sein (vgl. Kap. 2.1.6, S. 19).

2.1.2 Unterschiede in der ökologischen Potenz

Euryök – stenök

Der Toleranzbereich für einen Ökofaktor ist bei verschiedenen Arten sehr unterschiedlich breit (vgl. Abb. 2-2). Arten mit grosser ökologischer Potenz nennt man euryök[1], Arten mit kleiner ökologischer Potenz stenök[2]. Gilt die Aussage nur für einen Faktor, wird die Vorsilbe eury- oder steno- der Bezeichnung des Faktors vorangestellt, z. B. für die Temperatur eurytherm und stenotherm. Wie Sie aus Abbildung 2-2 ersehen, unterscheiden sich verschiedene Arten ausser in der Breite des Toleranzbereichs auch in der Lage des Optimums.

[Abb. 2-2]   Ökologische Potenz

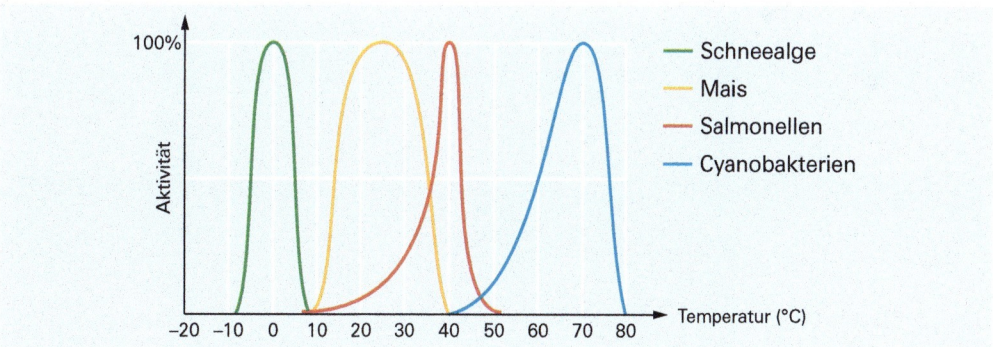

Aktivitätskurven von vier Arten mit unterschiedlicher ökologischer Potenz und unterschiedlichem Optimum für die Temperatur.

- Die Schneealge ist stenotherm, sie hat eine geringe Temperaturtoleranz. Ihr Optimum liegt bei tiefer Temperatur. Die Art kann also nur in kalten Gebieten leben.
- Der Mais hat auch eine hohe Temperaturtoleranz und eine mittlere Optimaltemperatur, ist aber fast im ganzen Bereich voll aktiv. Seine Temperaturansprüche werden in vielen Gebieten der Erde erfüllt.

---

[1] Gr. *eury* «breit».
[2] Steno-ök, gr. *stenos* «eng».

- Salmonellen sind Parasiten (v. a. bei Vögeln), die nur in einem kleinen Temperaturbereich von ca. 5 °C im Bereich der Körpertemperatur ihres Wirts voll aktiv sind, ihr Toleranzbereich ist aber mit 40 °C relativ gross.
- Die Cyanobakterien haben eine relativ grosse Temperaturtoleranz im Bereich von über 40 °C, ihr Optimum liegt bei 70 °C. Sie kommen in Heisswasserquellen vor.

2.1.3 Verbreitung, Zeigerarten

Verbreitungsgebiet

Die ökologische Potenz bestimmt die mögliche Verbreitung. Euryöke Arten haben ein grosses potenzielles Verbreitungsgebiet, stenöke ein kleines. Das heisst aber nicht, dass man jede Art dort findet, wo die Bedingungen für sie am günstigsten wären, denn die Verbreitung wird auch durch die Konkurrenz zwischen den Lebewesen limitiert. Das effektive Verbreitungsgebiet einer Art hängt davon ab, wie gut sie sich in der Konkurrenz gegen andere Arten durchsetzt. Nur konkurrenzstarke Arten leben an ihren Lieblingsplätzen.

Aus der Verbreitung einer Art kann also auf ihre Toleranz, aber nicht auf ihr Optimum geschlossen werden. Der Bereich, in dem man eine Art antrifft, muss nicht ihr bevorzugter Lebensraum sein. So findet man die Föhre häufig auf schlechten Böden, obwohl sie keine besondere Vorliebe für diese hat. Sie kommt hier vor, weil sie auf besseren Böden keine Chance hat gegen konkurrenzstärkere Arten.

Zeigerarten

Obwohl die Verbreitung einer Art von vielen Faktoren beeinflusst wird, verrät das Vorkommen von Arten mit geringer Toleranz für einen Faktor etwas über den Standort. Wir nennen solche Arten darum Zeigerarten oder Bioindikatoren[1].

Zeigerpflanzen

- Zeigerpflanzen weisen auf bestimmte Eigenschaften des Bodens hin:
    - Brennnessel und Blacke (Wiesenampfer) sind Stickstoffzeiger.
    - Heidekraut und Heidelbeere gedeihen auf sauren Böden.
    - Salbei und Huflattich bevorzugen alkalische Böden.
- Flechten geben Aufschluss über die Luftverschmutzung.
- Gewisse Wasserbewohner geben Hinweise auf die Wasserqualität (vgl. Kap. 13.1, S. 198).

[Abb. 2-3] Zeigerpflanzen

Die Brennnessel ist eine Zeigerpflanze für stickstoffreiche Böden. Bild: © Markus Bütikofer

[1] Lat. *indicator* «Anzeiger».

2.1.4 Zeitliche Schwankungen

Zeitliche Variation

Die meisten Ökofaktoren schwanken im Verlauf der Zeit mehr oder weniger stark. Die Bedeutung dieser Schwankungen für ein Lebewesen hängt u. a. von seiner Lebensdauer ab. So ist eine einwöchige Kälteperiode für eine Kuh zwar unangenehm, aber weniger fatal als für ein Insekt, das nur eine Woche lebt.

Viele Faktoren schwanken periodisch, z. B. im Verlauf eines Tages oder eines Jahres.

- Die tageszeitliche Periodik kann die Aktivitäten eines Lebewesens bestimmen und steuern. Denken Sie an den Tag-Nacht-Rhythmus bei Mensch und Tier oder an die Pflanzen, die nur bei genügend Licht Fotosynthese machen können.
- Die jahreszeitliche Periodik kann die Entwicklung mitbestimmen. So blühen Pflanzen bei einer bestimmten Tageslänge und Tiere richten sich bei ihrer Fortpflanzung nach den Jahreszeiten.

2.1.5 Dauerstadien

Überleben

Viele Lebewesen überdauern Perioden mit ungünstigen Bedingungen, indem sie ihre Aktivitäten vermindern. Der Toleranzbereich, in dem sie überleben, ist wesentlich grösser als der Bereich, in dem sie aktiv sind.

In unseren Breiten zeigt sich das v. a. im Winter (vgl. Kap. 2.2.4, S. 28). Einjährige Pflanzen überwintern als Samen, bei mehrjährigen Stauden überwintern meist nur unterirdische Teile wie Wurzeln oder Knollen. Manche Tiere fallen in eine Winterstarre oder machen einen Winterschlaf.

Kleine Wasserbewohner wie Fadenwürmer oder Rädertierchen bilden beim Austrocknen ihres Gewässers Dauerstadien, die auch extreme Bedingungen überdauern. So überleben die Dauerstadien der Bärtierchen Temperaturen von 90 °C und –200 °C.

Auch Bakterien und viele Parasiten bilden Dauersporen mit dicker Hülle. Ihr Wassergehalt ist sehr tief und die Lebensvorgänge laufen extrem langsam ab.

2.1.6 Zusammenwirken von Ökofaktoren

Zusammenwirken

Die Wirkung eines Ökofaktors ist von anderen Faktoren abhängig. Die Kardinalpunkte und die Toleranzkurve eines Faktors können sich ändern, wenn sich ein anderer Faktor ändert. So ist die Wirkung der Temperatur auf die Entwicklung der Eier des Kiefernspinners von der relativen Luftfeuchtigkeit abhängig und umgekehrt (vgl. Abb. 2-4).

Der Toleranzbereich für zwei Faktoren bildet im Diagramm eine Fläche.

[Abb. 2-4]   Wirkung von zwei Ökofaktoren

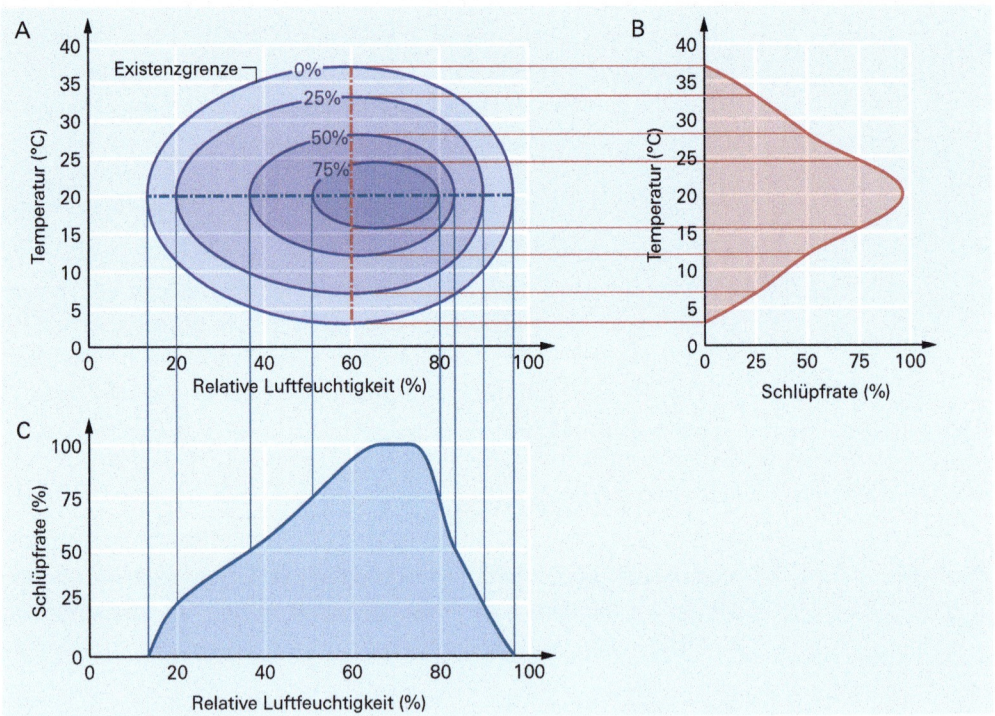

Die Abbildung zeigt die Wirkung der Temperatur und der relativen Luftfeuchtigkeit auf den Anteil der Kiefernspinner-Eier, die sich erfolgreich entwickeln. B und C illustrieren, wie das zweidimensionale Diagramm A zu lesen ist. B zeigt den Einfluss der Temperatur bei einer relativen Luftfeuchtigkeit von 60%, C zeigt den Einfluss der relativen Luftfeuchtigkeit bei einer Temperatur von 20 °C.

Ökologische Nische

Der Toleranzbereich für drei Faktoren ist in einem dreidimensionalen Diagramm ein Quader (vgl. Abb. 2-5). Der Toleranzbereich, der alle für eine Art relevanten Umweltfaktoren berücksichtigt, wird als ökologische Nische bezeichnet. Mehr dazu in Kapitel 3.2.2, S. 48.

[Abb. 2-5]   Toleranzbereiche der Arten X und Y für drei Ökofaktoren

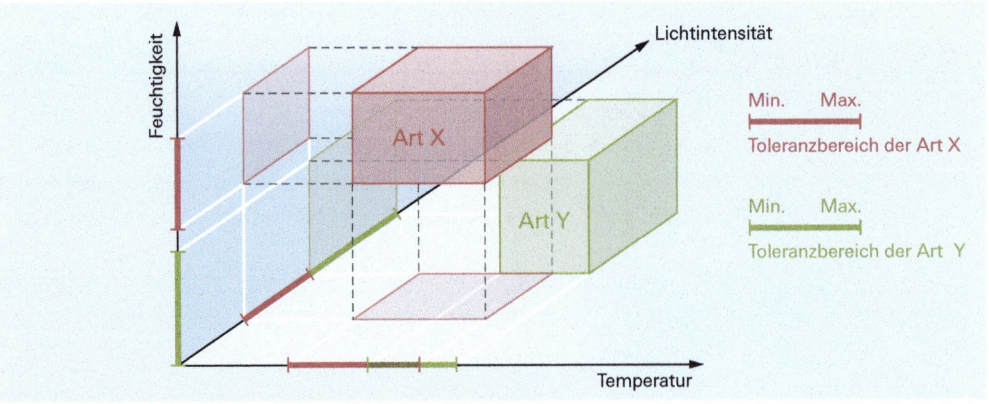

Die Quader beschreiben die von den drei Ökofaktoren Temperatur, Feuchtigkeit und Lichtintensität gebildeten Toleranzbereiche der beiden Arten X und Y.

2.1.7   Limitierender Faktor

Relative Wirkung

Welche Bedeutung und welchen Stellenwert ein Ökofaktor für ein Lebewesen in der Natur hat, ist wegen der Vielzahl der Faktoren und wegen ihrer gegenseitigen Beeinflussung schwer festzustellen. Wie das Beispiel des Kiefernspinners in Abbildung 2-6 illustriert, ist die relative Wirkung eines Faktors umso stärker, je weiter sein Wert vom Optimum entfernt ist. Je näher der Wert dem Optimum kommt, umso weniger bringt seine Optimierung. Nach dem Konzept des limitierenden Faktors ist darum die Aktivität einer Population von dem Faktor abhängig, der vom Optimum am weitesten entfernt ist: Er limitiert die Aktivität. Wird sein Wert optimiert, wirkt ein anderer Faktor limitierend.

[Abb. 2-6]   Relative Wirkung eines Ökofaktors

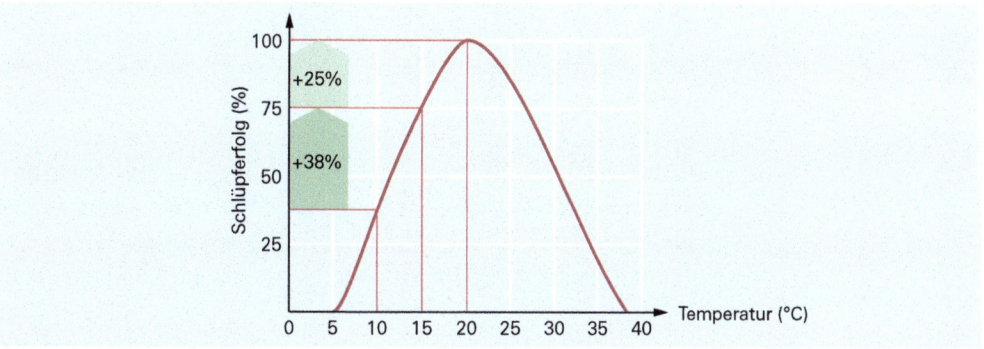

Eine Temperaturerhöhung um 5 °C erhöht beim Kiefernspinner den Schlüpferfolg, d. h. den Anteil der Eier, die sich erfolgreich entwickeln, bei 10 °C um 38%, bei 15 °C nur um 25%.

Limitierender Faktor

Die Aktivität, die ein Lebewesen bei einem bestimmten Wert des limitierenden Faktors zeigt, lässt sich meist auch durch andere Faktoren etwas beeinflussen. Das Konzept des limitierenden Faktors ist eine Vereinfachung und dient dazu, herauszufinden, welche von den vielen Faktoren, die auf ein Lebewesen einwirken, relevant sind.

Minimumgesetz

Als Beispiel für die limitierende Wirkung eines Faktors betrachten wir den Einfluss der Mineralsalzkonzentration auf das Wachstum einer Pflanze, der schon 1840 von Justus von Liebig durch das Gesetz des Minimums beschrieben wurde. Unter der Voraussetzung, dass die anderen Ökofaktoren (Temperatur, Licht etc.) ausreichend zur Verfügung stehen, richtet sich das Wachstum einer Pflanze nach dem Mineralstoff, der im Minimum vorhanden ist. Im Minimum bedeutet aber nicht in kleinster Menge. Im Minimum ist der Mineralstoff, dessen Konzentration vom Optimum am weitesten entfernt ist. Auf Feldern und Äckern ist das häufig der Stickstoff (in Form von Nitrat oder Ammonium), obwohl er meist in höherer Konzentration vorliegt als andere Mineralstoffe.

Entscheidend ist aber nicht die Konzentration, sondern die Abweichung des Angebots vom Optimum. Für die Algen in einem See ist meist der Phosphor (in Form von Phosphat) im Minimum. Darum erhöht die Zufuhr von Phosphaten das Algenwachstum drastisch.

Maximumfaktor

Auch ein Faktor, dessen Wert zu hoch ist, wie eine hohe Temperatur, kann limitierend sein.

2.1.8   Indirekte Wirkungen

Ökofaktoren wirken auch indirekt über andere Arten auf eine Population. So beeinflusst die Temperatur auch Feinde, Beute und Konkurrenten. Das zeigt sich z. B. im Winter, wenn auch Tiere, die von der Aussentemperatur weitgehend unabhängig sind, Probleme haben, weil sie kein Futter finden. So können Störche bei uns nicht überwintern, weil die Nahrung fehlt. Auch die Zahl der Konkurrenten wird von den Ökofaktoren beeinflusst und ist i. A. umso kleiner, je extremer die abiotischen Bedingungen sind.

2.1.9   Anpassungen der Lebewesen an abiotische Faktoren

Lebewesen können auf ungünstige Bedingungen reagieren, indem sie diesen ausweichen oder indem sich ihr Bau und ihre Leistungen anpassen. Die Anpassung kann

- kurzfristig durch individuelle Anpassung (Modifikation, Akklimatisierung) oder
- langfristig durch Mutation und Selektion geschehen.

Individuelle Anpassung (Modifikation, Akklimatisierung)

Modifikationen

Ein Lebewesen kann sich ökologischen Faktoren anpassen, indem bestimmte Leistungen bzw. Körperteile trainiert werden. Auch das individuelle Verhalten kann sich anpassen, z. B., indem ein Tier lernt, wo die Bedingungen zu einer bestimmten Zeit günstig sind. Solche Anpassungen einzelner Lebewesen werden nicht vererbt, weil sich das Erbgut nicht verändert. Es sind Modifikationen. Diese können im Leben eines Organismus bleibend oder vorübergehend sein: Bleibende Modifikationen zeigen z. B. Pflanzen, die ihre Gestalt dem Standort anpassen. So hat eine Fichte im Waldesinneren eine andere Gestalt als eine frei stehende. Beispiele für vorübergehende Modifikationen sind:

- Einige Tiere passen ihre Farbe der Umgebung an (vgl. Abb. 2-8).
- Der Mensch passt sich bei einem Aufenthalt in grosser Höhe der geringeren Sauerstoffkonzentration an, indem er mehr rote Blutkörperchen bildet.
- Viele Lebewesen passen sich der Umgebungstemperatur an. Der Toleranzbereich verschiebt sich bei dieser Akklimatisierung entsprechend (vgl. Abb. 2-7).

[Abb. 2-7] Veränderung der Toleranzkurve durch Akklimatisierung

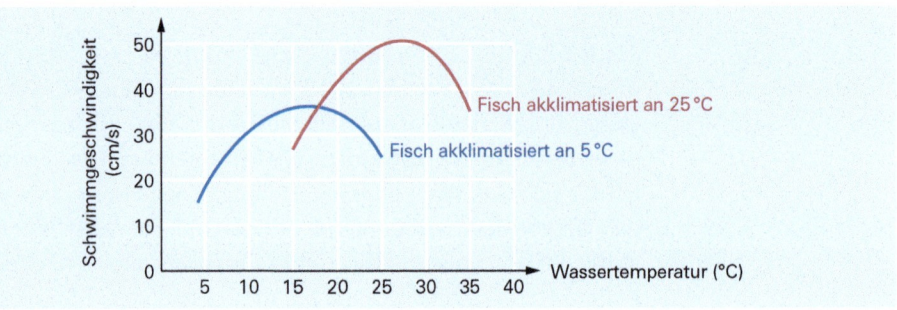

Die Schwimmgeschwindigkeit des Goldfischs ist von der Wassertemperatur abhängig. Der Toleranzbereich eines Goldfischs, der vor dem Versuch bei 25 °C gehalten wurde, liegt 10 °C höher als der Toleranzbereich des Fischs, der bei 5 °C gehalten wurde.

Anpassung der Population durch Mutation und Selektion

Mutation und Selektion

Anpassungen, die an die Nachkommen vererbt werden, beruhen auf Mutation und Selektion und führen zur Veränderung der Population. Die Individuen einer Population unterscheiden sich in der Regel in ihrem Erbgut und ihren Eigenschaften etwas. Die Unterschiede sind die Folge von Mutationen und Rekombination. Mutationen sind zufällige Veränderungen des Erbguts, die irgendwann stattgefunden haben, und die Rekombination geschieht durch die geschlechtliche Fortpflanzung, bei der aus dem Erbgut der beiden Eltern neue Kombinationen gebildet werden.

Individuelles Erbgut

Jedes durch geschlechtliche Fortpflanzung entstandene Individuum hat ein individuelles Erbgut und entsprechende Stärken und Schwächen. Von den vielen Varianten einer Population kann die Umwelt die einen bevorzugen und die anderen benachteiligen (Selektion). Die Population passt sich der Umwelt an, indem die besser angepassten Vertreter länger leben und aktiver sind und darum mehr Nachkommen haben. Dadurch steigt der Anteil der Lebewesen mit den erfolgreichen Erbanlagen.

Beachten Sie aber: Kein Ökofaktor kann eine bestimmte Veränderung des Erbguts und damit eine aktive und zielgerichtete Anpassung auslösen. Es gibt zwar Ökofaktoren, wie die UV-Strahlen, die Mutationen auslösen, aber was sich dabei verändert, ist zufällig. Die Ökofaktoren bewirken nicht bestimmte Veränderungen, sondern sie selektionieren, d. h., sie begünstigen die Varianten, die besser angepasst sind, und / oder benachteiligen die anderen.

[Abb. 2-8]   Modifikation und Mutation

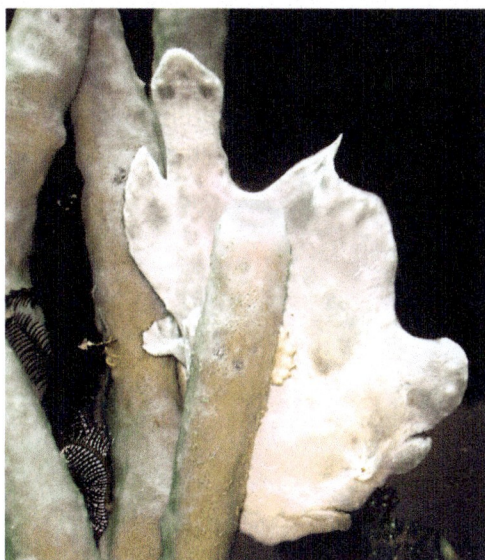 

Der weisse Anglerfisch hat seine Farbe dem weissen Schwamm, auf dem er sitzt, angepasst (vorübergehende Modifikation). Demgegenüber verdankt das weisse Wallaby seine Fellfarbe einer Mutation und hat sie auch an seinen Nachkommen (im Beutel) vererbt. Bild links: © Daniel76, Dreamstime.com; Bild rechts: © Tjenner, Dreamstime.com

Variabilität

Die Chance, dass sich eine Population an die Veränderung eines Ökofaktors anpassen kann, ist umso höher, je grösser die Zahl und die Vielfalt der Varianten in der Population sind. Entscheidend dafür ist neben der Grösse der Population die Variabilität, d. h. die genetische Vielfalt in der Population. Darum sollen Naturschutzgebiete eine gewisse Grösse haben und möglichst so miteinander vernetzt sein, dass ein Austausch zwischen ihren Populationen möglich ist.

Kulturpflanzen und Nutztiere

Die vom Menschen gezüchteten künstlichen Populationen von Kulturpflanzen und Nutztieren sind genetisch sehr einheitlich und variantenarm. Sie haben praktisch kein Anpassungspotenzial.

Weil viele Kulturpflanzen vegetativ vermehrt werden, sind ihre Individuen genetisch identisch. Sie haben alle dieselben Stärken und Schwächen und gehen bei einer ungünstigen Änderung der Bedingungen alle ein.

Nutztiere können zwar nicht vegetativ vermehrt werden, sind aber oft nahe verwandt. So haben beim Milchvieh Tausende von Kälbern den gleichen Vater, weil bei der künstlichen Befruchtung nur wenige Stiere als Spermienspender verwendet werden.

2.1.10 Übersicht

Die abiotischen Faktoren können in drei Gruppen eingeteilt werden:

- **Klima:** z. B. Licht, Wasser, Temperatur, Zusammensetzung der Luft, Wind
- **Lage:** z. B. Höhenlage, Raumstruktur, Exposition
- **Boden:** z. B. Bodenart, Mineralsalzgehalt, mechanische Eigenschaften

Abbildung 2-9 gibt Ihnen eine Übersicht über wichtige abiotische Faktoren einer Landpflanze. Wir beschränken uns im Folgenden auf Temperatur, Licht und Wasser.

[Abb. 2-9] Abiotische Umweltfaktoren für eine Landpflanze (Übersicht)

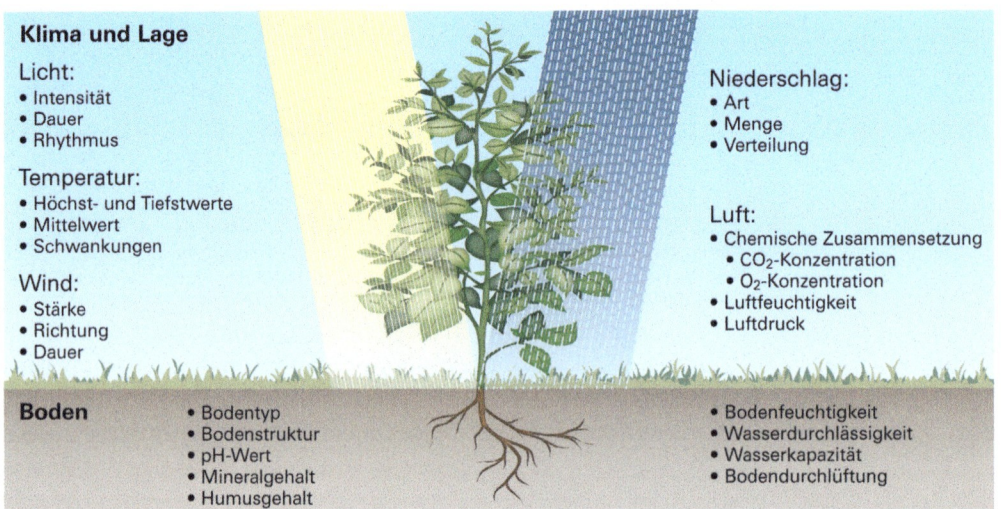

Zusammenfassung

Abiotische Faktoren wie Temperatur, Licht, Wasser etc. beeinflussen die Entwicklung und die Aktivitäten der Lebewesen. Werte unter dem Minimum oder über dem Maximum führen zum Tod. Der Bereich dazwischen heisst Toleranzbereich, der ideale Wert Optimum. Die Fähigkeit einer Art, Schwankungen eines Umweltfaktors innerhalb des Toleranzbereichs zu ertragen, heisst ökologische Potenz. Arten mit grosser ökologischer Potenz nennt man euryök (z. B. eurytherm), Arten mit kleinem Toleranzbereich stenök (z. B. stenotherm).

Die ökologische Potenz bestimmt die mögliche Verbreitung. Euryöke Arten haben ein grosses potenzielles Verbreitungsgebiet, stenöke ein kleines. Das effektive Verbreitungsgebiet einer Art hängt davon ab, wie gut sie sich in der Konkurrenz mit anderen Arten durchsetzt. Bioindikatoren oder Zeigerarten sind Arten mit geringer Toleranz für einen bestimmten Faktor. Ihr Vorkommen weist auf eine bestimmte Eigenschaft des Standorts hin.

Die periodischen Schwankungen eines Ökofaktors im Verlauf eines Tages oder eines Jahres können die Aktivität und die Entwicklung einer Art steuern. Viele Arten können ungünstige Zeiten als Ruhe- oder Dauerstadium überleben. Der Toleranzbereich, der durch alle für eine Art relevanten Umweltfaktoren definiert ist, wird als ökologische Nische der Art bezeichnet.

Der Einfluss eines Faktors auf ein Lebewesen ist umso stärker, je weiter sein Wert vom Optimum entfernt ist. Die Aktivitäten eines Lebewesens werden durch den Faktor limitiert, der vom Optimum am weitesten entfernt ist (Minimumfaktor, limitierender Faktor).

Ökofaktoren wirken auch indirekt über andere Arten auf eine Population. So beeinflusst die Temperatur auch Feinde, Beute und Konkurrenten. Lebewesen können sich den Umweltbedingungen durch Modifikation oder durch Mutation und Selektion anpassen:

- Modifikationen entstehen, indem bestimmte Leistungen bzw. Körperteile oder Verhaltensweisen trainiert werden. Sie werden nicht vererbt, weil sich das Erbgut nicht verändert. Sie können bleibend oder vorübergehend sein.
- Vererbbare Anpassungen beruhen auf Mutation und Selektion und führen zur Veränderung der Population. Durch Mutation und Rekombination entstehen neue Varianten, die positiv oder negativ selektioniert werden.

Die abiotischen Faktoren können in drei Gruppen eingeteilt werden:

- Klima: Licht, Wasser, Temperatur, Zusammensetzung der Luft, Wind
- Lage: Höhenlage, Raumstruktur, Exposition
- Boden: Bodenart, Wasser- und Mineralsalzgehalt, mechanische Eigenschaften

Aufgabe 3 Beantworten Sie folgende Frage mithilfe des Diagramms Seite 20: In welchem Bereich muss die relative Luftfeuchtigkeit bei einer Temperatur von 25 °C liegen, damit der Schlüpferfolg des Kiefernspinners über 50% beträgt?

Aufgabe 4 Nehmen Sie Stellung zur Behauptung: «Das Wachstum einer Pflanze, das durch die Mineralstoffe im Boden limitiert ist, richtet sich nach dem Mineralstoff, der in kleinster Konzentration vorliegt.»

2.2 Temperatur

2.2.1 Wirkung der Temperatur auf die Lebensvorgänge

RGT-Regel

Die Temperatur beeinflusst die Geschwindigkeit der chemischen Reaktionen, die den Lebensvorgängen zugrunde liegen. Die RGT-Regel (Reaktions-Geschwindigkeits-Temperatur-Regel) besagt, dass eine Erhöhung der Temperatur um 10 °C die Geschwindigkeit der chemischen Reaktionen etwa verdoppelt. Bei 40 °C laufen die Reaktionen also etwa $2 \cdot 2 \cdot 2 \cdot 2 = 16$-mal schneller ab als bei 0 °C.

Toleranzbereich

Der Toleranzbereich der meisten Lebewesen liegt zwischen −20 °C und +40 °C. Kältetolerante Bakterien überleben bei −200 °C und hitzetolerante bei 150 °C.

Minimum

Sinkt die Temperatur in einem Lebewesen so tief, dass Flüssigkeiten gefrieren, werden Zellen beschädigt. Da die Flüssigkeiten in den Lebewesen ausser Wasser auch gelöste Stoffe enthalten, liegen die Gefriertemperaturen deutlich unter 0 °C.

Maximum

Steigt die Temperatur in einem Lebewesen über 40–50 °C, werden Proteine denaturiert, d. h., die Protein-Moleküle ändern ihre räumliche Form und verlieren dadurch ihre Funktion. Enzyme werden durch die Denaturierung unwirksam und die von ihnen katalysierten Reaktionen stehen still.

Gleichwarm oder wechselwarm

Entscheidend für das Einfrieren bzw. die Proteindenaturierung ist die Temperatur im Lebewesen. Ein Mensch kann in der Sauna Temperaturen von über 80 °C problemlos überleben, weil seine Innentemperatur unabhängig von der Aussentemperatur konstant bleibt. Er ist wie alle Säugetiere und Vögel gleichwarm. Ein Frosch würde in der Sauna nicht lange überleben, weil seine Innentemperatur mit der Aussentemperatur ändert. Er ist wechselwarm wie alle Lebewesen mit Ausnahme der Vögel und der Säugetiere.

Schwankungen

Entscheidend für die Wirkungen der Temperatur sind neben den Höchst- und Tiefstwerten auch die Mittelwerte und die Schwankungen im Verlauf eines Tages und eines Jahres. Besonders der in den gemässigten Breiten auftretende Unterschied zwischen Sommer und Winter stellt viele Lebewesen vor grosse Probleme.

2.2.2 Bedeutung der Temperatur für Pflanzen

Kein Ausweichen

Pflanzen sind in der Regel an einen Standort gebunden und den Bedingungen an diesem Ort ausgeliefert. Sie können extremen Temperaturen im Gegensatz zu Tieren nicht ausweichen, indem sie sich in den kühlen Schatten zurückziehen oder in wärmere Gebiete wandern. Pflanzen besitzen auch keine Möglichkeit, ihre Körpertemperatur konstant zu halten, sie sind alle wechselwarm.

Wirkung

Minimum

Das Temperaturminimum ist meist durch das Gefrieren von Flüssigkeit im Pflanzenkörper gegeben, wobei die Schäden in der Regel nicht beim Einfrieren, sondern beim Auftauen auftreten, weil sich die Eiskristalle beim Schmelzen bewegen und Zellen beschädigen. Bei Pflanzen, die starken Frost aushalten, ist der Gefrierpunkt der Zell- und Körperflüssigkeit durch hohe Konzentrationen von Zucker und Proteinen stark erniedrigt.

Maximum

Das Temperaturmaximum kann durch die Denaturierung der Proteine gegeben sein. Oft führen hohe Temperaturen aber auch zum Tod durch Austrocknen.

Stoffwechselaktivität

Eine Temperaturerhöhung beschleunigt den Stoffwechsel. Abbildung 2-10 zeigt die Wirkung auf die Fotosynthese. Sie sehen, dass sich eine Temperaturerhöhung nur auswirkt, wenn die Lichtintensität hoch ist. Bei schwacher Beleuchtung ist das Licht und nicht die Temperatur der limitierende Faktor.

[Abb. 2-10] Wirkung der Temperatur

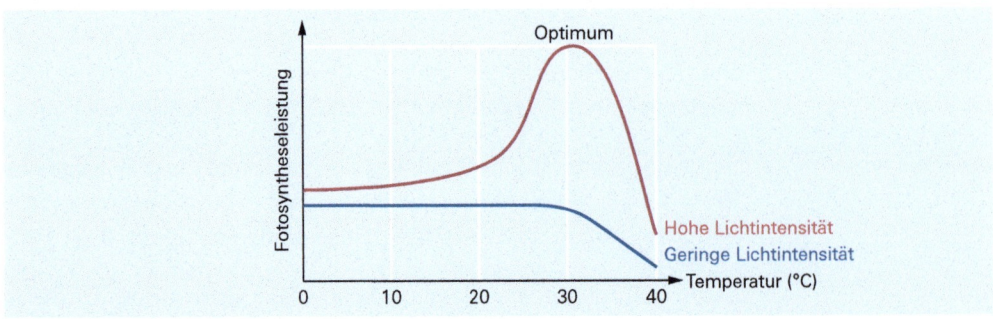

Bei hoher Lichtintensität nimmt die Geschwindigkeit der Fotosynthese mit der Temperatur zu.

Verbreitung

Vegetationszonen

Die Temperatur ist ein entscheidender Faktor für die Verbreitung der Arten. So gedeiht die Eiche nur in Gebieten, in denen die mittlere Tagestemperatur für mindestens vier Monate über 10 °C liegt. Die gürtelförmige Anordnung der Vegetationszonen vom Äquator bis zu den Polen ist weitgehend durch die Temperatur bestimmt. Weil die mittlere Temperatur mit der Höhe über Meer abnimmt, bestimmt sie auch die Höhengrenze, bis zu der eine Art gedeihen kann. Das führt zu den in den Alpen gut sichtbaren Höhenstufen (vgl. Abb. 2-11). Mit zunehmender Höhe wird die Vegetationsperiode pro 100 m um ca. 1 Woche kürzer.

Höhenstufen

[Abb. 2-11] Höhenstufen in den Alpen

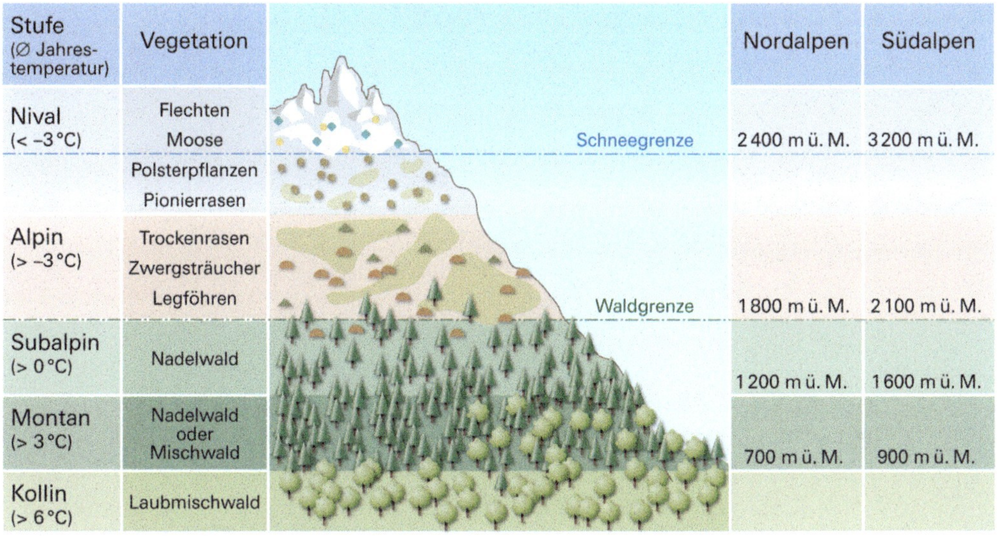

Stufe (Ø Jahres-temperatur)	Vegetation		Nordalpen	Südalpen
Nival (< −3 °C)	Flechten Moose	Schneegrenze	2 400 m ü. M.	3 200 m ü. M.
Alpin (> −3 °C)	Polsterpflanzen Pionierrasen Trockenrasen Zwergsträucher Legföhren	Waldgrenze	1 800 m ü. M.	2 100 m ü. M.
Subalpin (> 0 °C)	Nadelwald		1 200 m ü. M.	1 600 m ü. M.
Montan (> 3 °C)	Nadelwald oder Mischwald		700 m ü. M.	900 m ü. M.
Kollin (> 6 °C)	Laubmischwald			

Die Höhenstufen werden hauptsächlich durch die mittlere Jahrestemperatur bestimmt.

Die Höhenstufen werden auch durch Unterschiede in Einstrahlung, Hangneigung, Exposition, Wind, Schneelast im Winter etc. mitbestimmt. Die Strahlungsintensität ist auf 2 400 m etwa doppelt so hoch wie auf 100 m ü. M.

Anpassungen

Kühlen

Vor Überhitzung schützen sich Pflanzen, indem sie über die Spaltöffnungen ihrer Blätter Wasser verdunsten. Das kühlt, weil das Verdunsten von Wasser der Pflanze Wärme entzieht. Die Methode ist natürlich nur sinnvoll, wenn genug Wasser zur Verfügung steht.

Jahresperiodik

In unseren Breiten haben sich die meisten Pflanzen der deutlichen jahreszeitlichen Periodik der Temperatur angepasst. Periodische Vorgänge wie das Austreiben und die Blütenbildung werden durch die Temperatur (meist in Kombination mit der Tageslänge) beeinflusst.

Laubfall

Sommergrüne Laubbäume und Sträucher lassen im Herbst ihre Blätter fallen. Krautige Pflanzen ziehen sich im Winter ganz in den Boden zurück. Sie lagern das Material aus den oberirdischen Teilen in unterirdischen Überwinterungsorganen wie Wurzeln, Zwiebeln oder Knollen (vgl. Abb. 2-12).

[Abb. 2-12] Überwinterungsorgane

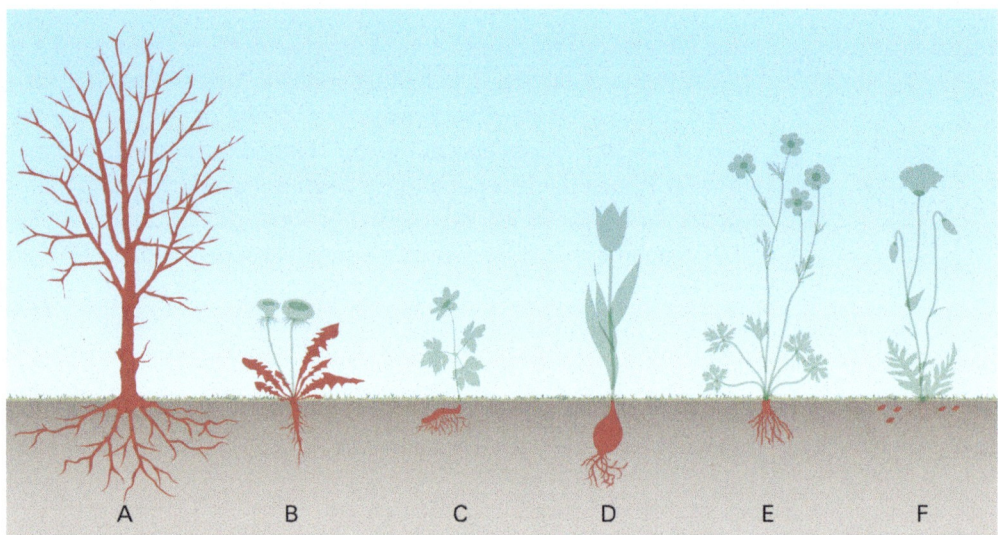

Überwinternde Teile von Pflanzen: A) Wurzeln, verholzter Stamm, Äste und Zweige, B) Wurzeln und immergrüne Blätter, C) Rhizom, D) Zwiebel, E) Wurzeln, F) Samen.

2.2.3 Wirkung der Temperatur auf wechselwarme Tiere

Ausweichen

Wie bei den Pflanzen ändert sich auch bei wechselwarmen Tieren die Körpertemperatur und damit die Geschwindigkeit der Lebensvorgänge mit der Aussentemperatur. Im Gegensatz zu den Pflanzen können Tiere aber extremen Temperaturen ausweichen und Orte aufsuchen, an denen sie aufgeheizt oder gekühlt werden. So legen sich Echsen in der Wüste am Morgen an die Sonne und ziehen sich am Mittag in schattige Höhlen zurück.

Kälte- und Hitzestarre

Bei Temperaturen unter dem Minimum sterben Gleichwarme nicht sofort, sondern fallen in eine Kältestarre. Ihr Stoffwechsel steht fast still und sie können sich nicht mehr aktiv bewegen. Ähnliches gilt für die Hitzestarre, die bei Temperaturen über dem Maximum eintritt. Damit die Wechselwarmen im Winter nicht erfrieren, ziehen sich viele im Herbst an einen frostsicheren Ort im Boden oder ins Wasser zurück. So überwintern Kröten und Molche im Boden. Weil ihr Stoffwechsel in der Kältestarre sehr langsam läuft, genügen die Fettreserven, die sie im Herbst anlegen, für den ganzen Winter.

Stenotherm

Wechselwarme sind mehrheitlich stenotherm. Weil die Temperaturschwankungen in Gewässern kleiner sind als am Land, ist das Leben im Wasser für sie einfacher. Auch bei Wechselwarmen kann die Innentemperatur höher sein als die Temperatur der Umgebung, v. a. wenn sie sich aktiv bewegen. Ein Teil der Energie, die im Körper umgesetzt wird, wird als Wärme frei. Wechselwarme, die sich ständig bewegen, können so ihre Körpertemperatur fast konstant halten.

Staatenbildende Insekten wie die Bienen regulieren die Temperatur im Stock als Population: Bei tiefen Temperaturen erzeugen sie durch Flügelzittern Wärme, bei hohen kühlen sie, indem sie Wasser ins Nest tragen und durch Fächeln zum Verdunsten bringen.

2.2.4 Wirkung der Temperatur auf gleichwarme Tiere

Säugetiere und Vögel halten ihre Innentemperatur unabhängig von der Aussentemperatur konstant. Ihre Körpertemperatur liegt je nach Art zwischen 35 und 44 °C und schwankt nur um etwa 1 °C.

Kardinalpunkte, ökologische Potenz und Verbreitung

Vergleich mit Wechselwarmen

Abbildung 2-13 zeigt die Aktivitätskurven eines gleichwarmen und eines wechselwarmen Tiers. Es bestehen folgende wichtige Unterschiede:

- Die Aktivität im Toleranzbereich zwischen Minimum und Maximum ist bei Geichwarmen praktisch konstant und von der Aussentemperatur unabhängig. Bei den Wechselwarmen ist der Bereich des Optimums nur schmal und die Kurve fällt vom Optimum aus gesehen auf beide Seiten stark ab.
- Bei Temperaturen unterhalb des Minimums und oberhalb des Maximums können Gleichwarme ihre Innentemperatur nicht halten und überleben nur kurze Zeit. Wechselwarme fallen in eine Kälte- bzw. Hitzestarre und können eine beschränkte Zeit überleben, ohne aktiv zu sein.
- Die ökologische Potenz ist bei den Gleichwarmen meist grösser.
- Gleichwarme können auch in kalten Nächten oder im Winter aktiv sein und in Gebieten leben, in denen Wechselwarme nicht oder nur zeitweise vorkommen.

[Abb. 2-13] Temperatur und Aktivität

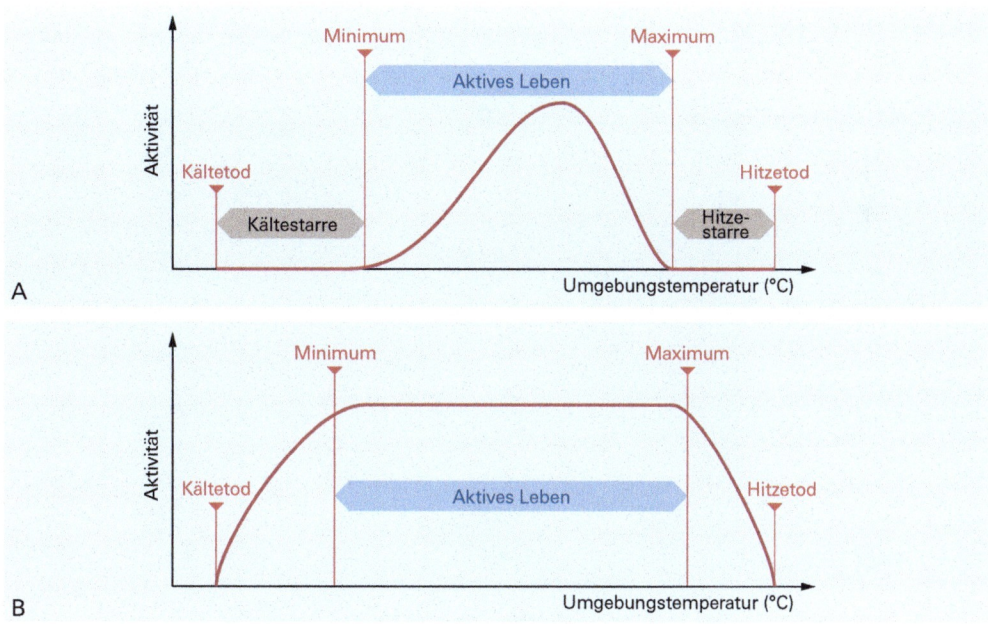

Aktivitätskurven eines Wechselwarmen (A) und eines Gleichwarmen (B).

Besonderheiten der Gleichwarmen

Stoffwechsel

Die konstante Körpertemperatur hat den Vorteil, dass alle Vorgänge im Körper auf diese Temperatur optimiert sind und von der Aussentemperatur unabhängig ablaufen. Das hat aber auch negative Folgen, wenn die Körpertemperatur nicht gehalten werden kann. Schon, wenn sie nur um wenige Grad vom Sollwert abweicht, können die Vorgänge des Stoffwechsels nicht mehr richtig koordiniert werden. Das führt zum Tod, lange bevor Proteine denaturieren oder Körperflüssigkeiten einfrieren.

Energieverbrauch

Da die Körpertemperatur fast immer über der Umgebungstemperatur liegt, müssen die Gleichwarmen meistens heizen. Sie tun dies mit der Wärme, die bei der Zellatmung hauptsächlich in den Muskeln und in den inneren Organen als Abwärme anfällt. Reicht die Abwärme aus den normalen Aktivitäten nicht aus, können viele durch Zitterbewegungen der Muskeln Wärme produzieren. Bei tiefer Aussentemperatur werden bis zu 90% der umgesetzten Energie zum Heizen verwendet. Ein gleichwarmes Tier verbraucht etwa fünfmal mehr Energie als ein wechselwarmes mit ähnlicher Grösse und Gestalt.

Voraussetzungen	Zur Konstanthaltung der Körpertemperatur tragen folgende Leistungen bei:

- Der Stoff- und Energieumsatz ist viel höher als bei den Wechselwarmen. Darm, Lunge und Kreislauf sind wesentlich leistungsfähiger.
- Für die Verteilung der Wärme, die hauptsächlich in Muskeln und inneren Organen anfällt, sorgt ein leistungsfähiger Blutkreislauf.
- Für die Regulation der Körpertemperatur sorgt ein Regelsystem mit Temperaturfühlern in der Haut und im Innern.
- Wärmeverluste werden durch eine Fettschicht in der Unterhaut und durch Haare oder Federn vermindert.
- Die Wärmeabgabe kann durch Veränderung der Hautdurchblutung und z. T. durch Wasserabgabe über die Haut oder die Lunge reguliert werden.

Anpassungen im Winter

Nahrungsmangel	Da sich in unseren Breiten Pflanzen und wechselwarme Tiere im Winter in den Boden zurückziehen, kann es für die Gleichwarmen im Winter schwierig werden, genügend Nahrung zu finden. Darum machen viele Säuger einen Winterschlaf oder eine Winterruhe.

[Abb. 2-14]   Winterschlaf

Murmeltiere im Winterschlaf. Bild: © JUNIORS / Juniors Bildarchiv

Winterschlaf	Winterschläfer wie Igel, Murmeltiere und Fledermäuse ziehen sich im Herbst an einen Ort (oft in eine Höhle oder einen Bau) zurück, an dem sie vor der Kälte etwas geschützt sind, und verbringen hier den Winter in einem tiefen Schlaf. Die Körpertemperatur wird abgesenkt auf 0–9 °C, der Energieumsatz sinkt um 98%. Alle Körperfunktionen sind stark reduziert: Die Atmung ist schwach, der Herzschlag langsam und die Empfindlichkeit gegenüber äusseren Reizen vermindert. Im Winterschlaf nehmen die Tiere keine Nahrung auf. Sie zehren von den Fettreserven, die sie sich im Herbst angefressen haben, und verkleinern z. T. auch Muskeln und innere Organe.
	Einige Winterschläfer wachen hie und da auf, erhöhen ihre Körpertemperatur und fressen von Vorräten, die sie angelegt haben. Der Winterschlaf dauert je nach Art 3–7 Monate.
Winterruhe	Tiere wie Dachs, Eichhörnchen, Waschbären und Braunbären machen in ihren Höhlen eine Winterruhe. Sie senken ihre Körpertemperatur weniger stark ab als Winterschläfer und sind häufiger wach. Nach neueren Erkenntnissen ist der Übergang zwischen Winterschlaf und Winterruhe fliessend. Nicht mit dem Winterschlaf oder der Winterruhe zu verwechseln ist aber die Kältestarre bei Wechselwarmen.

Auslöser	Auslöser für den Winterschlaf und die Winterruhe ist eine Kombination von äusseren und inneren Faktoren. Äussere Faktoren sind das Sinken der Aussentemperatur, der Nahrungsmangel, kürzere Tageslängen. Zu den inneren Faktoren zählen die innere Uhr, das Fettdepot und Hormone. Für das Aufwachen im Frühjahr können die steigenden Umgebungstemperaturen und die Anreicherung von Stoffwechselendprodukten im Körper als Wecksignale eine Rolle spielen.
Nachtabsenkung	Auch viele Tiere, die im Winter aktiv bleiben, wie Hirsche oder Gämsen, senken ihre Körpertemperatur in den nächtlichen Ruhephasen ab.
Wanderungen	Flugfähige Vögel machen keinen Winterschlaf, denn sie können keine grossen Fettdepots anlegen, ohne flugunfähig zu werden. Manche Vögel können aber ihren Stoffwechsel bei Nahrungsmangel oder Kälteeinbrüchen reduzieren und in eine Schlafstarre fallen. Zugvögel fliegen im Herbst in Gebiete mit ausreichendem Nahrungsangebot.
Sommerschlaf	In sehr heissen Gegenden leben Krokodile und Schlangen, die sich während der trockenen Jahreszeit im Sand oder im Schlamm eingraben und keine äusseren Aktivitäten zeigen. Einen ähnlichen Sommer- oder Trockenschlaf halten bei Hitze und Wassermangel die Weinbergschnecken.
Fortpflanzung	Auch die Fortpflanzung richtet sich bei vielen Lebewesen nach der Jahreszeit. Die Nachkommen werden oft im Frühjahr geboren, weil es dann genügend Futter gibt und weil sie bis zum nächsten Winter schon eine gewisse Grösse erreichen können. Beim europäischen Reh findet die Paarung im Sommer statt. Damit die Nachkommen, deren Entwicklung etwa 5 Monate dauert, nicht mitten im Winter geboren werden, macht der Keim nach der Befruchtung im Muttertier erst einmal bis Ende Dezember «Pause» (Keimesruhe).

Körpergrösse und Energieverbrauch

Kleine Tiere brauchen bezogen auf die gleiche Masse mehr Energie als grosse (vgl. Abb. 2-15).

[Abb. 2-15] Energieumsatz unterschiedlich grosser Säugetiere

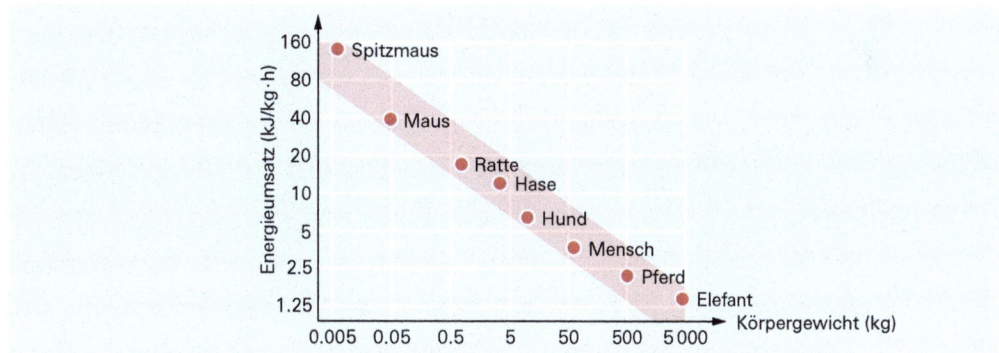

Kleine Säuger haben bezogen auf 1 kg Körpergewicht den höheren Energieumsatz als grosse.

Grosse haben mehr Volumen	Ein Grund für den höheren Energieverbrauch der Kleinen ist die Tatsache, dass die Wärmeproduktion, die im Körperinnern stattfindet, proportional mit dem Volumen zunimmt, während der Wärmeverlust, der über die Oberfläche geschieht, proportional zur Grösse der Oberfläche steigt. Der Quotient Volumen : Oberfläche nimmt mit der Grösse zu und ist z. B. bei einer Kugel proportional zum Radius. Bei kleinen Tieren ist das wärmeproduzierende Volumen klein im Vergleich zur Oberfläche, die Wärme verliert.

Wärmehaushalt und Temperaturregeln

Körperform

Beim Vergleich der Körperformen von nahe verwandten, gleichwarmen Tierarten, die in unterschiedlich warmen Gebieten leben, zeigen sich zwei Tendenzen, die durch zwei Regeln beschrieben werden:

Temperaturregeln

- Bergmann'sche Regel: Tiere kalter Gebiete sind grösser als ihre nahe Verwandten in den Tropen. Ein Beispiel sind die verschiedenen Pinguinarten (vgl. Abb. 2-16). Am grössten sind die Königspinguine in der Antarktis, am kleinsten die Galapagospinguine auf den Galapagosinseln.
- Allen'sche Regel: Tiere kalter Gebiete haben kürzere Beine, Ohren und Schwänze als ihre nahen Verwandten in den Tropen. So hat der Wüstenfuchs wesentlich grössere Ohren als der Polarfuchs und der Schneehase hat viel kürzere Ohren als der Eselshase der Tropen (vgl. Abb. 2-16).

[Abb. 2-16]   Bergmann'sche und Allen'sche Regel

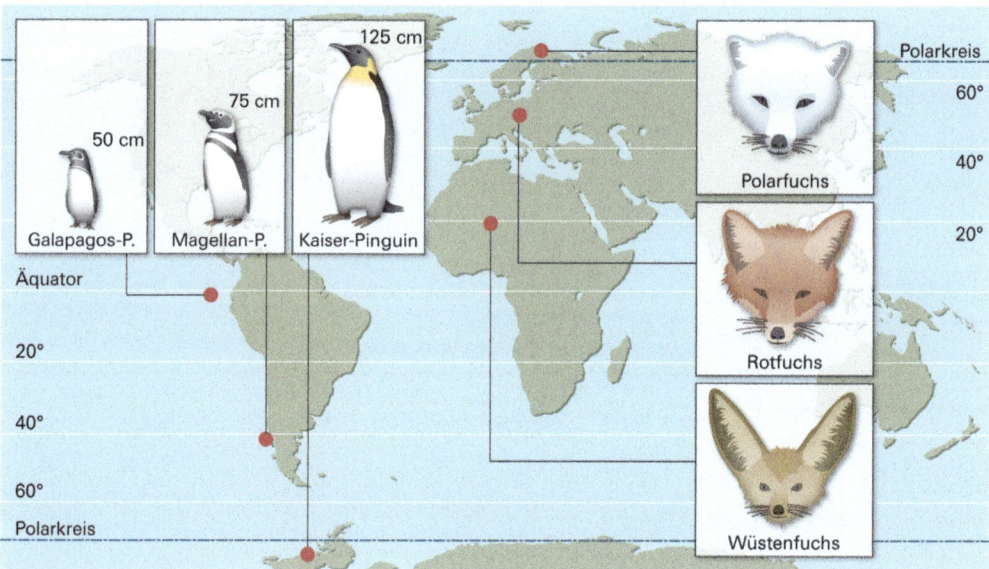

Tiere kalter Gebiete sind grösser und haben kürzere Beine, Ohren und Schwänze als ihre nahen Verwandten in den Tropen.

Wärmehaushalt

Die Temperaturregeln lassen sich wie der hohe Energiebedarf der Kleinen damit erklären, dass die Wärme im Körperinnern entsteht und über die Körperoberfläche abgegeben wird. Weil Tiere mit kleinen Körperanhängen eine kleinere Oberfläche haben als Tiere mit langen Beinen, Ohren oder Schwänzen, ist es plausibel, dass sie in kalten Gebieten bessere Karten haben (Allen'sche Regel). Dasselbe gilt für grosse Tiere (Bergmann'sche Regel), weil bei diesen der Quotient aus Volumen (Wärmeproduktion) und Oberfläche (Wärmeverlust) grösser ist.

Da die Körperformen der Tiere nicht nur von der Temperatur abhängig sind, leben in den Tropen keineswegs nur kleine Tiere mit grossen Ohren und langen Beinen.

Zusammenfassung

Die Temperatur beeinflusst die Geschwindigkeit der chemischen Reaktionen, die den Lebensvorgängen zugrunde liegen. Eine Erhöhung um 10 °C verdoppelt die Reaktionsgeschwindigkeit. Unter dem Temperaturminimum gefriert die Körperflüssigkeit, über dem Temperaturmaximum werden die Proteine denaturiert.

Die Temperatur ist ein entscheidender Faktor für die Verbreitung der Arten. Sie verursacht die gürtelförmige Anordnung der Vegetationszonen auf der Erde und die Höhenstufen der Vegetation.

Pflanzen können sich bei hohen Temperaturen durch Verdunsten von Wasser kühlen. Jahreszeitliche Schwankungen der Temperatur beeinflussen periodische Vorgänge wie die Blütenbildung. Für den Winter ziehen sich Stauden in Überwinterungsorgane (Wurzeln, Zwiebeln, Knollen) in den Boden zurück, Laubbäume und Sträucher verlieren ihre Blätter.

Bei wechselwarmen Tieren fällt die Aktivität bei Temperaturen über und unter dem Optimum stark ab. Bei Temperaturen unter dem Minimum und über dem Maximum fallen sie in eine Kälte- bzw. Hitzestarre und können eine Zeit lang überleben, ohne aktiv zu sein.

Bei den gleichwarmen Tieren ist die Aktivität im Bereich zwischen Minimum und Maximum praktisch konstant und von der Aussentemperatur unabhängig. Unterhalb des Minimums und oberhalb des Maximums können sie ihre Innentemperatur nicht halten und überleben nur kurze Zeit, weil ihr Stoffwechsel auf die konstante Temperatur eingerichtet ist.

Gleichwarme Tiere haben eine Isolation, ein Regelsystem, einen leistungsfähigeren Stoffwechsel und einen höheren Nahrungsbedarf als wechselwarme. Im Winter machen einige einen Winterschlaf oder eine Winterruhe oder ziehen in wärmere Gebiete. Kleine Tiere brauchen bezogen auf die gleiche Masse wesentlich mehr Energie als grosse. Arten, die in kalten Gebieten leben, sind grösser (Bergmann'sche Regel) und haben kürzere Körperanhänge wie Ohren oder Beine (Allen'sche Regel) als nahe verwandte Arten in warmen Gebieten.

Aufgabe 5

Warum ist das Leben im Wasser für Wechselwarme einfacher als das Leben an Land?

Aufgabe 6

Ein Tiger mit 250 kg Körpermasse benötigt pro Tag ca. 10 kg, eine Spitzmaus mit 4 g Masse etwa 8 g Fleischnahrung. Setzen Sie die Werte zueinander in Beziehung und erklären Sie, was Ihnen dabei auffällt.

Aufgabe 7

Nehmen Sie Stellung zur Behauptung: Wegen der RGT-Regel ist ein Sprinter bei 25 °C doppelt so schnell wie bei 15°.

2.3 Licht

Spektrum

Das Sonnenlicht, das die Erde erreicht, besteht aus Strahlen unterschiedlicher Wellenlängen, die sich im für uns sichtbaren Bereich in der Farbe (vgl. Abb. 2-17) unterscheiden. Die Infrarotstrahlung ist langwelliger als das sichtbare Licht, die UV-Strahlung kurzwelliger.

[Abb. 2-17] Spektrum des Sonnenlichts

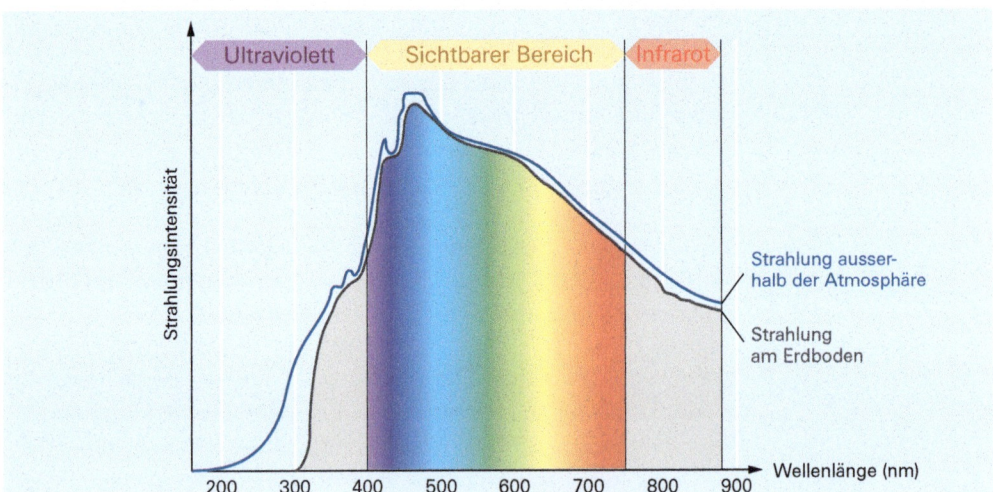

Die Strahlung der Sonne ausserhalb der Atmosphäre und am Erdboden. Beige sind die Bereiche, die wir nicht sehen.

Absorption

Wie Sie aus Abbildung 2-17 ersehen, erreichen nicht alle Wellen des Sonnenlichts die Erdoberfläche. Die Atmosphäre wirkt als Filter, weil ihre Gase Strahlen bestimmter Wellenlängen absorbieren. So wird glücklicherweise ein wesentlicher Teil der für Lebewesen gefährlichen kurzwelligen UV-Strahlen durch die Ozonschicht der Atmosphäre absorbiert.

UV-Strahlen

Weil ein Teil der energiereichen UV-Strahlen, die Zellen schädigen und Mutationen auslösen, die Erdoberfläche erreicht, müssen sich die Landlebewesen gegen seine schädliche Wirkung schützen. Die meisten Landtiere besitzen in ihrer Haut Pigmente, die die UV-Strahlen absorbieren. In Gebieten mit hoher Sonneneinstrahlung haben die Menschen mehr Pigmente und darum eine dunklere Hautfarbe. Hellhäutige können an der Sonne braun werden, weil das Sonnenlicht die Pigmentbildung stimuliert.

Sonnenenergie

Die Energie des Lichts ist die Grundlage des Lebens. Sie wird von den grünen Pflanzen durch die Fotosynthese aufgefangen und zur Herstellung energiereicher Stoffe genutzt. Von diesen zehren alle Lebewesen. Weil nur die Pflanzen Fotosynthese machen, hat das Licht für sie eine andere Bedeutung als für die Tiere.

2.3.1 Bedeutung des Lichts für Pflanzen

Fotosynthese

Die meisten Pflanzen sind autotroph. Sie nutzen die Energie des Lichts zur Fotosynthese, bei der sie aus Kohlenstoffdioxid und Wasser Glucose (Traubenzucker) und Sauerstoff produzieren. Sie bauen damit organisches Material auf und versorgen als Produzenten sich selbst und alle Konsumenten und Destruenten. So «laufen» letztlich alle Lebewesen mit Sonnenenergie.

Toleranzkurve

Die Geschwindigkeit der Fotosynthese nimmt mit zunehmender Lichtintensität bis zu einem Höchstwert (Lichtsättigung) zu und bleibt dann konstant (vgl. Abb. 2-18). Eine weitere Steigerung ist nicht möglich, weil die Fotosynthese nicht schneller laufen kann oder durch einen anderen Faktor wie die Temperatur oder die Kohlenstoffdioxid-Konzentration limitiert wird. Bei sehr hoher Beleuchtungsstärke kann die Fotosyntheseleistung wieder abnehmen, weil zu intensives Licht Pflanzen schädigen kann.

[Abb. 2-18] Licht und Fotosynthese

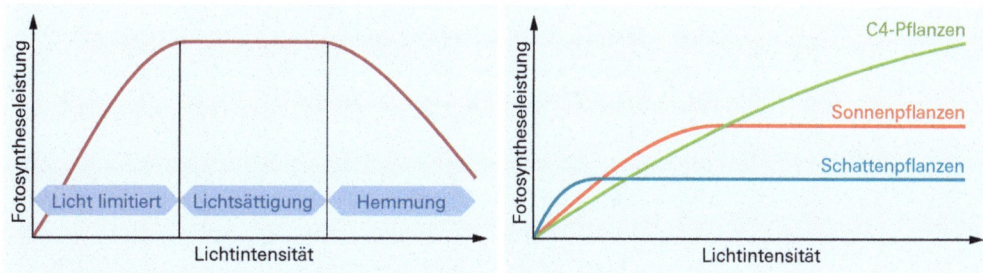

A] Bei optimaler Temperatur und CO$_2$-Konzentration beschleunigt eine Erhöhung der Lichtintensität die Fotosynthese bis zur Lichtsättigung. Sehr hohe Lichtintensität kann schaden.

B] Sonnen- und C4-Pflanzen leisten bei hohen Lichtstärken deutlich mehr als Schattenpflanzen. Bei sehr wenig Licht ist es umgekehrt.

Sonnenpflanzen und Schattenpflanzen

Abbildung 2-18 B zeigt, dass sich die Kurven der Fotosyntheseleistung verschiedener Pflanzen stark unterscheiden. Bei Sonnenpflanzen (z. B. Thymian, Königskerze, Silberdistel) wird die maximale Fotosynthesegeschwindigkeit erst bei wesentlich stärkerer Beleuchtung erreicht und liegt etwa doppelt so hoch wie bei Schattenpflanzen (z. B. Eibe, Farne, Moose).

C4-Pflanzen

In trockenen Gebieten müssen Pflanzen ihre Spaltöffnungen tagsüber zeitweise schliessen, um nicht zu viel Wasser zu verlieren. Weil dadurch auch die Aufnahme von Kohlenstoffdioxid gestoppt wird, sinkt die Kohlenstoffdioxid-Konzentration im Blatt und die Fotosynthese wird langsamer. Die C4-Pflanzen kommen mit einer tieferen Kohlenstoffdioxid-Konzentration aus, da sie das Kohlenstoffdioxid anreichern, indem sie es an eine Verbindung mit 3 C-Atomen binden. Weil dabei eine Verbindung mit vier C-Atomen entsteht, nennt man sie C4-Pflanzen. Die meisten Gräser sind C4-Pflanzen.

Wachstum und Entwicklung

Das Licht beeinflusst das Wachstum und die Entwicklung der Pflanzen. Sprosspflanzen wachsen meist zum Licht hin und richten ihre Blätter auf das Licht aus. Dieser Fototropismus[1] beruht darauf, dass der Stängel auf der lichtabgewandten Seite stärker wächst, weil sich das wachstumsfördernde Hormon Auxin, das in der Stängelspitze produziert wird, auf die Schattenseite verschiebt.

[Abb. 2-19] Fototropismus

Die Sonnenblumen richten ihre Blütenstände auf die Sonne aus. Bild: © Hurry, Dreamstime.com

[1] Gr. *photos* «Licht», gr. *tropos* «Drehung».

Gestalt

Das Licht beeinflusst auch die Gestalt der Pflanzen. Es hemmt das Längenwachstum der Triebe und fördert die Bildung von Blättern. Bei Lichtmangel wachsen Pflanzen schnell und bilden wenig Blätter. Ein extremes Beispiel können Sie beobachten, wenn Kartoffelknollen im Keller austreiben und vergeilen. Sie bilden lange Sprosse mit winzigen Blättern, denen das Chlorophyll fehlt (vgl. Abb. 2-20 B).

Innerer Bau

Licht kann auch den inneren Aufbau von Pflanzen beeinflussen. So bildet die Buche an Zweigen mit guter Besonnung dicke Sonnenblätter mit einer doppelten Schicht von Zellen für die Fotosynthese (Palisadengewebe, vgl. Abb. 2-20 C). Im Schatten könnte das Licht in diesem Blatt nicht tief genug eindringen. Das Schattenblatt hat eine grössere Oberfläche und nutzt mit seinem lockeren Palisadengewebe das weniger intensive Licht besser. An der Sonne würden die grossen Schattenblätter zu viel Wasser abgeben.

[Abb. 2-20] Wirkungen von Licht auf die Gestalt von Pflanzen

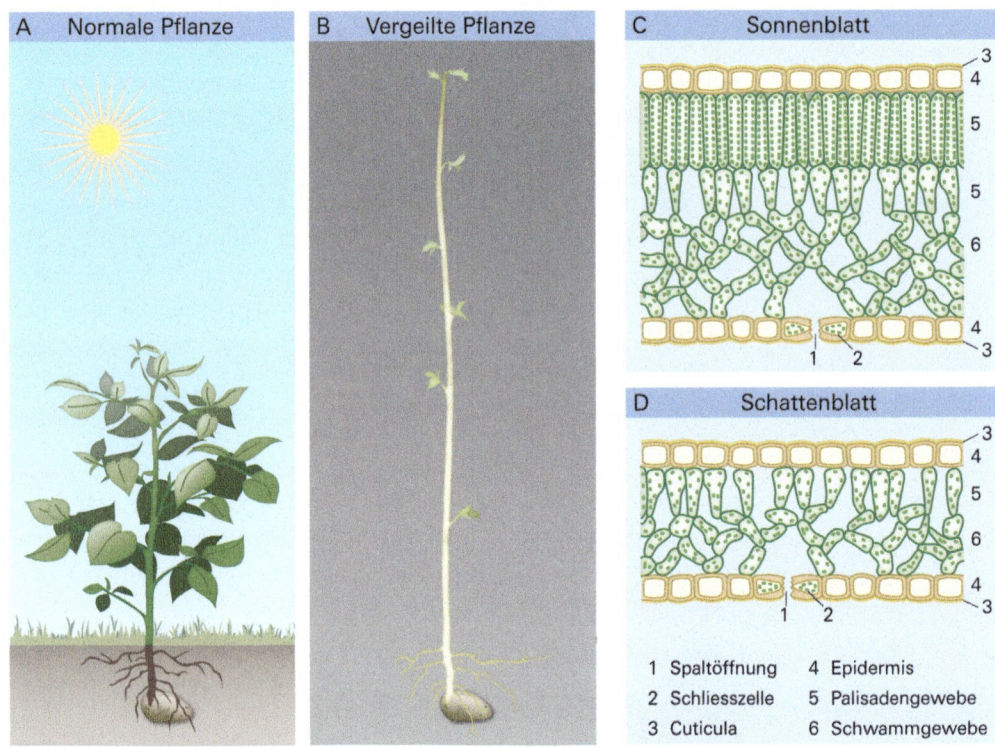

Licht hemmt das Längenwachstum und fördert die Verzweigung und die Blattbildung.

Licht kann den Bau der Blätter beeinflussen. Buchen bilden an besonnten Zweigen Sonnenblätter.

Licht als Signalgeber

Das Licht bzw. die Länge von Tag und Nacht ist Signalgeber für viele Vorgänge:

- Die Blütenbildung ist bei vielen Arten abhängig von der Tageslänge oder genauer von der Länge der ununterbrochenen Dunkelheit. Kurztagpflanzen blühen im Frühjahr oder Herbst, wenn die Tage kurz und die Nächte lang sind. Langtagpflanzen blühen erst im Sommer, wenn die Tage länger als 10 Stunden sind.
- Das Austreiben der Pflanzen im Frühjahr wird durch die Tageslänge und die Temperatur ausgelöst.
- Die Keimung der Samen kann vom Licht abhängig sein. Samen von Lichtkeimern keimen nur bei Licht, Samen von Dunkelkeimern nur im Dunkeln.
- Das Öffnen der Spaltöffnungen im Blatt und das Öffnen und Schliessen der Blüten werden durch das Licht ausgelöst.
- Einzellige Algen, die sich aktiv bewegen können, schwimmen zum Licht hin (Fototaxis).

2.3.2 Bedeutung des Lichts für Tiere

Orientierung

Tieren mit Augen dient das Licht zur Orientierung. Sie sehen ihre Nahrung, ihre Artgenossen, ihre Feinde etc. Blinde Tiere leben mehrheitlich im Dunkeln.

Stoffwechsel

Licht kann auch bei Tieren Stoffwechselprozesse auslösen. So benötigen die Hautzellen des Menschen Licht zur Herstellung von Vitamin D.

Tagesperiodik

Licht beeinflusst den Tag-Nacht-Rhythmus der Tiere. Es justiert als Taktgeber die innere Uhr, die die tageszeitliche Periodik des Stoffwechsels und den Wach-Schlaf-Rhythmus steuert. Bei Menschen bleibt der Wach-Schlaf-Rhythmus auch ohne Anhaltspunkte über die Tageszeit erhalten. Ein Tag dauert aber ohne äussere Taktgeber 25.2 Stunden.

Jahresperiodik

Die Veränderung der Tageslänge kann jahreszeitabhängige Aktivitäten auslösen. So singen die Amseln im Frühjahr, weil die zunehmende Tageslänge eine Veränderung der Hormonproduktion und dadurch die Balz auslöst. Auch der Abflug der Zugvögel, der Winterschlaf und der Wechsel zwischen Sommer- und Winterform sind von der Tageslänge abhängig.

Pigmentierung

Mit Ausnahme von Tieren, die im Boden, in Höhlen oder in der Tiefsee im Dunkeln leben, sind Tiere durch dunkle Pigmente in den Hautzellen teilweise gegen die mutagene Wirkung der UV-Strahlen geschützt.

[Abb. 2-21]   Wirkung des Lichts auf Tiere

Beim Schmetterling Landkärtchen (Araschnia levana) entwickelt sich aus den Puppen bei weniger als 12 h Belichtung die Frühlingsform (links), bei mehr als 12 h die Sommerform (rechts). Bilder: © Beat Wermelinger

Zusammenfassung

Licht liefert die Energie für die Fotosynthese, von der alle Lebewesen abhängig sind. Es beeinflusst die Entwicklung, das Wachstum (Fototropismus), die Gestalt der Pflanzen und die Pigmentierung von Tieren. Der Tag-Nacht-Wechsel bestimmt zusammen mit der inneren Uhr den Aktivitätsrhythmus und der Wechsel der Tageslänge löst (z. B. in Kombination mit der Temperatur) jahresperiodische Aktivitäten aus (Blütenbildung, Laubfall, Balz, Vogelzug). Tiere mit Augen nutzen das Licht zur Orientierung. Gegen die mutagenen, kurzwelligen UV-Strahlen sind die meisten Landlebewesen durch Pigmente geschützt.

Aufgabe 8

Gärtner Grün versucht das Wachstum des Gemüses in seinen Gewächshäusern durch zusätzliches Licht zu beschleunigen. Obwohl er geeignete Lampen verwendet, ist der Erfolg minimal. Was könnte der Grund sein?

Aufgabe 9

Warum sinkt die Kurve des CO_2-Verbrauchs einer Pflanze bei wenig Licht unter null?

2.4 Wasser

2.4.1 Allgemeine Bedeutung des Wassers für die Lebewesen

Bedeutung

- Ohne Wasser gibt es kein Leben, weil alle Stoffwechselvorgänge in wässrigen Lösungen ablaufen.
- Wasser ist der mengenmässig dominierende Bestandteil aller Lebewesen.
- Wasser dient den Lebewesen als Transportmittel.
- Wasser nimmt an vielen Reaktionen des Stoffwechsels teil.
- Für Wasserbewohner ist Wasser auch das Medium, in dem sie leben und an das ihre Lebensfunktionen angepasst sind.
- Pflanzen und Tiere ohne Skelett werden durch den Druck des Wassers im Inneren gestützt. (Darum welken Pflanzen bei Wassermangel.)

Wasserhaushalt

Neben Lebewesen, die ihren Wassergehalt konstant halten, gibt es solche, bei denen er mit dem Wassergehalt der Umgebung ändert (Bakterien, Algen, Pilze und Moose). Sie überleben das Austrocknen und nehmen Wasser auf, sobald die Umgebung wieder feuchter ist.

2.4.2 Wasserhaushalt der Wasserbewohner

Osmoregulation

Wasserbewohner können sich leicht mit Wasser versorgen, aber auch sie müssen ihren Wasserhaushalt aktiv regulieren (Osmoregulation). Weil die Konzentration gelöster Stoffe in ihren Zellen meist anders ist als im «Wasser» der Umgebung (das ja auch nicht reines Wasser ist), führt die Osmose zum Eindringen oder zur Abgabe von Wasser.

Salzwasser

Bei Meeresbewohnern haben die Körperflüssigkeiten meist eine tiefere Konzentration an gelösten Salzen als das Meerwasser. Da die Osmose den Konzentrationsunterschied vermindert, diffundiert Wasser zur Lösung mit der höheren Salzkonzentration, d. h. nach aussen: Die Osmose führt zu Wasserabgabe. Den Wasserverlust kompensieren Meeresbewohner durch aktive Wasseraufnahme (trinken) und die mit dem Wasser aufgenommenen Salz-Ionen scheiden sie aktiv aus.

[Abb. 2-22] Wasserhaushalt von Wasserbewohnern

Salzwasserbewohner verlieren durch Osmose Wasser, während bei Süsswasserbewohnern durch Osmose Wasser eindringt.

Süsswasser	Bei Süsswasserbewohnern führt die Osmose zur Aufnahme von Wasser, weil die Konzentration gelöster Stoffe im Lebewesen höher ist. Süsswasserbewohner müssen darum eine übermässige Wasseraufnahme vermeiden und eindringendes Wasser aktiv nach aussen befördern. Bei Pflanzenzellen beschränkt die Zellwand die Wasseraufnahme, weil sie als starre Hülle eine Vergrösserung der Zelle verhindert. Einzeller ohne Zellwand haben oft pulsierende Vakuolen, die eingedrungenes Wasser wieder nach aussen pumpen. Mehrzeller können das Eindringen von Wasser durch eine wasserdichte Hülle beschränken. Tiere scheiden Wasser zusammen mit den Endprodukten ihres Stoffwechsels durch Exkretionsorgane wie die Nieren aktiv aus und halten dabei die Salz-Ionen zurück.
Isotonische	Viele niedere Meeresbewohner wie Algen und Wirbellose sind isotonisch, d.h., die Konzentration ist im Innern praktisch gleich hoch wie in der Umgebung. Sie haben keine speziellen Vorrichtungen zur Osmoregulation.
Brackwasser	Weniger als 1% der Wasserbewohner können sowohl im Süsswasser als auch im Meer leben. Zu ihnen gehören die Bewohner der Brackwasserzone im Mündungsgebiet von Flüssen. Auch Fische, die im Süsswasser schlüpfen und dann ins Meer wandern, wie der Lachs, können ihren Wasserhaushalt der Umgebung anpassen.

2.4.3 Landtiere

Anpassungen ans Landleben

Tiere, die an Land leben, unterscheiden sich deutlich von Wassertieren:

Haut	Die Haut verhindert übermässigen Wasserverlust. Bei Wirbeltieren ist sie mehr oder weniger stark verhornt, Gliederfüsser wie Insekten haben einen Chitinpanzer.
Atmung	Weil die Haut verdickt und trocken ist, können Landtiere nicht durch die Haut atmen. Auch Kiemen eignen sich nicht, weil sie an der Luft austrocknen und verkleben. Landtiere atmen mit Lungen oder mit Tracheen. In den Lungen der Wirbeltiere wird der Sauerstoff ins Blut aufgenommen. Die Tracheen der Insekten sind feine Röhrchen, die den Sauerstoff direkt in die Gewebe bringen. Bei der Atmung verlieren Landtiere Wasser.
Ausscheidung	Die Ausscheidungsorgane (Nieren) konzentrieren den Harn, damit nicht zu viel Wasser verloren geht. Auch im Darm wird den unverdaulichen Resten des Nahrungsbreis das Wasser möglichst vollständig entzogen, bevor sie ausgeschieden werden.
Fortbewegung	Landtiere müssen ihr ganzes Gewicht tragen und besitzen darum ein stärkeres Skelett als Wasserbewohner, die im Wasser dank dem Auftrieb schweben. Sie müssen sich auch auf andere Weise bewegen als Tiere im Wasser.
Fortpflanzung	Die Fortpflanzung ist ausserhalb des Wassers schwieriger. Landeier müssen durch eine Schale gegen das Austrocknen geschützt sein. Weil beschalte Eier nicht mehr befruchtet werden können, muss eine innere Befruchtung der noch unbeschalten Eier im Körper der Weibchen stattfinden. Das setzt eine Begattung voraus. Eine äussere Befruchtung der Eier, wie sie bei Fischen üblich ist, wäre am Land auch nicht möglich, weil Spermien schwimmen, aber nicht fliegen können.

Augen	Weil an Land die Sichtweiten höher sind als im Wasser, sehen viele Landbewohner weiter. Landtiere haben Augen mit längeren Brennweiten als Fische, deren Augen extrem kurze Brennweiten haben, d. h., ihr Gesichtsfeld ist sehr gross und die Sichtweite kurz. (In der Fototechnik nennt man ein Objektiv mit extrem kurzer Brennweite «Fischauge».) Bei den Landwirbeltieren sind die Augen durch Lider und Tränendrüsen geschützt.
Chemische Sinne	An Land wird zwischen dem Geruch gasförmiger Stoffe und dem Geschmack gelöster Stoffe unterschieden. Landwirbeltiere riechen mit der Nase und schmecken mit der Zunge.
Gehör	Das Gehör ist bei Landtieren deutlich leistungsfähiger als bei Wassertieren, die mehrheitlich taub sind. Das kann damit zusammenhängen, dass das Orten der Schallquelle im Wasser viel schwieriger ist.

Wasseraufnahme

Mit und aus der Nahrung	Landtiere nehmen Wasser mit der Nahrung auf und viele trinken. Auch völlig wasserfreie Nahrung liefert Wasser, weil bei der Veratmung der organischen Verbindungen Wasser entsteht. 100 g Kohlenhydrat liefern bei der Zellatmung ca. 55 g Wasser, 100 g Fett sogar 107 g. Kamele speichern also in ihren Fetthöckern indirekt tatsächlich Wasser.

Wüstenbewohner

Ohne Trinkwasser	Wüstenbewohner wie der Wüstenfuchs und die Springmaus überleben, ohne zu trinken. Ihr Kot ist staubtrocken und ihr Harn ist etwa dreimal konzentrierter als der anderer Säugetiere. Am meisten Wasser verlieren sie bei der Atmung. Sie leben hauptsächlich vom Wasser, das beim Abbau der organischen Stoffe durch die Zellatmung entsteht.

2.4.4 Wasserhaushalt der Landpflanzen

Voraussetzungen	Landpflanzen müssen Wasser aus dem Boden aufnehmen und im Körper transportieren. Ihre Oberfläche muss gegen unkontrollierten Wasserverlust geschützt sein.
Sprosspflanzen	Die meisten Landpflanzen sind Sprosspflanzen (Kormophyten), deren Körper aus einem beblätterten Spross (Kormus) und einer Wurzel besteht. Sie nehmen das Wasser mit den Wurzeln auf und transportieren es durch röhrenartige Gefässe in die oberirdischen Teile, wo es z. B. für die Fotosynthese gebraucht wird oder aus dem Pflanzenkörper verdunstet.

[Abb. 2-23] Wasserhaushalt einer Landpflanze

Landpflanzen nehmen Wasser mit den Wurzeln aus dem Boden auf und transportieren es in den Gefässen zu den Blättern, wo es gebraucht wird oder verdunstet.

Wassertransport
: Der Transport des Wassers nach oben beruht auf der Transpiration und auf den starken Anziehungskräften zwischen den Wasser-Molekülen, die in den Gefässen einen reissfesten Faden bilden. Wenn in den Blättern Wasser-Moleküle das Gefäss verlassen und verbraucht werden oder verdunsten, wird der Wasserfaden etwas nach oben gezogen und in der Wurzel werden Wasser-Moleküle in das Gefäss hineingezogen. Man bezeichnet diesen hauptsächlich durch die Transpiration angetriebenen Transport des Wassers in den Gefässen als Transpirationsstrom. Weil der Transpirationsstrom im Wasser gelöste Ionen nach oben bringt, dient er auch der Versorgung der Blätter mit Mineralstoffen.

Verdunstungsschutz
: Damit die Pflanze über ihre grosse Oberfläche nicht zu viel Wasser verliert, ist diese durch eine wachsartige Schicht (Cuticula) gegen Verdunstung geschützt. Auch Haare tragen zur Verminderung der Verdunstung bei, weil sie die Luftbewegung an der Oberfläche reduzieren. Weil das Blatt tagsüber für die Fotosynthese Kohlenstoffdioxid aufnehmen muss, hat es Öffnungen für den Gasaustausch. Diese Spaltöffnungen liegen auf der Blattunterseite und können bei Wassermangel geschlossen werden (vgl. Abb. 2-24).

Kühlen
: Weil das Wasser der Pflanze beim Verdunsten Wärme entzieht, können sich Pflanzen durch die Transpiration in ähnlicher Weise kühlen wie wir beim Schwitzen.

[Abb. 2-24] Blatt mit Spaltöffnungen

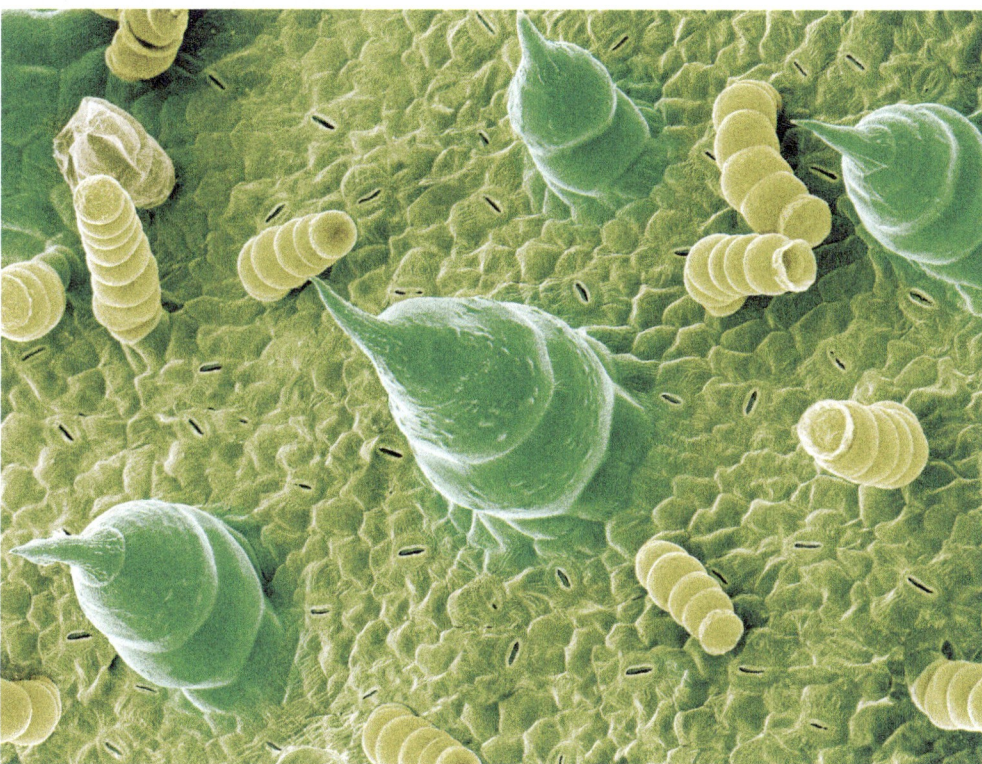

Unterseite des Blatts einer Sonnenblume mit geöffneten Spaltöffnungen und zwei Arten von Haaren. Rasterelektronenmikroskop (REM) bei 500-facher Vergrösserung. Bild: © Susumu Nishinaga, Science Photo Library, Keystone

Trocken-, Feucht- und Wasserpflanzen

Grösse und Durchlässigkeit der Pflanzenoberfläche sind dem Wasserangebot angepasst. Abbildung 2-25 zeigt Anpassungen von Trocken-, Feucht- und Wasserpflanzen.

[Abb. 2-25] Anpassungen von Pflanzen an die Verfügbarkeit von Wasser

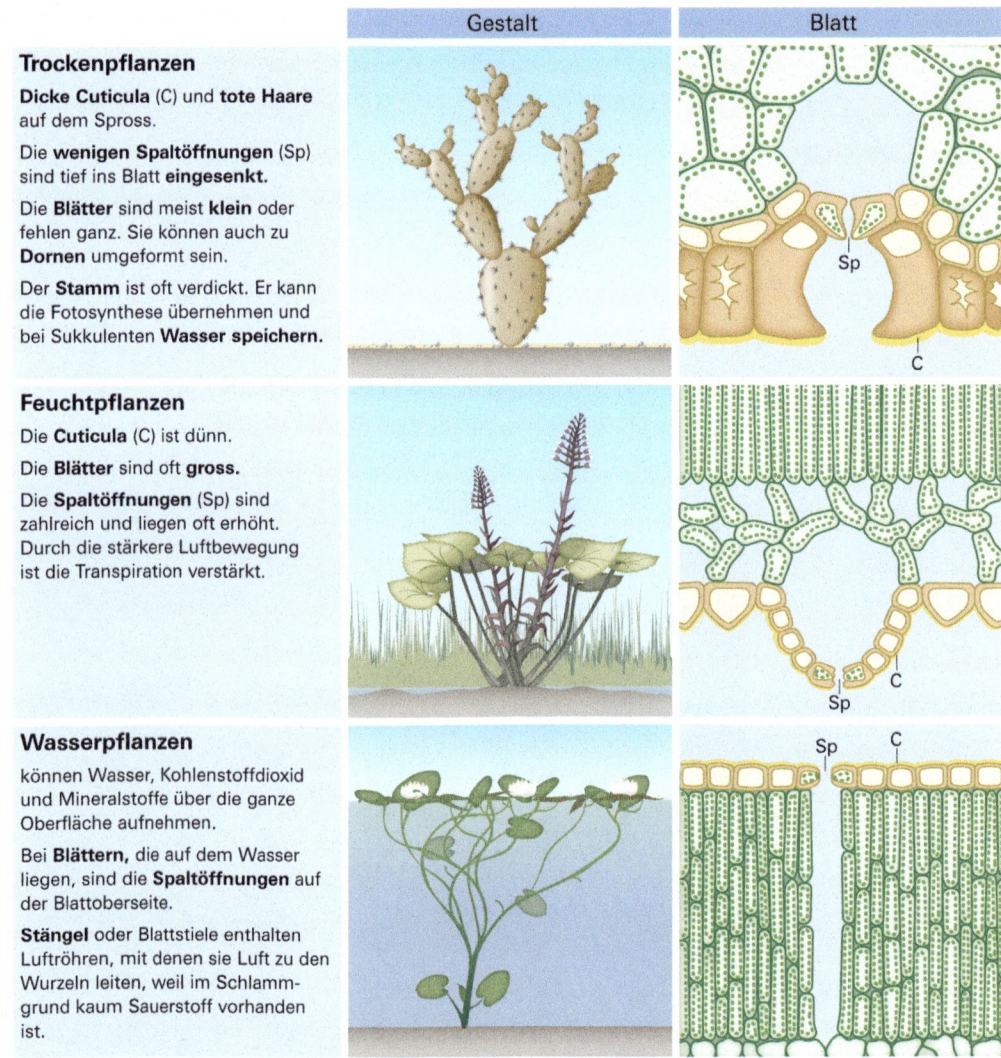

Trockenpflanzen

Dicke Cuticula (C) und **tote Haare** auf dem Spross.

Die **wenigen Spaltöffnungen** (Sp) sind tief ins Blatt **eingesenkt**.

Die **Blätter** sind meist **klein** oder fehlen ganz. Sie können auch zu **Dornen** umgeformt sein.

Der **Stamm** ist oft verdickt. Er kann die Fotosynthese übernehmen und bei Sukkulenten **Wasser speichern**.

Feuchtpflanzen

Die **Cuticula** (C) ist dünn.

Die **Blätter** sind oft **gross**.

Die **Spaltöffnungen** (Sp) sind zahlreich und liegen oft erhöht. Durch die stärkere Luftbewegung ist die Transpiration verstärkt.

Wasserpflanzen

können Wasser, Kohlenstoffdioxid und Mineralstoffe über die ganze Oberfläche aufnehmen.

Bei **Blättern**, die auf dem Wasser liegen, sind die **Spaltöffnungen** auf der Blattoberseite.

Stängel oder Blattstiele enthalten Luftröhren, mit denen sie Luft zu den Wurzeln leiten, weil im Schlammgrund kaum Sauerstoff vorhanden ist.

Wassermangel im Winter

Laubfall

In unseren Breiten haben mehrjährige Pflanzen wie Bäume und Sträucher auch im Winter Probleme mit der Wasserversorgung. Obwohl ihre Wurzeln in frostsichere Tiefen reichen, bekommen sie nicht genug Wasser, weil durch die gefrorene Oberfläche kein Wasser zu den Wurzeln gelangt. Laubbäume vermindern darum im Herbst die Transpiration, indem sie die Blätter abwerfen. Die Nadeln der Nadelbäume sind gegen Verdunstung besser geschützt. Sie haben eine dicke Wachsschicht und sind relativ klein.

Zusammenfassung

Wasser ist der mengenmässig dominierende Bestandteil aller Lebewesen. Alle Lebensvorgänge laufen in wässrigen Lösungen ab. Wasser dient als Transportmittel und nimmt an vielen Reaktionen des Stoffwechsels teil. Für Wasserbewohner ist das Wasser auch das Medium, in dem sie leben. Pflanzen und Tiere ohne Skelett werden durch den Innendruck gestützt.

Salzwasserbewohner, die eine tiefere Salzkonzentration als die Umgebung haben, müssen aktiv Wasser aufnehmen, weil sie durch Osmose Wasser verlieren. Süsswasserbewohner müssen Wasser aktiv nach aussen befördern, weil durch Osmose Wasser eindringt.

Landbewohnende Tiere haben eine verhornte Haut oder eine Cuticula und atmen durch Lungen oder Tracheen. Ihr Skelett ist tragend, die Ausscheidungsorgane (Nieren) und der Darm halten Wasser zurück, die Eier haben Schalen und werden im Körper befruchtet. Sie sehen und hören meist gut und können riechen und schmecken.

Die meisten Landpflanzen sind Sprosspflanzen. Sie nehmen Wasser mit den Wurzeln auf und transportieren es in den Gefässen nach oben, wo es z. B. für die Fotosynthese gebraucht wird oder verdunstet. Der Transpirationsstrom transportiert auch Mineralstoffe aus den Wurzeln zu den Blättern und die Verdunstung kühlt die Pflanze. Die wachsartige Cuticula verhindert übermässige Verdunstung. Der Gasaustausch erfolgt durch regelbare Spaltöffnungen auf der Blattunterseite, die sich bei Wassermangel schliessen. Grösse und Durchlässigkeit der Pflanzenoberfläche sind dem Wasserangebot des Standorts angepasst.

In Gebieten mit kaltem Winter leiden Bäume und Sträucher bei gefrorenem Boden unter Wassermangel, weil kein Wasser zu den Wurzeln gelangt. Laubbäume vermindern darum im Herbst die Transpiration, indem sie die Blätter abwerfen. Die Nadeln der Nadelbäume sind gegen Verdunstung besser geschützt (Wachsschicht, kleine Oberfläche).

Aufgabe 10 Amöben sind tierische Einzeller, deren Körper durch eine wasserdurchlässige Zellmembran begrenzt ist. Einige Arten haben pulsierende Vakuolen, die eindringendes Wasser wieder nach aussen pumpen, andere Arten haben das nicht. Wie ist das zu erklären?

Aufgabe 11 Wie ändert sich die Häufigkeit, mit der sich die pulsierenden Vakuolen bei den Pantoffeltierchen eines Tümpels entleeren, wenn die Salzkonzentration des Wassers durch die Verdunstung von Wasser zunimmt?

Aufgabe 12 Wozu brauchen Landpflanzen A] Spaltöffnungen, B] Schliesszellen, C] Gefässe?

3 Beziehungen zwischen den Lebewesen

Lernziele   Nach der Bearbeitung dieses Kapitels können Sie …

- die innerartlichen Beziehungen erörtern und entsprechende Verhaltensweisen (Rangordnung, Revierverhalten, Brutpflege etc.) beschreiben.
- den Begriff ökologische Nische definieren und an Beispielen veranschaulichen.
- das Konkurrenzausschlussprinzip erläutern.
- die Bedeutung der Konkurrenz für die Verbreitung der Arten an Beispielen aufzeigen.
- den Begriff äquivalente Planstellen erörtern und Beispiele nennen.
- die Bedeutung der Räuber-Beute- und der Wirt-Parasit-Beziehung erörtern.
- Anpassungen von Ekto- und Endo-Parasiten an Beispielen beschreiben.
- Beispiele von Symbiosen beschreiben.

Schlüsselbegriffe   innerartliche Konkurrenz, ökologische Nische, Parasiten, Planstelle, Rangordnung, Revierverhalten, Symbiose, zwischenartliche Konkurrenz

Jedes Lebewesen ist Mitglied einer Lebensgemeinschaft oder Biozönose. Es steht in Beziehung zu anderen Lebewesen und wird von diesen beeinflusst. Man bezeichnet diese Einflüsse der lebenden Umwelt als biotische Faktoren.

Die Beziehungen zu anderen Lebewesen können aus Sicht eines Individuums positive oder negative Wirkungen haben. Wenn eine Katze eine Maus frisst, profitiert sie dabei mehr als die Maus. Für die ganze Mäusepopulation sind aber die Fressfeinde nützlich, weil sie zur Regulation der Mäusepopulation beitragen. Wir unterscheiden innerartliche und zwischenartliche Beziehungen und besprechen sie in den folgenden Kapiteln:

- Beziehungen zwischen Lebewesen einer Art:
    - 3.1 Innerartliche Beziehungen
- Beziehungen zwischen Lebewesen verschiedener Arten:
    - 3.2 Zwischenartliche Konkurrenz und Einnischung
    - 3.3 Fressfeind-Beute-Beziehungen
    - 3.4 Parasit-Wirt-Beziehungen
    - 3.5 Symbiosen

3.1 Innerartliche Beziehungen

3.1.1 Kooperation und Konkurrenz

Kooperation   Die meisten Lebewesen haben Beziehungen zu Artgenossen. Viele brauchen mindestens für die Fortpflanzung einen Partner. Oft kooperieren Artgenossen, z. B. beim Nahrungserwerb, bei der Verteidigung oder bei der Aufzucht der Nachkommen. Die Überlebenschancen sind in der Gruppe meist höher.

Innerartliche Konkurrenz   Da Artgenossen gleich gebaut und spezialisiert sind, haben sie in der Regel die gleichen Bedürfnisse und sind die härtesten Konkurrenten.

Konkurrenzverminderung   Bei Tieren mit Metamorphose (Amphibien, Insekten) wird die innerartliche Konkurrenz vermindert, indem aus dem Ei eine Larve schlüpft, die eine andere Lebensweise hat und damit andere Ansprüche an seine Umwelt stellt als das erwachsene Tier. So ernährt sich eine Raupe anders und lebt in einem anderen Bereich als der Schmetterling (vgl. Abb. 3-1). Bei einigen Vogel- und Insektenarten wird die innerartliche Konkurrenz reduziert, indem sich die beiden Geschlechter unterschiedlich ernähren. So leben die Stechmücken-Männchen ausschliesslich von Nektar und Pflanzensaft, während Weibchen auch Blut saugen.

[Abb. 3-1] Konkurrenzvermeidung

Beim Kohlweissling frisst die Larve Blätter von verschiedenen Kohlarten, der erwachsene Schmetterling trinkt Nektar. Bilder: © Beat Wermelinger

3.1.2 Organisation des Zusammenlebens

Bei vielen Tieren werden ständige und gefährliche Auseinandersetzungen als Folge der innerartlichen Konkurrenz durch angeborenes Verhalten vermieden. Dabei gibt es grundsätzlich zwei Strategien:

- die Bildung von Revieren und
- die Festlegung einer Rangordnung.

Reviere

Revierbesetzung

Bei Tierarten mit Revierverhalten besetzen Individuen, Paare oder Familien ein Revier. Sie markieren die Grenzen und verteidigen das Revier gegen Artgenossen. Die Markierung kann durch Duftmarken, Lautäusserungen oder Präsenz des Revierinhabers geschehen. Wer die Grenzen überschreitet, wird angegriffen. Die Kämpfe sind ritualisierte Turnierkämpfe, die nach bestimmten Regeln verlaufen und nicht die Verletzung des Gegners zum Ziel haben (vgl. Abb. 3-2). Meist werden nicht die schärfsten Waffen eingesetzt.

Bedeutung

Weil sich Individuen ohne Revier nicht fortpflanzen, führt das Revierverhalten zur Anpassung der Vermehrung an die verfügbaren Ressourcen. Bei einer Verschlechterung des Angebots werden die Reviere grösser und die Zahl der Reviere nimmt ab. Dadurch sinkt die Zahl der Individuen, die sich fortpflanzen. Bei einer Verbesserung nimmt beides zu.

Rangordnung

Bedeutung

Tiere, die in Gruppen zusammenleben, legen in der Regel eine Rangordnung fest. Die Rangordnung vermindert die Zahl der Auseinandersetzungen und verhindert z. B., dass sich alle Mitglieder der Gruppe gleichzeitig auf das Futter stürzen. Die Ranghöheren haben Vortritt. Bei Nahrungsmangel sorgt die einseitige Verteilung des Futters dafür, dass mindestens ein Teil der Population überlebt. Die Rangordnung kann zur Regulation der Populationsdichte beitragen, weil sich meist nur die ranghohen α-Tiere fortpflanzen.

Festlegung

Die Festlegung der Rangordnung geschieht meist durch ritualisierte Kämpfe, kann aber auch durch das Alter und die Erfahrung gegeben sein wie bei Schimpansen und Gorillas. Rhesusaffen erben den Rang von der Mutter und Dohlenweibchen verbessern ihre Position durch Paarung mit einem hochgestellten Männchen.

[Abb. 3-2] Turnierkampf

Die beiden Springböcke kämpfen, ohne sich mit ihren spitzen Hörnern zu verletzen. Bild: © Ecophoto, Dreamstime.com

3.1.3 Beziehung zu den Nachkommen

Strategien

Viele Lebewesen kümmern sich nach der Ablage der Eier nicht mehr um ihren Nachwuchs. Sie kompensieren die geringe Überlebenschance der Nachkommen durch die Produktion einer grossen Zahl von Eiern. Andere Arten bilden weniger Eier bzw. Nachkommen und erhöhen deren Überlebenschance durch

- Brutfürsorge oder
- Brutpflege.

Brutfürsorge

Vorsorge

Unter Brutfürsorge versteht man Vorsorgemassnahmen zum Schutz und zur Ernährung der Nachkommen bis zur Eiablage bzw. bis zur Geburt. Oft werden die Eier in einer vor Fressfeinden geschützten Umgebung abgelegt, in der sich die Nachkommen gut entwickeln können und Futter finden:

[Abb. 3-3] Brutfürsorge

Die Grabwespen-Weibchen vergraben ihre Eier zusammen mit einem Beutetier, das sie durch einen Stich gelähmt haben, in eine selbst gegrabene Höhle. Bild: CC Fritz Geller-Grimm und Felix Grimm

Beispiele
- Eier werden im Boden vergraben, unter Blättern oder Steinen versteckt oder mit einem Gespinst oder einer Gallerte geschützt.
- Schlupfwespen legen ihre Eier einzeln in die Puppe eines anderen Insekts, die Larve entwickelt sich dann gut geschützt im Innern der Puppe und frisst deren Inhalt.
- Grabwespen vergraben ihre Eier und legen ein gelähmtes Beute-Insekt als Futter bei.
- Kirschfliegen legen jedes Ei in eine junge Kirsche.

Brutpflege

Als Brutpflege bezeichnet man die Pflege der Eier und der Nachkommen: Bewachung, Versorgung (Wärme, Sauerstoff, Futter), Sauberhalten, Führen und Anlernen etc.

Bewachung
- Bei Krebsen und Spinnen tragen die Weibchen die Eier mit sich herum.
- Die Maulbrüter unter den Fischen bewahren die Eier und Jungtiere im Mund auf.
- Die Seepferd-Männchen tragen die Eier in einer Bauchtasche.

Bebrüten
- Ameisen tragen ihre Puppen im Nest an den Ort mit der idealen Temperatur.
- Vögel bebrüten ihre Eier.

Fütterung
- Viele Vögel füttern ihre Jungen mit Nahrung, die sie suchen und z. T. vorverdauen.
- Säuger ernähren ihre Jungen mit der in speziellen Milchdrüsen produzierten Milch.
- Bienen füttern die Larven mit Honig.

Anlernen
Vögel und Säuger führen und schulen die Jungtiere meist über längere Zeit.

[Abb. 3-4]   Brutpflege

Viele Säugetiere und Vögel pflegen und beschützen ihre Jungtiere nach der Geburt bzw. nach dem Schlüpfen noch längere Zeit. Bild: © Enjoylife25 / Dreamstime.com

> **Zusammenfassung**
>
> Lebewesen der gleichen Art können kooperieren und sich gegenseitig nützen. Sie stehen aber immer in Konkurrenz, da sie in der Regel die gleichen Ansprüche an die Umwelt stellen. Bei Tieren können Revierverhalten und Rangordnung destruktive Folgen der Konkurrenz vermeiden. Innerartliche Auseinandersetzungen werden als Turnierkämpfe geführt und zielen nicht auf die Verletzung des Gegners ab. Tiere mit Metamorphose (Insekten, Amphibien) haben eine Jugendform (Larve), die nicht in Konkurrenz steht zu den erwachsenen Tieren, weil sie eine andere Lebensweise hat. Viele Tiere verbessern die Überlebenschancen der Nachkommen durch Brutfürsorge vor der Eiablage bzw. Geburt (z. B. Schutz der Eier, Anlegen eines Nahrungsvorrats) und / oder durch Brutpflege (Füttern, Wärmen, Anlernen etc. der Jungtiere).

Aufgabe 13   A] Der Kuckuck legt seine Eier in fremde Nester. Treibt er Brutpflege oder Brutfürsorge?

B] Warum zerstört der Kuckuck meist ein Ei des Wirtsvogels?

Aufgabe 14   Wie ändert sich das Revier eines Fleischfressers, wenn die Dichte seiner Beute im ganzen Ökosystem abnimmt, und was hat das zur Folge?

3.2 Zwischenartliche Konkurrenz und Einnischung

3.2.1 Konkurrenz zwischen verschiedenen Arten

Verdrängung

Auch Lebewesen verschiedener Arten können sich bei gewissen Aktivitäten in die Quere kommen. So machen Fleischfresser wie die Löwen manchmal anderen die Beute streitig und die Hyänen vertreiben die Schakale vom Aas. Wenn aber zwei Arten zu ähnliche Ansprüche haben, kommen sie gar nicht am gleichen Standort vor. Weil eine der beiden Arten erfolgreicher war und sich rascher vermehrt hat, hat sie die andere verdrängt. Die zwischenartliche Konkurrenz führt zum Ausschluss einer Art (vgl. Kap. 3.2.3, S. 50).

3.2.2 Ökologische Nische

Einnischung

Die zwischenartliche Konkurrenz hat im Verlauf der Stammesgeschichte zur Spezialisierung der Arten geführt. Jede heute lebende Art stellt spezifische Ansprüche an die Umwelt und nutzt bestimmte Ressourcen auf ihre Weise: Jede Art hat ihre arteigene Umwelt. Sie beansprucht nicht das ganze Ökosystem, sondern eine artspezifische ökologische Nische. Das Beispiel in Abbildung 3-5 zeigt verschiedene Vogelarten, die sich nicht in die Quere kommen, weil ihre Nischen verschieden sind. Die Spezialisierung einer Art auf eine bestimmte Nische im Verlauf der Stammesgeschichte wird als Einnischung bezeichnet.

Ökologische Nische

Die ökologische Nische einer Art umfasst alle biotischen und abiotischen Umweltfaktoren, die für die Art von Bedeutung sind.

Der Begriff Nische beschreibt immer einen begrenzten Ausschnitt. Im Alltag wird er primär für einen Raum verwendet, in der Wirtschaft für einen Teil des Markts (Marktnische) und in der Ökologie für einen Teil der Umwelt, der von einer Art auf eine spezifische Weise genutzt wird. Die ökologische Nische beschreibt also nicht den Raum, in dem eine Art lebt, sondern ihre Ansprüche und die Rolle, die sie im Ökosystem spielt. Sie definiert die «Jobs» (inkl. Nebenbeschäftigungen und Hobbys) einer Art.

[Abb. 3-5] Nahrungsnischen verschiedener Vogelarten auf einer Fichte

Auf und unter einer Fichte finden viele Vogelarten Nahrung, ohne sich in die Quere zu kommen.

Nahrungsnische

Weil die ökologische Nische sehr viele Faktoren umfasst, ist eine vollständige Erfassung und Beschreibung kaum möglich. Man beschränkt sich darum oft auf den Ökofaktor, der für die aktuelle Betrachtung von besonderer Bedeutung ist, und beschreibt z. B. die «Nahrungsnische». Der Bereich, in dem eine Art lebt, dient oft zur Umschreibung der Nische.

Habitat

Der Raum, in dem eine Art lebt, wird als Habitat oder Standort bezeichnet.

Planstelle

Jede Art hat ihre ökologische Nische und besetzt im Ökosystem die entsprechende Planstelle.

Bsp. Darwinfinken

Ein Musterbeispiel für die Einnischung sind die von Charles Darwin beschriebenen Finkenarten auf den Galapagosinseln. Sie sind alle eng miteinander verwandt und haben sich doch bezüglich Futter so stark spezialisiert, dass sie sich nicht konkurrenzieren. Es spricht alles dafür, dass sie von einer einzigen Art abstammen, die vom Festland her eingeflogen ist. Da es auf den Inseln nur wenige Vogelarten gab, waren viele Nischen frei. So konnten sich aus der eingeflogenen Art mehrere Arten bilden und auf Nischen spezialisieren, die auf dem Festland durch andere Vogelarten besetzt sind. Sie unterscheiden sich hauptsächlich in Form und Grösse des Schnabels, in der Art der Nahrung und im Ort, wo sie diese finden (vgl. Abb. 3-6).

Ein interessanter Sonderfall ist der Spechtfink, der sich durch sein Verhalten eingenischt hat. Er stochert mit einem Dorn als Werkzeug Insektenlarven aus der Borke von Bäumen. Auf dem Festland hätte er keine Chance, weil seine Planstelle durch verschiedene Spechtarten besetzt ist, die die Larven schneller und effizienter aus der Borke holen.

[Abb. 3-6] Darwinfinken

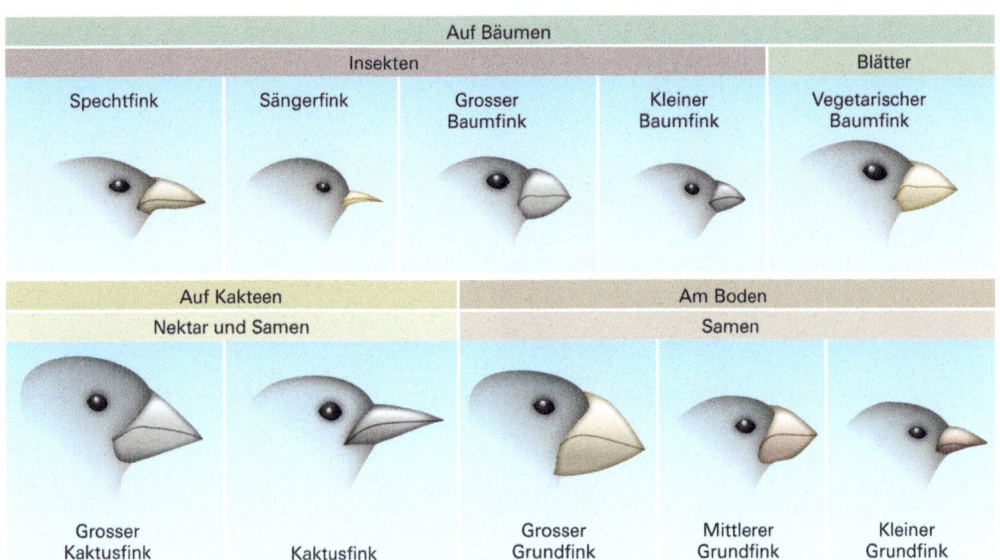

Die auf den Galapagosinseln lebenden Darwinfinken sind miteinander verwandt, haben sich aber auf unterschiedliche Nahrung spezialisiert (eingenischt).

Weitere Beispiele

Weitere Beispiele für die Einnischung nahe verwandter Arten:

- Aussenparasiten auf dem gleichen Wirt leben oft auf verschiedenen Körperteilen, z. B. die Kopflaus und die Filzlaus beim Menschen.
- Die bewimperte Alpenrose lebt auf kalkhaltigen Böden, die rostblättrige auf sauren.
- Der Waldbaumläufer bevorzugt Nadelwälder, der Gartenbaumläufer Mischwälder.
- Der Wanderfalke jagt grössere Vögel als der kleinere Baumfalke.
- Die Kohlmeise lebt in der Strauchschicht, die Blaumeise hingegen in der Kronenschicht des Waldes.

3.2.3 Konkurrenzausschluss

Laborversuche mit zwei Populationen

Wie sich zwei Populationen in ihrer Entwicklung gegenseitig beeinflussen, lässt sich im Labor an künstlichen Systemen mit nur zwei Populationen untersuchen. Zu den klassischen Experimenten gehören die Versuche von G. F. Gause mit zwei Arten von Pantoffeltierchen. Dies sind heterotrophe Einzeller, die sich als Konsumenten oder Destruenten ernähren. Abbildung 3-7 zeigt das Resultat von drei Versuchen, die Gause durchgeführt hat.

Versuch A

In Versuch A werden die beiden Arten getrennt, aber unter gleichen Bedingungen gezüchtet. Beide Populationen wachsen und ihre Grösse erreicht ein Maximum, das durch die Futtergabe gegeben ist. Die Population von P. aurelia wächst etwas schneller und wird etwas grösser als die Population von P. caudatum.

Versuch B

In Versuch B werden die beiden Arten im gleichen Gefäss gezüchtet (bei verdoppeltem Futterangebot). Zu Beginn entwickeln sie sich ähnlich wie in Versuch A. Schon bald nimmt aber die Population von P. caudatum wieder ab und stirbt aus, während P. aurelia weiter wächst. Eine Koexistenz der beiden Arten ist offensichtlich nicht möglich, d. h., ihre ökologischen Nischen sind zu ähnlich.

Versuch C

Im Versuch C wird P. aurelia zusammen mit P. bursaria gezüchtet. Beide Populationen entwickeln sich: Ihre Nischen sind demnach so verschieden, dass eine Koexistenz möglich ist.

[Abb. 3-7] Kulturversuche mit Pantoffeltierchen

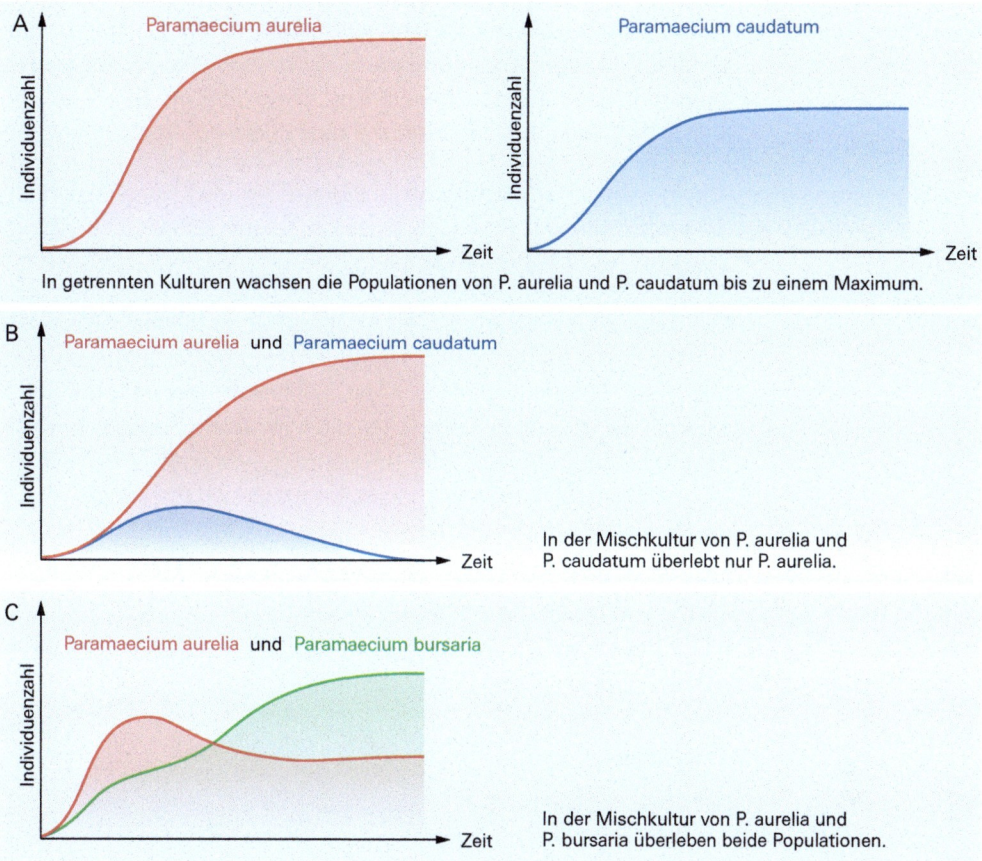

Gause-Prinzip

G. F. Gause folgerte 1932 aus diesen und ähnlichen Experimenten: In einer Biozönose leben nie zwei Arten mit gleicher ökologischer Nische. Weil von den beiden Arten immer eine erfolgreicher ist und mehr Nachkommen hat, verdrängt sie die andere über kurz oder lang. Diese Regel wird als Gause-Prinzip oder Konkurrenzausschluss-Prinzip bezeichnet. Wie stark sich die Nischen von zwei Arten einer Biozönose überlappen dürfen, lässt sich weder definieren noch messen. Somit lässt sich auch nicht vorhersagen, ob zwei Arten koexistieren können. Kommen aber zwei Arten längere Zeit in einer Biozönose vor, bedeutet das, dass sich ihre Nischen ausreichend unterscheiden.

3.2.4 Ursachen der Verdrängung

Erfolgreicher

Die Verdrängung einer Art beruht in der Regel auf dem höheren Fortpflanzungserfolg der Konkurrenz-Art.

Schädigung

Nur in seltenen Fällen schädigt eine Art die andere direkt (Interferenz). Ein Beispiel sind Pilze, die Stoffe ausscheiden, die für die Bakterien, die mit ihnen in Konkurrenz stehen, giftig sind. Zu diesen Pilzen gehört der Pinselschimmel Penicillium, der das Antibiotikum Penicillin produziert, das wir gegen pathogene Bakterien einsetzen. Ein anderes Beispiel sind Bäume, wie der Nussbaum, die mit ihren Blättern Stoffe auf den Boden fallen lassen, die den unter ihnen wachsenden Konkurrenten das Leben schwer machen.

3.2.5 Optimum und Verbreitung

Konkurrenzstärke

Konkurrenz beeinflusst die Verbreitung der Arten. Konkurrenzstarke Arten leben dort, wo die Bedingungen für sie optimal sind, während konkurrenzschwache Arten an den Rand ihres möglichen Existenzbereichs gedrängt werden. Das lässt sich, wie die folgenden zwei Beispiele zeigen, bei den Pflanzen besonders gut beobachten, weil sie ortsfest sind.

Bsp. 3 Grasarten

Die drei Grasarten Fuchsschwanz, Glatthafer und Trespe haben in Monokulturen bezüglich Bodenfeuchtigkeit praktisch dieselbe Toleranzkurve (vgl. Abb. 3-8 A): Sie gedeihen bei mittlerer Feuchtigkeit am besten.

Sät man ein Gemisch der drei Arten auf einer Fläche mit unterschiedlicher Feuchtigkeit, dominiert der Fuchsschwanz im feuchten, der Glatthafer im mittleren und die Trespe im trockenen Bereich (vgl. Abb. 3-8 B). Der Glatthafer ist unter den Bedingungen, die für alle optimal wären, von den drei Arten die konkurrenzstärkste. Er verdrängt den Fuchsschwanz in den feuchten Bereich, die Trespe in den trockenen. Im feuchten Bereich ist der Fuchsschwanz am konkurrenzstärksten, im trockenen die Trespe. Wäre der Glatthafer auch hier erfolgreicher, kämen die anderen zwei Arten gar nicht vor.

[Abb. 3-8]   Optima von drei Grasarten

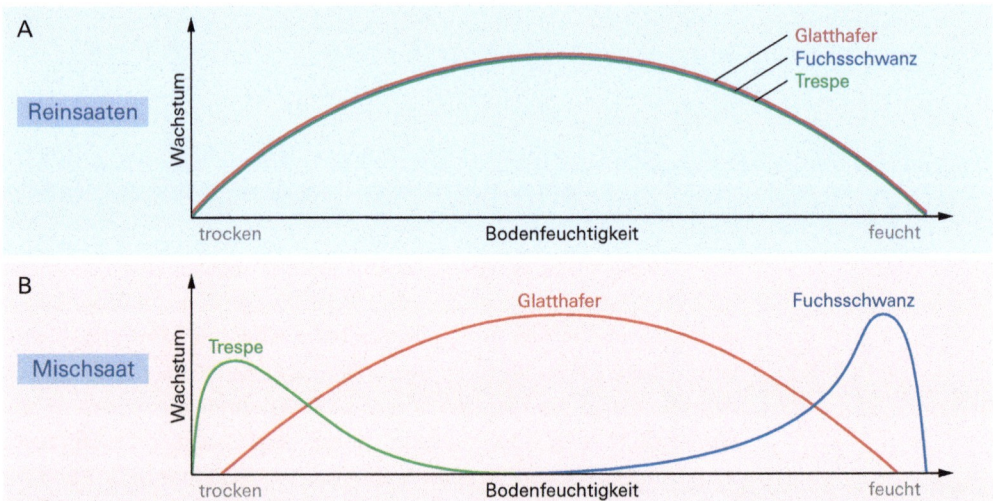

Die drei Grasarten Fuchsschwanz, Glatthafer und Trespe haben in Reinsaat bezüglich Bodenfeuchtigkeit praktisch dieselbe Toleranzkurve (A). In der Mischsaat verschiebt sich das Optimum: Der Fuchsschwanz wird auf die feuchteren, die Trespe auf die trockeneren Böden abgedrängt (B).

Optimum

Das Optimum der isolierten Population wird als physiologisches Optimum vom ökologischen Optimum in der (natürlichen) Biozönose unterschieden.

Bsp. Mischwald

Als zweites Beispiel betrachten wir für vier Baumarten die Optima bezüglich Feuchtigkeit und Säuregrad des Bodens sowie die Verbreitung im Mischwald. Die Diagramme in Abbildung 3-9 zeigen den möglichen Existenzbereich, den bevorzugten Bereich, in dem die Art am raschesten wächst, und den Bereich, in dem sie im Mischwald effektiv vorkommt.

[Abb. 3-9]   Ansprüche von vier Baumarten und Verbreitung im Mischwald

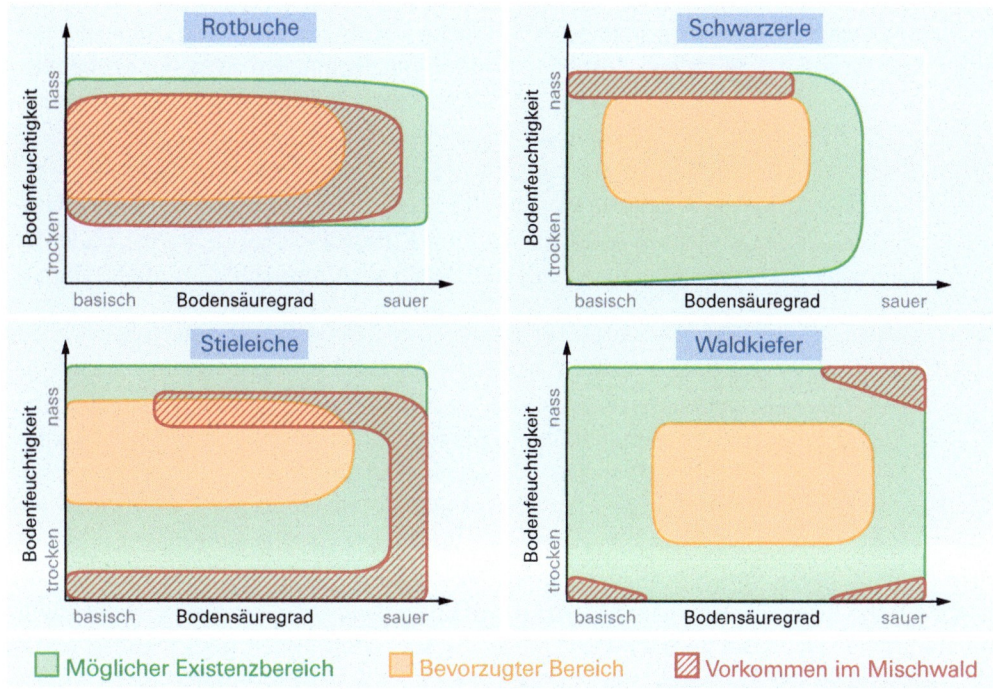

Ansprüche und Verbreitung verschiedener Baumarten bezüglich Feuchtigkeit und Säuregrad des Bodens. Grün ist der mögliche Existenzbereich, orange der Bereich mit optimalen Bedingungen und rot schraffiert der Bereich, in dem die Baumart im Mischwald effektiv vorkommt.

Konkurrenzstärke

Sie sehen, dass der Optimalbereich aller Arten im Bereich mittlerer Wert der Bodenfeuchte und des Bodensäuregrads liegt. Das effektive Vorkommen im Mischwald zeigt, wie konkurrenzstark die Art ist. Die konkurrenzstarken Arten kommen dort vor, wo es ihnen am besten gefällt.

Buche

Die Buche (Rotbuche) lebt im Mischwald im Bereich ihres Optimums, weil sie hier sehr konkurrenzstark ist. Gründe für ihr Durchsetzungsvermögen sind:

- Die Buche wächst rasch und macht ihren Konkurrenten Schatten.
- Junge Buchen brauchen weniger Licht als die Jungpflanzen anderer Bäume.
- Weil die Buche sowohl direkte Sonne als auch Schatten erträgt, kann sie aus dem Schatten ihrer Konkurrenten an die Sonne wachsen.

Dass die Buche nicht überall dominiert, liegt daran, dass sie auf nassen oder sauren Böden weniger gut gedeiht als andere Arten, die hier also konkurrenzstärker sind.

Kiefer

Das Gegenstück zur Buche ist die Kiefer (Waldkiefer), die im Mischwald nur in den Ecken ihres möglichen Existenzbereichs vorkommt. Sie würde zwar auf mittleren Böden auch besser gedeihen, ist aber dort wegen ihres hohen Lichtbedarfs zu wenig konkurrenzstark. Nur auf schlechten Böden, wo ihre Konkurrenten ganz schlecht oder gar nicht gedeihen, kann sie sich durchsetzen.

Vorkommen

Der Bereich, in dem eine Pflanzenart in der Natur vorkommt, liegt im möglichen Existenzbereich, sagt aber nichts aus über die Bedingungen, die für sie optimal wären. Nur die konkurrenzstärksten Arten leben in ihrem Optimalbereich.

3.2.6 Äquivalente Planstellen

Äquivalente Stellen verschieden besetzt

In Ökosystemen mit ähnlichen Bedingungen gibt es äquivalente Planstellen für Arten mit ähnlichen Nischen. Äquivalente Planstellen sind nicht überall auf der Welt durch die gleiche Art besetzt (vgl. Abb. 3-10). So ist die Planstelle «grosser Laufvogel» in Südamerika an den Nandu, in Afrika an den Strauss und in Australien an den Emu vergeben. Die Planstellen «nektarsaugende Vögel» sind in Amerika durch Kolibris, in Afrika durch Nektarvögel, in Australien durch Honigfresser und in Hawaii durch Kleidervögel besetzt. Die Planstellen «Wüstenpflanzen mit Wasserspeicher (Stammsukkulenten)» besetzen in Amerika die Kakteen, in Afrika die Wolfsmilchgewächse und auf Madagaskar die Kakteenbäume.

Durch Isolation

Den Grund für die unterschiedliche Besetzung äquivalenter Planstellen sieht man darin, dass die heute lebenden Arten nicht immer existiert haben. Weil sich in geografisch getrennten Teilen der Biosphäre verschiedene Arten entwickelt haben, wurden äquivalente Planstellen durch verschiedene Arten besetzt. Die unterschiedliche Besetzung beruht auf der geografischen Isolation und ist gefährdet, wenn Tiere aus einem Bereich in einen anderen gelangen. Der oben erwähnte Spechtfink auf Galapagos würde wohl aussterben, wenn Spechte vom Festland auf die Inseln gelangen würden.

[Abb. 3-10] Äquivalente Planstellen

Äquivalente Planstellen sind nicht überall auf der Welt durch die gleiche Art besetzt.

Zusammenfassung

Die zwischenartliche Konkurrenz hat im Verlauf der Stammesgeschichte zur Einnischung der Arten durch Spezialisierung geführt. Jede heute lebende Art stellt spezifische Ansprüche an die Umwelt und nutzt bestimmte Ressourcen auf eine spezifische Art. Jede Art hat ihre eigene ökologische Nische und besetzt im Ökosystem die entsprechende Planstelle. Die ökologische Nische umfasst alle Umweltfaktoren, die für eine Art von Bedeutung sind. Sie beschreibt die Ansprüche und die Rolle, die eine Art im Ökosystem spielt.

In einer Biozönose sind nie zwei Arten mit gleicher ökologischer Nische vertreten, weil auf lange Sicht immer eine von beiden erfolgreicher ist und mehr Nachkommen hat (Gause- oder Konkurrenzausschluss-Prinzip).

> Die Konkurrenz beeinflusst die Verbreitung der Arten. Konkurrenzstarke Arten leben dort, wo die Bedingungen für sie optimal sind, während konkurrenzschwächere Arten in Bereiche ausweichen müssen, in denen die konkurrenzstärkeren Arten nicht (gut) gedeihen.
>
> In Ökosystemen mit ähnlichen Bedingungen gibt es äquivalente Planstellen. Äquivalente Planstellen in geografisch getrennten Teilen der Biosphäre können durch verschiedene Arten mit ähnlichen Nischen besetzt sein.

Aufgabe 15 Was kann man aus der Tatsache schliessen, dass bestimmte Weidenarten hauptsächlich auf nassen Böden entlang von Flüssen zu finden sind?

Aufgabe 16 Welche Gefahr besteht beim Aussetzen einer Art? Unter welcher Bedingung kann das Aussetzen einer Art sinnvoll sein?

3.3 Fressfeind-Beute-Beziehungen

3.3.1 Arten von Fressfeinden

Räuber, Pflanzen- und Allesfresser

Fressfeinde sind Konsumenten, die sich von anderen Lebewesen ernähren. Nach ihrer Speisekarte unterscheiden wir Räuber, Pflanzenfresser und Allesfresser. Räuber töten und fressen andere Konsumenten, Pflanzenfresser ernähren sich von lebenden Pflanzen, Allesfresser fressen Tiere und Pflanzen. Während Räuber ihre Beute töten und mehr oder weniger ganz verspeisen, fressen Pflanzenfresser meist nur Teile der Pflanzen. Auch beim Nahrungserwerb gibt es Unterschiede, denn Tiere versuchen den Räubern meist aktiv zu entkommen, während sich Pflanzen nur passiv gegen Fressfeinde schützen können.

Nahrungsspektrum

Die Speisekarten der Fresser unterscheiden sich auch im Umfang. Neben Arten, die ein sehr breites Nahrungsspektrum haben, gibt es Spezialisten (Monophagen), die nur von einer einzigen Art leben, wie der Koala Australiens, der nur die Blätter einer Eukalyptusart frisst, oder die Raupe des Seidenspinners, die von den Blättern des Maulbeerbaums lebt.

3.3.2 Nahrungserwerb

Methoden

Die Methoden des Nahrungserwerbs sind je nach Nahrung verschieden:

- Jäger wie Raubkatzen oder Greifvögel erjagen ihre Beute.
- Fallensteller fangen ihre Beute mit Fallen und Netzen wie die Spinnen.
- Filtrierer wie die Enten oder die Bartenwale filtern ihre Nahrung aus dem Wasser.
- Strudler wie die Muscheln erzeugen einen Wasserstrom durch ihren Körper und filtrieren die Nahrung aus diesem.
- Bodenbewohner wie der Regenwurm fressen sich durch den Boden und verdauen die darin enthaltenen organischen Reste.
- Sammler wie die körnerfressenden Vögel picken Fressbares auf.
- Weidegänger beissen oder reissen Pflanzenteile ab.

3.3.3 Feindabwehr

Viele Tiere haben Strategien entwickelt, um ihren Fressfeinden zu entgehen:

Flucht Die Beute versucht, das Zusammentreffen mit dem Feind zu vermeiden, oder flieht vor ihm.

Tarnung Die Beutetiere sind so getarnt, dass der Feind sie schlecht sieht. So gibt es Insekten, die aussehen wie Pflanzenblätter, Stiele oder Blüten. Viele Grundfische haben eine zerfetzte Oberfläche und sind dem Untergrund farblich extrem gut angepasst. Auch der silbrige Bauch vieler Fische dient der Tarnung, denn von unten (aus der Perspektive eines Raubfischs) betrachtet, glänzt die Wasseroberfläche und ein silbriger Bauch fällt weniger auf.

[Abb. 3-11] Tarnung

Wandelndes Blatt (Phyllium celebicum) ist ein Insekt, das aussieht wie ein Blatt. Bild: © Beat Wermelinger

Gift, Stachel Manche Käfer und Blattwanzen schmecken den Fressfeinden nicht. Insekten wie Wespen, Bienen und Hornissen stechen und viele Amphibien sind giftig.

Warntracht Eine Warntracht warnt den Feind vor der Giftigkeit einer Beute. Es nützt dem giftigen Frosch ja wenig, wenn die Schlange, die ihn frisst, nachher stirbt. Die bunten Farben der Warntracht signalisieren den Feinden: «Ich bin unbekömmlich oder giftig.»

[Abb. 3-12] Warntracht und Mimikry

Links: Die Warntracht der Hornisse warnt vor ihrer Giftigkeit. Rechts: Der Hornissen-Glasflügler ist ein harmloser Schmetterling, der die Warnfarbe der Hornisse nachahmt (Mimikry). Bilder: © Beat Wermelinger

Mimikry Trittbrettfahrer ahmen eine Warnfarbe nach, ohne giftig zu sein. So ist der Hornissenglasflügler (vgl. Abb. 3-12) ein harmloser Schmetterling, der aussieht wie eine Hornisse und darum von Vögeln, die die Hornissen als Beute meiden, auch nicht gefressen wird. Man nennt eine solche Nachahmung einer Warntracht Mimikry.

Gehäuse Krebse, Muscheln und Schnecken sind durch ein stabiles Gehäuse geschützt.

Schwarmbildung Die Bildung von Schwärmen ist v. a. bei Fischen häufig zu beobachten. Da im Wasser die Sichtweiten beschränkt sind, ist die Chance eines Räubers, auf einen Beutefisch zu treffen, kleiner, wenn diese Schwärme bilden, weil bei gleicher Populationsdichte der Abstand zwischen den Schwärmen viel grösser ist als der Abstand zwischen Einzelfischen. Der Räuber wird zwar nach langem Suchen statt einen Fisch einen ganzen Schwarm antreffen, aber das erhöht seinen Jagderfolg nicht unbedingt, denn er kann sich nur schwer auf ein Opfer konzentrieren, sondern wird immer wieder abgelenkt und wechselt sein Ziel. Das trifft auch für Räuber am Land und in der Luft zu. Hier nimmt der Jagderfolg des Räubers mit der Grösse des Schwarms oder der Herde auch ab, weil der Räuber früher entdeckt wird.

3.3.4 Frass-Schutz bei Pflanzen

Gifte, Dornen Pflanzen schützen sich gegen das Gefressenwerden durch Gifte, Abwehrdüfte, Stacheln, Dornen, Brennhaare etc. Vor allem die Sukkulenten, die nach dem Angefressenwerden oft absterben, weil sie austrocknen, tragen häufig Stacheln oder Dornen. Gewisse Baumarten erhöhen die Produktion frasshemmender Stoffe, wenn sie von Raupen attackiert werden.

Verteidiger Einige Pflanzen rekrutieren zur Abwehr von Fressfeinden wie Raupen Verteidiger wie Ameisen oder Raubmilben, indem sie diese mit Nektar oder Wohngelegenheiten belohnen.

[Abb. 3-13] Schutz gegen Fressfeinde

Die Tabakpflanze ist durch das Nikotin gegen die meisten Fressfeinde geschützt, aber die Raupe des Tabakschwärmers hat sich angepasst und ist nikotinsüchtig. Sobald sie aber an einem Blatt frisst, werden Duftstoffe frei, die die Weibchen einer parasitären Wespenart anlocken. Diese legt ihre Eier an die Raupe. Aus den Eiern schlüpfen Wespenlarven und fressen die Raupe. Bild: CC Robert L. Anderson, USDA Forest Service, Bugwood.org

Koevolution Pflanzenfresser und Räuber haben im Verlauf der Evolution Tricks gegen die Strategien der Beute entwickelt und umgekehrt. Man nennt das Koevolution. So besitzen manche Pflanzenfresser Enzyme, die das Gift der Futterpflanzen unschädlich machen. Noch raffinierter ist die Raupe des Monarchfalters, die das Gift der Futterpflanzen (Schwalbenwurz) in ihren Körper einbaut und dadurch für ihre Fressfeinde giftig wird. Wenn Giraffen Blätter von Akazien fressen, scheiden die verletzten Teile Ethen aus, das den Baum zur Abgabe von bitteren Tanninen anregt, die die Giraffen vom Fressen abhalten. Auch benachbarte Bäume reagieren und beginnen mit der Tanninproduktion, schon bevor die Giraffen sich an ihnen gütlich tun. Um das zu vermeiden, nähern sich Giraffen den Bäumen gegen den Wind.

| Zusammenfassung | Räuber erbeuten, töten und fressen Tiere, Pflanzenfresser fressen hauptsächlich Pflanzen(teile), Allesfresser fressen Tiere und Pflanzen. |

Beutetiere haben Strategien entwickelt, um ihren Feinden zu entgehen. Tarnung, Flucht, Schwarmbildung, Warntracht, Mimikry, Schalen, Abwehrdüfte, Frassgifte, Stacheln etc. vermindern den Appetit oder den Jagderfolg der Feinde.

Pflanzen können sich durch Schutzvorrichtungen (Dornen, Stacheln, Brennhaare), Gifte oder Abwehrdüfte vor dem Gefressenwerden schützen.

| Aufgabe 17 | Was ist der Unterschied zwischen Warntracht und Mimikry? Was wurde in der Evolution zuerst «erfunden»? |

| Aufgabe 18 | Nennen Sie vier mögliche Gründe dafür, dass besonders viele Sukkulenten über Stacheln oder Dornen verfügen. |

3.4 Parasit-Wirt-Beziehungen

3.4.1 Schädliche Nutzniesser

| Leben mit dem Wirt | Im Unterschied zu den Räubern, die ihre Beute töten und fressen, leben Parasiten auf oder in einem Wirt und ernähren sich von ihm. In der Regel schaden sie ihrem Wirt, töten ihn aber nicht. Parasiten sind meist kleiner und kurzlebiger als ihr Wirt. |

| Entstehung | Ähnlich wie die Beziehungen zwischen Räuber und Beute sind auch Parasit-Wirt-Beziehungen das Resultat einer Koevolution, bei der beide immer wieder neue Tricks «erfunden» haben, um die Strategie des Gegners zu überwinden. |

| Voll- oder Teilzeit | Parasiten können als permanente Parasiten ständig im Wirt leben oder sie besuchen den Wirt wie die Stechmücke als temporäre Parasiten nur gelegentlich, um Nahrung zu holen. |

[Abb. 3-14] Mücke beim Blutsaugen

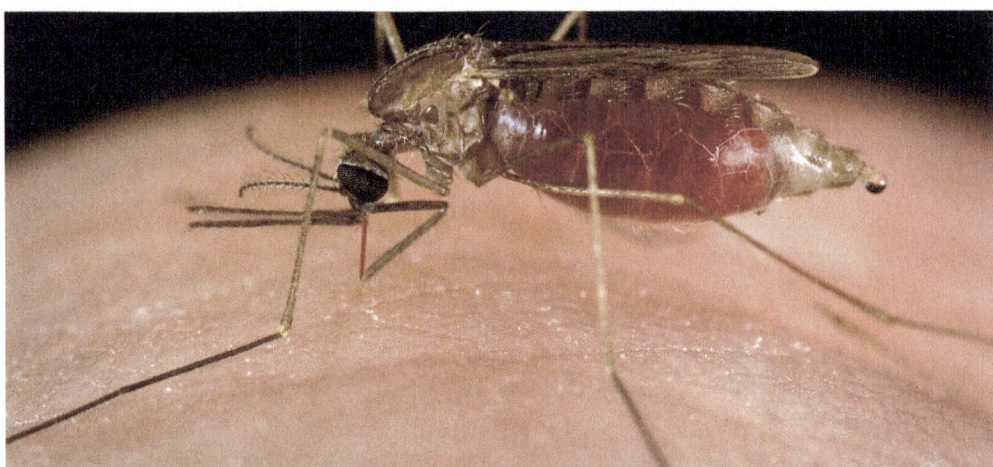

Die Anopheles-Mücke ist ein temporärer Ektoparasit. Sie kann die Erreger der Malaria übertragen. Bild: © James Gathany, CDC

| Ekto- und Endo- | Nach ihrem Aufenthaltsort unterscheidet man Ektoparasiten auf dem Wirt und Endoparasiten im Wirt. Endoparasiten sind ihren Wirten stark angepasst. |

Schädigung — Die meisten Parasiten schaden ihrem Wirt nicht durch ihren Konsum, sondern durch ihre Ausscheidungen. So werden die Symptome vieler Infektionskrankheiten durch Stoffwechselprodukte der Krankheitserreger verursacht. Blutsauger wie die Mücken können Krankheitserreger übertragen. Ihr Stich ist nur gefährlich, wenn dadurch Krankheitserreger ins Blut gelangen, der Blutverlust ist unbedeutend und harmlos.

Wirtsspezifität — Permanente Parasiten sind meist stenök und wirtsspezifisch. Viele benutzen nur eine oder wenige Wirtsarten, an die sie stark angepasst sind. Die extreme Anpassung an eine Wirtsart verbessert die Überlebenschancen des Parasiten in diesem Wirt, macht ihn aber von dieser Art abhängig und vermindert die Chance seiner Nachkommen, einen Wirt zu finden.

Wirtswechsel — Um den Wirt nicht zu überlasten, müssen die Nachkommen eines Parasiten auf ein anderes Wirtsindividuum wechseln. Viele nutzen dazu einen Zwischenwirt wie die Mücke als Überträger. Erfolgreiche Parasiten leben lange von einem Wirt und beeinflussen seine Aktivität so, dass ihre Übertragungschance steigt. Parasiten, die ihrem Wirt zu stark schaden und ihn schnell umbringen, haben schlechte Karten, weil sie ihre Wirte stark dezimieren und weil die Zeit für eine Übertragung auf ein anderes Wirtsindividuum zu kurz ist.

3.4.2 Viren, Bakterien und Pilze

Krankheitserreger — Aus biologischer Sicht zählen Krankheitserreger wie pathogene Bakterien und Pilze zu den Parasiten. In der Medizin werden sie von Parasiten i. e. S. unterschieden.

Viren — Viren haben keinen eigenen Stoffwechsel und können sich nicht selbst fortpflanzen. Sie werden deshalb nicht zu den Lebewesen gezählt. Sie befallen eine Wirtszelle und programmieren diese so um, dass sie Viren herstellt. Viren sind schwer zu bekämpfen, weil sie in die Wirtszellen eindringen. Durch Viren verursachte Krankheiten des Menschen sind z. B. Grippe, Masern und Aids.

Bakterien — Parasitäre Bakterien leben im oder auf dem Wirt und schaden ihm mit ihren Ausscheidungen. Beim Menschen verursachen pathogene Bakterien z. B. Tuberkulose, Typhus und Cholera.

Pilze — Parasitäre Pilze leben meist auf oder nahe an der Oberfläche ihres Wirts, weil sie sich mit Luftsporen verbreiten. Beispiele sind Mehltau, Rost- und Brandpilze bei Pflanzen und Hautpilze beim Menschen (Schimmelpilze sind Destruenten, also keine Parasiten).

[Abb. 3-15] Parasitärer Pilz

Der Dunkle Hallimasch befällt auch lebende Bäume und tötet sie. Er besteht aus einem riesigen Geflecht von Fäden, die wie Wurzeln von Baum zu Baum durch den Boden wachsen. Bild: © WSL, Eidg. Forschungsanstalt für Wald, Schnee und Landschaft

3.4.3 Tiere als Ektoparasiten

Lebensweise

Zu den Ektoparasiten zählen neben Flöhen und Läusen auch die Zecken, die im Wald von Stauden und Sträuchern auf ihren Wirt gelangen. Hier klammern sie sich fest und saugen nach einem Stich mit ihrem Stechapparat Blut. Sie sind ihrer Lebensweise gut angepasst:

Merkmale

- Sie besitzen einen Stech- und Saugapparat zur Blutentnahme (vgl. Abb. 3-16).
- Sie haben Haft- und Klammervorrichtungen.
- Die Augen fehlen, der Wärmesinn ist gut entwickelt, der Geruchssinn ist spezialisiert auf Stoffe wie Buttersäure, die mit dem Schweiss vom Wirt ausgeschieden werden.
- Sie können lange ohne Nahrung auskommen und auf ihren Wirt warten.
- Sie injizieren ihrem Wirt einen Speichel, der die Blutgerinnung verhindert.

Schaden

Zecken richten durch die Blutentnahme keinen nennenswerten Schaden an, können aber gefährliche Krankheitserreger übertragen. Beim Menschen z. B. Borreliose-Bakterien oder die Viren, die die Frühsommer-Hirnhautentzündung (FSME) verursachen.

[Abb. 3-16] Zecken sind Ektoparasiten

Zecken sind blutsaugende Ektoparasiten, die Krankheitserreger übertragen können. Bild: © www.zecke.ch

3.4.4 Tiere als Endoparasiten

Wir betrachten hier die Darmparasiten und Blutparasiten.

Darmparasiten

Der Darm hat als Lebensraum für einen Parasiten einige Vor- und Nachteile:

Vorteile

- Es gibt ein grosses und konstantes Angebot an bereits verdauter Nahrung.
- Die Temperatur ist konstant.
- Es gibt keine Feinde.

Nachteile

- Die Verdauungsenzyme zerlegen Eindringlinge ebenso wie die Nahrung.
- Der Sauerstoff fehlt.
- Die Peristaltik drückt den Darminhalt Richtung Ausgang.
- Die Fortpflanzung ist nicht einfach, die Nachkommen müssen in einen neuen Wirt gelangen.

[Abb. 3-17] Vorderteil und Kopf eines Bandwurms

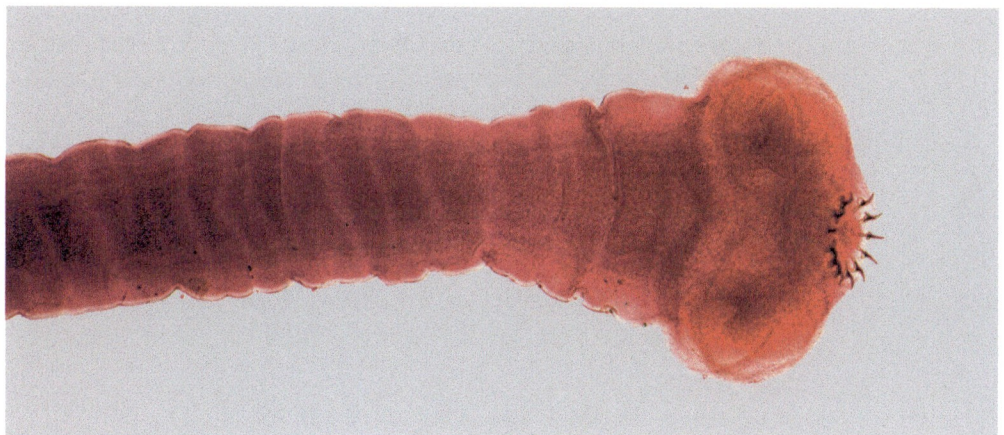

Bild: © Dr. Mae Melvin, CDC

Anpassungen

Darmparasiten wie die Bandwürmer sind diesem Lebensraum angepasst:

- Sie haben kein eigenes Verdauungssystem und nehmen die bereits verdaute Nahrung ihres Wirts durch die Haut auf.
- Sie halten sich mit Haken und Saugnäpfen an der Darmwand fest.
- Sie sind durch eine Schutzschicht auf der Haut (Cuticula) gegen das Verdautwerden durch die Verdauungsenzyme des Wirts geschützt.
- Sie können ohne Sauerstoff leben, weil sie die nötige Energie durch Gärung gewinnen.
- Sie bestehen aus vielen gleich gebauten Segmenten, von denen jedes einen vollständigen zwittrigen Geschlechtsapparat enthält. Ein Bandwurm kann 10 Milliarden Eier produzieren. Die riesige Eizahl kompensiert die geringen Überlebenschancen der Eier.
- Sie leben meist als Einsiedler. Sie sind Zwitter und können sich selbst befruchten, indem sie Spermien von den vorderen Segmenten auf die hinteren übertragen.
- Sie bilden vorne (hinter dem Kopf) neue Segmente und werfen immer wieder das hinterste, das prall mit Eiern gefüllt ist, ab. Es verlässt den Wirt mit dem Kot. Die Eier gelangen mit der Nahrung (Gras) in einen Zwischenwirt und entwickeln sich zu Finnen. Bandwürmer machen einen Wirtswechsel.

[Abb. 3-18] Schweinebandwurm

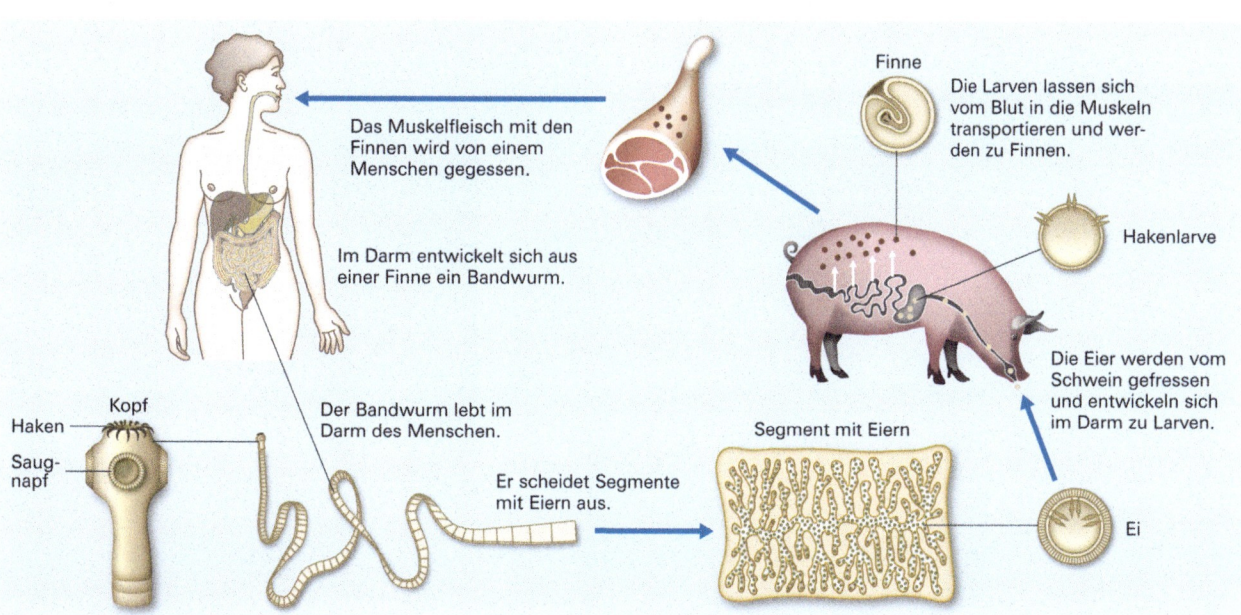

TEIL A | Grundlagen, Biotop und Populationen

Blutparasiten

Lebensraum Blut

Kleine Endoparasiten wie Einzeller oder Fadenwürmer können im Blut- oder im Lymphsystem eines Wirts leben und durch ihre Ausscheidungen Schaden anrichten. Sie werden meist durch Blutsauger wie Stechmücken, Fliegen oder Zecken übertragen. Das Blut hat als Lebensraum einige Vor- und Nachteile:

Vorteile
- Es gibt ein grosses und konstantes Angebot an Nährstoffen und Sauerstoff.
- Die abiotischen Bedingungen (Temperatur, Feuchtigkeit etc.) sind praktisch konstant.

Nachteile
- Der Wirt verteidigt sich mit seiner Abwehr (weisse Blutkörperchen, Antikörper).
- Es ist schwierig, die Nachkommen in einen neuen Wirt zu bringen.

[Abb. 3-19]   Zwei Blutparasiten des Menschen

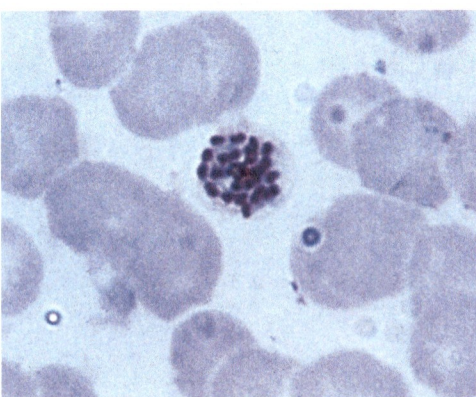
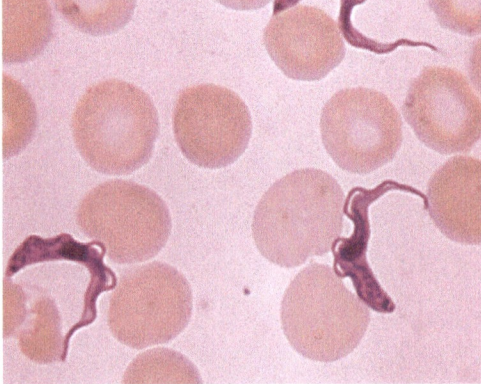

Parasit: Plasmodium (Einzeller)
Überträger: Anopheles-Mücke
Krankheit: Malaria
Bild: © Steven Glenn, CDC

Parasit: Trypanosomen (Einzeller)
Überträger: Tsetsefliege
Krankheit: Schlafkrankheit
Bild: © CDC / Dr. Myron G. Schultz

3.4.5   Tiere als Parasiten von Pflanzen

Gallen

Zu den Parasiten zählen auch Insekten und Milben, die ihre Eier in Teile von Pflanzen ablegen. Die Pflanze bildet zur Abwehr des Parasiten eine Galle, die den Parasiten einschliesst und von ihren Organen fernhält. Die Galle dient der Insektenlarve, die aus dem Ei schlüpft, als Schutz und als Nahrung.

[Abb. 3-20]   Gallen

Links: Gallen einer Eichengallwespe an Eichenblättern. Rechts eine aufgeschnittene Galle mit dem Insekt, das sich in der Galle aus dem Ei entwickelt hat. Die Wespenlarve hat sich in der Galle vom laufend nachwachsenden Gewebe ernährt und zur Wespe verwandelt. Bild: © Beat Wermelinger

3.4.6 Höhere Pflanzen als Parasiten

Unter den Blütenpflanzen gibt es nur wenige Parasiten. Wir unterscheiden Halb- und Vollparasiten.

Halbparasiten

Halbparasiten sind autotroph und beziehen vom Wirt lediglich Wasser und Mineralstoffe. So wächst die Mistel auf Bäumen (vgl. Abb. 3-21) und zapft mit ihren Wurzeln deren Wasserleitungen (Gefässe) an.

Vollparasiten

Vollparasiten wie die Sommerwurz-Arten sind heterotroph und entwenden ihrem Wirt neben Wasser auch organische Stoffe, indem sie seine Assimilatleitungen (Siebröhren) anzapfen. Sie sind nicht grün, denn sie besitzen kein Chlorophyll, ihre Blätter sind meist zu kleinen weissen Schuppen reduziert (vgl. Abb. 3-21).

[Abb. 3-21] Parasitäre Blütenpflanzen

Die immergrüne Mistel auf einer Birke (ohne Laub im Winter). Bild: CC Andrew Dunn

Der farblose Spross des Klee-Sommerwurz, umgeben von grünen Blättern seines Wirts. Bild: CC Richard Carter, Valdosta State University, Bugwood.org

3.4.7 Kommensalen

Nutzniesser

Lebewesen, die von einem Wirt profitieren, ohne ihn zu schädigen, werden als Kommensalen (Tischgenossen) bezeichnet. Zu ihnen zählen z. B. bestimmte Darmbakterien, die vom Nahrungsbrei leben, ohne dem Wirt zu nützen oder zu schaden.

Zusammenfassung

Im Unterschied zum Räuber, der seine Beute tötet und frisst, lebt ein Parasit auf oder in seinem Wirt und ernährt sich von ihm, ohne ihn zu töten. Die meisten Parasiten schaden ihrem Wirt durch das, was sie ausscheiden oder übertragen.

Unter den Blütenpflanzen gibt es nur wenige Parasiten. Wir unterscheiden autotrophe Halbparasiten (Mistel) und heterotrophe Vollparasiten (Sommerwurz-Arten).

Aus biologischer Sicht sind auch Krankheitserreger wie pathogene Bakterien und Pilze Parasiten. Weil sie sehr klein sind, können sie leicht mit der Luft, mit dem Wasser oder mit der Nahrung übertragen werden.

Endoparasiten wie Bakterien, Einzeller, Würmer etc. leben im Wirt und sind diesem meist stark angepasst. Sie sind darum wirtsspezifisch und stenök. Ektoparasiten wie Flöhe, Läuse und Zecken leben auf dem Wirt. Sie sind meist weniger spezialisiert.

> Permanente Parasiten wie die Bandwürmer leben ständig im Wirt, temporäre wie die Mücken besuchen ihn nur hie und da, meist um Nahrung zu holen.
>
> Das Leben in einem Wirt hat Vorteile (grosses Angebot an verdauter Nahrung, konstante Temperatur, keine Feinde) und Nachteile (Fortpflanzung und Verbreitung sind schwierig). Je nach Aufenthaltsort kann die Sauerstoffversorgung kritisch sein und Verdauungsenzyme oder die Abwehrsysteme des Wirts machen den Parasiten das Leben schwer.
>
> Lebewesen, die von einem Wirt profitieren, ohne ihn zu schädigen (wie gewisse Darmbakterien), werden als Kommensalen bezeichnet.

Aufgabe 19 — Nennen Sie Unterschiede zwischen Parasit und Räuber. Berücksichtigen Sie: Grösse, Lebensdauer, Spezifität und Schädigung.

Aufgabe 20 — Bandwürmer können ohne Sauerstoff leben.

A] Wie ist das möglich?

B] Welchen Nachteil hat das und warum fällt dieser beim Bandwurm nicht ins Gewicht?

Aufgabe 21 — Warum ist es für ein Grippevirus ungünstig, wenn die befallenen Menschen schnell sehr krank werden?

Aufgabe 22 — Welche Vor- und Nachteile hat der Darm als Lebensraum für einen Parasiten?

3.5 Symbiosen

3.5.1 Bedeutung

Definition

Unter den Darmbakterien gibt es neben Parasiten und Kommensalen auch Arten, die dem Wirt nützen. Einige produzieren Vitamine, andere zerlegen Stoffe wie die Cellulose, die der Wirt selbst nicht verdauen kann. Die Bakterien profitieren vom reich gedeckten Tisch und von den konstanten Bedingungen im Darm. Ein solches Zusammenleben von zwei verschiedenartigen Organismen, das beiden nützt, nennt man Symbiose. Wenn die Partner sehr unterschiedlich gross sind, nennt man den kleinen Symbionten und den grossen Wirt.

Tauschhandel

Viele Symbiosen stehen im Zusammenhang mit dem Nahrungserwerb, mit der Fortpflanzung oder mit dem Schutz vor Feinden. Das Zusammenwirken der Partner ist keineswegs immer ausgewogen und harmonisch. Die Partner kontrollieren einander gegenseitig und sorgen dafür, dass der andere seine Pflicht tun muss, wenn er den Nutzen haben will. So tragen die Insekten nicht freiwillig Pollen von Blüte zu Blüte. Sie tun dies nur, weil die Blüte so gebaut ist, dass ihre Besucher den produzierten Nektar oder den Pollen nicht holen können, ohne die Blüte zu bestäuben.

3.5.2 Flechten

Superorganismen aus Algen und Pilzen

Flechten leben als Pionierpflanzen auch dort, wo sonst nichts leben kann: in Wüsten und Gebirgen, auf Fels und Beton. Flechten sind eine Symbiose aus Pilzen und Algen, die einen übergeordneten «Superorganismus» mit einem bestimmten Aufbau bilden. Die Fäden des Pilzes bilden die äussere Hülle, die die Algen umschliesst. Die autotrophen Algen stellen durch Fotosynthese Zucker her. Einen Teil davon geben sie an die heterotrophen Pilze ab. Der Pilz schützt die Algen und versorgt sie mit Wasser und Mineralstoffen, welche(s) er aus der Umgebung aufnimmt. Auch bei der Fortpflanzung verhalten sich Flechten wie ein Lebewesen und bilden Verbreitungseinheiten aus Pilzfäden und Algenzellen.

[Abb. 3-22] Flechten

 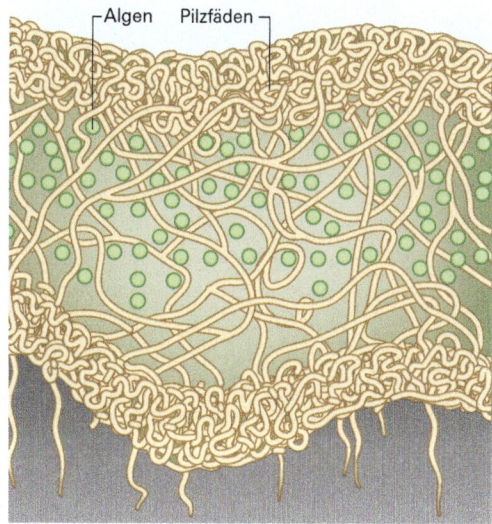

Flechten sind Symbiosen von Algen und Pilzen, die einen «Superorganismus» bilden. Bild links: CC Joseph O'Brien, USDA Forest Service, Bugwood.org

3.5.3 Mykorrhiza

Pilz-Wurzel

Viele Bäume leben in Symbiose mit Pilzen. Die Fäden des Pilzes umschliessen die Wurzeln wie ein Pelz und dringen zwischen ihre Zellen, manchmal sogar in diese ein. Man nennt diese Pilz-Wurzel-Symbiose Mykorrhiza[1]. Der heterotrophe Pilz erhält von der Pflanze Zucker und liefert ihr Wasser und Mineralstoffe, welche(s) er mit seinen Fäden aus dem Boden aufnimmt. Viele Speisepilze sind Mykorrhizapilze. Manche von ihnen kommen nur unter einer bestimmten Baumart vor, weil sie nur mit dieser Art in Symbiose leben können.

[Abb. 3-23] Mykorrhiza

 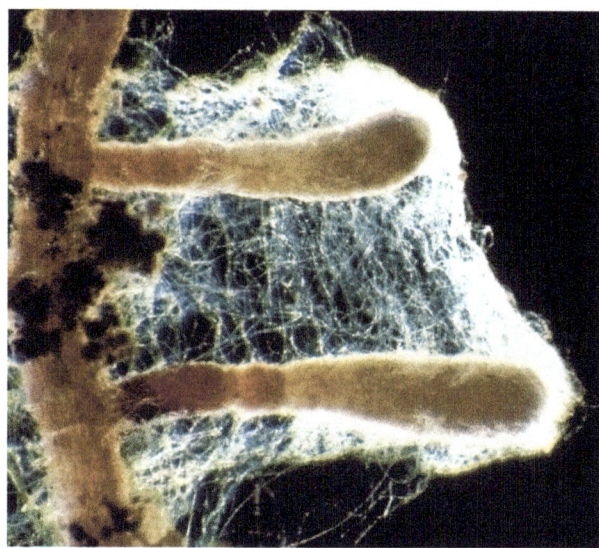

Links: kleine Fichte mit Mykorrhizapilz (Pilzfäden an der Fichtenwurzel und oberirdischer Fruchtkörper). Rechts: Wurzel der Fichte mit Mykorrhizapilzfäden. Bilder: © Simon Egli, WSL

[1] Gr. *mykes* «Pilz», gr. *rhiza* «Wurzel».

3.5.4 Blütenpflanzen und Bestäuber

Pollenübertragung

Fast alle Blütenpflanzen stehen in Symbiose mit Tieren, die sie bestäuben. Meist sind es Insekten, die den Pollen mit den männlichen Gameten übertragen. Der Bestäuber wird mit Pollen und / oder Nektar belohnt. Die Blütenpflanze und ihre Bestäuber sind einander oft in fast unglaublicher Weise angepasst. Blüten locken ihre Bestäuber mit Farben und Düften an und schrecken dabei auch vor Betrug nicht zurück. So sieht die Blüte der Hummelorchis wie eine Hummel aus und wird darum von einsamen Hummeln besucht. Der Aronstab schliesst die Bestäuber, die die Pollen gebracht haben, in der Blüte ein, bis der eigene Pollen zum Abtransport bereit ist.

«Hauptberufliche» Bestäuber wie die Bienen, die Material für ihr Volk sammeln, besitzen einen Magen, in dem sie Nektar in den Stock bringen, und Sammelbeine, an denen sie ganze Pakete von Pollen transportieren.

Weil eine Pflanze nur durch Pollen der gleichen Art bestäubt werden kann, ist es für sie wichtig, dass eine Biene auf einem Sammelflug nur die Blüten einer Art besucht. Wegen der Konkurrenz um die Bestäuber haben sich etliche Arten auf Bestäuber spezialisiert, die nur selten oder nie Blüten anderer Arten besuchen.

[Abb. 3-24] Biene als Bestäuberin

Die Biene überträgt bei ihrer Suche nach Pollen und / oder Nektar den Blütenstaub (Pollen) von Blüte zu Blüte.
Bild: © Beat Wermelinger

3.5.5 Blütenpflanzen und Verbreiter

Samenverbreitung

Viele Blütenpflanzen sind auch für die Verbreitung ihrer Samen auf Tiere angewiesen. Meist dient das Fruchtfleisch als Belohnung für das Tier, das die Frucht frisst und die Samen unbeschädigt, zusammen mit einer Portion Kot als Dünger wieder ausscheidet. Tiere wie das Eichhörnchen oder der Tannenhäher tragen durch das Anlegen von Vorräten zur Verbreitung bei, weil sie längst nicht alle versteckten Früchte wiederfinden.

3.5.6 Knöllchenbakterien und Hülsenfrüchtler

Stickstoff-Fixierer

Hülsenfrüchtler wie Bohnen, Erbsen oder Klee besitzen an ihren Wurzeln kleine kugelige Wucherungen des Wurzelgewebes, deren Zellen Knöllchenbakterien enthalten. Diese können den elementaren Stickstoff aus der Luft binden und zur Herstellung ihrer organischen Stickstoffverbindungen nutzen. Die Knöllchenbakterien werden von der Pflanze mit Zucker versorgt und sind in den Knöllchen gut geschützt. Sie können auch frei im Boden leben, sind aber nur im Knöllchen zur Stickstoff-Fixierung fähig. Die Pflanze erhält von den Knöllchenbakterien Stickstoffverbindungen und kann darum auch auf stickstoffarmen Böden gedeihen. Durch den Anbau von Hülsenfrüchtlern wie Klee wird der Boden von Äckern mit Stickstoff angereichert (Gründüngung).

[Abb. 3-25] Knöllchenbakterien

In den Knöllchen leben Bakterien, die Luftstickstoff fixieren. Bild: © Scimat, Photo Researchers, Keystone

3.5.7 Weitere Symbiosen

Ameisen / Pilze

Blattschneiderameisen kultivieren Pilze und ernähren sich von ihnen. Sie schneiden aus Blättern Stücke heraus, tragen sie ins Nest und zerkleinern sie zu einem Brei, auf dem sie Pilze züchten. Der Pilz wächst und die Ameisen fressen Teile von ihm.

[Abb. 3-26] Blattschneiderameisen

Links: Blattschneiderameise trägt ein Blattstück zum Bau. Rechts: Blattschneiderameisen bei der Brutpflege, im Hintergrund der kultivierte Pilzgarten. Bild links: CC Scott Bauer, USDA Agricultural Research Service, Bugwood.org; Bild rechts: CC John Moser, USDA Forest Service, Bugwood.org

Blattläuse / Ameisen

Blattläuse sind Parasiten, die mit ihrem Rüssel Saft aus weichen Pflanzteilen saugen. Da der Saft sehr viel Zucker enthält, scheiden sie einen Teil von diesem aus. Davon profitieren Ameisen, die Blattläuse «melken», d. h. durch Betrillern des Hinterleibs zur Ausscheidung stimulieren. Die Ameisen schützen die Blattläuse vor Feinden und tragen sie z. T. auch zu geeigneten Pflanzenteilen.

[Abb. 3-27]   Ameisen und Blattläuse

Die Ameisen schützen und melken die Blattläuse. Bild: CC Friedrich Böhringer

Korallen / Algen

Die Polypen, die in den Meeren die riesigen Korallenriffe aufgebaut haben, ernähren sich von Kleintieren, die sie mit ihren Fangarmen erbeuten. Viele beherbergen einzellige Algen, die Fotosynthese betreiben. Der heterotrophe Polyp profitiert von den organischen Produkten der autotrophen Algen. Als Gegenleistung schützt er die Algen und versorgt sie mit Wasser, Kohlenstoffdioxid und Mineralstoffen. Weil die Korallenpolypen durch die Symbiose mit den Algen auf Licht angewiesen sind, können sie nur in Tiefen bis zu 60 m leben. Steigt der Meeresspiegel, wächst das Riff durch die Kalkabscheidung der Polypen nach oben.

[Abb. 3-28]   Blasenanemone

Wie die Korallenpolypen beherbergen auch die Blasenanemonen in den Zellen ihrer Tentakel einzellige Algen, die Fotosynthese machen. Tagsüber blasen sie die Tentakel auf und vergrössern so die belichtete Oberfläche, und damit die Leistung der Algen. Bild: © Omniped, Dreamstime.com

Schnecken / Algen	Einige Meeresschnecken lagern Algen, die sie mit Korallen gefressen haben, in ihre Körperanhänge ein. Die Algen leben weiter und betreiben Fotosynthese.
Einsiedlerkrebs / Seeanemone	Einsiedlerkrebse tragen ein Schneckenhaus mit sich, in dem sie ihren weichen Hinterleib verstecken und in das sie sich bei Gefahr zurückziehen. Das ist natürlich keine Symbiose, weil das Schneckenhaus ja tot ist. Manchmal sitzt aber auf dem Schneckenhaus eine Seeanemone. Seeanemonen sind Polypen mit Fangarmen und Nesselzellen, mit denen sie Nahrung fangen und Feinde abwehren. Davon profitiert auch der Krebs. Die Seeanemone profitiert bei den Mahlzeiten des Krebses von den Stücken, die ihm wegschwimmen. Wenn der Krebs grösser wird, wechselt er das Schneckenhaus und pflanzt die Seeanemone um.
Putzersymbiosen	Putzerfische und Putzergarnelen ernähren sich von Parasiten, die sie von der Haut oder aus dem Kiemenraum von Fischen entfernen. Sie leben meist nicht in einer festen Beziehung zu einem Partner, sondern bieten ihre Dienste an Putzerstationen vielen Fischen an. Der Fisch, der sich putzen lässt, muss aufpassen, dass sich der Putzer nicht an seiner Haut vergreift. Eine ähnliche Symbiose besteht auch zwischen Nashorn und Madenhacker.
Leuchtsymbiosen	Einige Meeresbewohner besitzen Leuchtorgane, in denen sie Bakterien beherbergen und versorgen und die als Gegenleistung durch chemische Reaktionen Licht erzeugen. So locken Anglerfische im Dunkeln der Tiefsee mit einer leuchtenden Angel Fische an und verschlingen sie, sobald sie in Reichweite kommen.
Zusammenfassung	Symbiosen sind Lebensgemeinschaften von zwei Arten, die sich gegenseitig nützen. Viele Symbiosen stehen im Zusammenhang mit dem Nahrungserwerb, mit der Fortpflanzung oder mit dem Schutz vor Feinden. Die Partner kontrollieren einander gegenseitig.
	Flechten sind Symbiosen von Algen und Pilzen, die einen Superorganismus bilden. Der Pilz bezieht Zucker, die Alge Wasser, Kohlenstoffdioxid und Mineralstoffe. Flechten sind Pionierpflanzen, die auch unter extremen Bedingungen auf Felsen und Steinen gedeihen.
	Knöllchenbakterien können Luftstickstoff assimilieren und tauschen einen Teil der Stickstoffverbindungen, die sie herstellen, gegen Zucker. Sie leben in Knöllchen an den Wurzeln von Hülsenfrüchtlern wie Bohnen oder Klee.
	Mykorrhizapilze leben an und in Wurzeln von Bäumen. Sie beziehen vom Baum organische Stoffe wie Zucker und liefern ihm Wasser und Mineralstoffe.
	Die meisten Blütenpflanzen stehen in Symbiose mit Tieren, die Blütenstaub (Pollen) übertragen und / oder ihre Samen verbreiten. Sie werden mit Nektar, Pollen oder Früchten belohnt.
	Weitere Beispiele von Symbiosen sind Korallenpolypen / Algen, Einsiedlerkrebs / Seeanemone, Blattläuse / Ameisen, Blattschneiderameisen / Pilze. Bei Putzersymbiosen (Madenhacker / Nashorn, Putzergarnelen / Fische) ist der Nutzen für den Wirt nicht immer garantiert.
Aufgabe 23	Nennen Sie zwei Beispiele von Symbiosen zwischen zwei Konsumenten.
Aufgabe 24	Geben Sie mit Stichworten an, was die folgenden Lebewesen ihrem Symbiosepartner liefern: Knöllchenbakterien, Mykorrhizapilze, Blütenpflanzen den Bienen.

4 Populationen

Lernziele Nach der Bearbeitung dieses Kapitels können Sie ...

- Population, Variabilität und Genpool definieren und ihre Bedeutung erörtern.
- das Populationswachstum anhand von Kurven oder Wachstumsraten diskutieren.
- den Begriff Umweltkapazität definieren und an Beispielen diskutieren.
- exponentielles und logistisches Wachstum charakterisieren.
- die Wirkung dichteabhängiger und dichteunabhängiger Faktoren auf die Populationsdichte an Beispielen erörtern.
- die Volterra-Regeln erläutern und auf Beispiele anwenden.
- die Bedeutung der Nischen- und Artenvielfalt für die Stabilität der Populationen erörtern.

Schlüsselbegriffe Genpool, Population, Populationswachstum, Umweltkapazität, Variabilität, Volterra-Regeln, Wachstumsrate

Die meisten Lebewesen sind zwar selbstständig lebensfähig, sind aber zumindest für ihre Fortpflanzung auf Artgenossen angewiesen. Sie sind Mitglieder einer Population.

4.1 Bedeutung, Grösse und Verteilung der Population

4.1.1 Definition

Population Eine Population ist eine Fortpflanzungsgemeinschaft aller Individuen einer Art, die in einem Ökosystem leben und sich miteinander fortpflanzen könn(t)en.

Organisation Eine Population ist mehr als ein Haufen artgleicher Lebewesen. Sie funktioniert und entwickelt sich nach bestimmten Regeln und Gesetzmässigkeiten. Die Aktivitäten der Einzellebewesen werden durch die Interessen der ganzen Population mitbestimmt. Das Leben in der Population hat für ein Individuum zwei Seiten:

- Die Zusammenarbeit mit Artgenossen, z. B. bei Fortpflanzung, Brutpflege, Verteidigung oder Nahrungserwerb, ist unerlässlich oder zumindest nützlich.
- Die Konkurrenz der Artgenossen beschränkt die Möglichkeiten des Individuums.

4.1.2 Variabilität und Genpool

Genpool Die Individuen einer Population stimmen in den arttypischen Merkmalen überein, unterscheiden sich aber in ihren individuellen Merkmalen. Viele dieser Merkmalsunterschiede sind genetisch bedingt, d. h., sie sind die Folge von Unterschieden im Erbgut. Ein Gen, das ein Merkmal bestimmt, kann in unterschiedlichen Varianten, die man Allele nennt, vorliegen. So gibt es vom Gen für die Fellfarbe des Meerschweinchens verschiedene Allele, die zu unterschiedlichen Färbungen führen. Weil bei der geschlechtlichen Fortpflanzung Allele von beiden Eltern gemischt werden, entstehen immer wieder neue Varianten. Die Gene bzw. Allele aller Individuen einer Population bilden einen Pool, aus dem immer wieder neue Kombinationen gebildet werden. Man nennt dieses Reservoir aller Allele einer Population den Genpool. Je grösser der Genpool, umso höher ist die Zahl der möglichen Varianten, d. h. die Variabilität der Population.

Grösse des Genpools, Variabilität	Durch Mutationen wird der Genpool grösser. Meist werden Gene verändert und es entstehen neue Allele. Seltener werden neue Gene gebildet. Durch die Selektion verschwinden Varianten mit bestimmten Genen oder Allelen: Der Genpool wird kleiner. Von den Varianten, die sich durch Mutation und Neukombination bilden, wird je nach Umweltbedingungen die eine oder die andere im Vorteil sein und mehr Nachkommen haben. Der Anteil ihrer Allele im Genpool nimmt darum zu. Wenn ein durch Mutation entstandenes Allel seinem Träger einen Vorteil bringt, hat er mehr Nachkommen und der Anteil des vorteilhaften Allels im Genpool steigt. Umgekehrt wird ein Allel aus dem Genpool verschwinden, wenn seine Träger keine Nachkommen haben.
Anpassungspotenzial	Die Variabilität der Population erhöht die Chance zu überleben, wenn die Bedingungen ändern. Je variantenreicher eine Population ist, umso grösser ist ihr Genpool und umso höher ist ihr Anpassungspotenzial.
Kleiner Genpool	Populationen von Nutztieren und Nutzpflanzen sind vom Menschen auf bestimmte Leistungen selektioniert und so gezüchtet, dass sie genetisch sehr einheitlich sind. Nutzpflanzen werden z. T. vegetativ vermehrt oder durch Inzucht gezüchtet. Solche Populationen mit geringer Variabilität erreichen unter idealen Bedingungen evtl. höhere Leistungen, aber ihr Anpassungspotenzial ist sehr gering, weil ihr Genpool sehr klein ist.

4.1.3 Merkmale einer Population

Eigenschaften	Zu den messbaren Eigenschaften einer Population gehören u. a.:

Populationsgrösse:	Gesamtzahl der Individuen
Populationsdichte:	Individuenzahl pro Flächeneinheit des Siedlungsgebiets
Räumliche Verteilung:	Verteilung der Individuen im Siedlungsgebiet
Altersstruktur:	Anteile der verschiedenen Altersgruppen
Geburten- und Sterberate:	Geburten und Sterbefälle in einem Zeitabschnitt
Zu- und Abwanderung:	Zu- und Abwanderer in einem Zeitabschnitt

4.1.4 Bestimmung der Populationsgrösse

Die Populationsgrösse kann mit verschiedenen Methoden bestimmt oder geschätzt werden.

Pflanzen	Bei Pflanzen ermittelt man die Individuenzahl durch Auszählen auf ausgemessenen repräsentativen Probenflächen und rechnet dann auf die Gesamtfläche hoch. Zahl, Grösse und Verteilung der Probenflächen werden je nach Dichte und Verteilung der Organismen festgelegt. Bei ungleichmässiger Verteilung ist der Aufwand höher.
Tiere	Bei Tieren ist das Auszählen meist schwierig. Oft werden Fallen eingesetzt. Die Zahl der Tiere, die in einer bestimmten Zeit gefangen werden, ist ein Mass für die Populationsgrösse. Darum können Jagdstatistiken Anhaltspunkte liefern. Auch Kot, Verbiss, Trittspuren und Nester geben Hinweise auf die Individuenzahl.
Fang-Wiederfang-Methode	Bei der Fang-Wiederfang-Methode werden Lebewesen einer Population gefangen, gezählt, markiert und wieder freigelassen (vgl. Abb. 4-1). Sobald sich die markierten Tiere wieder in der Population verteilt haben, wiederholt man das Fangprozedere und bestimmt den Anteil der Tiere, die markiert sind. So erfährt man, welcher Teil der Population beim ersten Mal gefangen und markiert wurde, und kann die Grösse der ganzen Population berechnen. Wenn z. B. bei der ersten Zählung 100 Tiere markiert wurden und der Anteil der markierten Tiere bei der zweiten Zählung 1/20 beträgt, ist die Populationsgrösse $20 \cdot 100 = 2\,000$.

[Abb. 4-1] Fang-Wiederfang-Methode

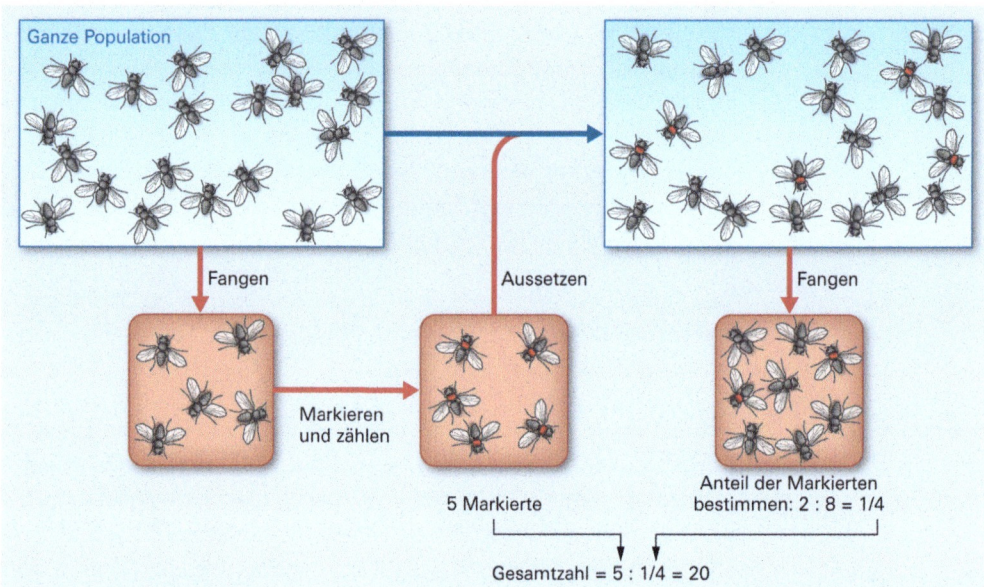

Mit der Fang-Wiederfang-Methode wird die Individuenzahl einer natürlichen Population bestimmt.

4.1.5 Räumliche Verteilung

Verteilungsmuster

Die Verteilung der Lebewesen im Habitat wird durch die abiotischen Faktoren, durch die Lebensweise und das Verhalten bestimmt. Abbildung 4-2 zeigt vier typische Verteilungsmuster.

[Abb. 4-2] Unterschiedliche Verteilungsmuster der Lebewesen einer Population

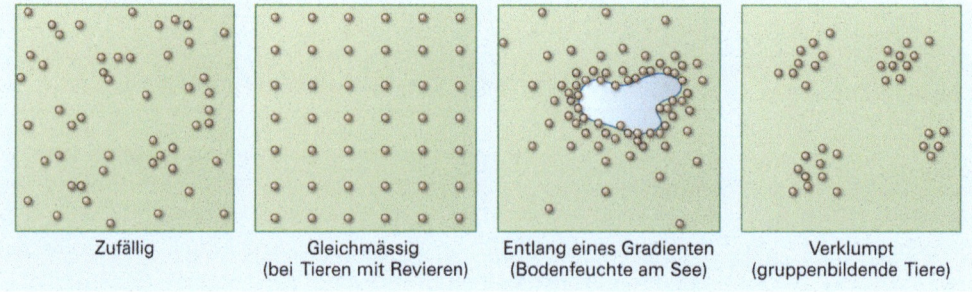

Zusammenfassung

Eine Population ist eine Fortpflanzungsgemeinschaft aller Individuen einer Art, die in einem Ökosystem leben und sich miteinander fortpflanzen könn(t)en.

Die Lebewesen einer Population stehen in Konkurrenz, können aber auch kooperieren, z. B. bei der Fortpflanzung, Brutpflege, Verteidigung oder beim Nahrungserwerb.

Die Individuen einer Population stimmen in den arttypischen Merkmalen überein, unterscheiden sich aber in ihren individuellen Merkmalen, weil ihre Erbanlagen verschieden sind. Diese Variabilität erhöht die Überlebenschance der Population, wenn sich die Bedingungen ändern. Die Gene bzw. Genvarianten (Allele) aller Individuen einer Population bilden den Genpool, aus dem bei der geschlechtlichen Fortpflanzung neue Kombinationen gebildet werden. Die Grösse des Genpools ist ein Mass für die Variabilität und für die Anpassungsfähigkeit der Population. Die Populationen von Nutzpflanzen und Nutztieren sind meist sehr uniform und haben einen kleinen Genpool.

Zu den Eigenschaften einer Population gehören neben Grösse und Dichte auch räumliche Verteilung, Altersstruktur, Geburten- und Sterberate, Zu- und Abwanderung.

Bei Pflanzen wird die Populationsgrösse durch Auszählen auf ausgemessenen repräsentativen Probenflächen und durch Hochrechnen auf die ganze Fläche ermittelt. Bei Tieren werden oft Fallen eingesetzt. Auch Jagdstatistiken, Kot, Verbiss, Trittspuren und Nester können Hinweise auf die Dichte geben. Bei der Fang-Wiederfang-Methode werden Lebewesen einer Population gefangen, gezählt, markiert und wieder freigelassen. Dann wiederholt man das Fangprozedere und bestimmt den Anteil der Tiere, die markiert sind. So erfährt man, welcher Teil der Gesamtpopulation beim ersten Mal gefangen und markiert wurde, und kann die Grösse der ganzen Population berechnen.

Die Individuen einer Population können im Lebensraum unterschiedlich verteilt sein (z. B. zufällig, gleichmässig oder verklumpt).

Aufgabe 25 Welche Auswirkung auf den Genpool hat die Tatsache, dass bei Hirschen von vielen männlichen Tieren nur der Platzhirsch zur Fortpflanzung kommt?

Aufgabe 26 Warum ist die Bedeckung des Bodens in einer artenreichen Wiese unter stark wechselnden Bedingungen besser als in einer artenarmen?

4.2 Populationswachstum

4.2.1 Zuwachsrate und Wachstumsrate

Wachstumsrate

Das Wachstum einer Population ist abhängig von der Zahl der Geburten und Todesfälle. Diese nehmen natürlich mit der Grösse der Population zu. Als Mass für die Wachstumsgeschwindigkeit dient die relative Wachstumsrate r, die das Wachstum der Population pro Individuum angibt. Man berechnet sie, indem man den Zuwachs der ganzen Population (in der definierten Periode) durch die Zahl der Individuen (zu Beginn der Periode) dividiert:

$$\text{Relative Wachstumsrate} = \frac{\text{Geburtenzahl} - \text{Sterbefälle (im definierten Zeitraum)}}{\text{Individuenzahl (zu Beginn des Zeitraums)}}$$

Beispiel

In einer Population mit 1 000 Individuen, 100 Todesfällen und 300 Geburten pro Jahr ist die relative Wachstumsrate r = 0.2 oder 20%. Bei langsam wachsenden Populationen wird die Wachstumsrate meist in % angegeben (vgl. Kap. 8.2, S. 137).

4.2.2 Exponentielles Wachstum

Exponentielle Zunahme

Ist die Wachstumsrate konstant und grösser als null, ist auch die Zeit, in der sich die Populationsgrösse verdoppelt, konstant. Der Zuwachs der ganzen Population pro Zeiteinheit wird aber immer grösser. So wächst eine Population mit 100 Individuen und einer jährlichen Wachstumsrate von 0.5 im ersten Jahr um 50, im zweiten um 75, im dritten um 112 Individuen. Die grafische Darstellung der Populationsgrösse ergibt eine Exponentialkurve (vgl. Abb. 4-3). Man spricht darum von exponentiellem Wachstum.

[Abb. 4-3] Exponentielles Wachstum

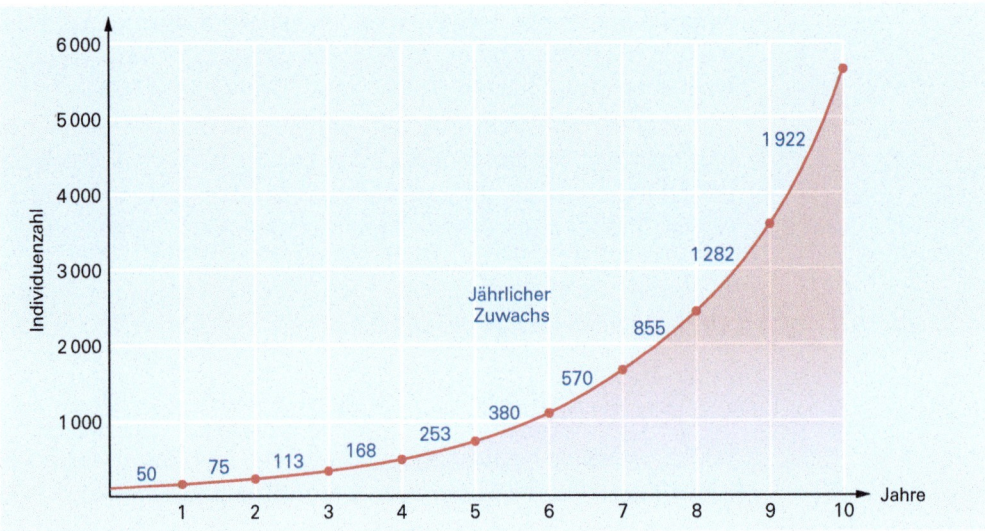

Ist die Wachstumsrate r konstant und grösser als null, nimmt der jährliche Zuwachs der Population zu, die Population wächst exponentiell.

Beispiel

Zur Verdeutlichung des exponentiellen Wachstums betrachten wir die Entstehung einer Bakterienpopulation aus einem Bakterium, das sich alle 20 Minuten teilt. Da sich auch alle Tochterbakterien im Alter von 20 Minuten wieder teilen, verdoppelt sich die Individuenzahl alle 20 Minuten. In einer Stunde finden drei Teilungen statt und die Individuenzahl steigt auf das 8-Fache (2 · 2 · 2). Die relative Wachstumsrate pro Stunde ist bei 8 konstant. Nach 2 Tagen wäre die Zahl der Bakterien theoretisch auf $2^{144} = 2.2 \cdot 10^{43}$ gestiegen. Das Volumen dieser Population wäre 20-mal so gross wie die Erde und würde die Erdoberfläche in einer 11 000 km dicken Schicht bedecken. Das ist unmöglich und geschieht nicht, weil sich durch die steigende Populationsdichte die Faktoren verstärken, die das Wachstum bremsen: Das exponentielle Wachstum endet.

Wachstumsrate

Je höher die Wachstumsrate ist, umso steiler steigt die Kurve des Populationswachstums (vgl. Abb. 4-4). Ist die Wachstumsrate null, bleibt die Populationsgrösse konstant. Ist ihr Wert negativ, nimmt die Populationsgrösse ab.

[Abb. 4-4] Exponentielles Wachstum bei verschiedenen Wachstumsraten

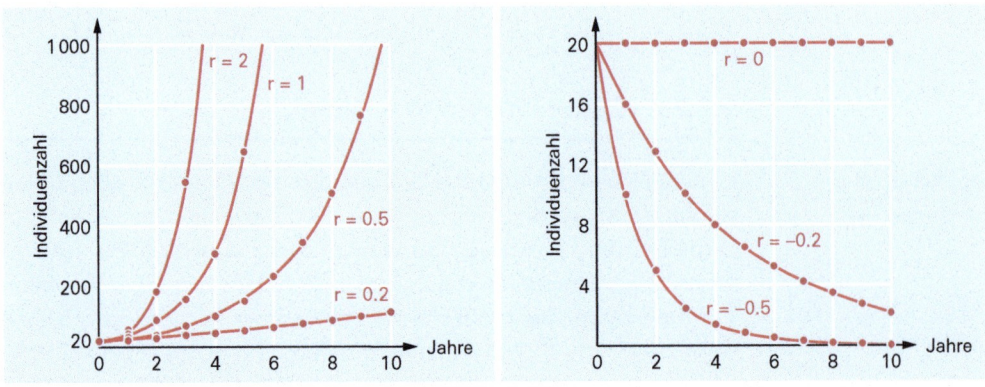

Bei konstanter relativer Wachstumsrate (r > 0) steigt die Populationsgrösse exponentiell, ist r = 0, bleibt sie konstant, ist r < 0, nimmt sie exponentiell ab.

4.2.3 Logistisches Wachstum

Umweltkapazität

Logistisch

Früher oder später endet das exponentielle Wachstum bei jeder Population, weil die Nahrung, der Lebensraum oder ein anderer Faktor limitierend wirkt. Die Population wächst bis zu einer maximal möglichen Grösse, die als Umweltkapazität K bezeichnet wird. Das Wachstum richtet sich nach der Versorgung (Logistik) und wird darum als logistisch bezeichnet. Die relative Wachstumsrate ist zu Beginn konstant und nimmt dann ab. Abbildung 4-5 zeigt das Diagramm für den Fall, dass die Wachstumsrate schon sinkt, wenn die Populationsdichte etwa 50% der Umweltkapazität erreicht. Der tägliche Zuwachs der Population erreicht hier ein Maximum und nimmt dann wieder ab.

[Abb. 4-5]   Populationsgrösse und Wachstumsrate beim logistischen Wachstum

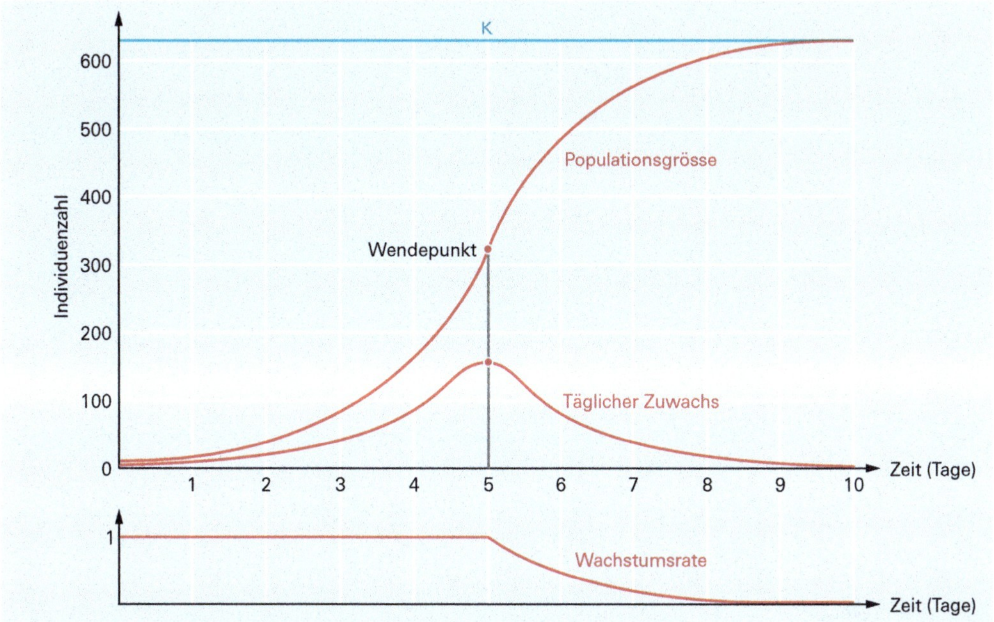

Beim logistischen Wachstum steigt der tägliche Zuwachs der Population bis zu einem Maximum und nimmt dann ab. Die relative Wachstumsrate r bleibt zuerst konstant und sinkt dann. Beim Erreichen der Umweltkapazität K ist r = 0, d. h., Geburten- und Sterberate sind gleich hoch.

Umweltwiderstand

Das Populationswachstum wird durch wachstumsbegrenzende Faktoren wie Nahrungsmangel, Vermehrung der Feinde, Abnahme des Lebensraums, Ansammlung von Ausscheidungen, Epidemien, sozialer Stress etc. verlangsamt. Die Gesamtheit der wachstumsbegrenzenden Faktoren – auch Umweltwiderstand genannt – nimmt mit der Grösse bzw. mit der Dichte der Population zu und senkt die Wachstumsrate allmählich auf null.

Idealdiagramm

Abbildung 4-5 zeigt das Diagramm für die idealisierte Entwicklung einer Population mit endlichen Ressourcen. Das Wachstum ist exponentiell, bis die Populationsgrösse etwa 50% der Umweltkapazität erreicht, wird dann langsamer und endet, wenn K erreicht ist. Eine solche Entwicklung setzt voraus, dass der Umweltwiderstand schon vor Erreichen der max. Dichte wirksam wird und dass beim Erreichen von K die Wachstumsrate r = 0 ist. Beides trifft bei natürlichen Populationen meist nicht zu. Abbildung 4-6 zeigt das logistische Wachstum von zwei künstlichen Populationen, die sich nahezu ideal entwickeln.

[Abb. 4-6]   Beispiele für logistisches Populationswachstum

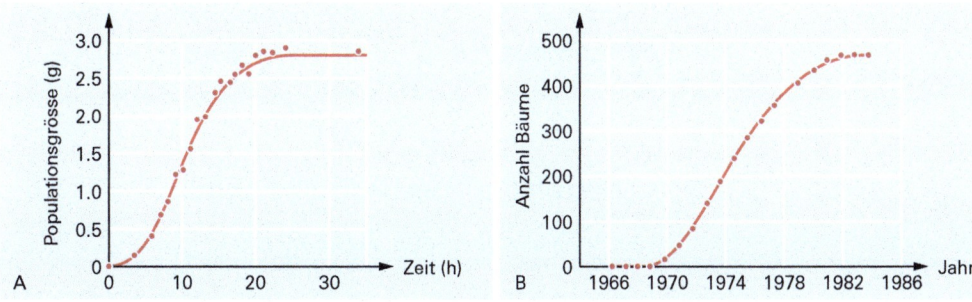

Wachstum einer Bakterienpopulation in einer Nährlösung mit konstanter Nährstoffgabe (gemessen als Zelltrockenmasse pro Liter).

Entwicklung der Grauweidenpopulation in einem Gebiet, in dem durch die Ausrottung der Kaninchen keine Beweidung mehr stattfand.

Natürliche Populationen

Natürliche Populationen entwickeln sich meist wie in Abbildung 4-7 A dargestellt. Das exponentielle Wachstum verlangsamt sich erst beim Erreichen der Umweltkapazität K. Die Individuenzahl steigt zu hoch und nimmt dann wieder ab. Weil die verfügbaren Ressourcen, z. B. die Nahrung, nicht optimal verteilt sind, sinkt die Individuenzahl unter K, steigt dann wieder etc. Diese Schwankungen der Populationsdichte heissen Massenwechsel.

[Abb. 4-7]   Populationskurven

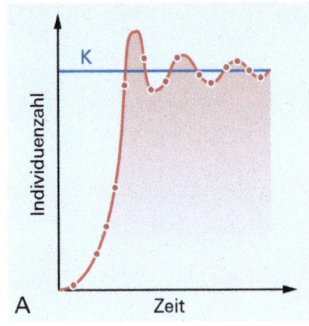
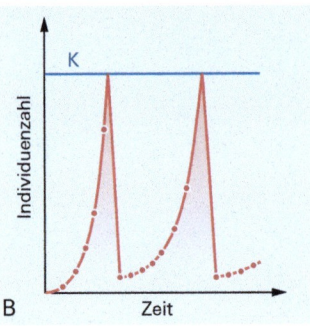
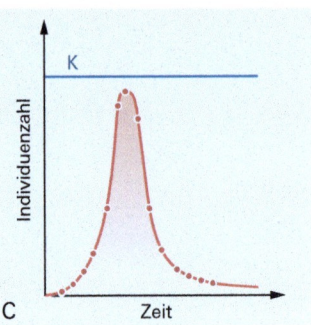

Exponentielles Wachstum bis zum Erreichen von K, Übergang zu logistischem Wachstum mit abnehmendem Massenwechsel. Bsp.: natürliche Populationen bei Neubesiedlung.

Exponentielles Wachstum und schlagartig einsetzender Umweltwiderstand mit Massensterben. Bsp.: Übernutzung mit (vorübergehender) Zerstörung der Nahrungsgrundlagen.

Exponentielles Wachstum und exponentielle Abnahme vor Erreichen von K. Bsp.: Blattlauspopulation, bei der geflügelte Formen gebildet werden, die abfliegen.

Zusammenfassung

Das Wachstum einer Population ergibt sich aus der Differenz zwischen Geburten und Sterbefällen und kann durch die relative Wachstumsrate r beschrieben werden:

$$\text{Relative Wachstumsrate} = \frac{\text{Geburtenzahl} - \text{Sterbefälle (im definierten Zeitraum)}}{\text{Individuenzahl (zu Beginn des Zeitraums)}}$$

Ist die relative Wachstumsrate konstant und grösser als 0, nimmt der jährliche Zuwachs der ganzen Population immer schneller zu: Die Population wächst exponentiell.

Früher oder später geht bei jeder Population das exponentielle in ein logistisches Wachstum über. Die Umwelt (Nahrung, Feinde, Lebensraum, Epidemien, sozialer Stress etc.) bremst das Wachstum. Wenn die Individuenzahl die Umweltkapazität K, d. h. die in diesem Ökosystem maximal mögliche Grösse, erreicht hat, wächst die Population nicht mehr. Ihre Grösse schwankt mehr oder weniger stark (Massenwechsel) um K. Im Idealfall nimmt die relative Wachstumsrate schon deutlich vor Erreichen von K ab und wird dann 0.

Aufgabe 27

Was können Sie über die Werte der Wachstumsrate nach Erreichen von K aussagen?

A] Im Idealfall (vgl. Abb. 4-5, S. 75)?   B] Im Normalfall (vgl. Abb. 4-7 A, S. 76)?

Aufgabe 28

Warum nimmt der tägliche Zuwachs einer Bakterienpopulation zu, wenn die relative Wachstumsrate konstant ist?

4.3   Regulation der Populationsdichte

Dichteregulierende Faktoren

Das Wachstum einer Population wird durch die Umwelt beeinflusst und reguliert. Dabei besteht ein grundsätzlicher Unterschied zwischen dichteabhängigen und dichteunabhängigen Umweltfaktoren. Dichteabhängige Faktoren wirken mit zunehmender Populationsdichte immer stärker, bei dichteunabhängigen Faktoren ist dies nicht der Fall. Biotische Faktoren sind mehrheitlich dichteabhängig, abiotische weniger.

4.3.1 Dichteunabhängige Faktoren

Limitierend

Dichteunabhängige Faktoren wie Licht, Temperatur, Wasser, Wind und Bodeneigenschaften wirken sich auf eine Population unabhängig von ihrer Dichte aus. Ein Kälteeinbruch wird zwar in einer grossen Population mehr Todesopfer fordern als in einer kleinen, aber die Sterberate ist gleich und unabhängig von der Populationsdichte. Auch die Häufigkeit der Kälteeinbrüche ist nicht von der Dichte abhängig. Dichteunabhängige Faktoren limitieren das Wachstum einer Population, wirken aber nicht regulierend.

4.3.2 Dichteabhängige Faktoren

Regulierend

Dichteabhängige Faktoren wirken regulierend auf die Populationsdichte, weil sie das Wachstum der Population immer stärker bremsen, je grösser diese wird. Dichteabhängige Faktoren können mit steigender Populationsgrösse abnehmen, wie z. B. der Nahrungsvorrat, oder zunehmen, wie z. B. die Zahl der Feinde. In beiden Fällen wirkt sich die Veränderung hemmend auf das weitere Populationswachstum aus. Der sinkende Nahrungsvorrat hemmt das Populationswachstum ebenso wie die steigende Zahl von Feinden.

[Abb. 4-8]   Dichteregulation

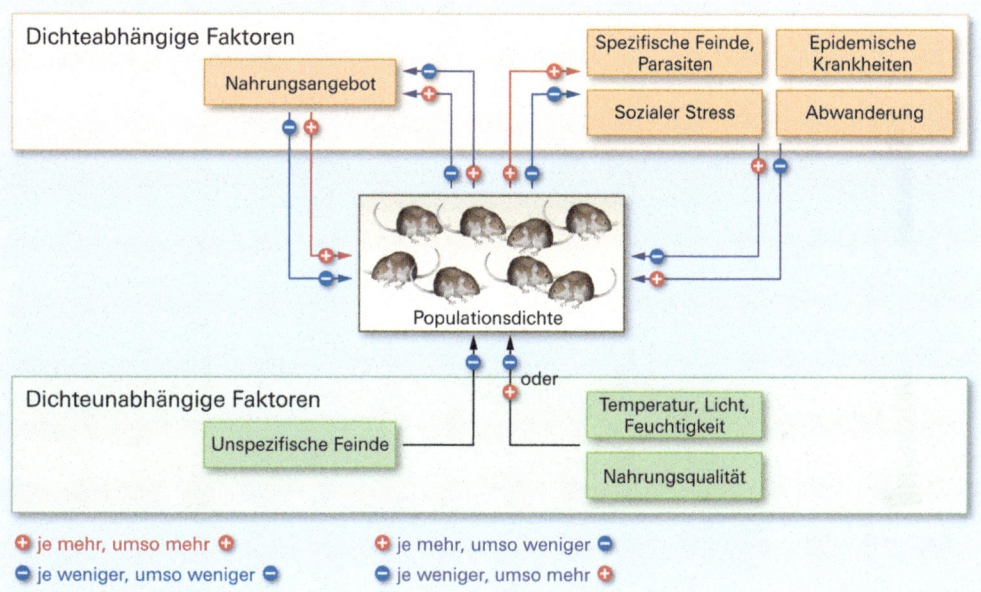

Dichteabhängige Faktoren wirken regulierend auf das Populationswachstum, weil sich ihre negative Wirkung mit zunehmender Populationsdichte verstärkt. Dichteunabhängige Faktoren wirken limitierend, aber nicht regulierend.

- Bei konstanten Bedingungen nimmt die Nahrungsmenge, die einem Individuum zur Verfügung steht, mit steigender Populationsdichte ab und limitiert das weitere Wachstum der Population zunehmend, die Populationsdichte sinkt. Durch die sinkende Populationsdichte steigt das Nahrungsangebot wieder. Die Populationsdichte nimmt zu.
- Die limitierende Wirkung von spezifischen Feinden und Parasiten steigt mit der Dichte der Beute, weil ihre Zahl mit der Dichte der Beute bzw. Wirte zunimmt.
- Die Wirkung von ansteckenden Krankheiten ist dichteabhängig, weil die Wahrscheinlichkeit der Übertragung mit der Dichte zunimmt.
- In manchen Populationen, v. a. bei Nagetieren, führt eine hohe Dichte zu sozialem Stress. Ähnlich wie andere Stressfaktoren hat der soziale Stress Einfluss auf die Hormonproduktion und das Verhalten. Die Fruchtbarkeit sinkt und die Aggressivität steigt. Bei Ratten und Mäusen werden unter Stress sogar bereits gebildete Embryonen abgebaut und resorbiert. Im Extremfall kann Kannibalismus auftreten.
- Bei einigen Arten führt eine hohe Populationsdichte zur Abwanderung. Bei den skandinavischen Lemmingen bewegen sich die Auswanderer in grossen Gruppen in eine bestimmte Richtung.

- Die Wirkung unspezifischer Feinde ist grundsätzlich dichteunabhängig, kann aber mit der Dichte einer Beute etwas zunehmen, weil diese bei der Menüwahl häufiger berücksichtigt wird. Ein Fuchs, der Hasen oder Mäuse fressen kann, wird mehr Hasen und weniger Mäuse fressen, wenn das Hasen-Angebot steigt.

4.3.3 Innere Faktoren

Vor allem bei Insekten und kleinen Nagetieren schwankt die Populationsdichte häufig ohne erkennbare äussere Gründe. Oft treten solche Massenwechsel periodisch auf.

Bsp. Feldmäuse

In Feldmauspopulationen beobachtet man in gewissen Gebieten alle 2–5 Jahre eine von äusseren Faktoren unabhängige starke Vermehrung, gefolgt von einer drastischen Abnahme der Populationsgrösse. Die Zyklen treten nicht auf, wenn man die Abwanderung verhindert. Da sich die Mäuse einer Population in Bezug auf Wachstumsgeschwindigkeit, Vermehrungsrate und Neigung zur Emigration stark unterscheiden, kann man sich die Zyklen so erklären: Während der Wachstumsphase vermehren sich v. a. die rasch wachsenden, fortpflanzungsfreudigen Mäuse. Beim Erreichen einer gewissen Dichte beginnt die Abwanderung. Weil die fortpflanzungsfreudigen Mäuse stärker zur Abwanderung neigen, nimmt ihr Anteil durch die Abwanderung ab. Die zurückbleibenden Mäuse wachsen und vermehren sich langsamer.

Bsp. Lärchenwickler

Die Populationen des Lärchenwicklers zeigen starke Dichteschwankungen. Neben äusseren Faktoren wie Nahrungsverknappung durch Kahlfrass der Lärchen, Bildung von schlechter verdaubaren Nadeln, Vermehrung der parasitischen Schlupfwespen etc. wirken auch innere Faktoren: Der Genbestand der Population verändert sich während der Massenvermehrung. Zu Beginn überwiegen Raupen mit schnellem Wachstum, bei schlechterem Nahrungsangebot nimmt der Anteil der langsam wachsenden Raupen zu.

[Abb. 4-9] Populationsentwicklung des Lärchenwicklers

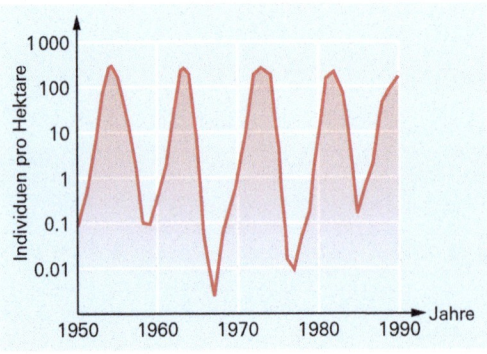 

Links: Entwicklung der Lärchenwicklerpopulation im Engadin. Rechts: Lärchenwickler. Bild rechts: © Beat Wermelinger

Zusammenfassung

Das Wachstum einer Population wird von dichteabhängigen und dichteunabhängigen Faktoren beeinflusst. Dichteabhängige Faktoren wie spezifische Feinde und Parasiten, Nahrungsmenge, sozialer Stress, Epidemien und Abwanderung wirken regulierend auf die Populationsdichte, weil ihre Wirkung mit zunehmender Populationsdichte zunimmt.

Dichteunabhängige Faktoren wie Klima, Boden, Nahrungsqualität etc. wirken sich auf grosse und kleine Populationen gleich aus. Sie limitieren das Wachstum einer Population, wirken aber nicht regulierend. Änderungen dichteunabhängiger Faktoren verändern die Umweltkapazität für bestimmte Populationen.

Periodisch auftretende Massenwechsel können durch innere Faktoren wie Änderung im Genpool bedingt sein.

Aufgabe 29 Inwiefern kann die Wirkung des Mäusebussards auf eine Feldmauspopulation dichteabhängig sein?

Aufgabe 30 Krankheiten sind dichtebegrenzende Faktoren. Sind sie dichteabhängig oder nicht?

Aufgabe 31 A] Welche Bedeutung haben dichteunabhängige Faktoren für eine Population?

B] Stimmt es, dass sie eine Population immer gleich stark beeinflussen?

4.4 Wechselwirkungen zwischen Räuber und Beute

4.4.1 Einfache Räuber-Beute-Systeme im Labor

G. F. Gause untersuchte die Beziehung zwischen Räuber und Beute in Laborversuchen mit zwei Arten von Einzellern aus der Klasse der Wimpertierchen. Das Nasentierchen (Didinium) ist ein Räuber, der sich von Pantoffeltierchen (Parmaecium) ernährt.

Versuch 1 Gause züchtete die Pantoffeltierchen in zwei Gläsern (A und B), denen er täglich eine konstante Menge Nahrung gab. Dem Glas B setzte er nach zwei Tagen Nasentierchen zu.

[Abb. 4-10] Entwicklung von Räuber und Beute

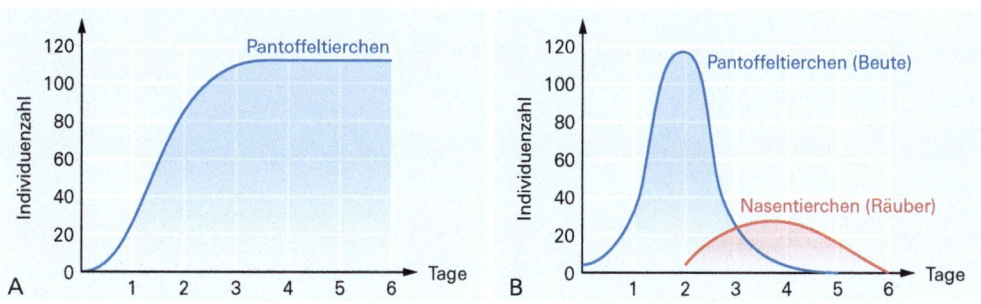

Wachstum einer Pantoffeltierchenpopulation bei konstanter Nahrungsgabe.

Dito mit Zusatz des Räubers nach zwei Tagen.

Resultat Die Population der Pantoffeltierchen in A zeigt ein logistisches Wachstum und erreicht nach drei Tagen die Kapazitätsgrenze, die durch das Futterangebot gegeben ist. In B nimmt die Population der Pantoffeltierchen nach dem Zusatz des Räubers ab. Nach sechs Tagen sind keine Pantoffeltierchen mehr vorhanden. Die Nasentierchenpopulation wächst bis zum vierten Tag, nimmt dann ab und stirbt ebenfalls aus.

Die Räuberpopulation bleibt kleiner, erreicht die maximale Grösse später und stirbt später aus als die Beutepopulation.

Erklärung Da die Pantoffeltierchenpopulation in A bis zum Erreichen der Umweltkapazität wächst und dann konstant bleibt, muss die Abnahme in B durch den Räuber verursacht sein. Der Räuber ist von seiner Nahrung abhängig. Die grosse Pantoffeltierchenpopulation ermöglicht ihm zu Beginn eine rasche Vermehrung. Als Folge werden viele Pantoffeltierchen gefressen, ihre Population wird kleiner und stirbt schliesslich aus. Weil dadurch das Futterangebot für den Räuber abnimmt und verschwindet, wird auch seine Population kleiner und stirbt schliesslich aus. Weil ein Räuber viele Beutetiere frisst, bleibt seine Population immer kleiner als die der Beutetiere.

Versuch 2

Im Experiment Gauses hat der Räuber seine Beute ausgerottet. Dasselbe täte ein Fuchs in einem Hühnerstall. Aber trifft das auch in der Natur zu, wenn die Beutetiere fliehen und sich verstecken können? Gause ist dieser Frage nachgegangen, indem er den Pantoffeltierchen im Zuchtgefäss durch Zufügen von Kies die Möglichkeit bot, sich zu verstecken. Abbildung 4-11 zeigt, dass das Experiment dadurch einen anderen Verlauf nahm.

[Abb. 4-11] Entwicklung von Räuber und Beute

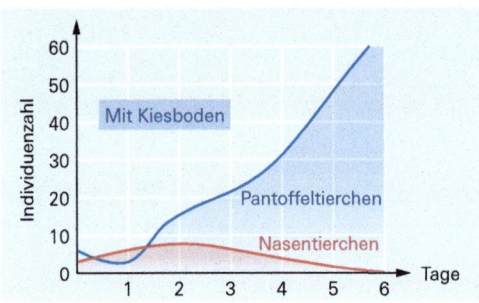

Entwicklung der Pantoffel- und Nasentierchenpopulation in einem Gefäss mit Kies.

In den ersten zwei Tagen wächst die Räuberpopulation, dann nimmt sie ab und stirbt aus, weil der Räuber nicht mehr genug Beute findet. Die Beutepopulation nimmt zu.

Resultat

Der Räuber kann die Beute in einer natürlichen Umgebung mit Flucht und Versteckmöglichkeiten nicht ausrotten, weil er verhungert, wenn seine Beute knapp wird.

4.4.2 Die Volterra-Regeln

Räuber-Beute-Modell

Der Biomathematiker Volterra hat die Schwankungen der Populationsgrössen in einer Räuber-Beute-Beziehung durch ein mathematisches Modell beschrieben. Abbildung 4-12 zeigt die Kurven für ein solches Räuber-Beute-Modell. Die Populationskurven schwanken periodisch. Dem Maximum der Beutepopulation folgt ein Maximum der Räuberpopulation. Bei zunehmender Beutepopulation haben die Räuber mehr Nahrung und bilden mehr Nachkommen. Mit der Anzahl der Räuber wächst die Zahl der gefressenen Beutetiere und die Beutepopulation nimmt ab. Damit sinkt das Nahrungsangebot der Räuber und ihre Population wird kleiner. Das lässt die Beutepopulation wieder wachsen usw. Die Mittelwerte der Populationsgrösse bleiben konstant.

[Abb. 4-12] Räuber-Beute-Modell

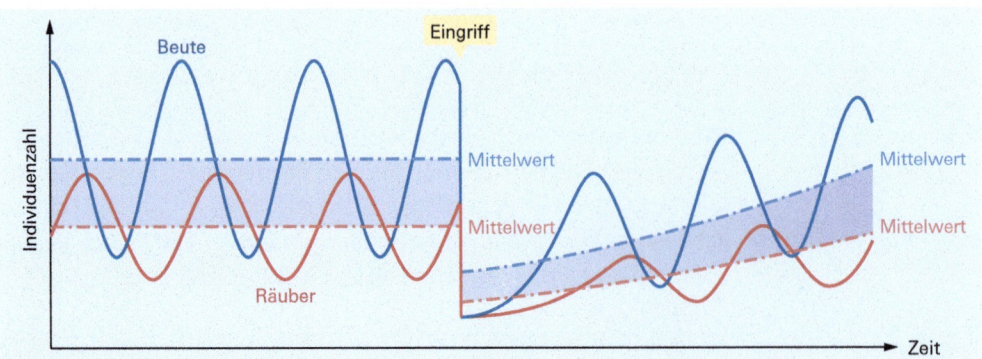

Rechnerisches Modell für die Entwicklung von Räuber und Beute (nach Volterra).

Erholung

Dezimiert man beide Populationen, so erholt sich die Beutepopulation schneller als die Räuberpopulation. Weil es wenig Räuber gibt, kann die verbleibende Beutepopulation schnell wachsen. Die Räuberpopulation erholt sich meist langsamer, weil die Räuber in der Regel eine längere Generationszeit und damit eine kleinere Wachstumsrate haben.

Volterra-Regeln

Volterra fasste die Resultate seiner Modellrechnungen in drei Regeln zusammen:

- Erste Volterra-Regel (periodische Populationsschwankung): Die Populationsgrössen von Räuber und Beute schwanken periodisch, wobei die Schwankungen der Räuberpopulation den Schwankungen der Beutepopulation verzögert folgen.
- Zweite Volterra-Regel (Konstanz der Mittelwerte): Trotz periodischer Schwankungen der Räuber- bzw. Beutepopulation sind die Mittelwerte der Populationsgrössen über einen längeren Zeitraum konstant.
- Dritte Volterra-Regel (schnellere Erholung der Beute): Werden Räuber- und Beutepopulation dezimiert, erholt sich die Beutepopulation schneller als die Räuberpopulation.

4.4.3 Räuber-Beute-Beziehung in der Natur

Luchs / Schneehase

Die Volterra-Regeln beziehen sich auf Zweierbeziehungen zwischen einer Beute und ihrem einzigen Feind, für den sie die einzige Beute ist. Für natürliche Biozönosen, in denen jede Population von vielen Populationen beeinflusst wird, können sie lediglich Hinweise auf mögliche Einflüsse und Abhängigkeiten geben, denn reine «Zweierkisten» sind in Natur selten.

Ein viel zitiertes Beispiel sind die Populationen von Luchs und Schneehase an der Hudson Bay in Kanada. Der Luchs lebt hier hauptsächlich von Schneehasen, und diese haben kaum andere Feinde als den Luchs. Beide Arten wurden von Pelzjägern mit Fallen gejagt, und weil der Jagderfolg von der Populationsgrösse der gejagten Tiere abhängig ist, kann man aus der Zahl der in einem Jahr erbeuteten Felle auf die Grösse der Populationen in diesem Jahr schliessen.

[Abb. 4-13] Schneehase und Luchs in Kanada

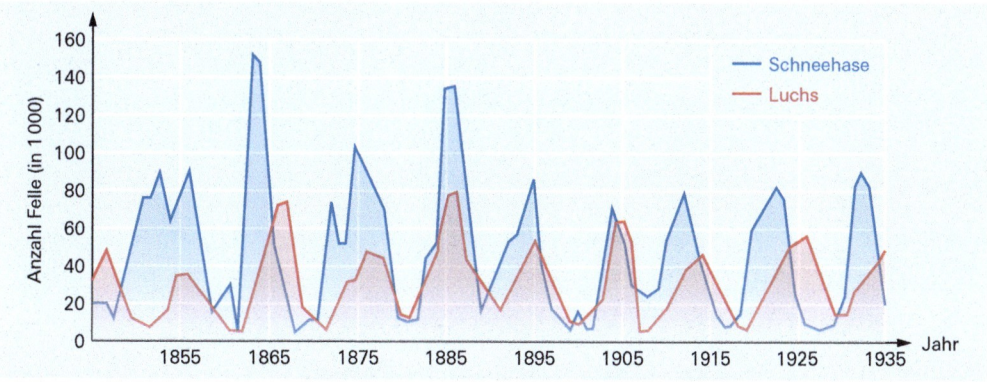

Die Anzahl der an der Hudson Bay erbeuteten Schneehasen und Luchse schwankt mit der Grösse der beiden Populationen.

Beobachtung

Auffällig sind die starken Schwankungen der Grösse beider Populationen. Die Schneehasenpopulation erreicht ca. alle 9 Jahre ein Maximum und nimmt dann immer wieder drastisch ab. Die Luchspopulation zeigt ähnlich starke Schwankungen. Ihre maximale Grösse bleibt aber tiefer und tritt etwa zwei Jahre nach dem Maximum bei den Schneehasen auf.

Erklärung

Die Luchspopulation ist von der Beutepopulation abhängig. Wenn die Schneehasenpopulation wächst, geht es den Luchsen gut und ihre Population wächst auch. Dies geschieht allerdings verzögert, weil sich die Luchse nicht so rasch fortpflanzen und entwickeln wie die Hasen. Die Abnahme der Hasenpopulation führt, ebenfalls mit einer gewissen Verzögerung, zur Abnahme der Luchspopulation. Die Schwankungen der Luchspopulation sind Folge der Schwankungen der Schneehasenpopulation. Der Räuber ist abhängig von seiner Beute.

Ebenso plausibel wäre das Umgekehrte: Mehr Luchse erbeuten mehr Schneehasen und dezimieren dadurch die Schneehasenpopulation. Die Schneehasenpopulation zeigt aber auch in Gebieten ohne Luchse die gleichen Schwankungen. Diese sind also nicht oder nicht nur durch die Schwankungen der Luchspopulation verursacht.

Mittelwerte

Die Zahl der jährlich abgelieferten Felle schwankt bei den Luchsen zwischen 1 000 und 70 000 und bei den Schneehasen zwischen 2 000 und 160 000. Der langjährige Mittelwert liegt bei 20 000 Luchs- und 80 000 Schneehasenfellen und bleibt konstant. Das bestätigt die zweite Volterra-Regel.

In Gebieten, in denen der Luchs neben dem Schneehasen noch andere Beutetiere hat, sind die Schwankungen der Luchspopulation geringer. Das bestätigt die Regel: Je vielseitiger die Nahrungsbeziehungen einer Population sind, umso stabiler ist ihre Grösse.

Zusammenfassung

Für Populationen eines einfachen Räuber-Beute-Systems gelten die Volterra-Regeln:

- Erste Volterra-Regel: Die Grösse beider Populationen schwankt periodisch, wobei die Schwankungen der Räuberpopulation den Schwankungen der Beutepopulation verzögert folgen.
- Zweite Volterra-Regel: Trotz periodischer Schwankungen sind die Mittelwerte der Populationsgrössen von Räuber und Beute über einen längeren Zeitraum konstant.
- Dritte Volterra-Regel: Werden beide Populationen dezimiert, erholt sich die Beutepopulation schneller als die Räuberpopulation.

Der Räuber ist von der Beute abhängig, das Umgekehrte gilt nur selten. In natürlichen Systemen kann ein Räuber seine Beute nicht ausrotten.

Aufgabe 32

A] Zu den Feinden der Blattläuse gehören Marienkäfer und Florfliegen. Erklären Sie, warum die Bekämpfung der Läuse mit einem Insektizid, das unselektiv alle Insekten tötet, nach einem vorübergehenden Erfolg eine noch stärkere Vermehrung der Blattläuse zur Folge haben kann.

B] Wie heisst und wie lautet die Regel, die sich hier bestätigt?

Aufgabe 33

Warum kann ein Räuber in der Natur eine Art, die ihm als Beute dient, nicht ausrotten?

4.5 Vielfalt und Stabilität

Nicht unveränderlich

Da sich Biozönosen wie alle lebenden Systeme entwickeln, bedeutet Stabilität nicht, dass sie sich gar nicht verändern. Eine Biozönose ist umso stabiler, je langsamer und kontinuierlicher sich ihre Zusammensetzung ändert und je kleiner die Massenwechsel der einzelnen Populationen sind.

Schwankungen

Wir haben in Kapitel 4.4 festgestellt, dass die Grösse einer Population, die nur eine Beute bzw. nur einen Feind hat, stark schwankt. Je mehr verschiedene Arten von Beute und Feinden eine Population hat, umso stabiler ist ihre Individuenzahl. In einer beziehungsreichen Biozönose sind darum die Massenwechsel geringer als in einer beziehungsarmen; sie ist stabiler. Aber wovon hängt die Zahl der Beziehungen ab?

Artenreich → stabil

In natürlichen Biozönosen nimmt die Zahl der Beziehungen in der Regel mit der Zahl der Arten zu. Artenreiche Biozönosen sind beziehungsreicher und darum stabiler als artenarme. Das Verschwinden von Arten vermindert die Stabilität. Das heisst aber nicht, dass das Einbringen einer neuen Art in eine Biozönose deren Stabilität erhöht, denn eine fremde Art kann andere Arten verdrängen und die Biozönose destabilisieren.

Artenreichtum

Nun stellt sich die Frage, wovon der Artenreichtum einer Biozönose abhängt. Weil in einer Biozönose nie zwei Arten mit gleicher Nische leben, hängt der Artenreichtum von der Zahl der ökologischen Nischen und damit von den Ökofaktoren des Systems ab.

- In Ökosystemen, in denen ein Faktor extrem hoch oder tief und damit für alle Arten limitierend ist, gibt es wenig Nischen. In einer Heisswasserquelle leben nur die wenigen Arten, die die hohe Temperatur überleben. Die Populationsgrössen schwanken stark. Auch das Beispiel von Luchs und Schneehase zeigt, dass unter extremen Bedingungen die Artenzahlen tief und die Massenwechsel hoch sind.
- Auch in Ökosystemen mit starken Schwankungen abiotischer Faktoren ist die Zahl der Nischen und damit der Artenreichtum klein.
- In Ökosystemen mit mittleren Bedingungen gibt es viele Nischen. Jeder oder fast jeder Faktor kann limitierend sein. Je ausgeglichener bzw. gemässigter die Ökofaktoren sind, umso artenreicher und stabiler ist die Biozönose. So nimmt die Zahl der Arten in Höhenlagen mit abnehmender Höhe über Meer zu (vgl. Abb. 4-14).
- In uneinheitlichen (heterogenen) Ökosystemen mit starker Gliederung ist die Zahl der Nischen grösser als in wenig gegliederten.

[Abb. 4-14] Abiotische Faktoren und Artenreichtum

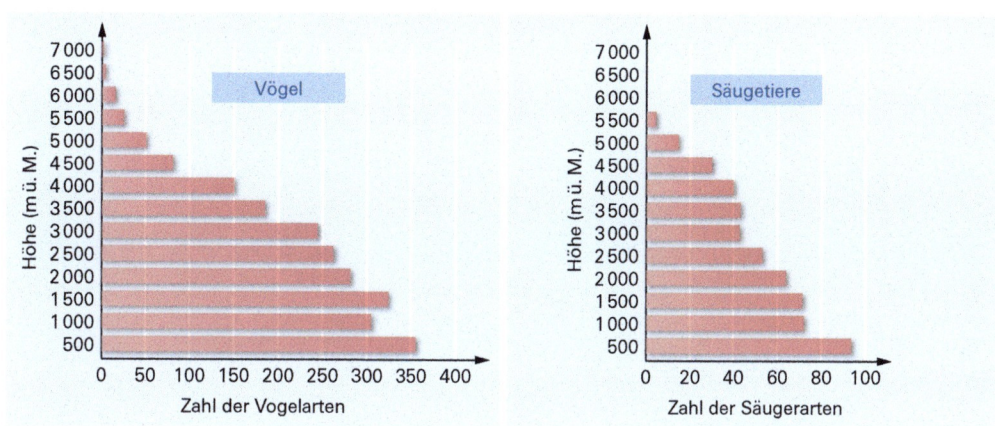

Zahl der Vogel- und Säugerarten in Abhängigkeit von der Höhe im nepalesischen Teil des Himalajas (nach Hunter & Yonzon, 1992).

Einfluss des Menschen

Durch den Einfluss des Menschen werden die Bedingungen in Ökosystemen meist extremer. Die Artenzahl nimmt ab, die Stabilität sinkt. Ein extremes Beispiel ist ein Acker, auf dem der Mensch durch Bodenbearbeitung und Pestizideinsatz die Bedingungen so beeinflusst, dass nur die von ihm gewünschte Pflanzenart gedeiht. Auf dieser können sich Parasiten schnell vermehren, weil es kaum natürliche Feinde wie Vögel oder Kleinsäuger gibt: Das Ökosystem Acker ist unstabil (vgl. Kap. 9.3.3, S. 151).

Zusammenfassung

In Ökosystemen mit starker Gliederung und gemässigten, relativ konstanten Bedingungen ist die Zahl der Nischen hoch, die Biozönosen sind artenreich und die Populationsgrössen relativ stabil.

Aufgabe 34

Warum kann man die Biozönose eines Zoos trotz grosser Artenzahl nicht als stabil bezeichnen?

TEIL B
Biozönosen und Ökosysteme

Einstieg

In diesem Teil befassen wir uns mit ganzen Ökosystemen und ihren Lebensgemeinschaften (Biozönosen), die aus vielen Populationen zusammengesetzt sind.

Die Beziehungen zwischen den Lebewesen einer Biozönose sind stark von ihrer Ernährungsweise abhängig:

- Die grünen Pflanzen nehmen Kohlenstoffdioxid, Wasser und Mineralsalze aus der Umgebung auf und stellen daraus das organische Material, das sie brauchen, mithilfe von Sonnenenergie her. Man nennt sie Produzenten.

- Die meisten höheren Tiere fressen lebende Pflanzen oder Tiere: Sie sind Konsumenten. Tiere, die hauptsächlich Pflanzen fressen, nennt man Primärkonsumenten. Tiere, die Pflanzenfresser (Primärkonsumenten) erbeuten und fressen, sind Sekundärkonsumenten. Sie werden von Tertiärkonsumenten gefressen.

- Tiere und Mikroorganismen, die nicht lebende Organismen, sondern tote Biomasse fressen, nennt man Destruenten. Sie beseitigen Leichen, Ausscheidungen, Frassreste etc. Destruenten sind viele Würmer, Käfer, Einzeller, Pilze, Bakterien etc.

Die autotrophen Produzenten versorgen alle heterotrophen Lebewesen mit energiereichen organischen Stoffen. Die Nahrung gelangt von den Produzenten über die verschiedenen Konsumenten zu den Destruenten. Man spricht von einer Nahrungskette. Weil jedes Lebewesen einen Teil der Energie, die es mit der Nahrung aufnimmt, verbraucht, nimmt die Energie in der Nahrungskette mit jedem Glied ab. Die Produzenten müssen darum viel mehr Biomasse aufbauen als die Primärkonsumenten, die wiederum mehr Biomasse herstellen als die Sekundärkonsumenten. Man spricht von der Nahrungs- oder Energiepyramide. Wir werden den Energiefluss durch die Biozönose und die Nahrungspyramiden an verschiedenen Beispielen betrachten.

Die Produzenten bilden aus Mineralstoffen, Kohlenstoffdioxid und Wasser Biomasse mit organischen Stoffen. Die Konsumenten und Destruenten bauen die organischen Stoffe wieder zu Mineralstoffen, Wasser und Kohlenstoffdioxid ab. Die Stoffe bzw. die darin gebundenen Elemente durchlaufen einen Kreislauf. Wir werden die Kreisläufe von Kohlenstoff, Sauerstoff, Stickstoff und Phosphor besprechen.

Ökosysteme und Biozönosen sind einem steten Wandel unterworfen. Nach einer Neubesiedelung treten verschiedene Biozönosen nacheinander auf. Anhand von zwei Beispielen, den Ökosystemen See und Wald, erfahren Sie, wie eine solche Sukzession vonstattengeht.

5 Biozönosen und Ökosysteme

Lernziele Nach der Bearbeitung dieses Kapitels können Sie …

- die trophischen Ebenen einer Biozönose nennen und ihre Funktionen erklären.
- die Begriffe Nahrungskette, Nahrungsnetz und Netto- und Bruttoproduktion mit Beispielen erläutern.
- den Stoff- und Energiefluss in der Nahrungskette beschreiben und Richtgrössen für die Verteilung der Energie angeben.
- die Begriffe Nahrungs- und Energiepyramide definieren und Beispiele diskutieren.
- den Kohlenstoffkreislauf darstellen, die Depots und die Austauschvorgänge beschreiben und erklären, warum dieser Kreislauf nicht mehr geschlossen ist.
- den Stickstoffkreislauf und den Phosphorkreislauf darstellen, die Depots und die Austauschvorgänge beschreiben und erklären, was der Mensch daran verändert.
- das biozönotische Gleichgewicht definieren und an Beispielen diskutieren.
- Zusammenhänge zwischen abiotischen Faktoren, Nischenvielfalt und Stabilität des biozönotischen Gleichgewichts aufzeigen.
- r- und K-Strategen charakterisieren und ihre Bedeutung erörtern.
- den Begriff Sukzession definieren und Beispiele beschreiben.

Schlüsselbegriffe Biozönose, Energiepyramide, Kohlenstoffkreislauf, K-Strategen, Nahrungskette, Nahrungsnetz, Nahrungspyramide, Ökosystem, Phosphorkreislauf, r-Strategen, Stickstoffkreislauf, Sukzession, Trophie-Ebene

Die Populationen einer Biozönose kontrollieren sich gegenseitig. Das Wachstum jeder Population wird durch ihre Beute, ihre Feinde, Parasiten und Konkurrenten limitiert. Wir werden an Beispielen sehen, dass die Populationsdichten umso stabiler sind, je artenreicher die Biozönose ist.

5.1 Produzenten, Konsumenten und Destruenten

Trophie-Ebenen

Die Populationen einer Biozönose werden nach ihrer Ernährungsweise in drei Gruppen eingeteilt, von denen jede eine bestimmte Funktion hat:

- Produzenten stellen organisches Material her.
- Konsumenten fressen andere Lebewesen.
- Destruenten fressen organische Abfälle.

Die Gruppen werden als Nahrungsebenen, Trophie-Ebenen[1] oder trophische Ebenen bezeichnet.

---

[1] Gr. *trophos* «Nahrung».

5.1.1 Produzenten

Autotroph

Die autotrophen Pflanzen sind die Produzenten. Sie stellen alle organischen Stoffe, die sie brauchen, aus anorganischen her. Die Basis dafür bildet ihre Fähigkeit, aus Kohlenstoffdioxid und Wasser Glucose und Sauerstoff zu produzieren. Die meisten tun dies durch Fotosynthese, d. h., sie beziehen die Energie zur Synthese der energiereichen Glucose aus dem Sonnenlicht, das sie mithilfe des grünen Farbstoffs Chlorophyll absorbieren.

[Abb. 5-1] Funktionelle Gliederung einer Biozönose

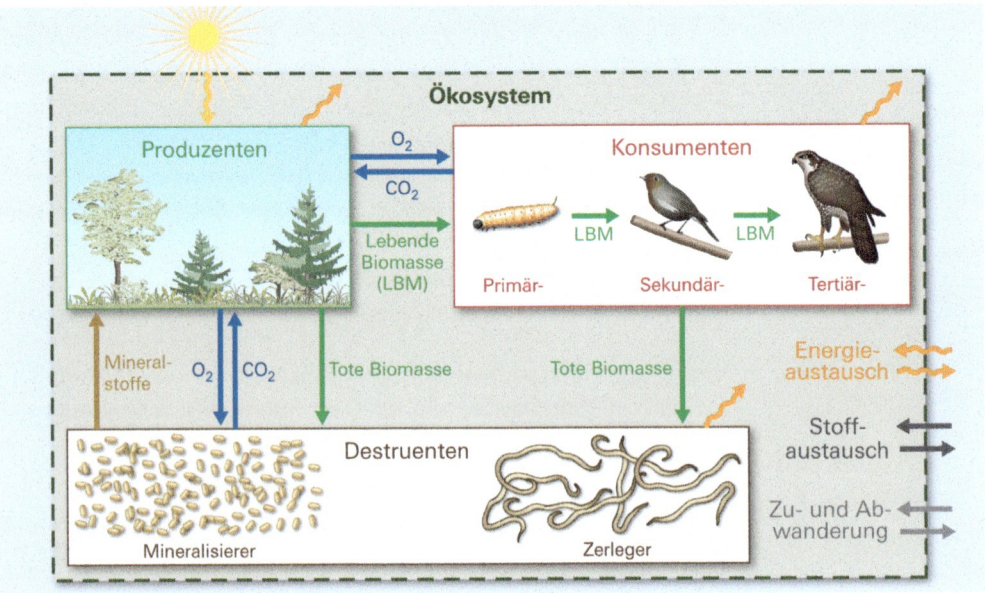

Eine vollständige Biozönose besteht aus Produzenten, Konsumenten und Destruenten.

5.1.2 Konsumenten

Heterotroph

Konsumenten sind heterotroph und müssen Nahrung mit organischen Stoffen aufnehmen. Es sind Tiere, die lebende Organismen oder Teile von ihnen fressen, d. h., sie ernähren sich von «lebendem Material». Nach ihrer Speisekarte unterscheiden wir Primär-, Sekundär- und Tertiärkonsumenten:

Typen

- Primärkonsumenten sind Pflanzenfresser. Sie fressen (Teile von) Produzenten und sorgen dafür, dass die Bäume nicht in den Himmel wachsen. Beispiele sind: Rind, Pferd, Schaf, Reh, Gämse, Hase, Buchfink, Ente, Käfer, Schmetterlingsraupen.
- Sekundärkonsumenten sind Fleischfresser, die (vorwiegend) Pflanzenfresser fressen. Beispiele sind: Fuchs, Wolf, Forelle, Egli, Reiher, viele Schlangen und Spinnen.
- Tertiärkonsumenten sind Fleischfresser, die (vorwiegend) Fleischfresser fressen. Beispiele sind: Hecht, Fischotter, Adler, Haie.
- Allesfresser fressen sowohl Tiere als auch Pflanzen(teile), lassen sich also keiner Ebene zuordnen. Beispiele sind: Schwein, Schimpanse, Mensch, Ratte, Braunbär, Rabe, Marder, Möwe, Sperling, viele Schnecken.

Die Zuordnung einer Art zu einer Trophie-Ebene geschieht nach der Hauptnahrung und schliesst andere Komponenten in der Nahrung nicht aus. So nehmen Pflanzenfresser mit den Pflanzen meist auch Kleintiere auf und viele Fleischfresser unterscheiden bei ihrer Beute nicht zwischen Pflanzen- und Fleischfressern.

5.1.3 Destruenten

Abfallfresser

Wie die Konsumenten sind auch die Destruenten heterotroph und damit direkt oder indirekt von den Produzenten abhängig. Sie fressen Leichen, Ausscheidungen und Frassabfälle von Organismen. Die Raupe, die vom Blatt an der Pflanze frisst, ist ein Pflanzenfresser, der Käfer, der ein Blatt frisst, das auf den Boden gefallen ist, ist ein Zerleger. Destruenten ernähren sich von toter Biomasse und bauen die darin enthaltenen organischen Stoffe zu anorganischen ab. Sie schliessen den Stoffkreislauf im Ökosystem, indem sie die organischen «Abfälle» in anorganische Stoffe für die Produzenten umwandeln. Sie entsorgen weltweit jedes Jahr etwa 300 Gt (Milliarden Tonnen) organisches Material.

Destruenten sind Tiere wie Geier, Krebse, Würmer, Käfer etc. und Kleinlebewesen wie Bakterien, Pilze und Einzeller. Nach ihrer Leistung werden zwei Gruppen unterschieden:

Zerleger

- Zerleger fressen Reste und Leichen von Pflanzen und Tieren, die sie mithilfe von Mundwerkzeugen oder Zähnen zerkleinern. Sie verdauen das Material und benutzen die organischen Stoffe als Bau- und Betriebsstoffe. Das Unverdaubare scheiden sie wie die Konsumenten als Kot wieder aus. Es wird von weiteren Zerlegern (Kotfressern) und schliesslich von den Mineralisierern weiterbearbeitet. Zerleger sind z. B.:
  - Aasfresser wie Insektenlarven (Maden), Aaskäfer, Krebse, Geier, Hyänen
  - Totholzfresser wie Termiten, Käfer
  - Bodenfresser wie Regenwürmer
  - Kotfresser wie Pillendreher, Fadenwürmer und Milben

Mineralisierer

- Mineralisierer bauen die verbleibenden organischen Stoffe ab zu anorganischen (Kohlenstoffdioxid und Mineralstoffen), die von den Pflanzen benötigt werden. Mineralisierer sind hauptsächlich Pilze und Bakterien.

5.1.4 Vollständige und unvollständige Biozönosen

Vollständige

In vollständigen Biozönosen ist die Zahl bzw. die Leistung von Produzenten, Konsumenten und Destruenten ausgewogen: Stoffproduktion und Stoffabbau halten sich die Waage, die Stoffkreisläufe sind geschlossen.

Unvollständige

In unvollständigen Biozönosen ist eine Gruppe über- oder untervertreten:

- In der Tiefsee fehlen Produzenten. Die Konsumenten leben von absinkendem Material.
- In Mooren ist die Zahl der Destruenten zu klein, organisches Material bleibt liegen.
- In unseren Wäldern fehlen die grossen Fleischfresser (Wolf, Bär), der Mensch muss die grossen Pflanzenfresser durch Bejagen kontrollieren.

Zusammenfassung

Die Populationen einer Biozönose werden nach ihrer Ernährung einer Nahrungsebene (Trophie-Ebene, trophische Ebene) zugeordnet:

- Produzenten sind autotroph: Sie stellen alle organischen Stoffe, die sie brauchen, aus anorganischen Stoffen (Mineralstoffen und Kohlenstoffdioxid) her und versorgen die Lebewesen der Biozönose mit organischen Stoffen und Energie. Die meisten Produzenten beziehen die Energie von der Sonne (Fotosynthese).
- Konsumenten sind heterotroph und fressen andere Lebewesen. Primärkonsumenten sind Pflanzenfresser. Sie werden von Fleischfressern (Sekundärkonsumenten) gefressen und diese von Tertiärkonsumenten.
- Destruenten fressen die organischen Abfälle und bauen sie weitgehend ab.
  - Zerleger (Aasfresser, Totholzfresser, Kotfresser) fressen Reste und Leichen von Pflanzen und Tieren und bauen diese teilweise ab.
  - Mineralisierer wie Pilze und Bakterien bauen die restlichen organischen Stoffe zu Kohlenstoffdioxid und Mineralstoffen ab, die von den Produzenten benötigt werden.

In vollständigen Biozönosen ist das Zahlenverhältnis bzw. die Leistung von Produzenten, Konsumenten und Destruenten ausgewogen, die Stoffkreisläufe sind geschlossen. In unvollständigen Biozönosen ist eine Gruppe über- oder untervertreten: In der Tiefsee fehlen Produzenten, in Mooren ist die Zahl der Destruenten zu klein und in unseren Wäldern fehlen die grossen Fleischfresser (Wolf, Bär).

Aufgabe 35 Warum bezeichnet man die Tiefsee als abhängige Biozönose?

5.2 Nahrungskette und Nahrungsnetze

Nahrungskette

Ein Teil der Biomasse, die die Produzenten herstellen, wird von Primärkonsumenten gefressen, und diese dienen ihrerseits den Sekundärkonsumenten als Nahrung usw. Fresser und Gefressene bilden eine Nahrungskette, die vom Produzenten über verschiedene Konsumenten zum Endkonsumenten führt.

Jedes Glied der Nahrungskette baut einen Teil der energiereichen Stoffe ab. Das verbleibende und das nicht von Konsumenten gefressene organische Material übernehmen die Destruenten.

[Abb. 5-2] Nahrungskette

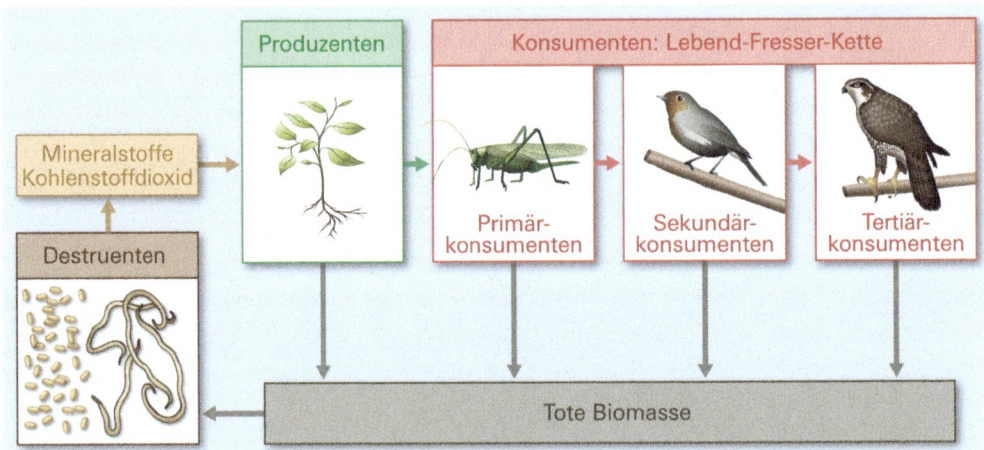

Produzenten und Konsumenten bilden eine Nahrungskette, in der das organische Material weitergegeben wird.

Nahrungsnetze

Weil in natürlichen Biozönosen fast jede Art mehrere Fressfeinde hat und weil die meisten Konsumenten mehrere Arten fressen, sind die natürlichen Nahrungsketten verzweigt und bilden Nahrungsnetze (vgl. Abb. 5-3).

[Abb. 5-3] Nahrungsnetz

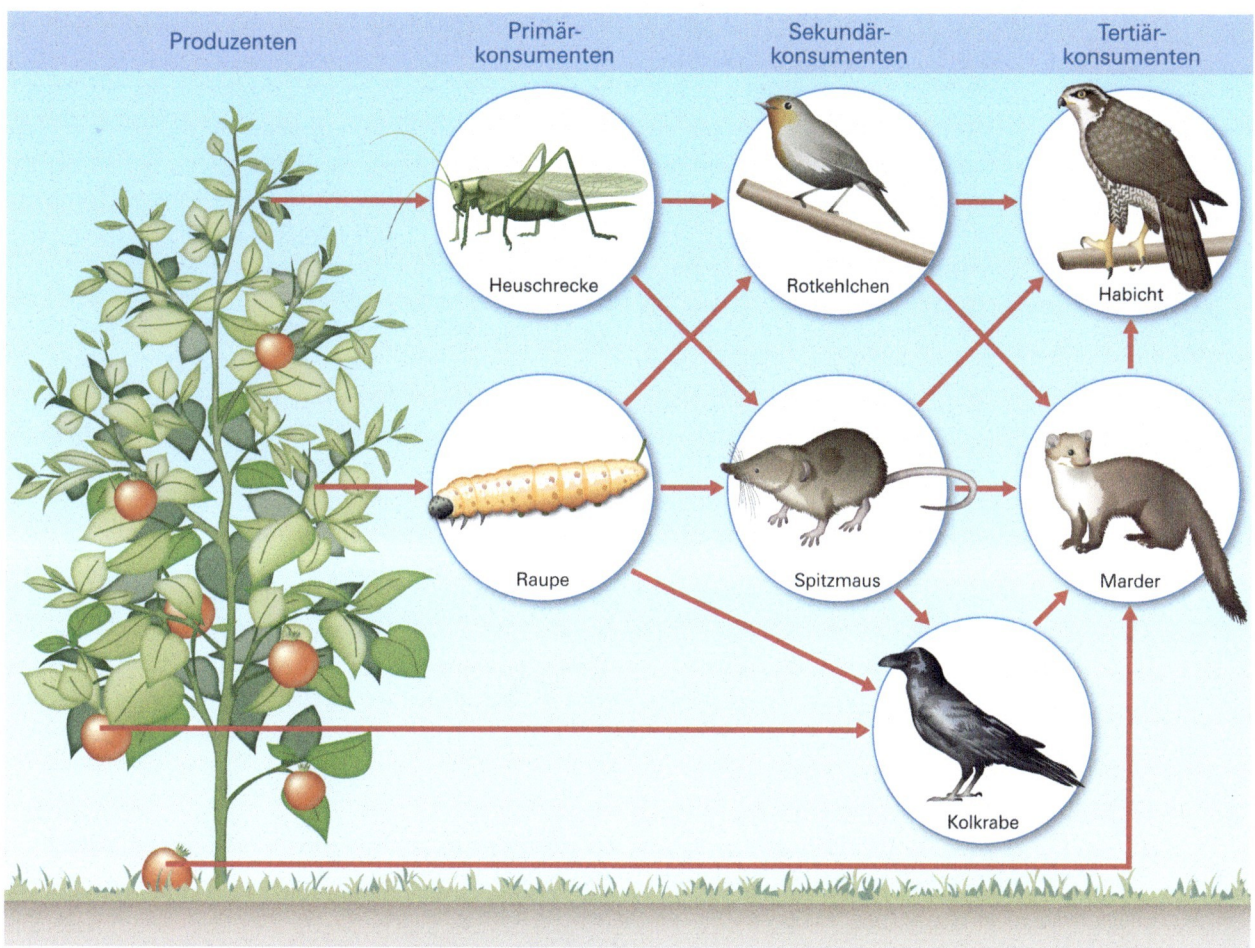

Kleiner Ausschnitt aus einem Nahrungsnetz.

Allerleifresser	Arten, die sowohl pflanzliche als auch tierische Nahrung aufnehmen (z. B. Möwen, Schweine, Schimpansen), und Arten, die sowohl lebende Tiere als auch Aas fressen (z. B. Hyänen, Löwen), lassen sich keiner Trophie-Ebene zuordnen. Manche Arten ändern ihre Speisekarte im Lauf des Lebens (z. B. Raupe und Falter) oder im Verlauf des Jahres (viele Singvögel). Darum sind natürliche Nahrungsnetze komplex und schwer durchschaubar.
Zusammenfassung	Produzenten und Konsumenten verschiedener Trophie-Ebenen bilden Nahrungsketten, in denen ein Teil des organischen Materials weitergegeben wird. Die Destruenten machen es letztlich in Form von Mineralstoffen wieder für die Produzenten verfügbar. In natürlichen Biozönosen sind die Nahrungsketten verzweigt und bilden komplexe Nahrungsnetze.

Aufgabe 36 Zu welcher oder welchen Nahrungsebene(n) können folgende Lebewesen nicht gehören:

A] Parasiten B] Bakterien C] Pilze D] Mücken

Aufgabe 37 Warum beginnt jede Nahrungskette mit einem Produzenten?

Aufgabe 38 Häufig werden Nahrungsbeziehungen in einer Biozönose als «Nahrungsketten» dargestellt. Inwiefern handelt es sich dabei in den allermeisten Fällen um eine Vereinfachung?

5.3 Produktivität und Energiedurchfluss

5.3.1 Primärproduktion

Produktion

Die Produzenten stellen bei der Fotosynthese mithilfe von Sonnenenergie energiereiche organische Stoffe wie Glucose her (Assimilation). Etwa die Hälfte davon bauen sie zur Beschaffung der Energie für ihre Aktivitäten ab (Dissimilation). Der Rest wird zu Biomasse: Die Pflanze wächst, bildet Blüten, Samen und Früchte, scheidet Sekrete aus etc. Diese Biomasse wird früher oder später von Konsumenten oder Destruenten gefressen.

Brutto- und Nettoprimärproduktion

Die Masse der von den Produzenten gebildeten energiereichen Stoffe wird als Bruttoprimärproduktion (BPP) bezeichnet. Nach Abzug des Materials, das die Produzenten zur Energiebeschaffung dissimilieren, bleibt die Nettoprimärproduktion (NPP). Sie beträgt im Durchschnitt etwa 50% der Bruttoproduktion und schwankt je nach Pflanzenart und Biozönose zwischen 15 und 75%. In Äquatornähe ist sie weniger als 40%, in höheren Breitengarden bis 75%: In heissen Gebieten sind die «Lebenshaltungskosten» der Pflanzen höher.

Produktivität

Die Nettoprimärproduktivität ist die von allen Produzenten auf einer bestimmten Fläche in einem bestimmten Zeitraum gebildete Biomasse. Sie ist ein Mass für die Produktivität und beträgt je nach Ökosystem in einem Jahr 10–2500 g Trockenmasse/m^2. Abbildung 5-4 zeigt neben der Produktivität verschiedener Ökosysteme auch, wie viel diese zur Nettoprimärproduktion der ganzen Biosphäre beitragen. Das offene Meer hat wegen seiner grossen Fläche trotz geringer Nettoprimärproduktivität den höchsten Anteil an der globalen Nettoprimärproduktion.

[Abb. 5-4] Nettoprimärproduktivität und Beitrag zur Nettoproduktion der Biosphäre

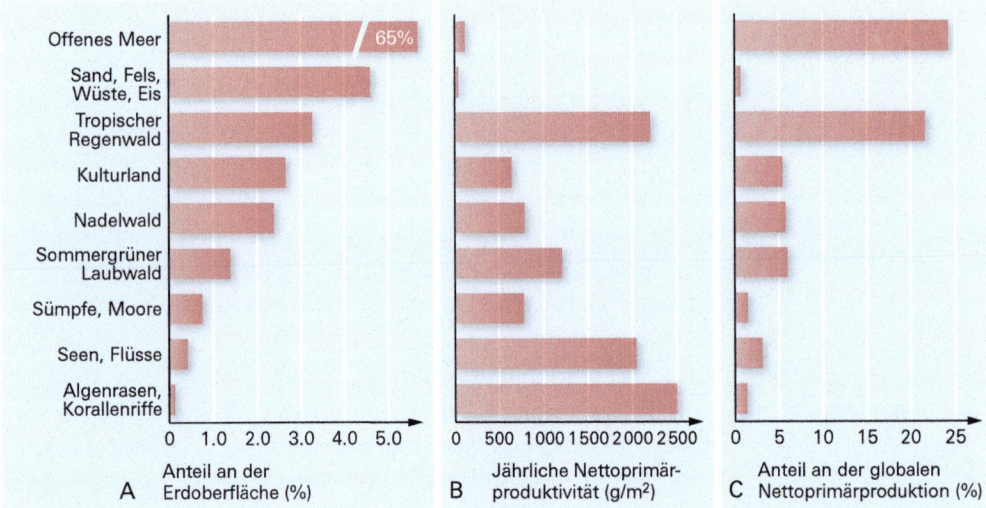

Globale NPP

Die jährliche Nettoprimärproduktion der ganzen Biosphäre beträgt ca. 175 Gt (1 Gt = 10^9 t) Biomasse (Trockenmasse). Davon liefern die Kontinente 120 Gt, die Ozeane 55 Gt.

Energieumsatz

In den 175 Gt Biomasse sind $3.2 \cdot 10^{18}$ kJ Energie gespeichert. Das entspricht 0.1% der globalen Einstrahlung ($2.7 \cdot 10^{21}$ kJ). Der Energieumsatz der Lebewesen (inkl. Pflanzen) ist mit $6 \cdot 10^{18}$ kJ 10-mal höher als der gesamte technische Energieumsatz ($6 \cdot 10^{17}$ kJ) durch Heizanlagen, Industrie, Motoren etc.

In Wäldern entspricht die Energie der NPP etwa 1% der eingestrahlten Sonnenenergie, in einem Zuckerrohrfeld 5%, im Durchschnitt der ganzen Biosphäre 0.1%.

5.3.2 Verwertung der Nettoprimärproduktion

Nahrungsverwertung — Alle Konsumenten und Destruenten leben direkt oder indirekt von der Produktion der Pflanzen. Sie nutzen das organische Material und die darin gespeicherte Energie nach dem gleichen Schema. Wir betrachten es am Beispiel einer Raupe.

[Abb. 5-5] Nahrungsverwertung bei einem Konsumenten

Anteile — Die Anteile des Verdaulichen und der Nettoproduktion sind je nach Nahrung und Konsument verschieden. In Abbildung 5-6 finden Sie die Angaben für drei Beispiele.

[Abb. 5-6] Energieverwertung bei verschiedenen Konsumenten

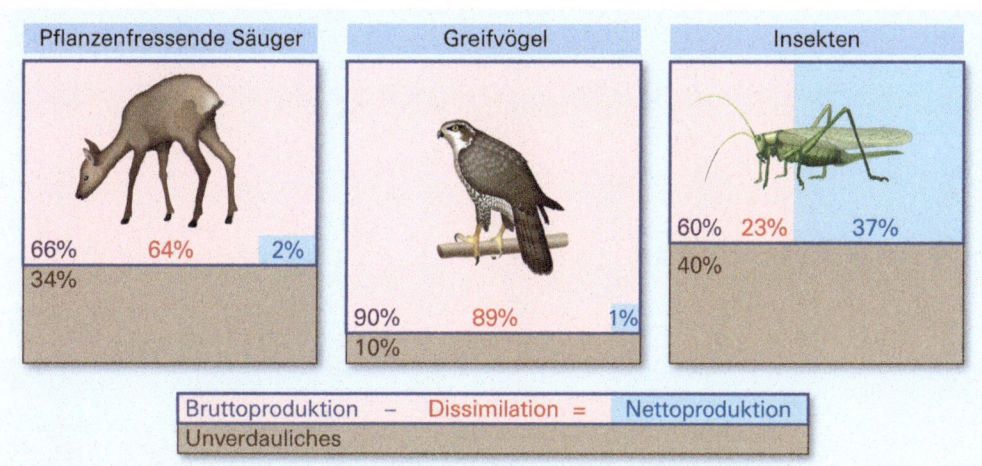

Die Anteile des Unverdaulichen (braun), der Bruttoproduktion (violett), der Dissimilation (rot) und der Nettoproduktion (blau) in % der aufgenommenen Nahrung bei verschiedenen Konsumenten.

Unverdauliches
- Der Anteil des Unverdaulichen ist bei Pflanzenfressern höher als bei Fleischfressern. Pflanzliches Material ist hauptsächlich wegen der Zellwände weniger vollständig verdaubar als tierisches. Der Anteil des Unverdaulichen ist im Holz 85%, in Blättern 50% und in Früchten 30%.

Nettoproduktion
- Der Anteil der Nettoproduktion hängt vom Energieverbrauch ab. Dieser ist bei Wirbeltieren höher als bei Insekten und anderen Wirbellosen. Besonders hoch ist er bei den gleichwarmen Vögeln und Säugern. Wechselwarme machen aus der gleichen Nahrungsmenge 10-mal mehr Biomasse als Gleichwarme.

5.3.3 Energiefluss

Energieumsatz der Lebewesen

Lebewesen «verbrauchen» für ihre Aktivitäten Energie. Diese Energie wird z. B. als Wärme an die Umgebung abgegeben oder in Bewegungsenergie umgewandelt. Die Biozönose «verliert» also laufend Energie. Für den Nachschub sorgen die Produzenten durch die Fotosynthese, bei der sie Lichtenergie aufnehmen und in chemische Energie umwandeln, d. h. zum Aufbau energiereicher Stoffe verwenden. Die Glucose und alle aus ihr hergestellten energiereichen Stoffe dienen den Lebewesen als Bau- und als Betriebsstoffe. Der Abbau (Dissimilation) der Betriebsstoffe liefert ihnen die für ihre Aktivitäten nötige Energie. Die chemische Energie wird umgewandelt, z. B. in Wärme oder Bewegungsenergie.

Energiefluss

Da die Energie in der Nahrungskette mit der Nahrung weitergegeben wird, wird sie auch wie diese verteilt. Abbildung 5-7 zeigt den Energiefluss durch eine Biozönose. Die Verteilung variiert je nach Biozönose. Die Zahlen sind grobe Richtwerte, die Sie sich merken sollten.

[Abb. 5-7] Energiefluss durch die Biozönose

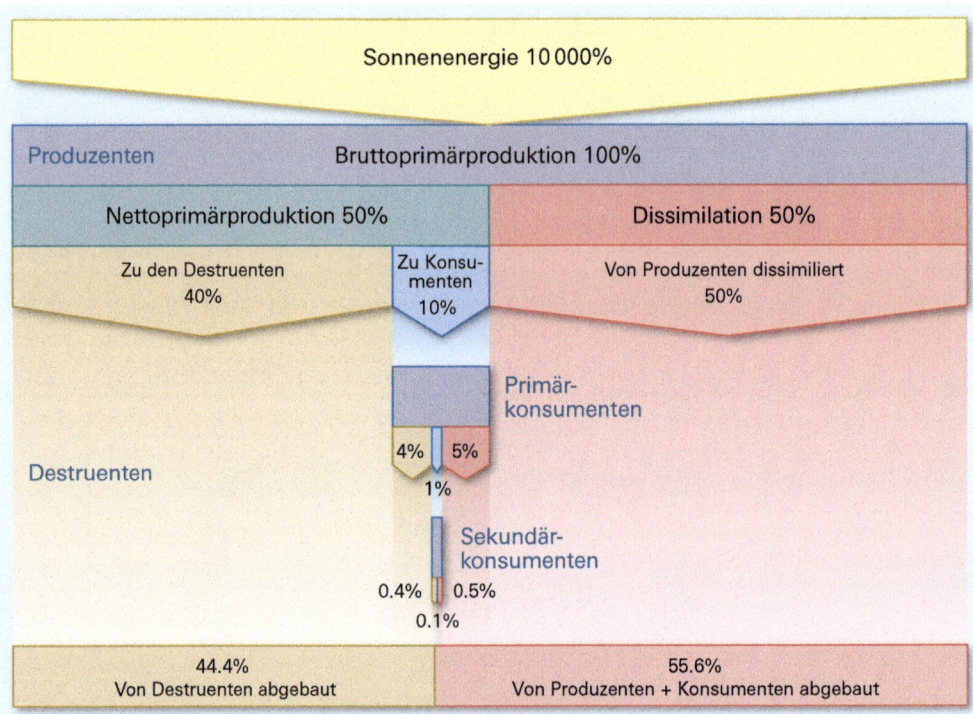

Die Produzenten wandeln 1% der eingestrahlten Sonnenenergie in chemische Energie um. Von dieser Bruttoprimärproduktion BPP (die wir als 100% gesetzt haben) verbrauchen sie die Hälfte (50%) zur Gewinnung von Energie. Die Nettoprimärproduktion NPP beträgt also 50%. Davon übernehmen die Primärkonsumenten etwa 1/5 (10% der BPP) und dissimilieren etwa die Hälfte. Ihre NP ist 5% der BPP. Davon übernehmen die Sekundärkonsumenten wieder 1/5 (1% der BPP) und dissimilieren auch etwa die Hälfte, ihre NP ist noch 0.5% der BPP. Die Destruenten erhalten auf jeder Ebene 4/5 der BP in Form von Frassabfällen, Unverdaulichem Ausscheidungen, Leichen etc. Insgesamt also (40% + 4% + 0.4%).

Richtgrössen

Die Nettoproduktion beträgt auf jeder Ebene ca. 50% der Bruttoproduktion. Davon gelangen 40% zu den Destruenten, 10% zu den Konsumenten der nächsten Ebene.

Die Nettoproduktionen von zwei aufeinanderfolgenden Ebenen stehen im Verhältnis 10:1, d. h., im Mittel werden 10% der Energie von einer Ebene auf die nächste übertragen. Der Wert schwankt je nach Biozönose und Ebene zwischen 2 und 24%.

Insgesamt verbrauchen die Produzenten ca. 50%, die Destruenten 45% und Konsumenten 5% von der BPP bzw. von der durch die Fotosynthese eingefangenen Energie.

5.3.4 Energie- und Nahrungspyramide

Produktivitäts- oder Energiepyramide

Da die Nettoproduktion von einer Ebene zur nächsten im Mittel um 90% abnimmt, kann die Verteilung der Energie auf die Nahrungsebenen durch eine Pyramide dargestellt werden (vgl. Abb. 5-8). Das Volumen der Abschnitte einer solchen Energie- oder Produktivitätspyramide sinkt von einer Ebene zur nächsten auf ca. 1/10.

[Abb. 5-8] Energiepyramide

Nahrungspyramide

Meist nehmen mit der Nettoproduktion auch die Biomasse und die Zahl der Individuen von einer Ebene zur nächsthöheren ab. Darum hat die Nahrungspyramide, in der die Biomasse oder die Individuenzahl der verschiedenen Trophie-Ebenen schematisch dargestellt werden, meist auch die Form einer Pyramide. In Abbildung 5-9 sind die Energie- und die Nahrungspyramide für eine künstliche «Biozönose» aus Luzerne, Rind und Mensch dargestellt.

[Abb. 5-9] Energie- und Nahrungspyramiden

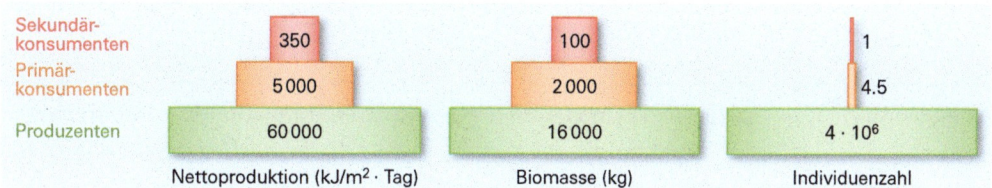

Energie- und Nahrungspyramiden einer künstlichen Biozönose aus Luzerne, Rind und Mensch.

Beispiele

Die Energie- und Nahrungspyramiden verschiedener Biozönosen unterscheiden sich v. a. aufgrund der unterschiedlichen Lebensdauer und Produktivität der Produzenten erheblich. Abbildung 5-10 zeigt, dass Nahrungspyramiden im Gegensatz zu Energiepyramiden nicht immer pyramidenförmig sind.

[Abb. 5-10] Energie- und Nahrungspyramiden verschiedener Biozönosen

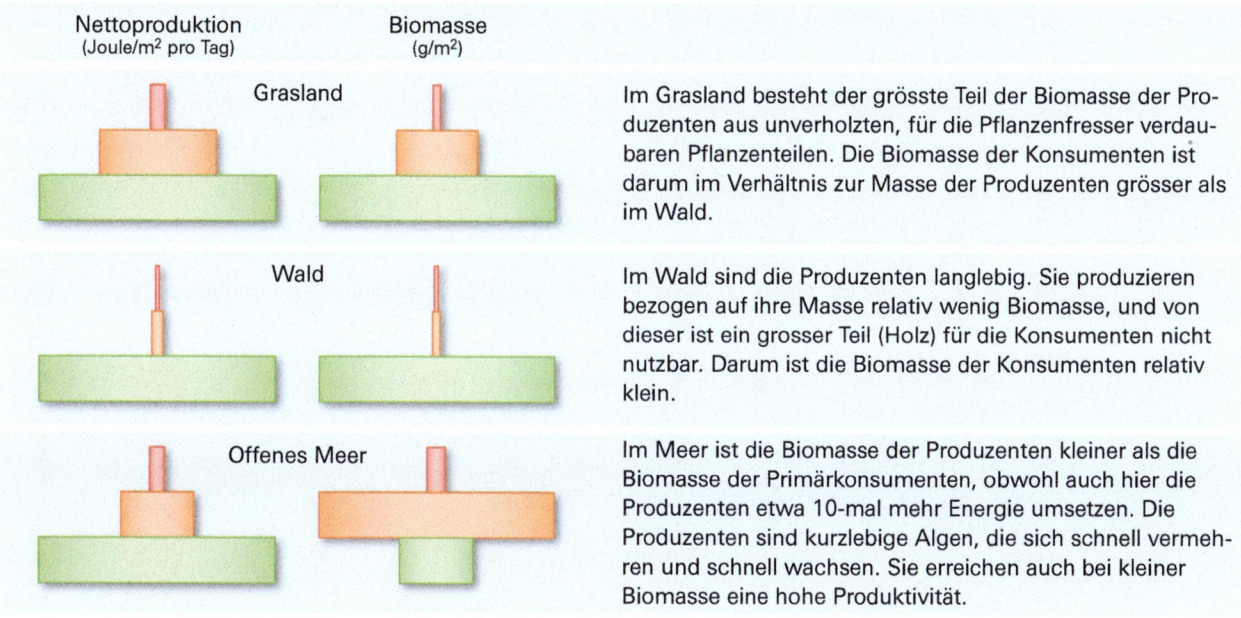

Zusammenfassung

Die Nettoprimärproduktivität ist die von den Produzenten auf einer bestimmten Fläche in einem bestimmten Zeitraum gebildete Biomasse. Sie beträgt je nach Ökosystem in einem Jahr 10–2 500 g Trockenmasse/m^2.

Produzenten nutzen etwa 1% der Sonnenenergie, die sie erreicht, zum Aufbau von Biomasse. Von dieser Bruttoprimärproduktion (BPP) dient etwa die Hälfte zum Aufbau von Biomasse (Nettoprimärproduktion, NPP), die andere Hälfte wird dissimiliert.

Von der Nettoproduktion einer Ebene gelangen etwa 4/5 mit abgestorbenen Teilen, Leichen, Ausscheidungen, Frassabfällen etc. zu den Destruenten und ca. 1/5 zu den Konsumenten der folgenden Nahrungsebene. Diese verbrauchen davon auch etwa die Hälfte zur Gewinnung von Energie. Die andere Hälfte wird zu Biomasse (NP).

Weil von der Nettoproduktion einer Ebene nur ca. 10% zur nächsthöheren Ebene gelangen, ergibt die schematische Darstellung der Produktion von Produzenten und Konsumenten einer Biozönose eine Pyramide (Produktivitäts- oder Energiepyramide). Die Nahrungspyramide, in der die Biomasse oder Individuenzahl der trophischen Ebenen dargestellt wird, ist meist, aber nicht immer, pyramidenförmig. So ist die Biomasse der Produzenten im Meer extrem klein, im Wald sehr hoch.

Aufgabe 39 Warum ist die Energiepyramide immer pyramidenförmig, die Biomassenpyramide dagegen nicht?

Aufgabe 40 Herr Weiss behauptet: «Die Meere tragen von allen Biozönosen am meisten zur globalen Produktion von Biomasse bei, weil sie die höchste Nettoproduktivität haben.» Stimmt das?

5.4 Stoffkreisläufe

Wiederverwertung Stoffkreislauf

Das von den Produzenten gebildete organische Material durchläuft die Nahrungskette und wird von Konsumenten und Destruenten wieder zu Kohlenstoffdioxid und Mineralstoffen für die Produzenten abgebaut. Die Stoffe befinden sich also im Gegensatz zur Energie, die einem Ökosystem ständig zugeführt werden muss, in einem Kreislauf. Wir sprechen darum vom Energiedurchfluss und vom Stoffkreislauf. Im Idealfall ist die Zahl bzw. die Leistung von Produzenten, Konsumenten und Destruenten in einem Ökosystem so ausgewogen, dass sich Auf- und Abbau der organischen Stoffe die Waage halten: Der Stoffkreislauf ist geschlossen.

Bio-geochemische Kreisläufe

Jedes Element, das in den Verbindungen der Lebewesen vorkommt, durchläuft (meist in Form verschiedener Verbindungen) einen Kreislauf, in dessen Verlauf es von den Lebewesen aus der unbelebten Natur aufgenommen und später wieder abgegeben wird. Weil dabei biologische und geochemische Vorgänge eine Rolle spielen, spricht man von bio-geochemischen Kreisläufen. Wir betrachten die Kreisläufe der vier Elemente, die in den Lebewesen im Vordergrund stehen:

- Kohlenstoff
- Stickstoff
- Phosphor
- Sauerstoff

5.4.1 Kohlenstoffkreislauf

Formen

Das Element Kohlenstoff ist Bestandteil aller organischen Verbindungen und kommt in der Natur hauptsächlich in vier Formen vor:

- in den organischen Verbindungen der Lebewesen und ihrer Reste,
- als Kohlenstoffdioxid in der Luft und im Wasser gelöst,
- in Carbonaten wie Kalk im Boden, in Gesteinen und im Wasser gelöst,
- in fossilen organischen Kohlenstoffverbindungen in Kohle, Erdöl und Erdgas.

Umwandlungen

Die wichtigsten Umwandlungsvorgänge sind:

- Die Assimilation (Fotosynthese, Chemosynthese) bildet aus Kohlenstoffdioxid (und Wasser) organische Verbindungen.
- Die Dissimilation (Zellatmung, Gärung) und die Verbrennungsvorgänge oxidieren organische Kohlenstoffverbindungen unter Bildung von Kohlenstoffdioxid.
- Kohlenstoffdioxid löst sich im Wasser und kann zu Hydrogencarbonat reagieren. Das im Wasser gelöste Kohlenstoffdioxid kann auch wieder in die Luft entweichen.
- Carbonate aus dem Wasser lagern sich als Sedimente ab. Dazu tragen auch Lebewesen durch die Bildung von Schalen u. Ä. bei. Die Ablagerung geschieht sehr langsam, hat aber in Jahrmillionen zu gewaltigen Carbonatdepots geführt.

[Abb. 5-11] Kohlenstoffkreislauf

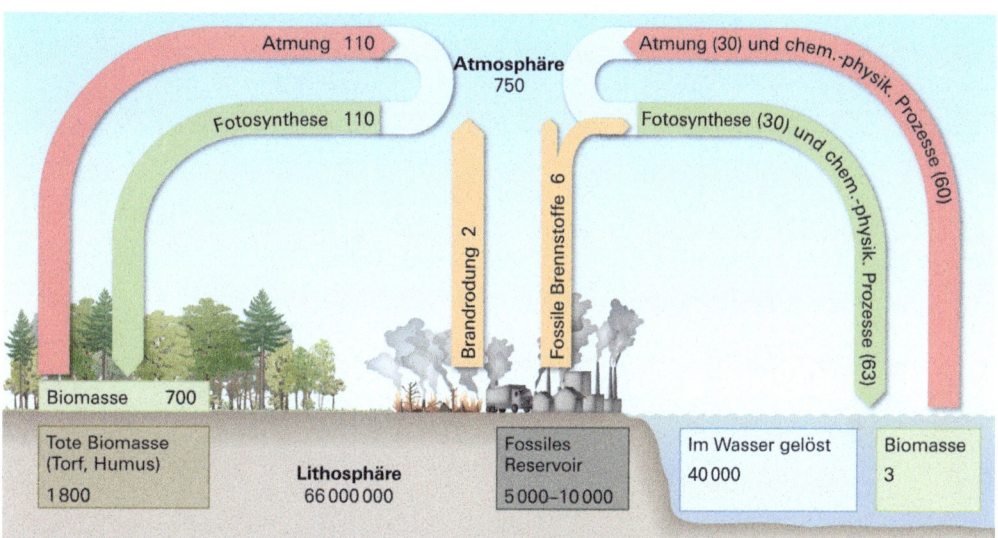

Im Kohlenstoffkreislauf werden die organischen Verbindungen der Lebewesen und das Kohlenstoffdioxid rasch umgesetzt. Die Zahlen geben die Grösse der Depots (in Gigatonnen Kohlenstoff, 1 Gt = 1 Milliarde [10^9] t) und die umgesetzten Mengen (Gt C/Jahr) an.

CO_2-Umsatz

Da die Konzentration des Kohlenstoffdioxids in der Luft mit 0.04% sehr klein ist, wird in einem Jahr etwa 1/7 des gesamten Kohlenstoffdioxids der Luft durch die Lebewesen umgesetzt.

Zusätzliches CO_2

Würden sich Auf- und Abbau organischer Stoffe die Waage halten, blieben die Mengen in den Depots und damit auch die Kohlenstoffdioxid-Konzentration in der Luft konstant. Das trifft heute aber nicht mehr zu, weil der Mensch durch Verbrennen fossiler Energieträger und durch Brandrodungen zusätzlich ca. 30 Gt Kohlenstoffdioxid (mit 8 Gt C) in die Luft bringt.

Fossile Kohlenstoffverbindungen

Die Lager der fossilen Kohlenstoffverbindungen wurden vor 50–300 Millionen Jahren gebildet, indem Biomasse von toten Lebewesen abgelagert und unter Luftabschluss und hohem Druck zu Kohle, Erdöl und Erdgas umgewandelt wurde. Der Kohlenstoff blieb dabei erhalten und bildet bei der Verbrennung Kohlenstoffdioxid. Darum erhöht die Verbrennung fossiler Brennstoffe die Kohlenstoffdioxid-Konzentration in der Luft. Mit den Folgen befassen wir uns in Kapitel 12.2, S. 177.

5.4.2 Stickstoffkreislauf

Formen

Das Element Stickstoff (N_2) ist ein reaktionsträges Gas, das in der Luft mit einem Anteil von fast 80 Vol.-% vorkommt. Im Boden liegt Stickstoff in Form von Nitrat- und Ammonium-Ionen vor. Lebewesen enthalten organische Stickstoffverbindungen wie Aminosäuren, Proteine, Nucleotide und Nucleinsäuren.

Umwandlungen

Autotrophe Pflanzen produzieren aus den Nitrat- und Ammonium-Ionen, die sie aus dem Boden aufnehmen, organische Stickstoffverbindungen. Heterotrophe Lebewesen wie die Tiere, der Mensch und viele Mikroorganismen sind Konsumenten oder Destruenten. Sie nehmen organische Stickstoffverbindungen mit der Nahrung auf und stellen aus diesen ihre körpereigenen Stickstoffverbindungen her. Die Destruenten bauen die organischen Stickstoffverbindungen zu anorganischen ab: Durch die Ammonifikation entstehen Ammonium-Ionen, die bei der Nitrifikation von den nitrifizierenden Bakterien im Boden zu den stabileren Nitrat-Ionen oxidiert werden. Den elementaren Stickstoff aus der Luft können nur einige wenige stickstofffixierende Bakterien nutzen (vgl. Abb. 5-12).

[Abb. 5-12] Stickstoffkreislauf

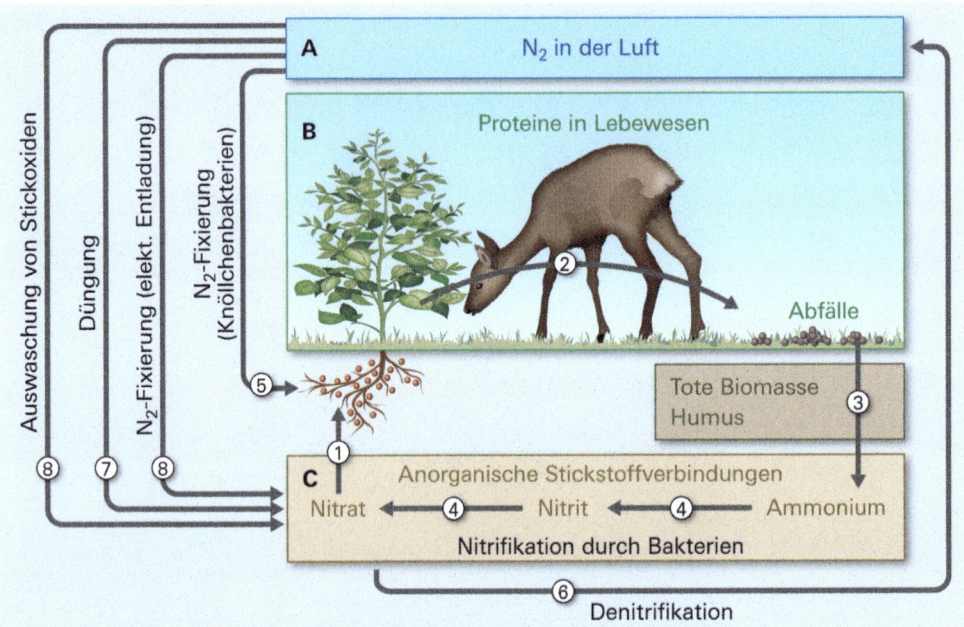

Depots
- A Elementar als reaktionsträges Gas N_2 in der Luft (Anteil 78%)
- B In den organischen Stickstoffverbindungen der Lebewesen
- C In Form von Nitrat- und Ammonium-Ionen im Boden

Umwandlungen
1. Aufbau organischer Stickstoffverbindungen aus anorganischen durch Produzenten.
2. Aufnahme und Abgabe organischer Stickstoffverbindungen durch Konsumenten.
3. Abbau organischer Stickstoffverbindungen zu Ammonium-Ionen durch Destruenten.
4. Umwandlung von Ammonium zu Nitrat (Nitrifikation) durch nitrifizierende Bakterien.
5. Umwandlung von Luftstickstoff zu Ammonium durch stickstofffixierende Bakterien.
6. Umwandlung von Nitrat zu N_2 (Denitrifikation) durch denitrifizierende Bakterien.
7. Künstliche Stickstoff-Fixierung bei der Kunstdüngerherstellung.
8. Bildung von Stickoxiden in der Luft bei elektrischen Entladungen (Blitzen) und durch Verbrennungsvorgänge. Auswaschung als Nitrat.

5.4.3 Phosphorkreislauf

Vorkommen

Phosphor kommt in der Natur nicht als Element vor. Der Phosphor-Kreislauf ist einfacher als der Stickstoff-Kreislauf, weil Phosphor sowohl in den organischen als in den anorganischen Verbindungen meist als Phosphat vorkommt. Zu den wichtigen Phosphorverbindungen in Lebewesen zählen die Nucleinsäuren bzw. ihre Bausteine, die Nucleotide, Energieträger wie das ATP, Phospholipide und anorganische Phosphate in Hartteilen wie Knochen, Zähnen, Schalen etc. In der unbelebten Natur kommt Phosphor in Form von anorganischen Phosphaten im Boden, in Gesteinen und im Wasser vor.

Prozesse

Pflanzen bauen ihre organischen Phosphor-Verbindungen aus den anorganischen Phosphaten im Boden auf, Tiere nehmen sie mit der Nahrung auf. Schliesslich gelangt das Phosphat durch die Destruenten wieder in den Boden. Aus dem Boden können Phosphate ausgewaschen werden. Im Wasser können absinkende Kleinlebewesen und chemische Reaktionen Phosphate in die Sedimente bringen, von wo aus sie in neues Gestein eingebaut werden. Auch in Form von schwer löslichen Salzen kann Phosphat ausgefällt werden und sich in den Sedimenten absetzen. Umgekehrt kann das Wasser Phosphate aus Gesteinen auswaschen.

[Abb. 5-13] Phosphorkreislauf

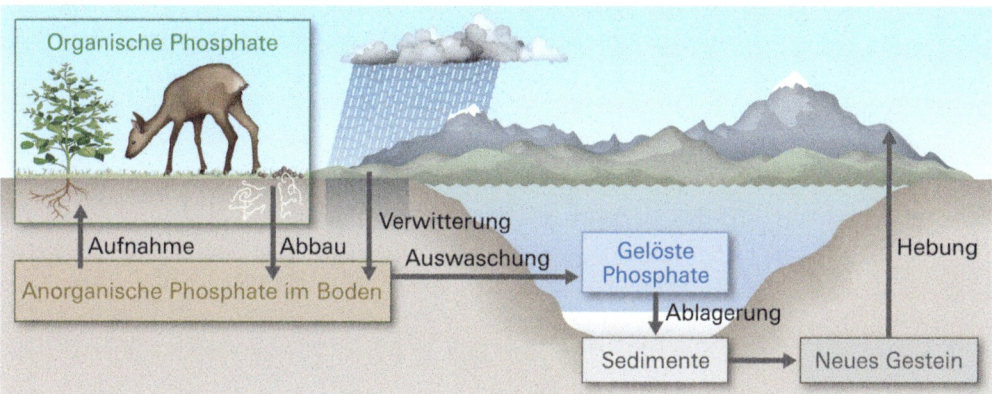

Das Element Phosphor kommt in den grossen Depots praktisch nur in Form von Phosphaten vor.

Anthropogene Quelle

Der Mensch bringt mit Haushaltabfällen, Fäkalien, Düngern und Waschmitteln zusätzliche Phosphate in die Gewässer. Die Textilwaschmittel, die früher die Hauptquelle waren, sind heute (in der Schweiz) phosphatfrei und der Gehalt in den Haushaltabwässern wird in den Kläranlagen vermindert. Trotzdem bleibt die Belastung in dicht besiedelten Gebieten noch hoch und von gedüngten Agrarflächen werden Phosphate in die Gewässer geschwemmt. Weil das Phosphat für die Algen oft der limitierende Faktor ist, führt die Phosphatzufuhr zu einer Zunahme des Algenwachstums (vgl. Kap. 6.3, S. 114).

[Abb. 5-14] Eutrophierung

Eintrag von Phosphat in Gewässer führt zu übermässigem Algenwachstum. Bild: © Alexeys, Dreamstime.com

5.4.4 Sauerstoffkreislauf

Depots

Sauerstoff ist mit einem Massenanteil von fast 50% das häufigste Element in der Erdrinde. Er kommt elementar als Gas in der Luft (21 Vol.-%) und im Wasser gelöst vor und ist in sehr vielen anorganischen und organischen Verbindungen gebunden.

Umsetzung

Der elementare Sauerstoff entsteht bei der Fotosynthese und wird zur Oxidation organischer Stoffe bei der Atmung und bei Verbrennungsvorgängen benötigt. Andere Prozesse wie die Oxidation anorganischer Stoffe fallen mengenmässig nicht ins Gewicht. Darum ist der Sauerstoffkreislauf mit dem Kohlenstoffkreislauf gekoppelt.

Herkunft

Nach heutigen Erkenntnissen wurde der Sauerstoff in der Luft (hauptsächlich) durch Fotosynthese gebildet und stammt aus einer Zeit, in der mehr organisches Material gebildet als oxidiert wurde.

Konzentration sinkt

Weil bei der Bildung einer bestimmten Menge organischer Verbindungen durch Fotosynthese die gleiche Menge Sauerstoff gebildet wurde, wie zu ihrer Veratmung oder Verbrennung verbraucht wird, bliebe die Sauerstoffkonzentration konstant, wenn der Kohlenstoffkreislauf geschlossen wäre. Da heute durch die Verbrennung von fossilen Brennstoffen und Biomasse mehr organisches Material oxidiert, als produziert wird, sinkt die Sauerstoffkonzentration. Das fällt aber im Unterschied zum Anstieg der Kohlenstoffdioxid-Konzentration nicht ins Gewicht, weil das Depot in der Luft viel grösser ist. Beim Kohlenstoffdioxid entspricht der seit 1750 beobachtete Anstieg der Konzentration von 0.028 auf 0.04 Vol.-% einer Erhöhung des Gehalts um 42%. Beim Sauerstoff bewirkt die entsprechende Abnahme (von 20.95 auf 20.94 Vol.-%) nur eine Verminderung des Anteils um 0.05%.

Zusammenfassung

Jedes Element, das in den Stoffen der Lebewesen vorkommt, durchläuft (meist in Form verschiedener Verbindungen) einen bio-geochemischen Kreislauf, in dessen Verlauf es von den Lebewesen aus der unbelebten Natur aufgenommen und wieder abgegeben wird.

Kohlenstoff ist Bestandteil aller organischen Verbindungen und kommt hauptsächlich vor

- in den organischen Verbindungen der Lebewesen und ihren Resten,
- als Kohlenstoffdioxid in der Luft und im Wasser gelöst,
- in Carbonaten wie Kalk im Boden, in Gesteinen und im Wasser gelöst,
- in fossilen organischen Kohlenstoffverbindungen in Kohle, Erdöl und Erdgas.

Die wichtigsten Umwandlungsvorgänge sind

- Assimilation (Foto- und Chemosynthese): Kohlenstoffdioxid → organische Verbindungen,
- Dissimilation (Zellatmung, Gärung): organische Verbindungen → Kohlenstoffdioxid,
- Verbrennung: organische Verbindungen → Kohlenstoffdioxid,
- Austausch von Kohlenstoffdioxid zwischen Luft und Wasser,
- Ablagerung von Carbonaten in den Sedimenten.

Würden sich Auf- und Abbau organischer Stoffe die Waage halten, blieben die Mengen in den Depots und die Kohlenstoffdioxid-Konzentration in der Luft konstant. Weil der Mensch durch Verbrennen fossiler Energieträger und durch Brandrodungen zusätzlich Kohlenstoffdioxid in die Luft bringt (30 Gt/Jahr), ist die Konzentration in der Luft seit 1750 um 42% gestiegen.

Der elementare Sauerstoff wird hauptsächlich von Lebewesen produziert (Fotosynthese) und beim Abbau von Biomasse verbraucht (Atmung, Verbrennung). Wäre der Kohlenstoffkreislauf geschlossen, bliebe auch die Sauerstoffkonzentration konstant. Der Mensch stört den Kreislauf durch die Verbrennung fossiler Brennstoffe. Die Abnahme der Konzentration fällt aber wegen des hohen Sauerstoffanteils der Atmosphäre nicht ins Gewicht.

Stickstoff kommt in folgenden Depots vor:

- elementar als reaktionsträges Gas N_2 in der Luft (Anteil 78%),
- in Form von Nitrat- und Ammonium-Ionen im Boden,
- in den organischen Stickstoffverbindungen der Lebewesen (Proteine, Nucleinsäuren).

Die wichtigsten Umwandlungs- und Austauschvorgänge sind:

- Produzenten: Nitrat- und Ammonium-Ionen → organische Stickstoffverbindungen
- Konsumenten: Aufnahme organischer Stickstoffverbindungen, teilweiser Abbau
- Destruenten: organische Stickstoffverbindungen → Ammonium-Ionen
- Nitrifizierende Bakterien: Ammonium → Nitrat
- Stickstofffixierende Bakterien: Luftstickstoff → Ammonium-Ionen
- Denitrifizierende Bakterien: Nitrat → N_2 (Denitrifikation)
- Mensch: künstliche Stickstoff-Fixierung bei der Herstellung von Kunstdünger
- Blitze, Motoren, Heizanlagen: N_2 → Stickoxide → Nitrat

Phosphor kommt in folgenden Depots vor:

- in den Lebewesen in Form von Nucleinsäuren, ATP, Phospholipiden und in anorganischen Phosphaten von Hartteilen wie Knochen, Zähnen, Schalen etc.,
- im Boden und in Gesteinen in Form von anorganischen Phosphaten,
- im Wasser in Form von Phosphat-Ionen.

Die wichtigsten Umwandlungs- und Austauschvorgänge sind:

- Pflanzen: Phosphate aus dem Boden → organische Phosphate
- Destruenten: organische Phosphate → Phosphate im Boden
- Der Mensch bringt Phosphate (Fäkalien, Haushaltabfälle, Waschmittel, Dünger) in die Gewässer, wo sie das Wachstum der Algen fördern.

Aufgabe 41

A] Was geschieht mit dem Kohlenstoffdioxid, das durch Verbrennung fossiler Brennstoffe und durch Brandrodungen in die Luft gelangt?

B] Wie könnte Kohlenstoffdioxid für einige Jahrzehnte aus dem Kreislauf entfernt werden?

C] Wie könnte Kohlenstoffdioxid für Jahrtausende aus dem Kreislauf entfernt werden?

Aufgabe 42

Was leisten die folgenden Lebewesen bezüglich Stickstoffverbindungen?

A] Nitrifizierer   B] Knöllchenbakterien   C] Pflanzen   D] Dentrifizierer   E] Destruenten

---

Aufgabe 43

A] Wie hat sich die Sauerstoffkonzentration der Luft in den letzten Jahrzehnten geändert?

B] Warum ist das ohne Bedeutung?

Aufgabe 44

A] Unter welcher Bedingung führt die steigende Kohlenstoffdioxid-Konzentration zu einer Beschleunigung der Fotosynthese?

B] Warum sinkt die Kohlenstoffdioxid-Konzentration dadurch langfristig nicht?

Aufgabe 45

A] Inwiefern entspricht die Bedeutung der Knöllchenbakterien im Stickstoffkreislauf der Bedeutung der grünen Pflanzen im Kohlenstoffkreislauf?

B] Wodurch sind Pflanzen, die auf stickstoffarmen Böden gedeihen, bedroht?

5.5 Gleichgewicht, Stabilität und Vielfalt

5.5.1 Biozönotisches Gleichgewicht

Der Begriff Gleichgewicht wird leider oft vage und für allerlei Undefiniertes verwendet. Feststellungen wie «Das Gleichgewicht ist gestört» sagen wenig aus.

Definition

In einem Gleichgewicht bleibt der Wert einer bestimmten Grösse konstant, weil sich entgegengesetzte Kräfte die Waage halten oder weil entgegengesetzte Vorgänge gleich schnell verlaufen. Im ersteren Fall, für das eine eingependelte Waage mit zwei Schalen ein Beispiel ist, spricht man von einem statischen Gleichgewicht, weil sich nichts ändert. Bleibt der Wert der Grösse aber konstant, weil zwei entgegengesetzte Vorgänge gleich schnell ablaufen, wie bei einem Brunnen, dem in einer bestimmten Zeit gleich viel Wasser zufliesst, wie abläuft, spricht man von einem dynamischen Gleichgewicht.

Das dynamische Gleichgewicht hat den Vorteil, dass sich das System wechselnden Bedingungen anpassen kann. Liefert der Zufluss dem Brunnen mehr Wasser, fliesst auch mehr Wasser ab. Die Anpassung an wechselnde Bedingungen ist bei lebenden Systemen Voraussetzung für das Überleben. Biologische und ökologische Gleichgewichte sind dynamische Gleichgewichte.

Populationsgrösse

In einer isolierten Population, deren Grösse konstant bleibt, besteht ein dynamisches Gleichgewicht zwischen Geburten und Sterbefällen. Steigt die Umweltkapazität, kann die Population wachsen, indem die Geburtenrate die Sterberate übersteigt, bis die neue Umweltkapazität erreicht ist. Eine Population aus unsterblichen Lebewesen ohne Fortpflanzung könnte sich nicht anpassen. Je kürzer die Lebensdauer und je schneller die Vermehrung einer Population ist, umso schneller kann sie sich wechselnden Bedingungen anpassen. Eine hohe Geburten- und Sterberate ist also bei Lebewesen sinnvoll, die starken Schwankungen der Umweltkapazität ausgesetzt sind. Wir nennen solche Arten r-Strategen, weil sie sich rasch reproduzieren.

Biozönotisches Gleichgewicht

Das biozönotische Gleichgewicht ist das Gleichgewicht in einer Biozönose, in der sich die Populationen gegenseitig regulieren. Zahl und Art der Populationen und ihre Nischen ändern sich (praktisch) nicht. Die Populationsgrössen schwanken in einem beschränkten Bereich um einen Mittelwert, der konstant bleibt.

Schwankungen

Zahl und Art der Populationen eines Ökosystems sind nur konstant, wenn die Umweltbedingungen praktisch gleich bleiben. Kleine Störungen können umso besser ausgeglichen werden, je artenreicher die Biozönose ist. Starke Störungen führen zu bleibenden Veränderungen. Das geschieht in natürlichen Systemen meist langsam, d. h. im Verlauf von Jahrzehnten oder Jahrhunderten und ohne katastrophale Massensterben. Betrachtet man das System nur einige Tage oder Wochen, scheint alles konstant.

Stoff-Gleichgewicht

In Ökosystemen mit geschlossenem Stoffkreislauf halten sich im Gleichgewicht auch Stoffaufbau und Stoffabbau die Waage. Das bedingt ein ausgewogenes Verhältnis von Produzenten, Konsumenten und Destruenten.

Mosaik von Teilsystemen

Grosse Ökosysteme wie ein Wald bestehen aus kleineren Bereichen, in denen sich die Bedingungen und die Biozönosen stark verändern. Wenn alte Bäume umstürzen, wird sich die Biozönose in diesem Bereich schnell und stark verändern. Lichtbedürftige Stauden und Sträucher gedeihen, bis junge Bäume wieder Schatten werfen und schliesslich wieder ein geschlossenes Kronendach bilden. Das ganze Ökosystem ist ein Mosaik von Teilsystemen in unterschiedlichen Entwicklungsstadien, die sich z. T. schnell und stark verändern (vgl. Kap. 7.2, S. 121).

5.5.2 Stabilität

Stabilität und Vielfalt

Beziehungsreiche sind stabiler

Die Stabilität einer Biozönose hängt von ihrer Artenvielfalt ab. Weil in einer artenreichen Biozönose die Vielfalt der Beziehungen zwischen den Populationen gross ist, schwanken die Grössen der Populationen weniger stark als in einer artenarmen Biozönose. Das zeigt sich z. B. in den kleineren Schwankungen der Gesamtbiomasse. Abbildung 5-15 zeigt das Resultat eines Experiments, bei dem auf verschiedenen Parzellen einer gerodeten Fläche unterschiedlich artenreiche Grasmischungen angesät wurden.

Beispiel

[Abb. 5-15]   Artenreichtum und Stabilität

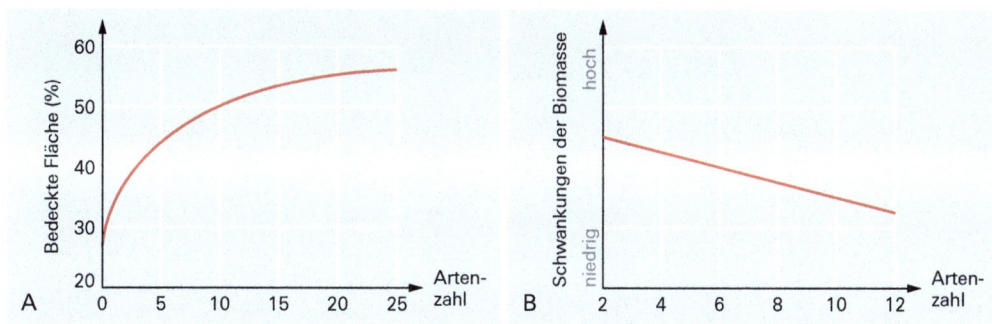

In einer künstlichen Biozönose mit verschiedenen Grasarten nimmt der Anteil der von Gräsern bedeckten Fläche mit der Artenzahl zu (A) und die Schwankungen der Biomasse nehmen ab (B).

Resultat / Erklärung

Bei artenreichen Grasflächen ist der Boden besser bedeckt und die Biomasse bleibt konstanter. Die Schwankungen der Populationen gleichen sich teilweise aus, weil die verschiedenen Grasarten unterschiedliche Ansprüche haben. So werden auf der artenreichen Wiese in einem trockenen Jahr die trockenheitsliebenden Gräser stärker wachsen und die feuchtigkeitsliebenden weniger stark: Die Gesamtbiomasse bleibt fast unverändert. Auf einer artenarmen Wiese können z. B. die trockenheitsliebenden Gräser fehlen, was zur Folge hat, dass die Gesamtbiomasse in einem feuchten Jahr hoch und in einem trockenen tief ist. Je höher die Artenvielfalt einer Biozönose ist, umso besser werden die durch Schwankungen der Ökofaktoren bedingten Schwankungen der einzelnen Populationen ausgeglichen.

Ursachen der Vielfalt

Der Artenreichtum einer Biozönose ist in Ökosystemen mit relativ konstanten und mittleren (d. h. nicht extremen) abiotischen Bedingungen und starker Gliederung des Lebensraums hoch, weil die Zahl der Nischen hier hoch ist (vgl. Kap. 4.5, S. 82).

r- und K-Strategen

r-Strategen

Wie stark sich kurzfristige Schwankungen der Ökofaktoren auf eine Population auswirken, hängt v. a. von der Lebensdauer der Individuen ab. Arten mit kurzer Lebensdauer und hoher Geburtenrate wie Insekten oder Nagetiere vermehren sich in guten Zeiten sehr schnell («wie die Kaninchen») und sterben in schlechten «wie die Fliegen». Man nennt solche Arten r-Strategen, weil sie sich rasch reproduzieren und eine hohe Wachstumsrate r haben. r-Strategen sind meist kleine, kurzlebige, fruchtbare, wenig spezialisierte Alleskönner.

K-Strategen

Das Gegenstück zu den r-Strategen sind die langlebigen K-Strategen. Sie heissen so, weil sich ihre Dichte nach der Umweltkapazität K richtet. Ihre Wachstumsrate ist klein und ihre Populationsdichte nähert sich der Umweltkapazität nur langsam. Die meisten K-Strategen entwickeln sich langsamer, sind grösser, leben länger, haben weniger Nachkommen und sind stärker spezialisiert als die r-Strategen.

Entwicklung	r-Strategen können einen neuen Lebensraum schnell besiedeln, weil sie sich in kurzer Zeit stark vermehren. Im Verlauf der weiteren Entwicklung werden sie zu einem grossen Teil von den stärker spezialisierten K-Strategen verdrängt.

[Abb. 5-16]   r-Strategen und K-Strategen

r-Strategen	K-Strategen
Wachstumsrate hoch	Wachstumsrate gering
Entwicklung rasch, kurze Lebensdauer	Entwicklung langsam, lange Lebensdauer
Rasche Anpassung der Dichte	Langsame Anpassung der Dichte
Dichteschwankungen hoch	Dichteschwankungen gering
Eher euryök	Eher stenök
Stärke: erobern Lebensräume rasch	Stärke: konkurrenzstark
Mikroorganismen, Insekten und Nagetiere	Viele Säuger und Vögel

Bild links: CC Scott Bauer, USDA Agricultural Research Service, Bugwood.org; Bild rechts: © Enjoylife25, Dreamstime.com

Zusammenfassung

Im biozönotischen Gleichgewicht bleibt die Zusammensetzung der Biozönose über einen gewissen Zeitraum praktisch konstant. Zahl und Art der Populationen ändern sich praktisch nicht und die Populationsdichten schwanken in einem beschränkten Bereich um einen konstanten Mittelwert. Kleine Störungen durch Veränderung der abiotischen Faktoren oder Eingriffe in die Biozönose können ausgeglichen werden. Starke Störungen führen zu bleibenden Veränderungen. Das geschieht in natürlichen Systemen meist langsam, d. h. im Verlauf von Jahrzehnten oder Jahrhunderten und ohne katastrophale Massensterben.

Grosse Ökosysteme, die gesamthaft betrachtet stabil scheinen, bestehen meist aus vielen dynamischen Teilsystemen, in denen sich die Bedingungen und die Teil-Biozönosen stark verändern. Das ganze Ökosystem ist ein Mosaik von Teilsystemen in unterschiedlichen Entwicklungsstadien. Die Summe ihrer Eigenschaften bleibt praktisch konstant.

In artenreichen Biozönosen gibt es viele Beziehungen zwischen den Populationen. Darum schwanken die Populationsdichten weniger stark als in artenarmen Biozönosen.

r-Strategen wie Insekten und Nagetiere sind meist klein, kurzlebig und sehr fruchtbar. Ihre Dichte passt sich den Bedingungen schnell an. Sie können einen neuen Lebensraum schnell besiedeln, werden dann aber von den K-Strategen weitgehend verdrängt.

K-Strategen entwickeln sich langsamer, leben länger und sind meist grösser als r-Strategen. Sie haben weniger Nachkommen und sind den r-Strategen in der Konkurrenz überlegen. Ihre Dichte passt sich bei Veränderungen der Umweltbedingungen nur langsam an.

Aufgabe 46 Warum sind r-Strategen bei stark schwankenden Bedingungen erfolgreicher?

Aufgabe 47 Was ist das biozönotische Gleichgewicht?

5.6 Entwicklung von Ökosystemen: Sukzession

Als Beispiel für die Entwicklung eines Ökosystems betrachten wir die Erstbesiedlung einer durch Vulkantätigkeit neu entstandenen Insel.

Pionierpflanzen
r-Strategen

Als erste Lebewesen siedeln sich auf den Felsen Algen, Flechten und Moose an. Sie sind Pionierpflanzen, die auch unter extremen Bedingungen auf nackten Felsen leben, indem sie diesen die nötigen Mineralstoffe entziehen. Aus ihren Leichen bildet sich im Verlauf von Jahrhunderten unter Mitarbeit der ersten Destruenten etwas Humus. Auf diesem entwickeln sich aus zugeflogenen Samen die ersten anspruchslosen Samenpflanzen. Es sind wenig spezialisierte, robuste r-Strategen. Konsumenten gibt es noch kaum, die Produzenten überwiegen und die Biomasse nimmt zu.

[Abb. 5-17] Pionierpflanzen

Moose und Flechten als Pionierpflanzen auf einem Lavafeld. Bild: © 36clicks, Dreamstime.com

Konsumenten

Erste zugeflogene Konsumenten, z. B. Insekten, finden Nahrung. Es sind kurzlebige Pflanzenfresser, die sich von den wenigen Pflanzenarten ernähren, Fleischfresser fehlen noch. Die Nahrungsketten sind kurz und kaum verzweigt und die Dichteschwankungen sind hoch. Die Konsumenten fressen einen Teil der Pflanzen, tragen aber auch zu deren Fortpflanzung und Verbreitung bei und fördern die Humusbildung.

K-Strategen

Der Boden wird fruchtbarer, kurzlebige, kleine Pflanzen weichen z. T. mehrjährigen Arten. Die r-Strategen werden durch K-Strategen verdrängt. Sträucher und Bäume entwickeln sich und schaffen Nischen mit unterschiedlichen Bedingungen. Diese werden von Spezialisten besiedelt. Die Alleskönner werden verdrängt. Die Artenzahl nimmt sowohl bei den Produzenten als auch bei den Konsumenten zu. Neben den Pflanzfressern finden jetzt auch Fleischfresser Nahrung. Die Nahrungsketten werden länger und verzweigter. Der Überschuss der Produzenten nimmt ab.

Klimaxgesellschaft	Im Idealfall kommt die Biozönose ins Gleichgewicht und verändert sich nur noch unwesentlich. Die artenarme, unstabile Pionier-Biozönose wird im Verlauf von Jahrzehnten oder Jahrhunderten abgelöst durch die artenreiche Schlussgesellschaft (Klimaxgesellschaft).
Sukzession	Man nennt eine solche Abfolge von Biozönosen in einem Ökosystem Sukzession.
	Als zweites Beispiel einer Sukzession werden wir am Schluss des Kapitels 6 die Verlandung eines Sees besprechen.
Primär- oder Sekundärsukzession	Eine Sukzession, bei der ein neuer Lebensraum besiedelt wird, heisst Primärsukzession. Sie führt von einer unreifen Biozönose zur Klimaxgesellschaft. Eine Sukzession nach einer groben Störung wie Brand, Überschwemmung, Kahlschlag etc. ist eine Sekundärsukzession.
Primärsukzession	In der folgenden Tabelle sind die Veränderungen zusammengefasst, die bei den meisten Primärsukzessionen zu beobachten sind. Prüfen Sie, ob die Aussagen für das oben besprochene Beispiel zutreffen.

[Tab. 5-1]   Primärsukzession

Jugendstadium	Bei der Sukzession	Klimaxgesellschaft
Die Produzenten überwiegen.	Der Überschuss der Produzenten nimmt ab.	Ausgewogenes Verhältnis von Produzenten, Konsumenten und Destruenten.
Die Produktion übertrifft den Abbau, die Biomasse steigt.		Die Stoffkreisläufe sind geschlossen.
Die Dichteschwankungen sind hoch.	Die Dichteschwankungen nehmen ab.	Die Dichteschwankungen sind gering.
Die Artenzahl ist gering.	Die Artenvielfalt nimmt zu.	Die Artenzahl ist hoch.
Es gibt hauptsächlich Alleskönner (Generalisten).	Die Spezialisten verdrängen die Generalisten.	Die Spezialisten dominieren.
Die r-Strategen überwiegen.	Die K-Strategen verdrängen die r-Strategen.	Die K-Strategen überwiegen.
Die Nahrungsketten sind kurz und wenig verzweigt.	Die Nahrungsketten werden länger und verzweigter.	Die Nahrungsketten sind lang und verzweigt.

Zusammenfassung

Sukzession ist die Abfolge von Biozönosen in einem Ökosystem bei der Neubesiedlung (Primärsukzession) oder nach einer groben Störung (Sekundärsukzession). Die Primärsukzession führt von der Pioniergesellschaft zur Klimaxgesellschaft.

Für unreife Biozönosen gilt: Die Produzenten überwiegen, die Biomasse steigt. Die Artenzahl ist gering und die Dichteschwankungen sind hoch. Alleskönner (Generalisten) und r-Strategen überwiegen. Die Nahrungsketten sind kurz und wenig verzweigt.

Für Klimaxgesellschaften gilt: Das Zahlenverhältnis bzw. die Stoffproduktion von Produzenten, Konsumenten und Destruenten ist ausgewogen, die Stoffkreisläufe sind geschlossen. Die Artenzahl ist hoch, die Dichteschwankungen sind gering. Die Spezialisten dominieren, K-Strategen überwiegen. Die Nahrungsketten sind lang und verzweigt.

Aufgabe 48   Nennen Sie die Merkmale, durch die sich eine Pioniergesellschaft von der Schlussgesellschaft unterscheidet.

Aufgabe 49   Welche der folgenden Arten sind K-Strategen: Eiche, Bär, Stubenfliege, Spitzmaus, Blattlaus, Grünalgen, Blauwal?

6 Der See als Ökosystem

Lernziele

Nach der Bearbeitung dieses Kapitels können Sie …

- die Lebensräume eines Sees beschreiben.
- die Pflanzengesellschaft der Uferzone und Beispiele von Bewohnern nennen.
- den Begriff Plankton erklären und Vertreter nennen.
- die Veränderung der horizontalen Schichtung und der Zirkulation im Jahresverlauf erklären und ihre Bedeutung für die Sauerstoff- und Mineralstoffverteilung darlegen.
- die jahreszeitliche Entwicklung in einem oligotrophen See erklären.
- die Eutrophierung eines Sees erörtern.
- die Sukzession bei der Verlandung beschreiben.
- die Bildung eines Hochmoors erklären.

Schlüsselbegriffe Eutrophierung, Hochmoor, Nährschicht, oligotroph, Plankton, Tiefenzone, Uferzone, Verlandung, Zirkulation

Ökosysteme und ihre Biozönosen können sich, auch wenn sie kurzzeitig stabil sind, langsam verändern. So treten bei der Erst- oder Neubesiedlung einer Fläche verschiedene Biozönosen nacheinander auf. Wir werden den Ablauf einer solchen Sukzession in diesem Kapitel am Beispiel eines Sees betrachten.

6.1 Lebensräume und Bewohner eines Sees

6.1.1 Gliederung

Bereiche

Ein See ist kein einheitliches Ökosystem. Er ist in verschiedene Bereiche mit unterschiedlichen abiotischen Bedingungen und Biozönosen gegliedert (vgl. Abb. 6-1). Wir unterscheiden den Freiwasserbereich (Pelagial) und die Bodenzone (Benthal), die in Uferzone (Litoral) und Tiefenzone (Profundal) gegliedert ist.

Schichten

Weil das Wasser und darin enthaltene Schwebeteilchen das Licht absorbieren, nimmt die Helligkeit mit zunehmender Wassertiefe ab. Das hat zur Folge, dass nur in der oberflächennahen Nährschicht mehr Biomasse produziert als verbraucht wird. Ein Teil dieses Materials sinkt ab und wird in der lichtarmen Zehrschicht, wo mehr Biomasse zerlegt als produziert wird, abgebaut.

[Abb. 6-1] Lebensräume eines Sees

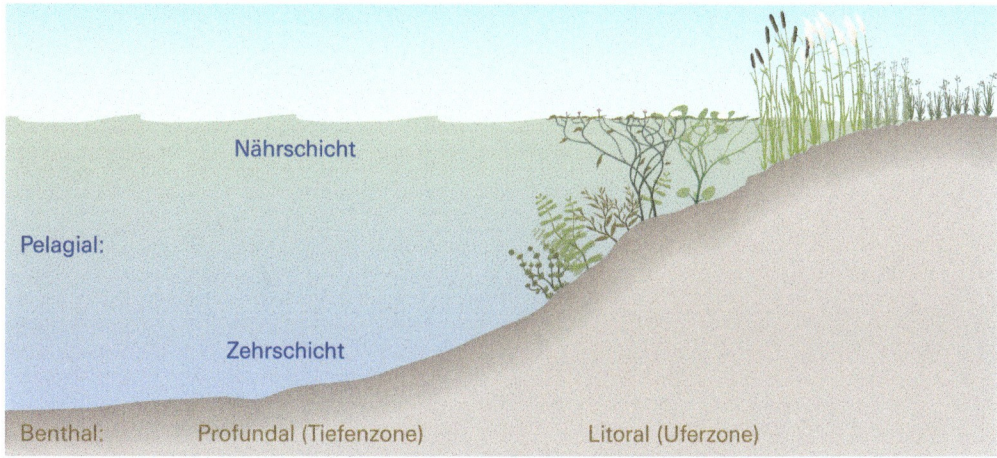

Ein See hat verschiedene Bereiche mit unterschiedlichen Bedingungen und Biozönosen.

6.1.2 Uferzone

Die Uferzone ist durch die unterschiedliche Wassertiefe bzw. Bodenfeuchtigkeit in verschiedene Gürtel mit entsprechend angepassten Bewohnern gegliedert (vgl. Abb. 6-2). Diese Gürtel sind an ihren Pflanzengesellschaften erkennbar und auch nach ihnen benannt.

Pflanzengesellschaften der Uferzone

Bruchwald — Im Uferbereich des Sees steht der Grundwasserspiegel sehr hoch. Die Böden sind nass, meist nährstoffarm und torfig. Von den Bäumen gedeihen hier Flachwurzler wie Grauweide, Schwarzerle und Faulbaum. Weil sie im weichen Boden kaum Halt finden, stürzen viele um. Man nennt diesen Wald darum Bruchwald. Die Erle gedeiht auch auf sehr stickstoffarmen Böden, weil sie in Symbiose mit Knöllchenbakterien (vgl. Kap. 3.5, S. 64) lebt. Auf etwas trockeneren Böden dominiert die Birke.

Seggenried — Im Seggenried, das zeitweise überschwemmt ist, wachsen die feuchtigkeitsliebenden Seggen. Sie bilden oft Horste, deren Kuppen als Nistplätze begehrt sind, weil sie auch in feuchten Zeiten über dem Wasser stehen.

Röhrichtgürtel — Im Röhrichtgürtel treffen wir Schilf, Rohrkolben, Binsen und Iris. Das Schilf bildet lange waagrecht wachsende Erdsprosse, die seine Standfestigkeit erhöhen. An den Knoten treiben neue Halme und bilden dichte Bestände, die das Ufer vor Wind und Wellen schützen.

Schwimmblattpflanzen — In der Zone der Schwimmblattpflanzen gedeihen Seerosen und Wasserknöterich. Die Schwimmblattpflanzen wurzeln im Bodengrund, während Blüten und Blätter auf dem Wasser liegen. Die langen Blattstiele enthalten Interzellular-Kanäle, durch die Luft zu den Wurzeln im sauerstoffarmen Boden geleitet wird. Die Blätter sind mit einer wasserabweisenden Wachsschicht überzogen und die Schliesszellen liegen auf der Blattoberseite.

[Abb. 6-2]   Pflanzen der Uferzone

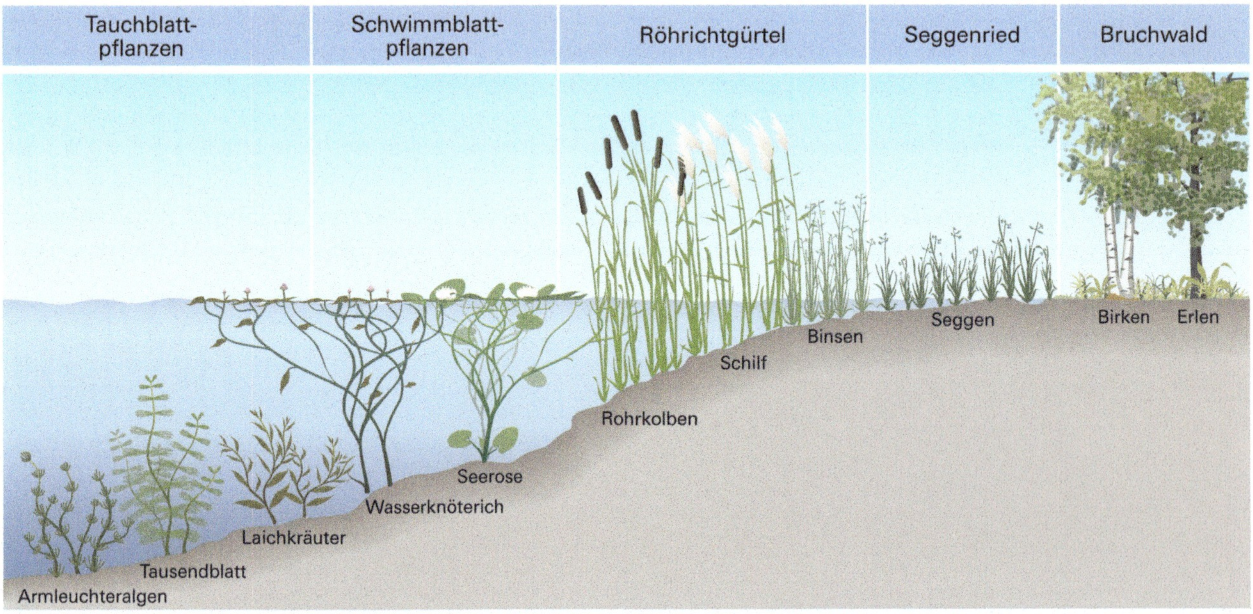

Die Uferzone ist in Gürtel mit unterschiedlichen Pflanzengesellschaften gegliedert.

Tauchblattpflanzen

In der Zone der Tauchblattpflanzen leben die Pflanzen ganz untergetaucht, einzig die Blüten können über die Wasseroberfläche hinausragen. Tauchblattpflanzen wie Laichkraut, Wasserpest und Armleuchteralgen nehmen das Kohlenstoffdioxid für die Fotosynthese aus dem Wasser auf, wo es wie der Sauerstoff (für uns unsichtbar) gelöst ist. Da sie bei der Fotosynthese mehr Sauerstoff produzieren, als sie bei der Atmung verbrauchen, tragen sie zur Sauerstoffversorgung der wasserbewohnenden Konsumenten bei.

Viele Tauchblattpflanzen haben feine, zerschlitzte Blätter, die gesamthaft eine sehr grosse Oberfläche für den Stoffaustausch besitzen. Zudem werden sie von Wasserbewegungen weniger leicht beschädigt als grossflächige Blätter.

[Abb. 6-3]   Uferzone

Bild: © Hmproudlove, Dreamstime.com

Bewohner der Uferzone

Die Uferzone beherbergt auf engem Raum viele Tierarten mit unterschiedlichen ökologischen Nischen, die ganz oder teilweise im Wasser leben. Wir betrachten einige Beispiele:

Wasseroberfläche

Auf der Wasseroberfläche spazieren Wasserläufer und unter ihr rudern Rückenschwimmer mit dem Bauch nach oben. Mückenlarven hängen an der Wasseroberfläche und atmen durch eine Art Schnorchel. Direkt unter der Wasseroberfläche leben Mikroorganismen wie Bakterien, Algen und Einzeller.

Boden

Im und auf dem Boden, in dem die Sprosspflanzen wurzeln, lebt auch ein grosser Teil der Konsumenten und Destruenten: Würmer, Insektenlarven, Schnecken, Muscheln, Wasserasseln, Krebse etc. Viele bewegen sich ähnlich wie Landbewohner, besitzen aber zum Teil Atemorgane, mit denen sie den im Wasser gelösten Sauerstoff aufnehmen können. Insekten wie Wasserkäfer, Wasserwanzen und die vielen Schnecken holen an der Wasseroberfläche Luft. Bewohner der Tiefenzone wie der Schlammröhrenwurm kommen mit sehr tiefen Sauerstoffkonzentrationen aus.

Wirbeltiere

Viele Fische des Pelagials finden zwischen den Pflanzen der Uferzone Nahrung und Laichplätze. Von den Amphibien lebt bei uns nur der Wasserfrosch das ganze Jahr im Wasser, aber fast alle Frösche, Kröten und Molche kommen zur Laichzeit ans Wasser. Sie gehören zur bevorzugten Beute der Ringelnatter, die als Reptil ein Landbewohner ist, aber gut schwimmen kann. Von den Säugern trifft man im Uferbereich den Fischotter und als Gast den Iltis.

[Abb. 6-4]   Tiere im See

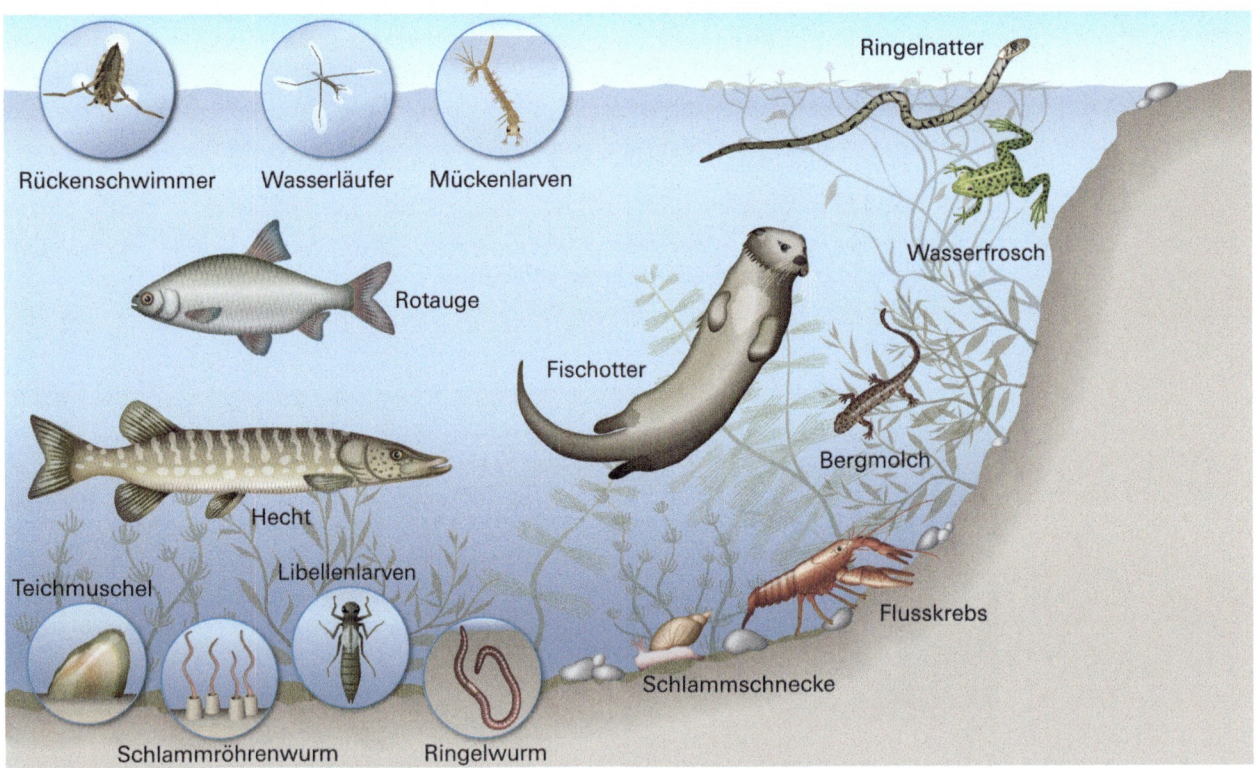

Vögel: Nistplätze

Vögel bauen ihre Nistplätze in unterschiedlichen Bereichen. Vögel, deren Junge das Nest rasch verlassen (Nestflüchter) wie das Blesshuhn oder der Haubentaucher, bauen ihre Nester entweder direkt auf dem Boden oder auf dem Wasser, während die Eltern von Nesthockern ihre Nester wie der Teichrohrsänger auf Pflanzen deutlich über dem Wasserspiegel anlegen.

Nahrungsnischen

Viele Vögel holen sich in der Uferzone ihre Nahrung. Sie unterscheiden sich in ihren Nahrungsansprüchen oder nutzen verschiedene Bereiche (vgl. Abb. 6-5).

[Abb. 6-5]   Nahrungsnischen von Wasservögeln

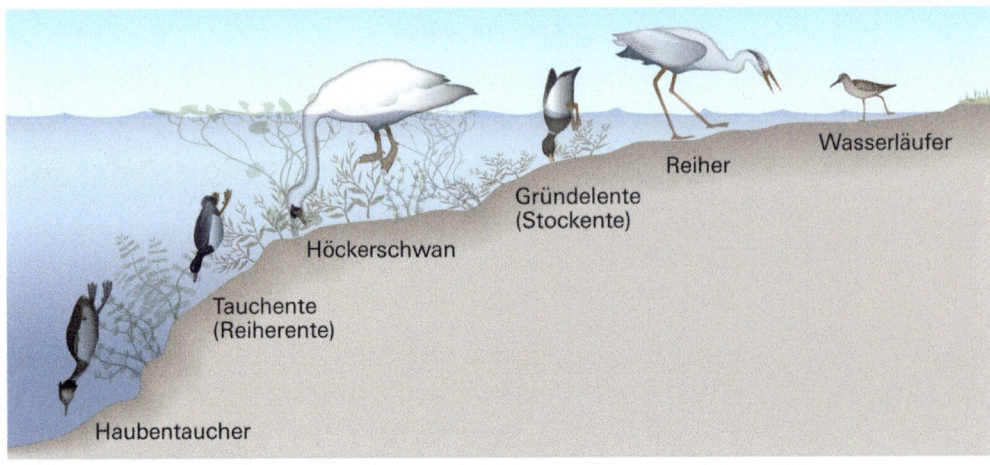

Die Wasservögel suchen ihre Nahrung auf unterschiedliche Weise in unterschiedlichen Bereichen.

Graureiher stelzen auf langen Beinen durch das seichte Wasser und holen sich hier ihre Nahrung. Gründelenten wie die Stockente suchen ihre Nahrung in der seichteren Uferzone, sie tauchen beim «Gründeln» nicht ab. Der Höckerschwan kann mit seinem langen Hals den Boden in tieferem Wasser nach Nahrung durchsuchen und Tauchenten wie die Reiherente tauchen bei der Nahrungssuche ganz ab. Auch Blesshühner tauchen mit einem kleinen Kopfsprung ganz unter. Noch tiefer tauchen die Haubentaucher. Stosstaucher wie die Eisvögel stürzen sich beim Fischen z. B. von Bäumen am Ufer ins Wasser.

6.1.3 Freiwasserzone (Pelagial)

Plankton

Zahlenmässig dominieren in der Biozönose des freien Wassers die schwebenden Kleinlebewesen, die man als Plankton bezeichnet. Oft leben in einem Liter Wasser über eine Milliarde von ihnen. Man unterscheidet zwischen dem hauptsächlich aus Algen bestehenden autotrophen Phytoplankton und dem heterotrophen, meist aktiv beweglichen Zooplankton. Zum Phytoplankton unserer Seen gehören Geisselalgen, Kieselalgen, Grünalgen etc., zum Zooplankton Einzeller, Kleinkrebschen und Rädertierchen.

[Abb. 6-6] Plankton

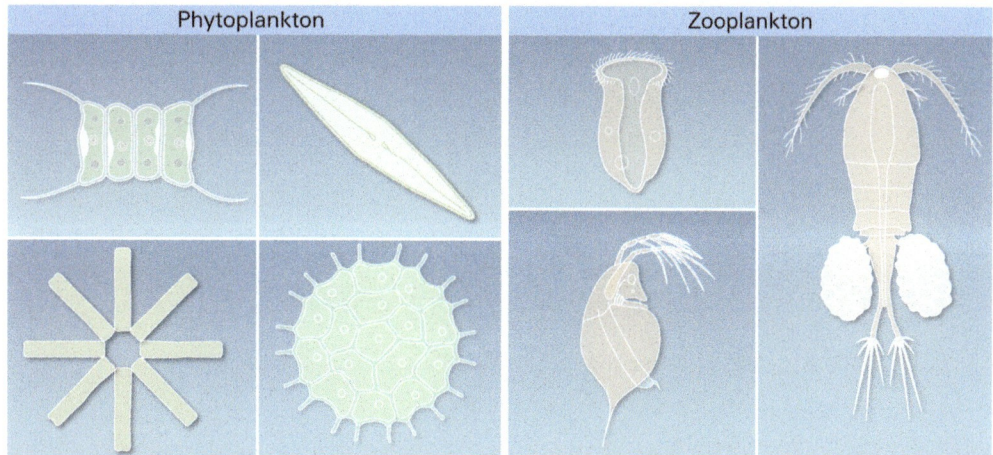

Zum autotrophen Phytoplankton gehören verschiedene Algen, zum heterotrophen Zooplankton Einzeller, Kleinkrebschen und Rädertierchen.

Phytoplankton

Die Algen des Phytoplanktons sind die Produzenten des Pelagials. Da sie auf Licht angewiesen sind, leben sie nur in den obersten Wasserschichten. Sie schweben dank eingelagerten Fett-Tröpfchen oder Gasblasen. Bei vielen verhindern lange Fortsätze das Absinken, weil diese den Sinkwiderstand erhöhen.

Fische

Das Plankton bildet die Grundnahrung für Jungfische, Amphibienlarven und Muscheln. Auch viele Fische wie Felchen, Karpfen, Laube und Hasel können mit Filtervorrichtungen (Reusen) an ihren Kiemen Plankton aus dem Wasser filtrieren. Fische wie Egli, Elritze und Forelle sind Sekundärkonsumenten und fressen hauptsächlich Insektenlarven, Würmer und Weichtiere. Grössere Raubfische wie der Hecht sind je nach Beute Sekundär- oder Tertiärkonsumenten. Sie fressen Fische, Amphibien, Krebse und Weichtiere.

Wasservögel

Auf der Wasseroberfläche leben auch hier Wasservögel wie Enten und Schwäne. Sie tauchen ihren Kopf ins Wasser und holen mit dem flachen Schnabel Algen, Wasserpflanzen und z. T. auch Kleintiere aus dem Wasser. Fleischfressende Vögel wie Schwalben, Möwen und Seeadler holen sich ihre Beute im Flug knapp unter der Wasseroberfläche.

Tiefenbewohner

In der dunklen Tiefe des Sees fehlen die Produzenten. Hier leben hauptsächlich Destruenten, wie Würmer, Krebse und Schnecken, sowie Bakterien, die sich von absinkendem organischem Material ernähren. Die Biozönose des Profundals ist meist artenarm und starken Dichteschwankungen unterworfen. Da sich in nährstoffreichen Seen die Algen in den oberen Schichten im Sommer stark vermehren, sinkt viel organisches Material ab. Die Zerleger vermehren sich stark und verbrauchen den Sauerstoff in der Tiefe (vgl. Kap. 6.3, S. 114).

Zusammenfassung

Ein See ist in verschiedene Bereiche mit unterschiedlichen Bedingungen und Biozönosen gegliedert. Wir unterscheiden den Freiwasserbereich (Pelagial) und den Bodenbereich (Benthal) mit der Uferzone (Litoral) und der Tiefenzone (Profundal).

Im Pelagial wird in der lichtreichen oberflächennahen «Nährschicht» mehr Biomasse produziert als verbraucht. Ein Teil dieses Materials sinkt ab und wird in der lichtarmen «Zehrschicht», wo mehr Biomasse verzehrt als produziert wird, abgebaut.

Die Uferzone ist durch die unterschiedliche Wassertiefe in Gürtel mit charakteristischen Pflanzengesellschaften und Bewohnern gegliedert: Bruchwald, Seggenried, Röhrichtgürtel, Schwimmblatt- und Tauchblattpflanzen.

Im Pelagial leben neben aktiven Schwimmern die schwebenden Kleinlebewesen des Planktons, von denen sich viele Strudler und Filtrierer ernähren. Das Phytoplankton besteht aus Produzenten, das Zooplankton aus Konsumenten.

In der dunklen Tiefenzone, wo Produzenten fehlen, leben hauptsächlich Destruenten wie Würmer, Krebse, Schnecken und Bakterien. Sie ernähren sich von der Biomasse, die absinkt.

Aufgabe 50

A] Was ist Phytoplankton?

B] Warum fehlt in einem Bach das Plankton weitgehend?

Aufgabe 51

Charakterisieren Sie die Biozönose des Profundals.

6.2 Horizontale Schichtung und Zirkulation

Weil die Dichte des Wassers von der Temperatur abhängig ist, ändert sich die Schichtung des Wassers im Verlauf des Jahres. Entscheidend ist die seltsame Tatsache, dass das Wasser seine höchste Dichte bei 4 °C hat. In der Tiefe ist die Temperatur darum immer 4 °C. An der Oberfläche ist die Temperatur im Sommer höher, im Winter tiefer.

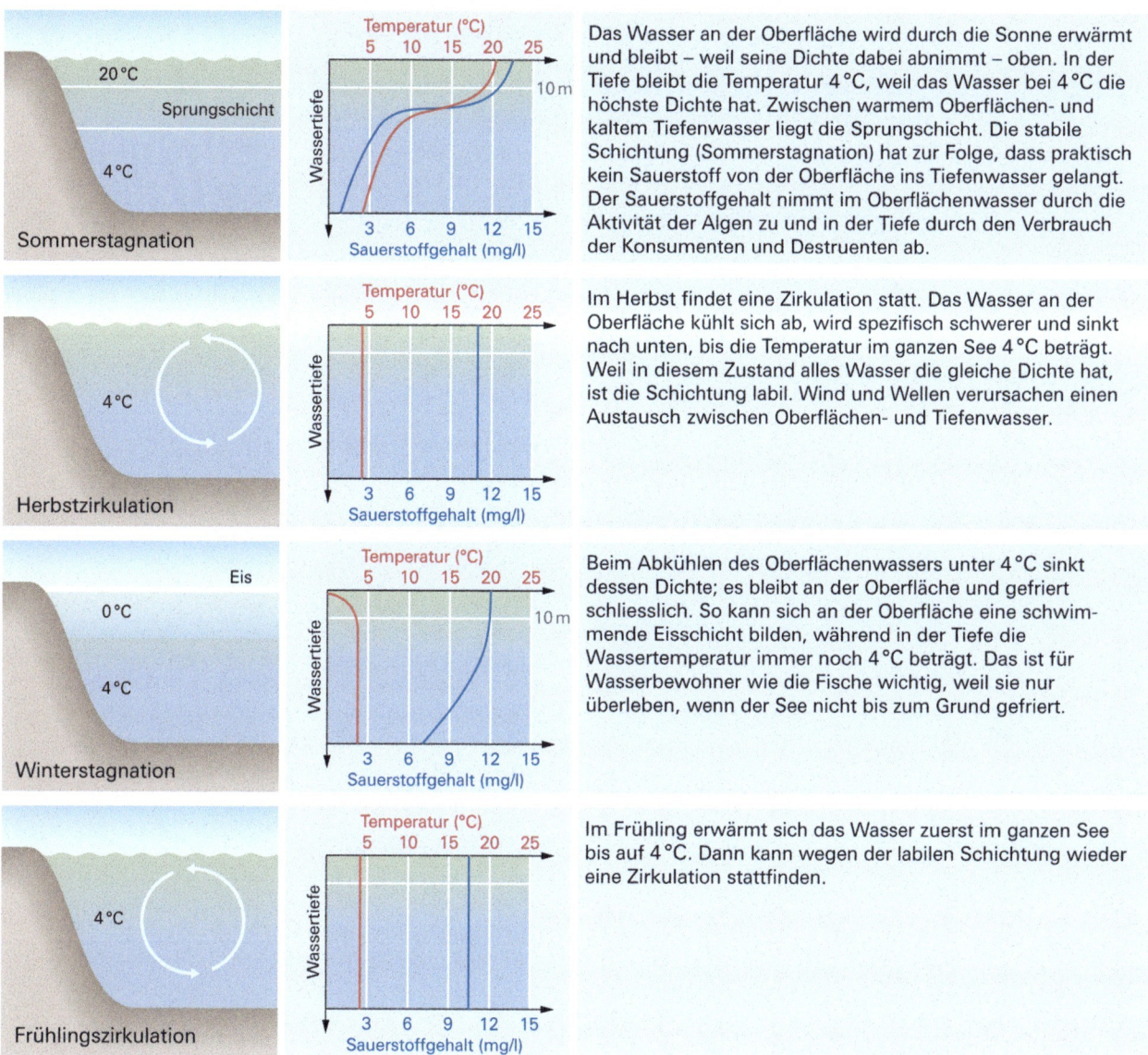

Sommerstagnation: Das Wasser an der Oberfläche wird durch die Sonne erwärmt und bleibt – weil seine Dichte dabei abnimmt – oben. In der Tiefe bleibt die Temperatur 4 °C, weil das Wasser bei 4 °C die höchste Dichte hat. Zwischen warmem Oberflächen- und kaltem Tiefenwasser liegt die Sprungschicht. Die stabile Schichtung (Sommerstagnation) hat zur Folge, dass praktisch kein Sauerstoff von der Oberfläche ins Tiefenwasser gelangt. Der Sauerstoffgehalt nimmt im Oberflächenwasser durch die Aktivität der Algen zu und in der Tiefe durch den Verbrauch der Konsumenten und Destruenten ab.

Herbstzirkulation: Im Herbst findet eine Zirkulation statt. Das Wasser an der Oberfläche kühlt sich ab, wird spezifisch schwerer und sinkt nach unten, bis die Temperatur im ganzen See 4 °C beträgt. Weil in diesem Zustand alles Wasser die gleiche Dichte hat, ist die Schichtung labil. Wind und Wellen verursachen einen Austausch zwischen Oberflächen- und Tiefenwasser.

Winterstagnation: Beim Abkühlen des Oberflächenwassers unter 4 °C sinkt dessen Dichte; es bleibt an der Oberfläche und gefriert schliesslich. So kann sich an der Oberfläche eine schwimmende Eisschicht bilden, während in der Tiefe die Wassertemperatur immer noch 4 °C beträgt. Das ist für Wasserbewohner wie die Fische wichtig, weil sie nur überleben, wenn der See nicht bis zum Grund gefriert.

Frühlingszirkulation: Im Frühling erwärmt sich das Wasser zuerst im ganzen See bis auf 4 °C. Dann kann wegen der labilen Schichtung wieder eine Zirkulation stattfinden.

Zusammenfassung Weil die Dichte des Wassers von der Temperatur abhängig ist, ändert sich die Schichtung des Wassers im Verlauf des Jahres.

- Im Sommer wird das Wasser an der Oberfläche erwärmt und bleibt (weil seine Dichte abnimmt) oben. In der Tiefe bleibt die Temperatur 4 °C. Diese stabile Schichtung (Sommerstagnation) hat zur Folge, dass praktisch kein Sauerstoff in die Tiefe gelangt.
- Im Herbst findet eine Zirkulation statt, weil sich das Wasser an der Oberfläche abkühlt und dadurch absinkt, bis die Temperatur im ganzen See 4 °C beträgt. Jetzt kann ein Austausch zwischen Oberflächen- und Tiefenwasser stattfinden.
- Im Winter kühlt das Wasser an der Oberfläche unter 4 °C ab. Weil seine Dichte dabei abnimmt, bleibt es oben und gefriert schliesslich, während die Temperatur in der Tiefe immer noch 4 °C beträgt.
- Im Frühling erwärmt sich das Wasser zuerst im ganzen See bis auf 4 °C und es kann wieder eine Zirkulation stattfinden.

6.3 Nährstoffgehalt und Eutrophierung

Oberflächenwasser

Oberflächen- und Tiefenwasser können sich im Gehalt an gelösten Stoffen erheblich unterscheiden. Das Oberflächenwasser ist meist sauerstoffreich, weil hier die Produzenten Sauerstoff bilden und weil ein Austausch mit der Luft stattfindet. Die Konzentration der Mineralstoffe limitiert das Wachstum der Produzenten.

Oligotrophe

In nährstoffarmen (oligotrophen[1]) Seen erlaubt der geringe Nährstoff- oder besser Mineralsalzgehalt nur ein bescheidenes Wachstum der Algen.

Eutrophe

Viele Seen sind durch Abwasser und Auswaschungen aus Luft und Boden nährstoffreich (eutroph[2]), die Konzentration der Mineralstoffe ist hoch. Die Algen wachsen stark.

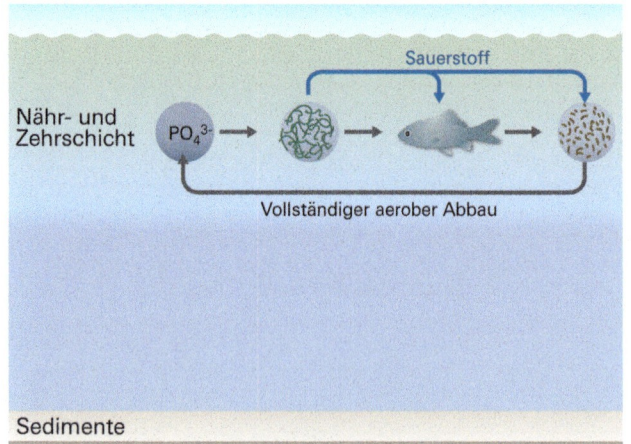

In nährstoffarmen (oligotrophen) Seen erlaubt der geringe Mineralsalzgehalt nur ein bescheidenes Wachstum der Algen. Meist ist das Phosphat der limitierende Faktor. Die Algen, die in der Oberflächenschicht wachsen, werden hier von Konsumenten gefressen oder von Destruenten abgebaut. Der dazu nötige Sauerstoff wird von den Algen laufend produziert und die von den Destruenten freigesetzten Nährsalz-Ionen stehen den Produzenten schnell wieder zur Verfügung. Schon nach einem Tag ist die Hälfte des Phosphats aus den Algen wieder im Wasser. Innerhalb eines Sommers wird der Kreislauf mehrfach durchlaufen.

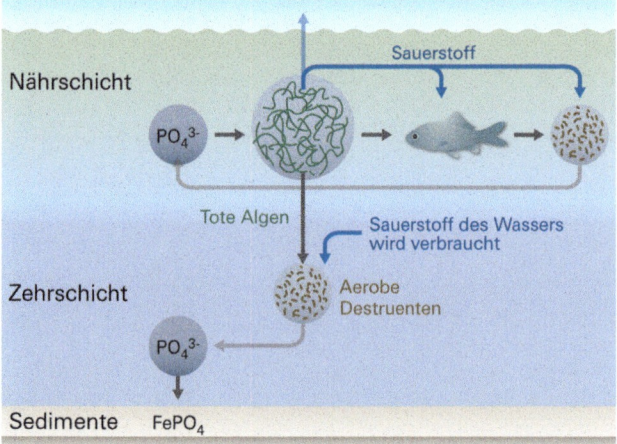

In nährstoffreichen (eutrophen) Seen führt der hohe Mineralsalzgehalt zu einem starken Wachstum der Algen, und diese bilden mehr Biomasse, als die Konsumenten und Destruenten in der Nährschicht fressen und abbauen. Ein Teil der Algen sinkt nach dem Tod ab und wird in der Zehrschicht von Konsumenten und Destruenten unter Sauerstoffverbrauch abgebaut. Weil die Sommerstagnation eine Zirkulation verhindert, sinkt dadurch der Sauerstoffgehalt in der Zehrschicht stark ab und die freigesetzten Mineralstoffe bleiben unten. Phosphat kann dem Kreislauf entzogen werden, indem es mit Eisen(III)-Ionen schwer lösliches Eisen(III)-phosphat bildet, das sich absetzt. Im Herbst gelangt durch die Zirkulation wieder sauerstoffreicheres Wasser in die Tiefe und mineralstoffreicheres an die Oberfläche.

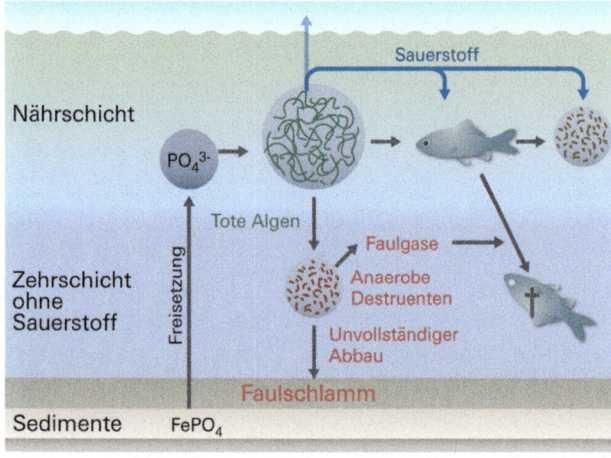

In Seen, die durch Einwirkungen des Menschen (Düngung, Abwasser) stark eutrophiert sind, kann das Wachstum der Algen so stark sein, dass der Abbau der anfallenden Biomasse den Sauerstoff im Tiefenwasser vollständig verbraucht. Die aeroben Lebewesen sterben. Anaerobe Bakterien bauen das organische Material durch Gärungsvorgänge nur unvollständig ab und produzieren Faulgase wie Schwefelwasserstoff, Ammoniak und Methan, die z. T. giftig sind. Es bildet sich Faulschlamm. Unter den anaeroben Bedingungen wird das Eisen(III)-phosphat in den Sedimenten durch Reduktion der Eisen(III)-Ionen in das besser lösliche Eisen(II)-phosphat umgewandelt. Die freigesetzten Phosphat-Ionen gelangen bei der nächsten Zirkulation nach oben in die Nährschicht und verstärken das Algenwachstum.

[1] Gr. *oligos* «wenig», gr. *trophe* «Nahrung».
[2] Gr. *eu* «gut», gr. *trophe* «Nahrung».

[Abb. 6-7]   Stoffe im Oberflächen- und im Tiefenwasser eines eutrophen Sees

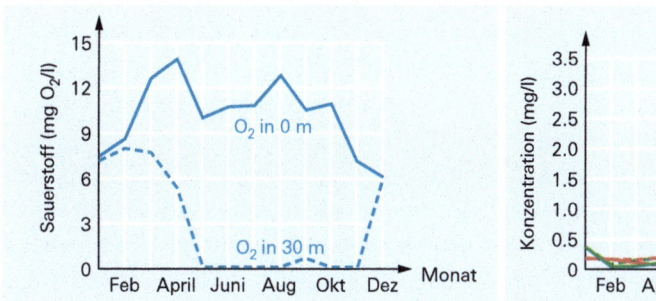

Im Sommer sinkt im Tiefenwasser der Sauerstoffgehalt, während der Phosphat- und der Ammoniumgehalt steigen. Daten für den Greifensee 2006, AWEL (Amt für Abfall, Wasser, Energie und Luft).

Zusammenfassung

In der Nährschicht nährstoffreicher (eutropher) Seen vermehren sich die Algen v. a. dank dem hohen Phosphatgehalt stark und bilden mehr Biomasse, als Konsumenten und Destruenten fressen und abbauen. Der Überschuss sinkt ab und wird in der Zehrschicht von Konsumenten und Destruenten unter Sauerstoffverbrauch abgebaut. Weil das warme, sauerstoffreiche Wasser oben bleibt (Sommerstagnation), sinkt dadurch der Sauerstoffgehalt im Tiefenwasser. Die Mineralstoffe, die beim Abbau freigesetzt werden, bleiben unten. Ein Teil des Phosphats setzt sich als schwer lösliches Eisen(III)-phosphat ab. Die Zirkulation im Herbst bringt wieder sauerstoffreicheres Oberflächenwasser in die Tiefe und mineralstoffreicheres Tiefenwasser an die Oberfläche.

In stark eutrophierten Seen kann das Wachstum der Algen so stark sein, dass der Abbau der anfallenden Biomasse den Sauerstoff im Tiefenwasser vollständig verbraucht. Dann bauen anaerobe Bakterien das organische Material durch Gärungsvorgänge unvollständig ab und produzieren Faulschlamm und Faulgase (Ammoniak, Methan und Schwefelwasserstoff), die z. T. giftig sind. Aus dem in den Sedimenten abgelagerten Eisen(III)-phosphat werden unter anaeroben Bedingungen Phosphat-Ionen freigesetzt. Sie gelangen bei der nächsten Zirkulation nach oben und verstärken das Algenwachstum.

Aufgabe 52

Beschreiben Sie die in Abbildung 6-7 dargestellte Veränderung der Konzentration von A] Sauerstoff, B] Phosphat und C] Ammonium im Tiefenwasser eines eutrophen Sees im Jahresverlauf. Begründen Sie die Kurvenverläufe.

Aufgabe 53

Die Abbildung zeigt die jahreszeitlichen Veränderungen verschiedener Grössen in der Oberflächenschicht eines Sees. Erläutern und begründen Sie den Verlauf der Kurven des Phytoplanktons und der Mineralstoffe.

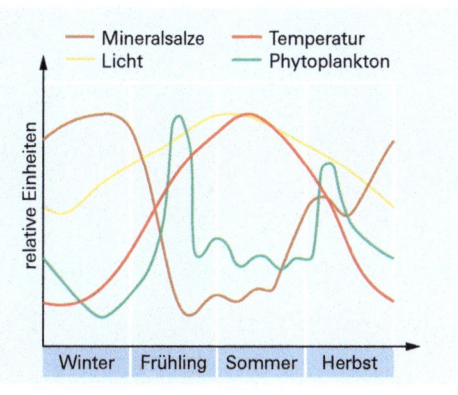

6.4 Verlandung

Sukzession

Im Uferbereich stehender Gewässer bilden die Produzenten meist mehr Biomasse, als abgebaut wird. Dieses Material sammelt sich auf dem Boden und bildet eine immer dicker werdende Schlammschicht, aus der sich Torf entwickelt. Die Wassertiefe nimmt ab und die Pflanzengürtel, die im Uferbereich nebeneinanderstehen, wandern langsam Richtung Seemitte (vgl. Abb. 6-8). Würde man im Gürtel der Schwimmblattpflanzen einige Jahrtausende stehen bleiben, könnte man eine Sukzession der Biozönosen beobachten, die im Uferbereich benachbart sind: Röhricht – Seggenried – Bruchwald. Das räumliche Nebeneinander (Zonation) im Uferbereich spiegelt also das zeitliche Nacheinander (Sukzession).

[Abb. 6-8]   Verlandung eines Teichs

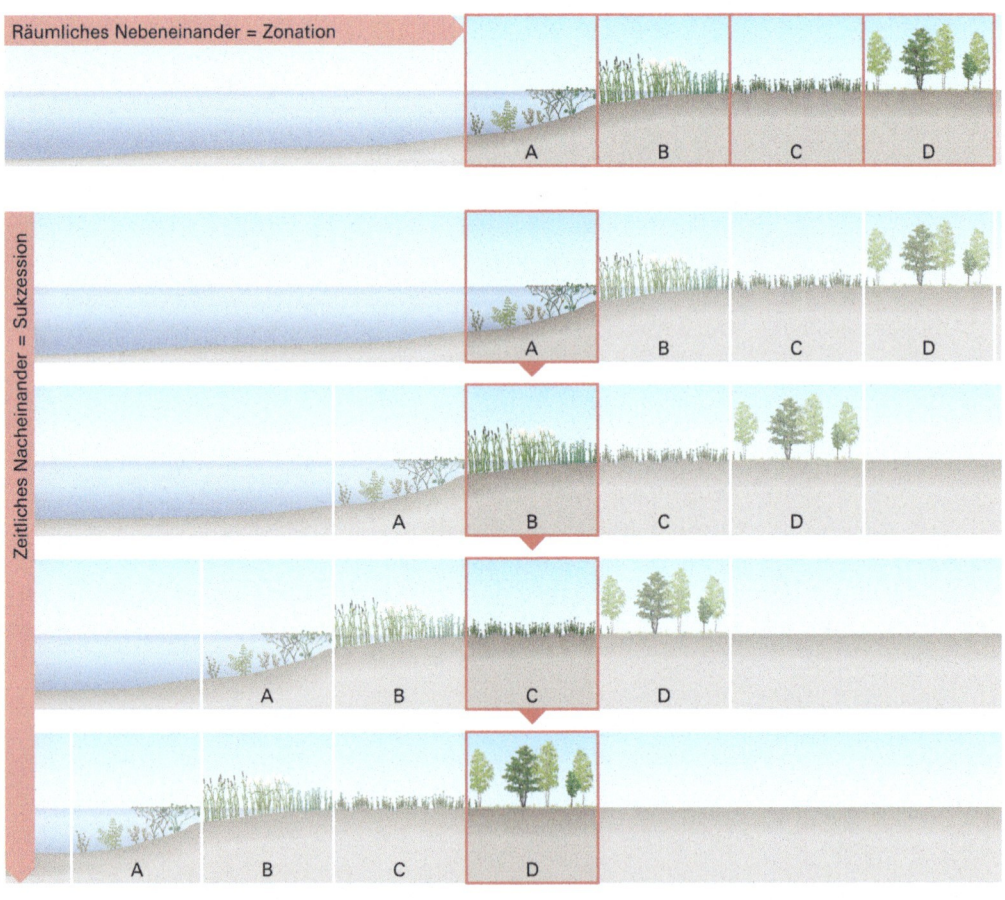

Sukzession als zeitliches Nacheinander der verschiedenen Zonen.

[Abb. 6-9]   Sumpf

Bild: © 3355m, Dreamstime.com

Moorböden
Fleischfresser

Auf dem nährstoffarmen, sauren Moorboden leben Spezialisten wie die fleischfressenden Pflanzen (Sonnentau, Venusfliegenfalle), die Insekten fangen und verdauen. Sie sind zwar autotroph und bilden ihre Kohlenhydrate selbst, nutzen aber die Stickstoffverbindungen aus der tierischen Nahrung und können darum auf den stickstoffarmen Moorböden gedeihen. Auf stickstoffreicheren Böden werden sie durch andere Pflanzen verdrängt.

[Abb. 6-10] Venusfliegenfalle

Die Venusfliegenfalle lebt auf stickstoffarmen Moorböden. Sie fängt mit ihren Fangblättern Insekten, verdaut sie und nimmt die Nährstoffe durch das Blatt auf. So versorgt sie sich mit Stickstoffverbindungen. Bild: © Zinnanti, Dreamstime.com

Hochmoor

In niederschlagsreichen, kühlen Gebieten kann sich in Mooren das Torfmoos entwickeln. Die Torfmoospflänzchen wachsen nach oben, während die unteren Teile absterben und zu Torf werden. So bilden sich dicke Torfschichten. Im Laufe von Jahrhunderten entsteht ein Hochmoor, das die Umgebung um 2–3 Meter überragt. Weil die Pflanzen des Hochmoors durch die Torfschicht vom Mineralboden und vom Grundwasser getrennt sind, müssen sie mit dem Niederschlagswasser auskommen, das in der Moos- und Torfschicht wie in einem Schwamm festgehalten wird.

[Abb. 6-11] Bildung eines Moors

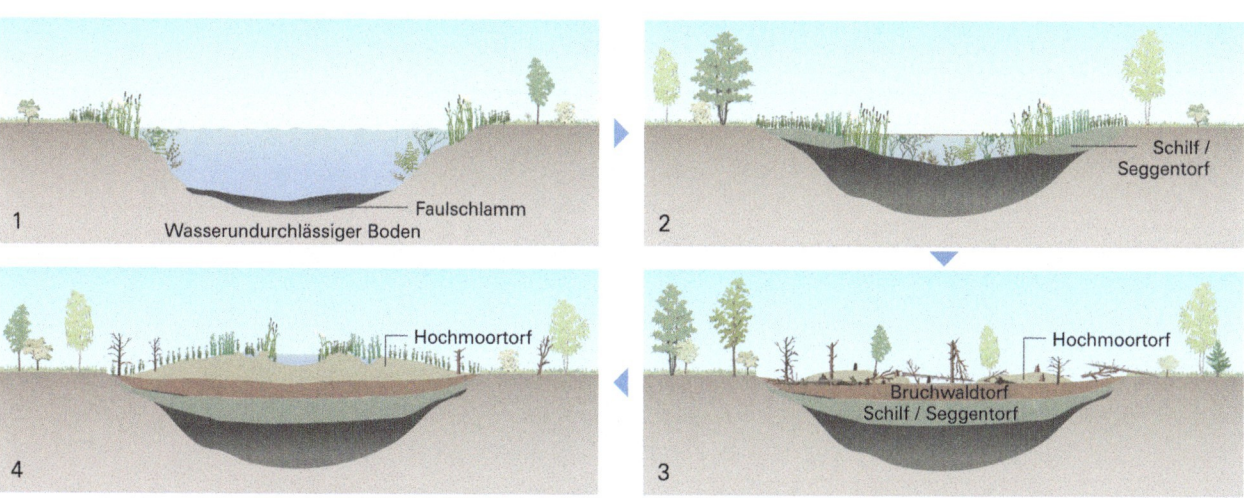

Durch den unvollständigen Abbau von Pflanzenresten entsteht Torf. Im Hochmoor wird der Torf aus dem Torfmoos gebildet.

[Abb. 6-12] Torfmoos

Bild: © 2015, Thinkstock

Zusammenfassung

Im Uferbereich stehender Gewässer bildet sich aus überschüssigem Pflanzenmaterial eine Schlammschicht, die sich zu Torf entwickelt. Die Wassertiefe nimmt ab und die Pflanzengürtel des Uferbereichs wandern Richtung Seemitte. Es findet eine Sukzession statt, bei der die Biozönosen des Uferbereichs aufeinanderfolgen. Der See verlandet.

Beim unvollständigen Abbau von Pflanzenresten entstehen Huminsäuren und Torf. Auf den nährstoffarmen, sauren Moorböden leben Spezialisten wie fleischfressende Pflanzen.

Hochmoore entstehen im Laufe von Jahrhunderten in niederschlagsreichen, kühlen Gebieten, in denen das Torfmoos gedeiht. Das Torfmoos bildet dicke Torfschichten, indem es nach oben wächst, während die unteren Teile absterben und zu Torf werden. Die Pflanzen im Hochmoor haben keinen Kontakt zum Mineralboden und werden über das Niederschlagswasser versorgt.

Aufgabe 54

A] Welcher Trophie-Ebene würden Sie die fleischfressenden Pflanzen zuordnen?

B] Warum kommen sie nur in Mooren vor?

Aufgabe 55

Ordnen Sie die folgenden Pflanzen so, wie sie bei der Sukzession nacheinander auftreten würden: Birke – Seerose – Tausendblatt – Binse – Segge – Erle.

7 Der Wald als Ökosystem

Lernziele Nach der Bearbeitung dieses Kapitels können Sie ...

- die Besonderheiten des Waldes nennen.
- die Struktur eines Mischwalds erörtern.
- die historische Entwicklung der Schweizer Wälder kommentieren.
- wichtige Baumarten nennen und erörtern, wo sie vorkommen.
- Beispiele von Nahrungsketten und Nahrungsnetzen des Waldes beschreiben.
- Wirkung und Bedeutung des Waldes aufzeigen.

Schlüsselbegriffe Aspektfolge, Forst, Nettoproduktion, Produktivität, Sukzession, Wald

In diesem Kapitel befassen wir uns mit dem Ökosystem Wald. Sie erfahren, wie dieses Ökosystem gegliedert ist, wie es sich entwickelt, und Sie lernen seine typischen Bewohner kennen. Wir befassen uns hier auch mit der Frage nach der Funktion und Bedeutung der Wälder.

7.1 Definition und Struktur des Waldes

Definition Wälder sind Ökosysteme, deren Charakter durch Bäume geprägt ist. Die Bäume stehen so dicht, dass sie ein durchgehendes Kronendach bilden, unter dem sich die für Wälder typischen Lebensbedingungen (Waldboden, Waldklima) einstellen. Das Licht ist der limitierende Ökofaktor. Typisch für Wälder ist die hohe Dichte an Produzenten, die eine mehrschichtige Pflanzendecke bilden und die Umweltbedingungen erheblich beeinflussen.

Struktur Die Zusammensetzung der Biozönose des Waldes ist je nach Standort und Klima verschieden. Wir betrachten als Beispiel einen Laubmischwald. Die Konkurrenz um das Licht bestimmt die Zusammensetzung der Wald-Biozönose und führt zu einer vertikalen Gliederung in verschiedene Stockwerke.

Obere Baumschicht Das oberste Stockwerk besteht aus den Kronen der bis zu 40 m hohen Bäume (Buchen, Eichen, Ahorn, Esche). Sie erhalten viel Licht, sind aber auch dem Wetter am stärksten ausgesetzt. Die meisten werden durch den Wind bestäubt und viele lassen auch ihre Samen und Früchte durch den Wind verbreiten. Weil der Wind Zugang zu den Kronen hat, trägt er die Pollen bzw. die Samen von ihrem hohen Startplatz aus sehr weit.

Untere Baumschicht Das mittlere Stockwerk besteht aus den Kronen kleinerer Baumarten wie Hainbuche und Eberesche. Diese sind durch die grösseren Bäume etwas geschützt, müssen aber auch mit weniger Licht auskommen. Viele werden durch Insekten bestäubt und lassen ihre Samen und Früchte durch Tiere verbreiten.

Strauchschicht Nur etwa 7% des Lichts gelangen durch die Kronen der Bäume bis zur Strauchschicht, die aus Sträuchern wie Hasel, Weissdorn und Holunder und aus dem Nachwuchs der Bäume besteht. Sträucher bilden im Gegensatz zu Stauden und Kräutern mehrjährige, verholzte Zweige, haben aber im Unterschied zu den Bäumen keinen Stamm, sondern viele Zweige. Die Dichte der Strauchschicht ist von der Lichtdurchlässigkeit der Kronenschicht abhängig. Im relativ dunklen Buchenwald ist die Strauchschicht nur schwach ausgebildet und besteht hauptsächlich aus jungen Buchen.

[Abb. 7-1] Struktur eines Laubmischwalds

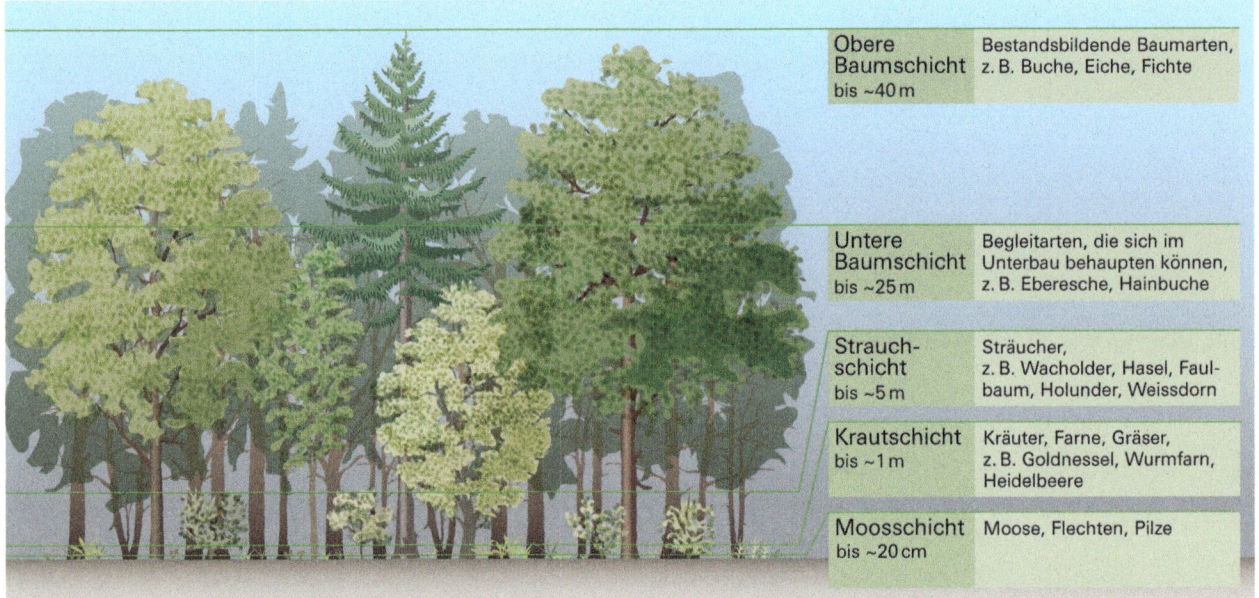

Naturnahe Laubmischwälder sind in verschiedene Stockwerke gegliedert.

Krautschicht
: Die Krautschicht besteht aus Farnen und mehrjährigen Blütenpflanzen. Besonders häufig sind Frühblüher wie Bärlauch und Buschwindröschen. Sie blühen, bevor die Bäume und Sträucher Blätter bilden, denn nachher erhalten sie kaum mehr Sonnenlicht und würden mehr Glucose brauchen, als sie bilden könnten. Sie wechseln darum in ein Ruhestadium, indem sie die oberirdischen Teile abbauen und das Material in Knollen, Zwiebeln oder Wurzeln einlagern. Diese Vorräte ermöglichen ihnen im folgenden Frühjahr ein schnelles Wachsen, Blühen und Fruchten.

Moosschicht
: Die Moose liegen direkt auf dem Boden und wirken als Wasserspeicher. Geschlossene Moosteppiche gibt es aber nur in Nadelwäldern. In Laubmischwäldern wachsen Moose nur an erhöhten Stellen, z. B. auf Baumstrünken oder an Stämmen, weil sie am Boden mit Laub zugedeckt würden. Zur Moosschicht gehören auch die Flechten, die auf altem Holz und Steinen wachsen, und die kurzlebigen Fruchtkörper der Pilze, die sich aus den im Boden lebenden Pilzfäden entwickeln. Die Fruchtkörper bilden Sporen, die vom Wind verbreitet werden. Aus den Sporen entwickeln sich im Boden neue Pilzfäden. Pilze sind heterotroph und leben als Destruenten, Symbionten oder Parasiten.

Aspektfolge
: In Laubmischwäldern ändern sich die Bedingungen und die Biozönose im Verlauf eines Jahres drastisch. Im Winter und Frühjahr erreichen 50% des Lichts den Waldboden, im Sommer sind es nur noch ca. 2%. Darum sind viele Pflanzen der Krautschicht nur im Frühjahr aktiv und die von ihnen abhängigen Tiere (z. B. Schmetterlinge) sind auch nur dann im Wald zu finden. Im Herbst bedeckt das Falllaub einen grossen Teil des Bodens und schafft ideale Bedingungen für die Destruenten. Man nennt diesen Wandel der Biozönose, der sich im Unterschied zur Sukzession jedes Jahr wiederholt, Aspektfolge.

Zusammenfassung

Wälder sind Ökosysteme, in denen die Bäume ein geschlossenes Kronendach bilden, das die Lebensbedingungen wesentlich beeinflusst. Typisch ist die hohe Dichte an langlebigen Produzenten. Die Konkurrenz um Licht führt zu einer vertikalen Gliederung in verschiedene Stockwerke (Baumkronen, Sträucher, Kräuter, Moose und Pilze).

Im Laubmischwald ändern sich die Bedingungen und die Biozönose im Verlauf des Jahres drastisch und führen zu einer jahreszeitlichen Aspektfolge.

Aufgabe 56	A] Welche Vorteile haben Frühblüher im Wald gegenüber Arten, die im Sommer blühen?
	B] Warum können Bäume und Sträucher problemlos früh im Jahr Blüten bilden?

Aufgabe 57	Warum muss ein Wald eine minimale Fläche haben, um ein Wald zu sein?

Aufgabe 58	Was ist der Unterschied zwischen Aspektfolge und Sukzession?

7.2 Waldentwicklung und Waldtypen

7.2.1 Waldfläche

Welt

Von den Wäldern, die ursprünglich 50% des Festlands bedeckt haben, hat der Mensch bereits die Hälfte zerstört. Die Waldfläche beträgt heute noch 3.8 Mrd. ha und der Mensch vernichtet durch Rodungen (v. a. in Südamerika und Indonesien) immer noch jedes Jahr über 7 000 000 ha Naturwald (v. a. Regenwald). Das ist fast das Doppelte der Fläche der Schweiz.

Mitteleuropa

Mitteleuropa wäre ohne Eingriffe des Menschen mit Ausnahme der hochalpinen Regionen, der Gewässer, Moore und Heiden vollständig bewaldet. An den meisten Standorten wären sommergrüne Laubmischwälder die natürlichen Schlussgesellschaften.

7.2.2 Entwicklung der Wälder in der Schweiz

Die Entwicklung der Wälder nach der letzten Eiszeit lässt sich aus den Pollen ablesen, die man im Torf von Mooren findet. Pollen bleiben in der Torfschicht gut erhalten und die verschiedenen Baumarten sind an ihren Pollen erkennbar.

Bis 1800

Die ersten Bäume, die sich nach dem Rückzug der Gletscher in den feuchten Tälern der Schweiz entwickelten, waren Birken und Weiden. Dann folgten Kiefer, Hasel und Erle. Vor ca. 5 000 Jahren machten sich im Mittelland Eichenmischwälder breit, während Buche und Weisstanne die mittleren und Fichten (Rottannen) die höheren Lagen eroberten. Bis ca. 600 n. Chr. war die Schweiz abgesehen von Gewässern, Feuchtgebieten, Felsen und Hochgebirgen vollständig bewaldet. In diesen Urwäldern lebten Bären, Wölfe, Wisente und Elche. In den folgenden Jahrhunderten wurde die Waldfläche durch Rodungen zur Gewinnung von Anbauflächen und Siedlungsflächen von 70 auf unter 25% vermindert. Im Mittelland wurden die Wälder auch zur Gewinnung von Brennholz genutzt und immer wieder kahlgeschlagen. In den Gebirgsgegenden erkannte man dagegen schon früh die Bedeutung des Waldes als Schutz gegen Lawinen, Erdrutsche, Steinschlag und Erosion und schützte einzelne Wälder als Bannwälder durch Bannbriefe.

Seit 1800

Als im 19. Jahrhundert der Holzbedarf durch die Industrialisierung weiter zunahm, genügten die in den natürlichen Wäldern wachsenden Holzmengen nicht mehr. Man begann, die rasch wachsende Fichte zu bevorzugen und in Forsten zu kultivieren. Die Fläche der natürlichen Wälder wurde durch Rodungen weiter vermindert, bis die Zunahme von Überschwemmungen, Erdrutschen und Lawinen um 1900 zum gesetzlichen Schutz durch Rodungsverbote führte. In den vergangenen 150 Jahren ist die Waldfläche wieder auf 31.7% gestiegen und nimmt weiterhin zu. Von 1995 bis 2013 ist eine Zunahme von 6.7% zu verzeichnen.[1] Diese Zunahme konzentriert sich auf den Alpenraum, wo sich der Wald landwirtschaftlich schlecht nutzbare Flächen zurückerobert.

[1] Quelle: Bundesamt für Umwelt, Umwelt Schweiz 2015, S. 88

7.2.3 Forst

Vorteile

Heute sind in der Schweiz die meisten Wälder vom Menschen angelegte oder mindestens beeinflusste Forste zur Gewinnung von Bau- und Brennholz. Um möglichst hohe Erträge zu erzielen, wurde die schnell wachsende und vielseitig verwendbare Fichte (Rottanne) angepflanzt. Ihre forstwirtschaftlichen Vorteile sind:

- Fichten können sehr dicht stehen, sodass viel wertvolles Stammholz anfällt.
- Die Fichte wächst schnell und kann schon nach 80–100 Jahren geschlagen werden.
- Fichten können in unterschiedlichem Alter genutzt werden: Weihnachtsbaum – Stangenholz – Papierholz – Bauholz.

Nachteile

Reine Fichtenwälder sind weniger gegliedert und nischenärmer als Mischwälder mit verschiedenartigen Bäumen und Sträuchern. Ihre Biozönosen sind artenarm und unstabil, die Populationsdichten schwanken stark und spezifische Baumschädlinge wie die Borkenkäfer können sich stark vermehren. Die dichte, immergrüne Kronenschicht lässt kaum Licht zum Boden durch und die schwer zersetzbare Nadelstreu führt zu einer Versauerung des Bodens. Der artenarme Unterwuchs wird von wenigen säurefesten Zwergsträuchern und Moosen gebildet.

Weil alle Bäume dieselben Ansprüche stellen, wird auch der Boden einseitig genutzt. Fichten nutzen als Flachwurzler nur die obere Bodenschicht und sind wegen der schlechten Verankerung auch windanfällig. Obwohl man heute die ökologische Bedeutung des Waldes höher schätzt als die Funktion als Holzquelle, dominiert in vielen Wäldern des Mittellands noch immer die Fichte, die natürlicherweise nur in höheren Lagen vorkommt.

[Abb. 7-2] Fichtenforst und Mischwald

Künstliche Fichtenforste sind weniger gegliedert und nischenärmer als Mischwälder.

7.2.4 Wichtige Baumarten

Die natürlichen Wälder im Mittelland sind (oder wären) Laubwälder, in denen die Buche dominiert. Je nach Lage sind Eiche, Esche, Kiefer und Tanne unterschiedlich stark beteiligt. Die Unterschiede ergeben sich aus den verschiedenen Ansprüchen und aus der unterschiedlichen Konkurrenzstärke der einzelnen Baumarten (vgl. Kap. 3.2.5, S. 52).

Buche

Die Buche ist bezüglich Licht anspruchslos und kann im Unterschied zu anderen Bäumen sowohl im Schatten als auch in der vollen Sonne gut gedeihen. Zur Anpassung kann sie unterschiedlich gebaute Sonnen- und Schattenblätter bilden (vgl. Kap. 2.3.1, S. 34). Junge Buchen können sich auch unter einem geschlossenen Kronendach entwickeln und rasch nach oben ans Licht wachsen, wo sie eine dichte Krone bilden und ihre Konkurrenten beschatten. Die 2% des Lichts, die das Kronendach der Buchen durchdringen, genügen nur den jungen Buchen, andere Baumarten brauchen mehr Licht. Eine Schwäche der Buche ist ihre Empfindlichkeit gegenüber Spätfrösten. Sie verhindert die Verbreitung in Lagen über 1 600 m.
Bild: © Rcaucino, Dreamstime.com

Die Fichte oder Rottanne stellt bezüglich Bodenfeuchtigkeit höhere Ansprüche als die Buche und kann sich neben der Buche nur in höheren Lagen halten, weil sie weniger frostempfindlich ist. In Lagen über 1 600 m löst sie die Buche ab. Bild: © Maigi, Dreamstime.com

Die Kiefer oder Föhre kann sich auf guten Böden neben der Buche nicht halten, weil sie viel Licht braucht. Sie ist aber bezüglich Boden anspruchslos und gedeiht auch an trockenen Standorten. In höheren Lagen tritt die Bergföhre anstelle der Waldföhre auf.
Bild: © Ecolog67, Dreamstime.com

7.2.5 Waldtypen

In der Schweiz sind die ursprünglichen Waldtypen da und dort auch heute noch erkennbar.

Eichen-Hainbuchen-Mischwälder

Eichen-Hainbuchen-Mischwälder mit Stieleiche, Hainbuche, Esche, Ahorn, Kirsche und Bergulme entwickeln sich in warmen Lagen auf nährstoffreichen, zeitweise oder dauernd feuchten Böden. Typisch ist die grosse Zahl verschiedener Baumarten, die sich in Maximalgrösse und Lichtansprüchen unterscheiden.

Buchenwälder

Buchenwälder sind relativ uniforme Hallenwälder (vgl. Abb. 7.3), in denen sich durch die starke Beschattung kaum Sträucher und nur wenige Kräuter entwickeln. Das nur langsam abbaubare Buchenlaub verhindert die Bildung eines Moosteppichs. In tiefen Lagen gedeihen neben der Buche Bergahorn, Esche und Bergulme, in höheren Lagen Tanne und Fichte.

Fichtenwälder

Fichtenwälder waren ursprünglich nur in höheren Lagen auf nicht zu nassen Böden und in Gebieten mit ausreichender Luftfeuchtigkeit zu finden. Die einschichtige Baumschicht besteht meist nur aus Fichten. Gelegentlich können Lärchen und Arven eingestreut sein. Die Strauchschicht ist kümmerlich, aber Zwergsträucher wie Heidel- und Preiselbeere können dichte Bestände bilden. Weil sich bei der unvollständigen Zersetzung der schwer abbaubaren Nadeln Huminsäuren bilden, versauert der Boden, der oft von einer Moosschicht bedeckt ist. Fichtenwälder gedeihen in der Schweiz bis in Höhen von etwa 1 800 m.

Lärchen-Arvenwälder

Über den Fichtenwäldern findet man Lärchen-Arvenwälder. Sie bevorzugen kalkarme, saure Böden und ertragen Trockenheit und extreme Temperaturen. In den meisten Lagen ist die Lärche der Pionierbaum, der bei der Sukzession durch die Arve verdrängt wird. Das Überwiegen der Lärchen in vielen Hochwäldern ist auf die Nutzung als Weideflächen zurückzuführen. Die Lärche ist gegenüber Trittschäden weniger empfindlich und die Rinder verhindern durch die Schäden, die sie anrichten, die Sukzession.

[Abb. 7-3]   Buchenwald

Buchen bilden Hallenwälder ohne Unterwuchs, da im Sommer kaum Licht auf den Boden fällt. Bild: © Marcel63, Dreamstime.com

7.2.6 Sukzession

Schlussgesellschaft

Mit Ausnahme der hochalpinen Regionen, der Gewässer und Moore ist in Mitteleuropa der Wald die natürliche Schlussgesellschaft. Wiesen, Alpweiden und Äcker wurden vom Menschen geschaffen. Ohne Eingriffe des Menschen wird eine Sukzession zu Wald stattfinden (vgl. Abb. 7-4). Dabei breiten sich zuerst hohe Stauden aus, dann folgen Sträucher (Brombeere, Holunder, Hasel) und später lichtliebende Bäume wie die Zitterpappel und Birke. Sobald deren Bestand so dicht ist, dass weniger als 10% des Aussenlichts den Boden erreichen, kommen ihre Jungpflanzen nicht mehr hoch. Sie werden überholt und verdrängt durch die weniger lichthungrigen Jungpflanzen von Eiche und Buche, die mit 4% bzw. 2% Restlicht auskommen. So bleibt ein gemischter Eichen-Buchenwald übrig.

[Abb. 7-4]   Sukzession von einer Wiese zu einem Eichen-Buchenwald

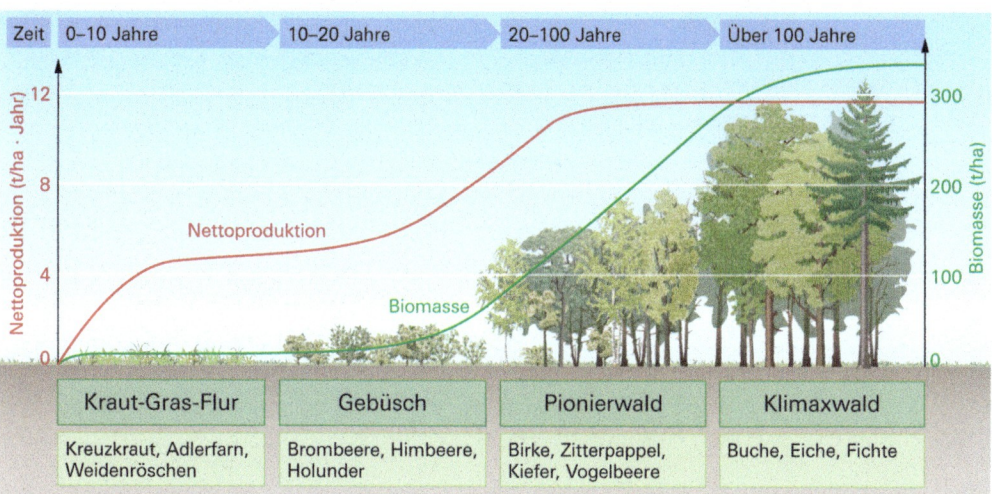

Mosaikwald

Auch ein Wald, in dem sich die Schlussgesellschaft etabliert hat, verändert sich. Alte Bäume sterben ab und machen Platz für neue. An diesen Plätzen ändert sich die Biozönose in kurzer Zeit recht stark. Der Wald ist ein Mosaik von Parzellen in unterschiedlichen Entwicklungsstadien, die sich gegenseitig stabilisieren (vgl. Abb. 7-5). Obwohl sich die Struktur und die Zusammensetzung der einzelnen Parzellen relativ stark ändern können, ändert sich in der Summe kaum etwas: Das biozönotische Gleichgewicht bleibt erhalten.

[Abb. 7-5]   Mosaikmodell des Waldes

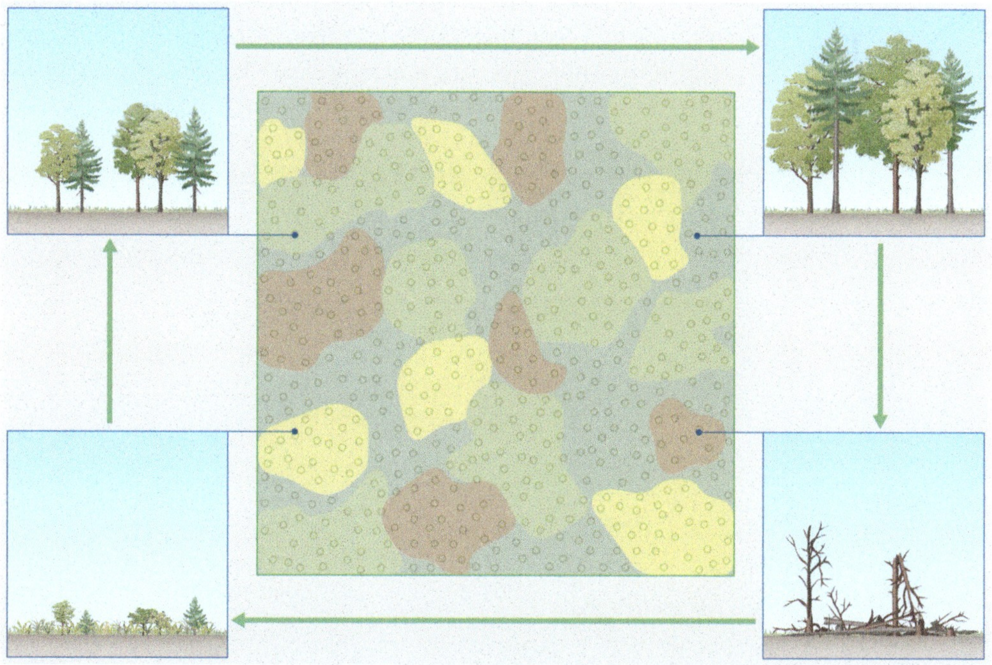

Ein Wald ist ein Mosaik von Teilsystemen in unterschiedlichen Entwicklungsstadien, die sich z. T. schnell und stark verändern.

Zusammenfassung

Von den Wäldern, die ursprünglich 50% des Festlands bedeckt haben, hat der Mensch etwa die Hälfte zerstört und heute werden in jedem Jahr 7 Mio. ha Naturwald gerodet. Mitteleuropa wäre mit Ausnahme der hochalpinen Regionen, Gewässer, Moore und Heiden ohne Eingriffe des Menschen vollständig bewaldet (sommergrüne Laubmischwälder). Wiesen, Äcker und Weiden entstanden durch Rodung und würden ohne Eingriffe des Menschen wieder zu Wald (Sukzession).

In der Schweiz wären im Mittelland auf mittleren bis guten Böden Mischwälder mit Buche, Eiche, Esche, Kiefer und Tanne die natürliche Schlussgesellschaft. Die meisten Wälder sind aber vom Menschen beeinflusste artenarme Forste, in denen die schnell wachsende, vielseitig verwendbare Fichte dominiert. In höheren Lagen kommen natürliche Fichtenwälder sowie Lärchen-Arvenwälder vor. Im Mittelalter wurde die Waldfläche durch Rodungen zur Gewinnung von Anbauflächen und Siedlungsflächen von 70% auf 25% vermindert. Die Zunahme von Überschwemmungen, Erdrutschen und Lawinen führte um 1900 zum gesetzlichen Schutz durch Rodungsverbote. In den letzten 150 Jahren hat die Waldfläche wieder zugenommen und wächst heute hauptsächlich im Alpenraum.

Auch ein Wald, in dem sich die Schlussgesellschaft etabliert hat, verändert sich. Er ist ein Mosaik von Parzellen in unterschiedlichen Entwicklungsstadien, die sich relativ stark verändern können, ohne dass sich in der Summe etwas ändert: Das biozönotische Gleichgewicht bleibt erhalten.

Aufgabe 59 — Welche Nachteile hat ein Fichtenforst aus ökologischer Sicht gegenüber einem natürlichen Mischwald? Antworten Sie mit Stichworten.

7.3 Stoffproduktion und die Nahrungspyramide im Wald

Produktivität

Wälder besitzen von allen natürlichen Landökosystemen die höchste Produktivität, d. h., ein Hektar produziert in einem bestimmten Zeitraum am meisten Biomasse. Das überrascht nicht, wenn man bedenkt, dass die Masse der Produzenten auf einer Hektar im Wald 20-mal höher ist als auf einer Wiese. Bezogen auf die gleiche Biomasse, ist die Produktivität des Waldes gering, weil die Blätter, die primär für die Fotosynthese zuständig sind, nur 1–2% der Biomasse ausmachen (vgl. Abb. 7-6). Die restlichen 98% der Biomasse (Stämme, Äste) tragen wenig zur Produktion bei.

[Abb. 7-6]   Biomasse und Nettoproduktion eines Mischwalds und einer Wiese

Mischwald Biomasse t/ha	Mischwald NP t/ha·Jahr		Wiese Biomasse t/ha	Wiese NP t/ha·Jahr
4	4	Blätter	–	–
30	2.5	Äste	–	–
240	2.5	Stämme	–	–
1	1	Bodenvegetation	3	3
40	2	Wurzeln	12	2
315	12	Lebende Biomasse	15	5

Die lebende Biomasse eines Laubmischwalds ist 20-mal grösser als die Biomasse einer Wiese mit der gleichen Fläche. Die Nettoproduktion ist nur 2.5-mal höher (Angaben als Trockenmasse).

Nettoproduktion	Die Nettoproduktion der Laubbäume besteht zu etwa 35% aus Blättern, zu aus 45% Holz und zu ca. 20% aus Wurzeln, Blüten und Früchten.
Wenig Konsumenten	Nur 1% der Nettoprimärproduktion des Waldes wird von Pflanzenfressern übernommen. Das ist nur 1/10 des Anteils, den die Primärkonsumenten auf einer Wiese erhalten, weil im Wald der Anteil der nicht verdaubaren Biomasse (Holz etc.) viel höher ist. Die Biomasse der Konsumenten ist im Vergleich zur Biomasse der Produzenten sehr klein (vgl. Kap. 5.3.4, S. 95). 99% der Nettoproduktion der Bäume gelangen zu den Destruenten. Deren Zahl ist entsprechend hoch.
Stoffkreislauf	Der Stoffkreislauf des Waldes ist geschlossen, wenn die Biomasse unverändert bleibt und kein Material aus dem Wald entfernt wird. Wird das Holz genutzt, bedeutet dies einen entsprechenden Entzug von Mineralstoffen aus dem Boden. Eine Düngung ist aber nicht erforderlich, weil Bäume mit tiefreichenden Wurzeln in den mineralstoffreichen tieferen Bodenschichten Nachschub holen.
Sauerstoffbildung, Kohlenstoffdioxid-Abbau	Die Leistung eines Baums ist von Baumart, Alter, Klima etc. abhängig. Eine grosse Buche produziert täglich etwa 3 500 Liter Sauerstoff (O_2) und verbraucht ebenso viel Kohlenstoffdioxid. Das entspricht etwa dem biologischen Tagesbedarf von 5 Menschen. Um das durch den Energieverbrauch eines Menschen produzierte Kohlenstoffdioxid aufzunehmen, wären zwei solche Bäume nötig.
Leistungen	Ein Laubmischwald mit der Grösse eines Fussballfelds (7 350 m^2) hat im Mittel 230 t Biomasse (Trockenmasse) und bildet jährlich (netto) 9 t Biomasse (mit ca. 4.5 t Kohlenstoff und $160 \cdot 10^6$ kJ Energie). Er bindet 16.5 t Kohlenstoffdioxid und gibt 12 t Sauerstoff ab. Das entspricht dem biologischen Umsatz von 30 bzw. dem Gesamtverbrauch von 3 Menschen.
Zusammenfassung	Wälder besitzen von allen natürlichen Landökosystemen die höchste Produktivität, weil die Dichte der Produzenten sehr hoch ist. Bezogen auf die gleiche Biomasse, ist die Produktion des Waldes aber gering, weil nur ein kleiner Teil der Biomasse Fotosynthese macht. Da die Pflanzenfresser nur 1% der Nettoprimärproduktion übernehmen, ist die Biomasse der Konsumenten klein und die der Destruenten gross. Eine grosse Buche bildet etwa so viel Sauerstoff, wie fünf Menschen im gleichen Zeitraum veratmen. Ein Laubmischwald mit der Grösse eines Fussballfelds hat 230 t Biomasse und bildet jährlich 9 t Biomasse. Er bindet 16.5 t Kohlenstoffdioxid und gibt 12 t Sauerstoff ab. Das entspricht dem biologischen Umsatz von 30 bzw. dem Gesamtverbrauch von 3 Menschen.
Aufgabe 60	Herr Gründlich behauptet: «Wälder sind die produktivsten Biozönosen.» Stimmt das?
Aufgabe 61	Eine Fichte hat 1 t Holz. Wie viel kg Kohlenstoffdioxid sind darin gebunden? Wie viel Kohlenstoffdioxid hat die Fichte durch Fotosynthese insgesamt umgesetzt? Die nötigen Zahlenwerte finden Sie oben stehend. Beachten Sie zusätzlich: Die Nettoproduktion entspricht ca. der Hälfte der Bruttoproduktion!

7.4 Bewohner des Waldes

7.4.1 Bewohner eines Buchen-Mischwalds

In einem naturnahen Buchen-Mischwald leben etwa 4 000 Pflanzen- und 8 000 Tierarten. Von diesen gehören 5 000 Arten zu den Insekten, 700 zu den Spinnentieren und Tausendfüsslern und 100 zu den Wirbeltieren. Wir betrachten einige Beispiele.

Kronenschicht

In der Kronenschicht finden v. a. flugfähige Tiere wie Vögel, Fledermäuse und Insekten Nahrung und Lebensraum. Käfer und Raupen von Faltern ernähren sich von Blättern, Samen und Früchten, Blattläuse saugen Zuckersaft aus jungen Pflanzenteilen, Spinnen machen Jagd auf Insekten. Da viele Bäume Windbestäuber sind, ist der Anteil der Blütenbesucher (Bienen, Schmetterlinge) gering. Vögel finden im Schutz des Blattwerks Nistplätze und ernähren sich von Samen oder Früchten (Gimpel, Kernbeisser und Buchfink), von Insekten und anderen Kleintieren (Rotkehlchen, Meisen) oder als Greifvögel (Uhu, Habicht, Sperber) von Vögeln und Kleinsäugern. Kleinsäuger (Eichhörnchen, Siebenschläfer) bauen sich in den Kronen Nester und ernähren sich von Samen, Früchten, Knospen und Rinde, verschmähen aber auch Insekten, Vogeleier und Jungvögel nicht. Umgekehrt frisst der räuberische Baummarder neben Kleinsäugern auch Beeren und andere Früchte.

[Abb. 7-7] Baummarder

Bild: © 2015, Thinkstock

Stammschicht

In der Stammschicht leben Insekten und Spinnentiere in den Ritzen der Borke. Baumläufer, Kleiber und Spechte suchen die Stämme nach Insekten ab und nisten als Höhlenbrüter in den Stämmen. Borkenkäfer dringen in die Rinde (Bast) ein und legen hier ihre Eier ab. Ihre Larven fressen sich Gänge durch den Bast mit den Assimilatleitungen des Baums. Das kann den Baum so stark schädigen, dass er abstirbt. Da vitale Bäume das Eindringen der Käfer durch Harzfluss verhindern, befallen diese v. a. geschwächte Bäume.

Strauchschicht

In der Strauchschicht finden neben Insekten und Vögeln auch grosse Säuger wie Rehe und Hirsche Nahrung. Weil sie auch Knospen der Jungbäume fressen und deren Stämme beim Abfegen des Bastes vom neuen Geweih beschädigen, erschweren sie die Verjüngung des Waldes. Da ihnen in unseren Wäldern die Feinde fehlen, müssen ihre Populationen vom Menschen durch die Jagd kontrolliert werden. Auch die Wildschweine (Schwarzwild), die nachts den Boden nach Fressbarem durchwühlen und auf waldnahen Feldern Schäden anrichten können, müssen vom Menschen bejagt werden.

[Abb. 7-8] Bewohner eines Buchen-Mischwalds

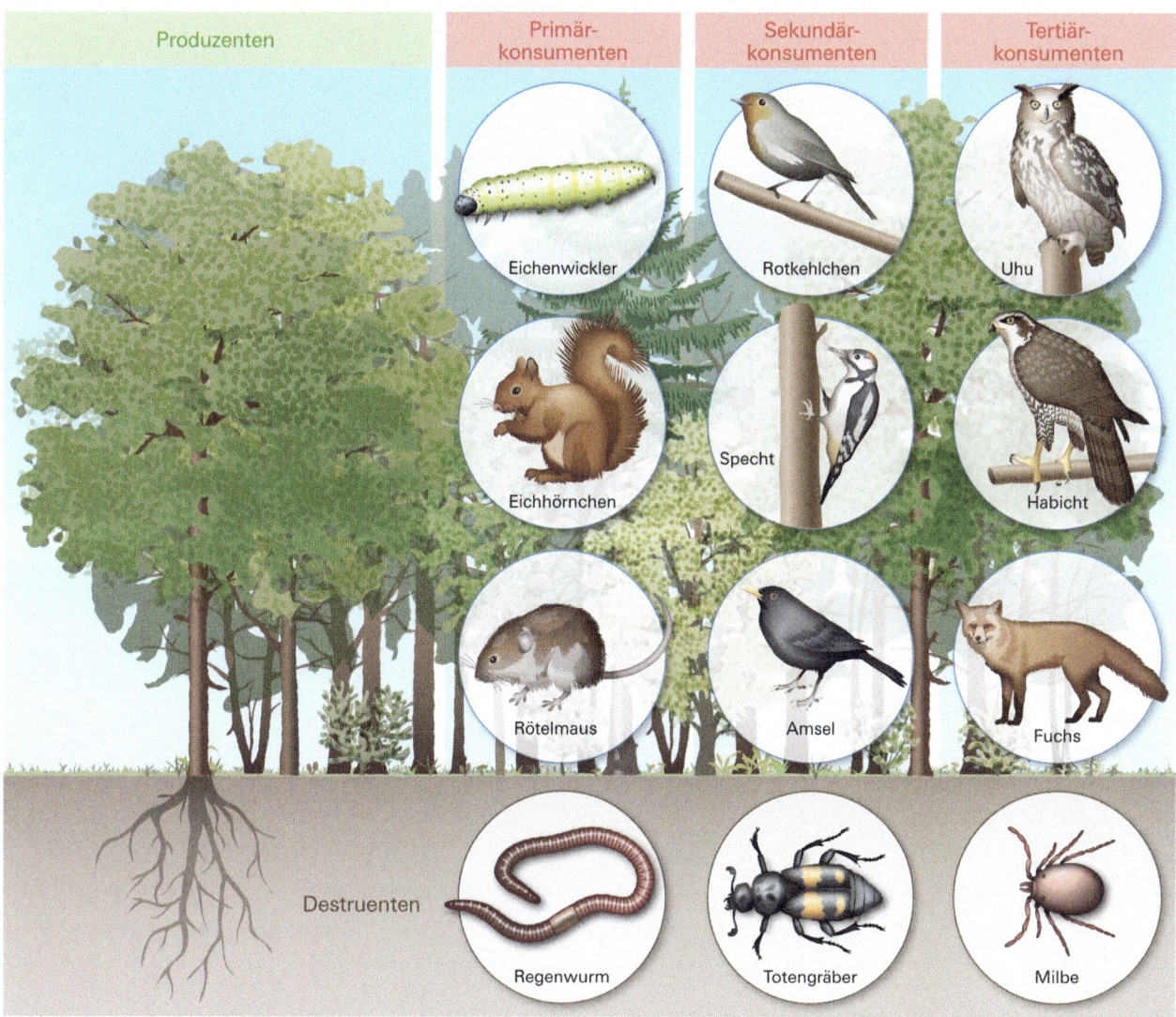

Krautschicht

Kraut- und Moosschicht sind in der Regel zu wenig dicht, um grosse Pflanzenfresser zu ernähren, beherbergen aber viele Insekten (Ameisen, Käfer), Asseln, Spinnen und Schnecken, die hier als Konsumenten oder Zerleger ihre Nahrung finden. Von ihnen ernähren sich Vögel, die ihre Nahrung am Boden suchen (Grauspecht, Waldkauz). Fuchs, Iltis und Wiesel machen nachts Jagd auf alles, was sie überwältigen können.

Bodenbewohner

Im Boden leben v. a. Destruenten, die im Wald besonders zahlreich sind, weil sie den grössten Teil der von den Produzenten hergestellten Biomasse übernehmen. Grössere Tiere wie Dachs, Wildschwein und Maulwurf durchwühlen den Boden und sorgen zusammen mit Käfern und Regenwürmern dafür, dass organische Reste wie das Falllaub in den Boden kommen. Hier wird es von Kleintieren (Zerlegern) zerkleinert und von Pilzen und Bakterien (Mineralisierern) abgebaut. In den obersten 30 cm Waldboden leben auf einer Fläche von 1 m^2 über 10 Millionen Kleintiere wie Fadenwürmer, Regenwürmer, Schnecken, Milben, Insekten, Asseln etc. und eine gigantische Zahl von Einzellern, Pilzen und Bakterien. In einer Handvoll Waldboden leben mehr Lebewesen als Menschen auf der Erde.

[Abb. 7-9] Bodenbewohner unter 1 m² Waldboden

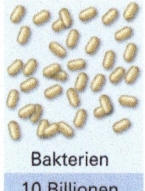

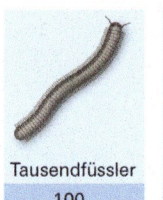

Bakterien	Pilze	Fadenwürmer	Milben	Tausendfüssler	Regenwürmer	Spinnen	Asseln
10 Billionen	100 Milliarden	1 Million	100 000	100	100	75	50

7.4.2 Artenreichtum und Stabilität

Artenreiche Wälder

Die Artenvielfalt ist in den stark gegliederten, nischenreichen Laubmischwäldern hoch. Die meisten Arten haben eine umfangreiche Menükarte und verschiedene Feinde. Die Nahrungsketten sind lang, stark verzweigt und vernetzt. Die Schwankungen der Populationsdichten sind entsprechend klein, das biozönotische Gleichgewicht ist stabil.

Artenarme Wälder

Laubmischwälder gedeihen nur, wenn kein Ökofaktor extrem und damit stark limitierend ist. In rauem Klima, auf schlechten Böden oder unter Einfluss des Menschen entstehen Wälder mit wenigen oder nur einer Baumart wie die Fichtenwälder in höheren Lagen. Ihr Aufbau ist weniger vielschichtig und die Zahl der Nischen und Arten ist viel kleiner. Die Nahrungsketten sind kürzer, weniger verzweigt und weniger vernetzt. Die Dichteschwankungen sind höher.

Zusammenfassung

In den nischen- und artenreichen Mischwäldern sind die Nahrungsketten lang, verzweigt und stark vernetzt. Die Schwankungen der Populationsdichten sind klein, das biozönotische Gleichgewicht ist stabil.

In rauem Klima, auf schlechten Böden oder unter Einfluss des Menschen entstehen Wälder mit wenigen Baumarten wie die Fichtenwälder in grosser Höhe. Ihr Aufbau ist weniger vielschichtig, die Zahl der Nischen und Arten ist kleiner, die Nahrungsketten sind kürzer und weniger vernetzt.

Die Zahl der Destruenten, die im Wald den Abbau von 99% der Nettoprimärproduktion übernehmen, ist hoch. In den obersten 30 cm Waldboden leben pro m² über 10 Millionen Kleintiere wie Fadenwürmer, Regenwürmer, Schnecken, Milben, Insekten, Asseln etc. und eine gigantische Zahl von Einzellern, Pilzen und Bakterien.

Aufgabe 62

Warum ist der Anteil der Destruenten in einem Wald höher als in einer Wiese?

7.5 Wirkung und Bedeutung des Waldes

Waldfunktionen

Wälder verändern die Umweltbedingungen mindestens lokal und haben viele Funktionen:

- Wälder regulieren das Lokalklima und den Wasserhaushalt.
- Wälder schützen vor Erosion, Lawinen, Wind, Lärm und Hochwasser.
- Wälder filtern die Luft, nehmen Kohlenstoffdioxid auf und speichern es in ihrer Biomasse.
- Wälder sind Lebensräume für viele Arten.
- Wälder liefern Holz und sind Erholungsräume für den Menschen.

7.5.1 Lokalklima

Temperaturausgleich

Das Kronendach des Waldes absorbiert einen wesentlichen Teil des Sonnenlichts und der Wärmestrahlung. Blätter und Zweige werden erwärmt und geben diese Wärme in der Nacht wieder ab. Darum sind die Temperaturschwankungen im Wald kleiner als ausserhalb. Tagsüber bleibt es kühl, nachts wird es weniger kalt.

7.5.2 Wasserhaushalt

Wasserspeicher

Die Wälder beeinflussen den Wasserhaushalt erheblich. Bei Regen bleiben 15–40% des Wassers im Kronendach hängen und verdunsten sofort wieder. Das Wasser, das den Boden erreicht, wird von der Streuschicht aufgesaugt. Ein Teil sickert durch den Boden ins Grundwasser. Der grössere Teil wird von den Bäumen aufgenommen und zu den Blättern transportiert, wo er verdunstet. Eine Buche verdunstet etwa 50 l Wasser pro Tag. Der Wald gibt im Durchschnitt 70% der Niederschläge als Wasserdampf an die Atmosphäre zurück. Bei einer Wiese sind es 60%, bei einem Getreideacker 40%.

[Abb. 7-10] Wasserhaushalt des Waldes

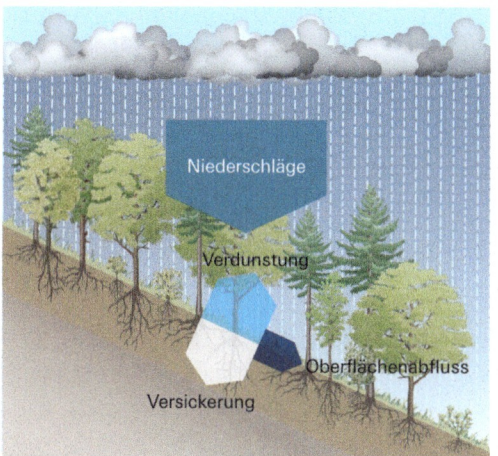
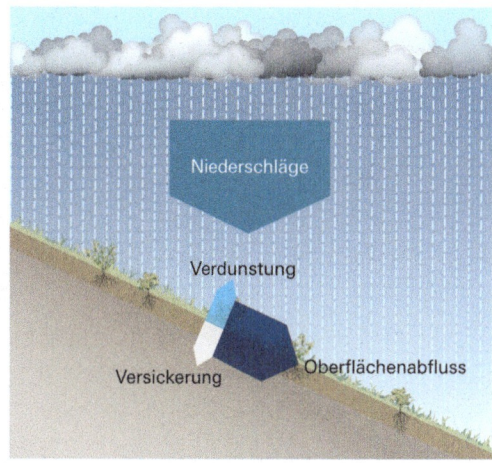

Wald nimmt einen grossen Teil des Niederschlagswassers auf und verhindert den raschen Abfluss an der Oberfläche. Das Wasser verdunstet oder versickert im Boden.

Oberflächenwasser

Weil das Kronendach die Niederschläge bremst und weil der Waldboden viel Wasser aufnehmen kann, fliesst auch bei heftigem Regen kaum Wasser an der Oberfläche ab. Wälder verlangsamen darum bei ergiebigen Regenfällen das Ansteigen des Pegels der wegführenden Bäche und Flüsse und verhindern dadurch Überschwemmungen.

7.5.3 Schutz gegen Erosion, Erdrutsche, Steinschlag und Lawinen

Erosionsschutz

Durch die Reduktion des oberflächlichen Wasserabflusses und durch das Festhalten des Bodens mit den Wurzeln vermindert der Wald die Bodenerosion.

Erdrutsche

In Hanglagen mit tonhaltigen Böden ist die Saugwirkung der Wurzeln besonders wichtig, weil hier eindringendes Wasser die Tonschicht quellen und glitschig werden lässt. Das kann zum Abrutschen der darüberliegenden Bodenschichten führen.

Lawinenschutz

Im Gebirge schützen die Wälder gegen Steinschlag und Lawinen. Viele Alpentäler wären ohne Schutzwälder nicht bewohnbar.

7.5.4 Luftfilter

Luftfilter

Wälder wirken als Filter für Luftverunreinigungen. Auf einem grossen Baum setzen sich jährlich mehrere Tonnen Staub ab. Der grösste Teil davon wird vom Regen in den Boden gewaschen.

7.5.5 Wälder als Senken für Kohlenstoffdioxid

Kohlenstoffkreislauf

Wälder beeinflussen den Kohlenstoff-Sauerstoff-Kreislauf. Wenn ihre Biomasse zunimmt oder als Holz konserviert wird, nehmen sie Kohlenstoffdioxid auf und geben Sauerstoff ab. Bei gleichbleibender Fläche und Biomasse sind sie CO_2-neutral. Nur wachsende Wälder sind Quellen für Sauerstoff und Senken für Kohlenstoffdioxid.

Emissionsreduktion

Das Kyoto-Protokoll vom Dezember 1997 erlaubt den Ländern unter gewissen Voraussetzungen, das Kohlenstoffdioxid, das in den Wäldern gebunden wird, als Emissionsreduktion in der Kohlenstoffdioxid-Bilanz zu verbuchen oder durch den Kauf von Emissionszertifikaten den Waldzuwachs in anderen Ländern zu finanzieren. Über den Nutzen solcher Emissionszertifikate sind die Meinungen geteilt. In vielen Ländern, die Emissionszertifikate verkaufen, wären die Kohlenstoffdioxid-Emissionen auch ohne Abgeltung gesunken.

Schweiz

Zwischen 1995 und 2013 nahmen die Holzvorräte um 3%[1] zu. Vom jährlichen Holzzuwachs von 9.9 Mio. m^3 bleiben ca. 10% ungenutzt.[2] 2012 z. B. betrug die Netto-CO_2-Senkenwirkung der Wälder 2.24 Millionen Tonnen.[3] Das sind immerhin ca. 5%[4] der anthropogenen CO_2-Emissionen in der Schweiz.

Zusammenfassung   Wälder verändern die Umweltbedingungen mindestens lokal und

- schützen vor Erosion, Lawinen, Wind, Lärm und Hochwasser,
- regulieren den Wasserhaushalt und das Lokalklima,
- filtern die Luft, nehmen Kohlenstoffdioxid auf und speichern es in der Biomasse,
- sind Lebensräume für viele Arten,
- liefern Holz und sind Erholungsräume für den Menschen.

Aufgabe 63

Die nebenstehende Abbildung zeigt den Wasserabfluss aus zwei Seitentälern des Emmentals bei gleichen Niederschlägen.

A] Worin besteht der Unterschied?

B] Was schliessen Sie daraus in Bezug auf die Vegetation der beiden Täler?

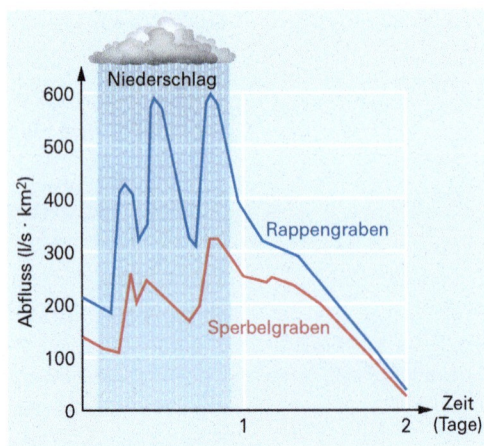

---

[1] Quelle: Bundesamt für Umwelt, Umwelt Schweiz 2015, S. 88
[2] Quelle: ebenda
[3] Quelle: Bundesamt für Statistik, Umwelt-Indikatoren, Nutzung natürlicher Ressourcen – CO_2-Senkenwirkung der Wälder, http://www.bfs.admin.ch/bfs/portal/de/index/themen/02/06/ind17.set.13001.html (28.4.2015)
[4] Quelle: Bundesamt für Statistik, Umwelt-Indikatoren, Nutzung natürlicher Ressourcen – Treibhausgasemissionen, http://www.bfs.admin.ch/bfs/portal/de/index/themen/02/06/ind17.set.13001.html (28.4.2015)

TEIL C
Mensch und Umwelt

Einstieg

In den nun folgenden Kapiteln befassen wir uns mit den Belastungen der Umwelt durch den Menschen. Um Ihnen möglichst viele Zusammenhänge aufzuzeigen, betrachten wir die Probleme aus zwei verschiedenen Perspektiven:

In den Kapiteln 8, 9 und 10 behandeln wir die Folgen, die das Wachstum der Bevölkerung und die verschiedenen menschlichen Aktivitäten für die Umwelt haben. Diese Kapitel sollen aufzeigen, wie sich die Bevölkerung und ihre Aktivitäten entwickelt haben und voraussichtlich entwickeln werden. Sie zeigen die zentralen Ursachen der globalen Umweltbelastungen auf und beschreiben die Probleme, die die Beschaffung von Wasser, Nahrung und Energie verursachen.

In den Kapiteln 11, 12 und 13 betrachten wir die Umweltbelastungen und ihre Folgen, geordnet nach Umweltbereich (Luft, Wasser, Boden) und Problemkreis (Klimaänderung, Smog, Ozonloch, Gewässerverschmutzung, Bodenerosion etc.). Diese Kapitel sollen aufzeigen, wodurch Ökosysteme, Biozönosen, Luft, Wasser und Boden belastet werden und welche Folgen diese Belastungen für den Menschen und für die ganze Erde haben und haben werden. Im Zusammenhang mit den Prognosen für zukünftige Entwicklungen betrachten wir auch mögliche Gegenmassnahmen.

Umweltbelastungen als Folgen menschlicher Aktivitäten	
Kapitel 8	Globale Umweltprobleme, Bevölkerungswachstum und Umweltschutz • Der Mensch als Verursacher globaler Umweltprobleme • Bevölkerungsentwicklung, steigender Verbrauch und Verschleiss • Ziele und Instrumente des Umweltschutzes
Kapitel 9	Beschaffung von Wasser und Nahrung
Kapitel 10	Energieverbrauch
Umweltbelastungen nach Umweltbereich und Problemkreis	
Kapitel 11	Veränderungen von Ökosystemen und Biozönosen
Kapitel 12	Belastungen der Luft und Klimaveränderungen • Veränderung des Erdklimas • Smog • Saurer Regen • Ozonabbau in der Stratosphäre
Kapitel 13	Belastungen der Gewässer Belastungen des Bodens

Das Ausmass der Umweltbelastung durch den Menschen ist erdrückend und die Fülle der Probleme ist so gross, dass es schwerfällt, an ihre Lösung zu glauben. Die Prognosen für die weitere Entwicklung fallen denn auch extrem unterschiedlich aus. Sicher ist, dass eine Fortsetzung der heutigen Ausbeutung und Zerstörung der Umwelt für die Menschen katastrophale Folgen haben würde.

Sicher ist aber auch, dass es machbare Alternativen gibt. Die nachhaltige Nutzung der natürlichen Ressourcen ist möglich. Die Erfahrungen der letzten Jahrzehnte zeigen, dass reine Verzichtstrategien wenig bringen. Erfolgreich war die Unterstützung und Forcierung umweltschonender Technologien, die auch ökonomisch attraktiv sind. Es muss also dafür gesorgt werden, dass man auch (oder sogar nur) mit erneuerbaren Technologien Geld verdienen kann.

8 Globale Umweltprobleme, Bevölkerungswachstum

Lernziele Nach der Bearbeitung dieses Kapitels können Sie ...

- die Hauptursachen der globalen Umweltprobleme erörtern.
- an Beispielen darlegen, wodurch sich eine nachhaltige Entwicklung auszeichnet.
- erläutern, was die Wachstumsrate über das Wachstum der Bevölkerung aussagt.
- die Entwicklung der Wachstumsrate in Industrie- und Entwicklungsländern darlegen.
- Definition, Bedeutung und Entwicklung des ökologischen Fussabdrucks erklären.
- die Begriffe Emission und Immission erläutern.
- Ziele und Instrumente des Umweltschutzes darlegen.

Schlüsselbegriffe demografischer Übergang, Emission, Immission, ökologischer Fussabdruck, Umweltschutz, Wachstumsrate

---

Sonderstellung des Menschen

Die menschliche Bevölkerung hat sich der Dichteregulation durch die Umwelt weitgehend entzogen. Der Mensch kann sich gegen die Einflüsse der Witterung schützen, ist im Kampf gegen Fressfeinde und Parasiten erfolgreich und hat unzählige Konkurrenten verdrängt oder ausgerottet. Ackerbau und Viehzucht haben das Nahrungsangebot erhöht und technische Errungenschaften bewahren den Menschen weitgehend vor der limitierenden Wirkung abiotischer Faktoren. Der Mensch hat sein Verbreitungsgebiet mithilfe der Technik erweitert und beeinflusst auch Bereiche, in denen er nicht leben kann. Trotzdem sind und bleiben auch wir von unserer Umwelt abhängig.

8.1 Der Mensch als Verursacher globaler Umweltprobleme

Globale Belastungen

Der Mensch hat seine Umwelt verändert wie kein anderes Lebewesen. Das begann, als er vom Jäger und Sammler zum Landwirt wurde. Die Hege und Pflege der für ihn nützlichen Pflanzen und Tiere führte zur Verdrängung anderer Arten. Mit dem Umfang der menschlichen Eingriffe nahmen auch die ungewollten und unerwünschten Folgen zu. Durch den steigenden Bedarf wurde die Nutzung natürlicher Ressourcen immer mehr zur Ausbeutung und Zerstörung. Die Folgen waren anfänglich lokale Probleme, denen der Mensch ausweichen konnte, indem er die verwüsteten oder verschmutzten Gebiete verliess. Heute ist dies nicht mehr möglich. Viele Umweltbelastungen und ihre Folgen sind global.

Ursachen

Die globalen Umweltbelastungen sind Folgen des hohen Verbrauchs an Nahrung, Energie und Rohstoffen, der sich aus der grossen Bevölkerungsdichte und aus dem hohen Pro-Kopf-Verbrauch ergibt. Zur Zunahme in den letzten Jahrzehnten haben neben dem Bevölkerungswachstum die Industrialisierung, die steigende Güterproduktion, die zunehmende Mobilität, der wirtschaftliche Wohlstand und die Verstädterung beigetragen.

In den Industrieländern sieht man oft das Bevölkerungswachstum (das heute v. a. in den Entwicklungsländern[1] stattfindet) als Hauptursache der Umweltprobleme, während aus der Sicht der Entwicklungsländer der hohe Verbrauch und die Emissionen der Industrieländer das Hauptproblem sind. Eine differenziertere Betrachtung zeigt, dass je nach Umweltproblem die eine oder die andere Ursache im Vordergrund steht. So hat der Kohlenstoffdioxidausstoss im 20. Jahrhundert viermal stärker zugenommen als die Bevölkerung und wurde hauptsächlich durch die Heizungen, Autos, Kraftwerke und Industrieanlagen der Industrieländer verursacht.

---

[1] Wir verwenden diesen Begriff mangels eines besseren für alle Staaten, die von den UN-Organisationen als Least Developed Countries (LLDC) oder Less Developed Countries (LDC) bezeichnet werden.

Der steigende Nahrungsverbrauch wurde durch das Bevölkerungswachstum und die steigenden Ansprüche (v. a. der Fleischkonsum) der Gutversorgten verursacht. Er bedingt die Steigerung der Flächenerträge durch Monokulturen, Düngung und Pestizide sowie eine Ausweitung von Acker- und Weideland auf Kosten natürlicher Lebensräume.

[Abb. 8-1]   Der Mensch als Verursacher globaler Umweltprobleme

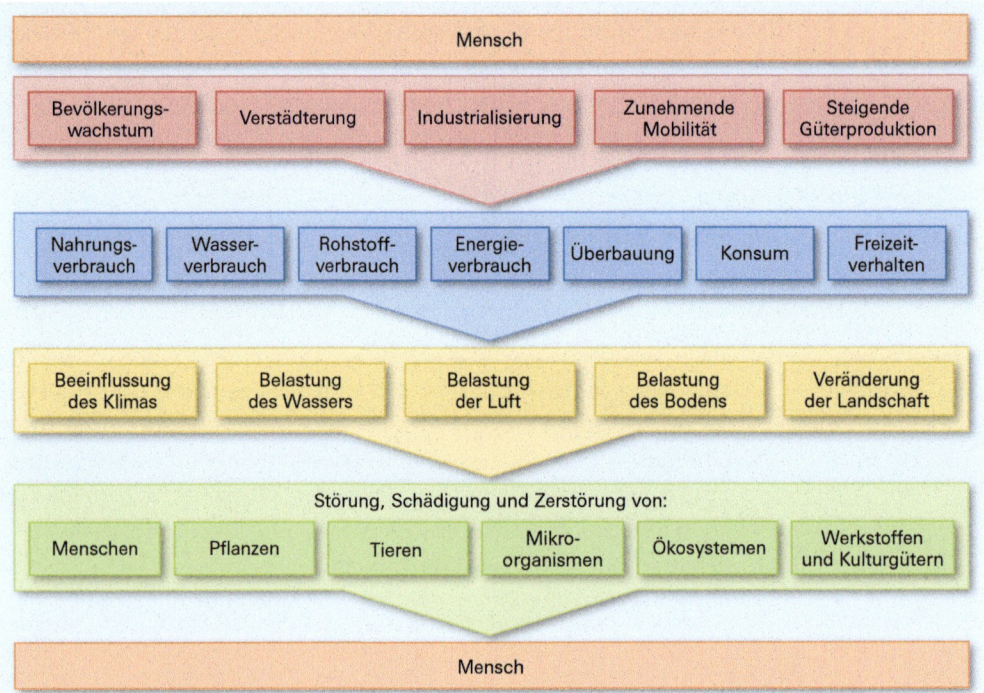

Die folgenden Abschnitte sollen die wichtigsten globalen Umweltbelastungen und ihre Hauptursachen aufzeigen.

Forderung nach Nachhaltigkeit

Nachhaltigkeit

Viele Aktivitäten des Menschen sind nicht nachhaltig, sie verändern die Umwelt so, dass sie nur für kurze Zeit möglich sind. Der Begriff «nachhaltig» wurde aus der Forstwirtschaft zuerst in die Ökologie und später in fast alle Lebensbereiche übernommen und ist in den letzten Jahren leider zum Modewort von Politikern aller Farben geworden.

Definition 1

Nachhaltig ist die Nutzung eines natürlichen Systems, wenn dieses dabei mit seinen wesentlichen Charakteristika langfristig erhalten bleibt. Eine Aktivität ist also nachhaltig, wenn sie auch in Zukunft noch durchgeführt werden kann.

Etwas weiter gefasst ist die folgende Definition:

Definition 2

Nachhaltig ist eine Entwicklung, die die Grundbedürfnisse aller Menschen befriedigt und die Gesundheit und Integrität des Erdökosystems bewahrt, schützt und wiederherstellt, ohne zu riskieren, dass zukünftige Generationen ihre Bedürfnisse nicht befriedigen können, ohne die Grenzen der Tragfähigkeit der Erde zu überschreiten.

In der Umgangssprache wird das Wort «nachhaltig» auch für «dauerhaft» oder «anhaltend» verwendet. Das ist nicht sinnvoll und oft falsch.

Zusammenfassung Die globalen Umweltbelastungen sind Folgen des hohen Verbrauchs an Nahrung, Energie und Rohstoffen, der sich aus der grossen Bevölkerungsdichte und dem hohen Pro-Kopf-Verbrauch ergibt. Die Hauptursachen für die starke Zunahme in den letzten Jahrzehnten sind: Bevölkerungswachstum, Industrialisierung, steigende Güterproduktion, zunehmende Mobilität, wirtschaftlicher Wohlstand und Verstädterung.

Die Ausbeutung und die Zerstörung der Umwelt müssen durch eine nachhaltige Nutzung der Ressourcen ersetzt werden. Nachhaltig ist die Nutzung eines natürlichen Systems, wenn dieses dabei mit seinen wesentlichen Charakteristika langfristig erhalten bleibt.

8.2 Bevölkerungsentwicklung

Stand heute
Heute leben auf der Erde über 7.3 Milliarden Menschen und ihre Zahl steigt jährlich um rund 81.7 Millionen, d. h. 223 739 Menschen pro Tag oder 155 Menschen pro Minute![1]

Exponentielles Wachstum
Wie in Kapitel 4.2, S. 73 besprochen, wächst eine Population exponentiell, wenn ihre Wachstumsrate r > 0 und konstant ist. Der prozentuale Zuwachs pro Jahr ist konstant, der Zuwachs an Individuen steigt aber mit zunehmender Grösse der Population.

Überexponentielles Wachstum
Abbildung 8-2 zeigt, dass die Erdbevölkerung bis 1980 sogar überexponentiell gewachsen ist, d. h., die Wachstumsrate hat zugenommen und die Zeitspanne, in der sich die Bevölkerung verdoppelt hat, ist immer kürzer geworden. Dieses überexponentielle Wachstum wurde durch die Abnahme der Sterberate bei praktisch unveränderter Geburtenrate verursacht. Verbesserung der Ernährung und der Hygiene und Fortschritte in der Medizin liessen die durchschnittliche Lebenserwartung ansteigen.

[Abb. 8-2] Entwicklung der Weltbevölkerung seit dem Jahr 0

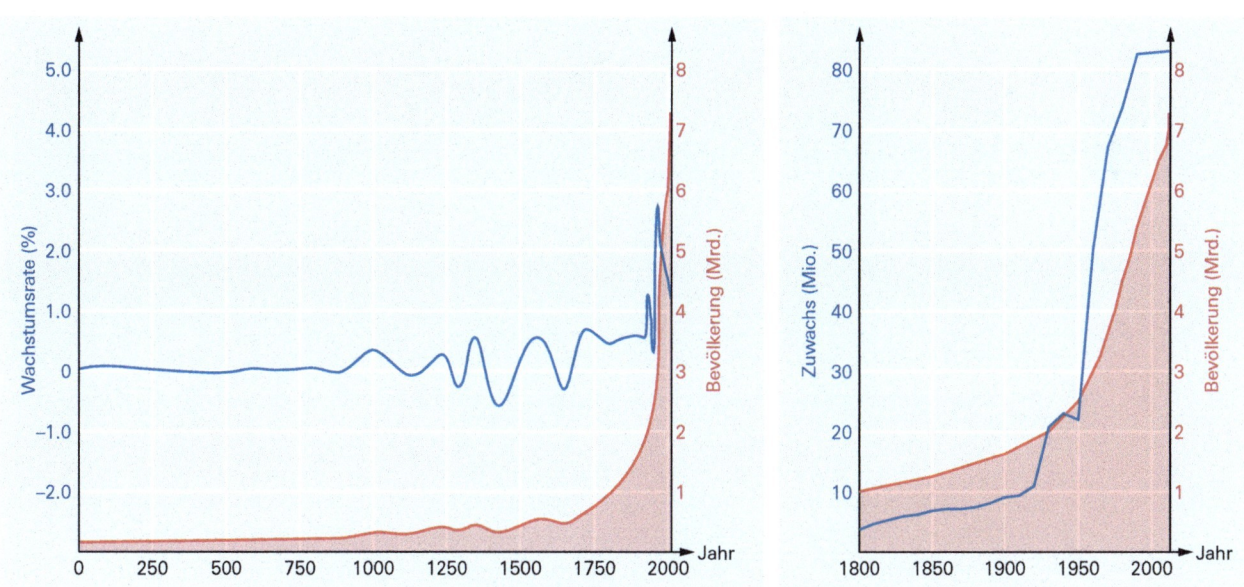

Links: Wachstum der Weltbevölkerung und Wachstumsrate (in %/Jahr) seit dem Jahr 0. Rechts: Wachstum der Weltbevölkerung und durchschnittlicher jährlicher Zuwachs (Mittel von 10 Jahren) seit 1800. Quelle: Stiftung Weltbevölkerung, Datenreport 2014, S. 6 ff., http://www.weltbevoelkerung.de/datenreport

[1] Quelle: Stiftung Weltbevölkerung, http://www.weltbevoelkerung.de/meta/whats-your-number.html (23.3.2015)

Demografischer Übergang

Seit 1960 ist in den Industrieländern die Geburtenrate stark gesunken. In Europa geht die Wachstumsrate gegen null, die leichte Zunahme der Bevölkerung wird hier hauptsächlich durch Zuwanderung verursacht. Die Entwicklung von hohen zu niedrigen Sterbe- und Geburtenraten wird als demografischer Übergang bezeichnet.

[Abb. 8-3]   Demografischer Übergang

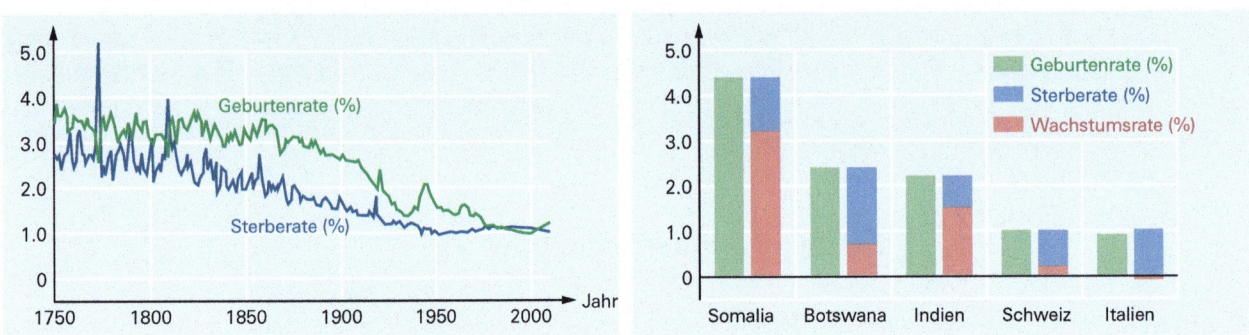

Links: demografischer Übergang in Schweden. Rechts: Geburten-, Sterbe- und Wachstumsraten von 6 Ländern im Jahr 2014. Quelle: Stiftung Weltbevölkerung, Datenreport 2014, S. 6 ff., http://www.weltbevoelkerung.de/datenreport

Entwicklungsländer

In den Entwicklungsländern nimmt die Bevölkerung immer noch um 1–3.9% pro Jahr zu. Die Kinderzahl ist von kulturellen, wirtschaftlichen und politischen Rahmenbedingungen abhängig. Eine Verminderung der Geburtenrate setzt darum neben den Möglichkeiten zur Empfängnisverhütung eine Verbesserung der Versorgung, der Ausbildung und der sozialen Absicherung im Alter voraus.

[Abb. 8-4]   Wachstumsraten seit 1950 und Prognosen bis 2050

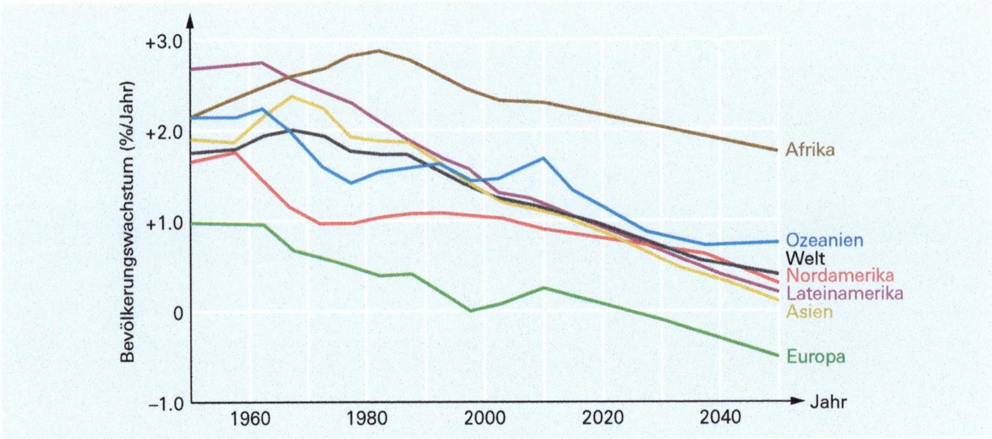

Quelle: United Nations, World Population Prospects, the 2012 Revision, Table I.3, S. 5, http://esa.un.org/

Abbildung 8-4 zeigt die Entwicklung der Wachstumsraten (in %/Jahr) seit 1950 und die Prognosen der UNO für die Zeit bis 2050. Das Wachstum der Weltbevölkerung wird sich abschwächen. In fast allen Industrieländern ist mit einem Bevölkerungsrückgang zu rechnen. Auch in China und in einigen Ländern Südamerikas wird die Bevölkerung abnehmen. Lediglich in Südostasien und Afrika wird die Bevölkerung noch deutlich wachsen.

Zusammenfassung Heute leben auf der Erde über 7.3 Milliarden Menschen und ihre Zahl steigt jährlich um rund 81.7 Millionen. Zwischen 1900 und 1980 ist die menschliche Bevölkerung überexponentiell gewachsen. Die Wachstumsrate hat zugenommen, weil die Sterberate gesunken ist. Verbesserung der Ernährung, der Hygiene und Fortschritte in der Medizin verminderten die Kindersterblichkeit und erhöhten die durchschnittliche Lebenserwartung.

Seit 1960 sinken in den Industrieländern auch die Geburtenraten und die Wachstumsraten gehen gegen null. Die Entwicklungsländer haben den demografischen Übergang von hohen zu niederen Sterbe- und Geburtenraten noch vor sich. Ihre Bevölkerung nimmt immer noch um 1–3.9% pro Jahr zu. Eine Verminderung der Geburtenzahlen setzt eine Verbesserung der Versorgung, der Ausbildung und der Altersversorgung voraus.

Aufgabe 64 Unter welchen der folgenden Bedingungen für die Wachstumsrate der Bevölkerung kann der jährliche Zuwachs zunehmen?

A] $r = 0$ B] r wird grösser   C] r konstant   D] r nimmt ab   E] $r < 0$

Aufgabe 65 Was können Sie über die Differenz von Geburtenrate (G) und Sterberate (S) sagen, wenn

A] die Bevölkerung wächst?

B] die Bevölkerung exponentiell wächst?

C] die Bevölkerung überexponentiell wächst?

D] die Bevölkerung abnimmt?

E] das Wachstum der Bevölkerung abnimmt?

8.3 Ökologischer Fussabdruck

Umweltkapazität

Die Frage, wie viele Menschen auf der Erde nachhaltig leben könnten, ist schwer zu beantworten, weil die Umweltkapazität der Erde für die Population Mensch vom Lebensstil und -standard der Menschen abhängt. Ein nützliches Instrument zur Beurteilung der Umweltbelastung ist der ökologische Fussabdruck, der nach den Regeln und Daten des Global Footprint Network und der European Environment Agency berechnet wird.

Fussabdruck

Der ökologische Fussabdruck ist die produktive Fläche, die ein Mensch benötigen würde, um mit dem heutigen Lebensstandard (mit den heutigen Technologien) nachhaltig zu leben. Neben den Flächen, die zur Produktion von Nahrung, Kleidung etc. oder zur Bereitstellung von Energie erforderlich sind, werden auch die Flächen eingerechnet, die zum Abbau des erzeugten Mülls oder zur Umwandlung des freigesetzten Kohlenstoffdioxids erforderlich wären. Weil die Grösse der benötigten Fläche von der Produktivität der Fläche abhängig ist, rechnet man mit der mittleren Produktivität der weltweit zur Verfügung stehenden bioproduktiven Fläche. Ein Hektar mit mittlerer Produktivität entspricht 0.5 ha Ackerland oder 2 ha Weideland und wird als global Hektar (gha) bezeichnet. Insgesamt stehen auf der Erde 11.5 Mrd. gha bioproduktive Fläche zur Verfügung. Das ergibt 1.8 gha pro Kopf und entspricht 0.9 ha Ackerland oder 3.6 ha Weideland.

Aktuelle Grösse

Der ökologische Fussabdruck eines Menschen hat heute im Durchschnitt eine Fläche von 2.7 gha. Er überschreitet die verfügbare Fläche von 1.8 gha um über 50%. Es ist also nach dieser Einschätzung nicht möglich, die heutige Bevölkerung mit den heutigen Technologien bei gleichbleibendem Lebensstil und -standard nachhaltig zu versorgen. Das heisst: Der Lebensstil und die eingesetzten Technologien müssen sich ändern, sonst zerstört der Mensch seine Lebensgrundlagen.

Entwicklung

Aus Abbildung 8-5 ersehen Sie, dass der Fussabdruck von 1961 bis 2007 von 2.4 auf 2.7 gha zugenommen hat. Gleichzeitig hat sich die Fläche, die jedem Menschen zur Verfügung steht, durch die Bevölkerungszunahme von 3.7 auf 1.8 gha reduziert. Die menschliche Bevölkerung hat die Kapazitätsgrenze schon Ende der Siebzigerjahre überschritten.

[Abb. 8-5]   Entwicklung und Zusammensetzung des ökologischen Fussabdrucks

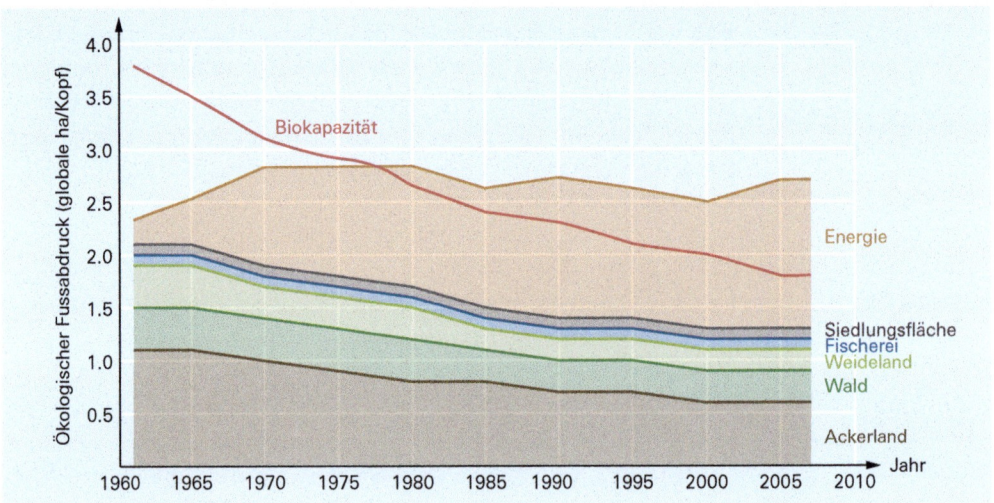

Die Fläche, die jedem Menschen zur Verfügung steht, hat sich in 45 Jahren durch die Bevölkerungszunahme von 3.7 auf 1.8 global Hektar (gha) reduziert. Gleichzeitig hat der ökologische Fussabdruck durch die Zunahme des Energieverbrauchs von 2.4 auf 2.7 gha zugenommen. Quelle: Global Footprint Network, 2010, http://www.footprintnetwork.org

Ursache

Darstellung 8-5 zeigt auch, dass die Zunahme des Flächenbedarfs durch den Anstieg des Energieverbrauchs verursacht wurde. Ohne diesen wäre der Fussabdruck sogar kleiner geworden und die Kapazitätsgrenze wäre noch nicht erreicht. Durch eine radikale Änderung der zur Energiebeschaffung eingesetzten Technologien (vgl. Kap. 10.4, S. 167) lässt sich der Flächenbedarf um 30–50% verkleinern. Der ökologische Fussabdruck im Verhältnis zur durchschnittlich verfügbaren globalen Biokapazität variiert von Land zu Land enorm.

[Abb. 8-6]   Fussabdrücke von Menschen in verschiedenen Ländern

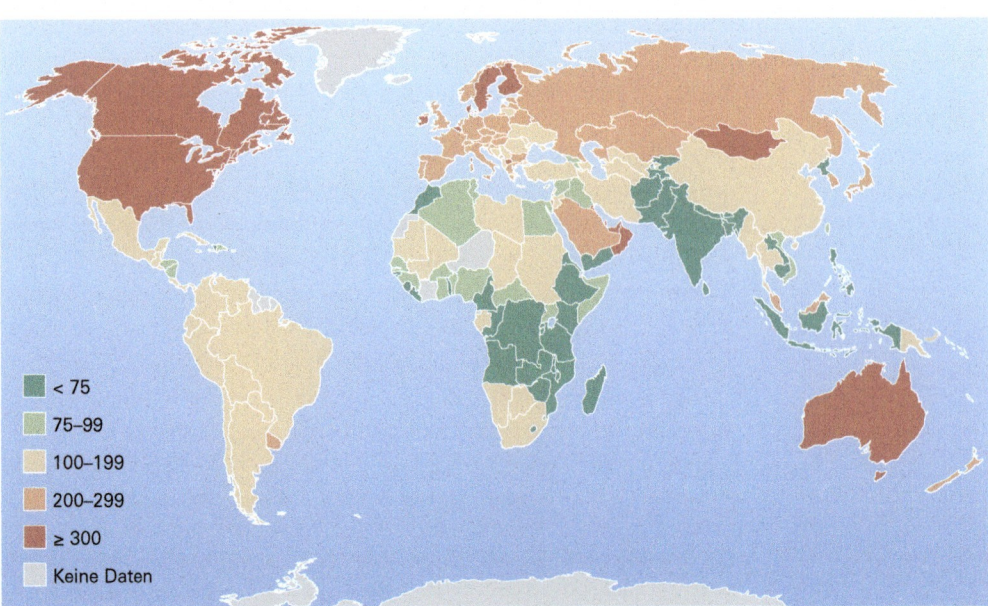

Die Karte zeigt den ökologischen Fussabdruck im Verhältnis zur durchschnittlich verfügbaren Biokapazität pro Kopf in Prozent im Jahr 2008. Quelle: Bundesamt für Statistik, Weltkarte, Globale Verteilung des ökologischen Fussabdrucks, 2008, http://www.bfs.admin.ch

In Nordamerika verbraucht eine Person bis zu 4.5-mal mehr Ressourcen als die 1.8 global Hektar, die global zur Verfügung stehen. In Südostasien oder Afrika liegt der Verbrauch hingegen weit unter dem Weltdurchschnitt.

Schweiz In der Schweiz beansprucht eine Person mit 5 global Hektar fast doppelt so viel Fläche wie der globale Durchschnitt von 2.7 gha und mehr als das Vierfache der in der Schweiz zur Verfügung stehenden Fläche von 1.2 gha.

Zusammenfassung Der ökologische Fussabdruck ist die Fläche (in global Hektar) mit mittlerer Produktivität, die ein Mensch benötigen würde, um mit dem gewohnten Lebensstandard (mit den heutigen Technologien) nachhaltig zu leben. Der ökologische Fussabdruck beinhaltet die Flächen zur Bereitstellung von Nahrung, Kleidung und Energie und zur Entsorgung von Müll und freigesetztem Kohlenstoffdioxid. Im globalen Mittel hat der Fussabdruck eine Fläche von 2.7 global Hektar (gha). Das sind 50% mehr als die 1.8 gha, die heute zur Verfügung stehen.

Von 1961 bis 2007 hat der Fussabdruck durch die Zunahme des Energieverbrauchs von 2.4 auf 2.7 gha zugenommen, während sich die Fläche, die jedem Menschen zur Verfügung steht, durch die Bevölkerungszunahme von 3.7 auf 1.8 gha reduziert hat. Die Bevölkerung hat die Kapazitätsgrenze schon Ende der Siebzigerjahre überschritten. Der Lebensstil und die verwendeten Technologien müssen sich ändern. Durch neue Methoden der Energiebeschaffung und -nutzung kann der Fussabdruck um 30–50% verkleinert werden.

Aufgabe 66 Welche drei grundsätzlichen Möglichkeiten gibt es, um den ökologischen Fussabdruck und die pro Kopf zur Verfügung stehende Fläche zur Übereinstimmung zu bringen?

Aufgabe 67 Welchen Anteil am ökologischen Fussabdruck hatte die Fläche für den Energieverbrauch 1961 und 2007 im Durchschnitt? Benutzen Sie zur Beantwortung die Angaben im Buch.

8.4 Steigender Bedarf und Verschleiss

Bevor wir einzelne Umweltbelastungen genauer betrachten, verschaffen wir uns einen Überblick über die Entwicklung einiger Grössen im 20. Jahrhundert.

[Abb. 8-7] Entwicklungen im 20. Jahrhundert

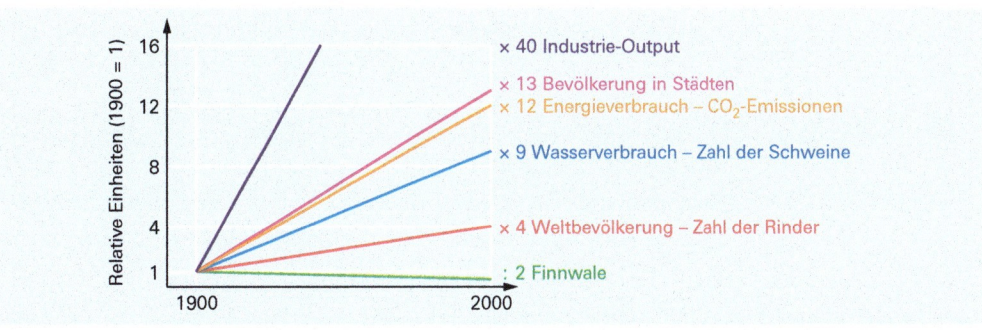

Sie sehen, dass der Industrie-Output, die Kohlenstoffdioxid-Emissionen und der Energieverbrauch viel stärker zugenommen haben als die Weltbevölkerung. Diese Zunahmen wurden also hauptsächlich durch die Erhöhung des Pro-Kopf-Verbrauchs verursacht.

8.4.1 Nahrungs- und Wasserverbrauch

Mit der Weltbevölkerung und mit dem steigenden Pro-Kopf-Verbrauch in den Industrieländern ist der Bedarf an Nahrung und Trinkwasser gewachsen. Der Mehrbedarf an Nahrung konnte durch Vergrössern der Anbaufläche und Erhöhen der Flächenerträge gedeckt werden. Beides blieb nicht ohne negative Folgen.

- Bei der Erweiterung der Anbauflächen wurden und werden natürliche, artenreiche Ökosysteme wie Tropenwälder und Feuchtgebiete zerstört. Über 100 Arten sterben täglich aus, weil sie ihren Lebensraum verlieren. Die aus Tropenwäldern gewonnenen Anbauflächen werden oft nach kurzer Zeit zu Wüsten.
- Die zunehmende Technisierung und der Einsatz von Kunstdüngern und Pestiziden zur Erhöhung der Flächenerträge verbrauchen viel Energie und belasten die Umwelt und die Nahrung mit Schadstoffen.
- Die Bewässerung von Anbauflächen in Trockengebieten erhöht den Wasserverbrauch.

8.4.2 Energieverbrauch

Der Energieverbrauch ist im 20. Jahrhundert auf das 12-Fache gestiegen. Die Zunahme wurde primär durch den steigenden Pro-Kopf-Verbrauch in den Industrieländern verursacht und war die Hauptursache für die Zunahme des ökologischen Fussabdrucks in den letzten 50 Jahren. Die Energiebeschaffung, insbesondere die Verbrennung fossiler Brennstoffe, verursacht den grössten Teil der globalen Umweltprobleme.

- Die Emissionen aus Verbrennungsvorgängen in Heizanlagen, Verbrennungsmotoren und thermischen Kraftwerken verursachen den anthropogenen Treibhauseffekt, den Sommersmog und die Feinstaubbelastung.
- Durch Wasserkraftwerke werden Landschaften verändert und Lebensgemeinschaften beeinträchtigt oder zerstört.
- Kernkraftwerke produzieren radioaktive Abfälle, deren Entsorgung nicht gelöst ist.

8.4.3 Güterproduktion

Die Produktion von Konsumgütern hat stark zugenommen. Sie verbraucht Rohstoffe und Energie. Die Beseitigung oder Deponierung der Abfälle belastet Luft, Wasser und Böden.

8.4.4 Überbauung und Verstädterung

In der Schweiz werden täglich 75 000 m² Land asphaltiert oder betoniert, um den steigenden Bedarf an Wohn-, Arbeits- und Verkehrsflächen zu decken. Dabei werden natürliche Ökosysteme zerstört oder gestört. Städte beeinflussen das Lokalklima und den Wasserhaushalt, sind Quellen hoher Emissionen und haben eine sehr geringe Bioproduktivität.

Zusammenfassung Die Zunahme der Bevölkerung und die Zunahme des Pro-Kopf-Verbrauchs verursach(t)en eine starke Zunahme des Verbrauchs an Nahrung, Wasser, Rohstoffen und Energie. Die Bereitstellung von Wasser und Nahrung, die Produktion von Gütern, der Verbrauch von Energie, die Zunahme von Verkehrs- und Siedlungsflächen belasten die Umwelt.

Aufgabe 68 Wie stark wäre der Energieverbrauch im 20. Jahrhundert durch das Wachstum der Bevölkerung bei gleichbleibendem Pro-Kopf-Verbrauch gestiegen? Beachten Sie das ungleiche Bevölkerungswachstum in Industrie- und Entwicklungsländern.

8.5 Ziele und Instrumente des Umweltschutzes

Hier werfen wir nun einen Blick auf die Instrumente, durch die die Umwelt vor dem Menschen geschützt werden kann und soll.

8.5.1 Ziele des Umweltschutzes

Ziele

Der Umweltschutz soll

- die Umwelt vor den nachteiligen Wirkungen menschlicher Eingriffe schützen.
- die durch den Menschen verursachten Gefahren und Schäden beheben.
- die Lebensgrundlagen sichern, die der Mensch heute und in Zukunft benötigt.
- eine nachhaltige Nutzung der natürlichen Ressourcen durchsetzen.

Biologisch

Der biologisch-ökologische Umweltschutz (Naturschutz) konzentriert sich auf Massnahmen zur Erhaltung der Tier- und Pflanzenwelt (Artenschutz) und ihrer Lebensräume (Biotopschutz, Landschaftspflege).

Technisch

Ziele des technisch-hygienischen Umweltschutzes sind: die Reinhaltung von Luft, Wasser und Boden, der Schutz vor gefährlichen Chemikalien und Strahlungen und eine umweltschonende Beseitigung der Abfälle.

Umweltschutz ist eine globale Aufgabe, muss aber dort beginnen, wo der Einzelne Einfluss hat und mitentscheiden kann. Die Industrieländer haben aufgrund ihrer technischen und wirtschaftlichen Potenz die Pflicht, Lösungen zu entwickeln und einzusetzen, auch wenn die Umweltverschmutzung in den Entwicklungsländern noch zunehmen wird.

8.5.2 Emissionen und Immissionen

Da sich die Stoffe, die der Mensch an die Umwelt abgibt, in der Umwelt verändern, muss bei den Belastungen zwischen Emissionen und Immissionen unterschieden werden.

Emission(en)

Emission[1] nennt man die Abgabe von Stoffen, Lärm und Strahlen an die Atmosphäre. Neben technischen Anlagen wie Heizungen, Motoren und Industrieanlagen gibt es auch natürliche Emittenten wie Vulkane oder Sümpfe.

Immission(en)

Die Emissionen verteilen sich in der Luft und können durch chemische Reaktionen sekundäre Schadstoffe (wie Ozon) bilden. Primäre und sekundäre Schadstoffe wirken auf Lebewesen, Böden, Gewässer und Güter und können schliesslich abgelagert oder mit Niederschlägen ausgewaschen werden. Das Einwirken von Emissionen auf Lebewesen oder Sachen nennt man Immission[2].

[Abb. 8-8] Emissionen und Immissionen

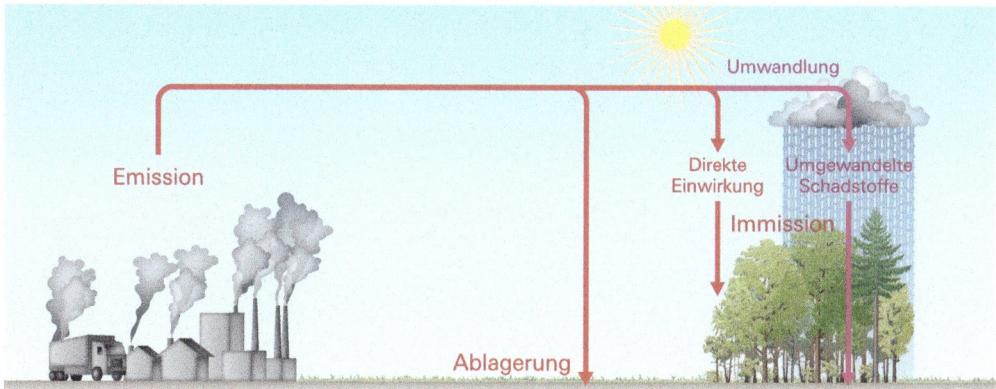

[1] Lat. *emissio* «Herausschicken».
[2] Lat. *immissio* «Hineinlassen».

Verursacher	Da sich die Emissionen in der Umwelt verändern können, ist es oft schwierig festzustellen, durch welche Emissionen bestimmte Immissionen verursacht werden.
Wirkungen	Emissionen können auch die Absorption von Licht und den Wärmehaushalt der Erde beeinflussen und dadurch die Lebensbedingungen verändern. Häufig wirken sich Luftfremdstoffe auch auf Gewässer und Böden aus, weil sie ausgewaschen oder «trocken» deponiert werden.

8.5.3 Vorgehen

Nötig? Möglich?	Umweltschutz beginnt mit der Erfassung des Istzustands und definiert mithilfe wissenschaftlicher Untersuchungen den Sollzustand. Wann und wie dieser Sollzustand erreicht werden soll, wird unter Berücksichtigung der technischen und ökonomischen Möglichkeiten festgelegt. Hier, aber erst hier (und nicht schon bei der Erfassung der Fakten und Ziele!) beginnen die Kompromisse zwischen dem ökologisch Nötigen und dem politisch, technisch und wirtschaftlich Möglichen.

8.5.4 Grenzwerte

Zur Beurteilung der Belastung von Umwelt und Lebewesen durch Schadstoffe, Lärm und Strahlung müssen Grenzwerte ermittelt bzw. festgelegt werden.

Immissionsgrenzen	• Immissionsgrenzwerte definieren die Konzentration eines Schadstoffs in der Umwelt, die nicht überschritten werden soll.
Emissionsgrenzen	• Emissionsgrenzwerte sind maximal zulässige Höchstwerte für die Abgabe (Emission). Sie berücksichtigen neben den Immissionsgrenzwerten auch die Realisierbarkeit der Emissionsbeschränkung und werden dem Stand der Technik angepasst.

8.5.5 Massnahmen

Umweltpolitik	Wichtige umweltpolitische Massnahmen sind:

- Vorschriften zur Abfallentsorgung, verbrauchsabhängige Entsorgungsgebühren
- Festlegung von Emissionsgrenzwerten
- Gebühren auf umweltbelastenden Aktivitäten
- Abgaben auf dem Einsatz umweltbelastender Stoffe

8.5.6 Vorsorge

Vermeiden	Das Umweltschutzgesetz (USG) verlangt, dass Emissionen, die schädlich oder lästig werden könnten, vorsorglich so weit begrenzt werden, wie dies technisch möglich und wirtschaftlich tragbar ist (Vorsorgeprinzip). Die Belastung soll – auch wenn noch keine Gefährdung der Umwelt vorliegt – so niedrig wie möglich gehalten werden. Wenn Emissionen schädlich oder lästig sind, müssen die Emissionsbegrenzungen verschärft werden. Bei dieser zweiten Stufe hat der Schutz des Menschen und der Umwelt Priorität gegenüber wirtschaftlichen Überlegungen.

8.5.7 Verursacherprinzip

Beseitigen	Nach dem Verursacherprinzip trägt der Verursacher einer Umweltbelastung die Kosten für deren Beseitigung bzw. für die erforderlichen Schutzmassnahmen. Grundsätzlich müssten auch die verursachten Umweltfolgekosten (Nutzungseinbussen, Reparaturkosten) gedeckt werden. Das scheitert aber meist daran, dass diese Kosten nicht einem Verursacher zugeordnet werden können. In der Schweiz schätzt man die durch die Luftbelastung und den Klimawandel verursachten Umweltfolgekosten auf 10–20 Milliarden Franken.

Zusammenfassung

Die Abgabe von Stoffen, Lärm und Strahlen an die Umwelt nennt man Emission, ihr Einwirken auf Lebewesen und Sachen Immission.

Umweltschutz soll die Umwelt vor nachteiligen Wirkungen menschlicher Aktivitäten schützen und die durch den Menschen verursachten Gefahren und Schäden beheben. Er soll die Lebensgrundlagen des Menschen sichern und eine nachhaltige Nutzung der natürlichen Ressourcen durchsetzen. Umweltschutz beginnt mit der Erfassung des Istzustands und definiert den Sollzustand. Wann und wie dieser erreicht werden soll, wird unter Berücksichtigung der technischen und ökonomischen Möglichkeiten festgelegt.

Zur Beurteilung der Belastung von Umwelt und Lebewesen durch Schadstoffe, Lärm und Strahlung werden Grenzwerte ermittelt bzw. festgelegt.

- Immissionsgrenzwerte definieren die Konzentration eines Schadstoffs in der Umwelt, die nicht überschritten werden soll.
- Emissionsgrenzwerte sind maximal zulässige Höchstwerte für die Abgabe (Emission). Sie berücksichtigen neben den Immissionsgrenzwerten auch die Realisierbarkeit der Emissionsbeschränkung und werden dem Stand der Technik angepasst.

Umweltpolitische Massnahmen sind u. a.: Vorschriften zur Entsorgung von Abfällen, Emissionsgrenzwerte, Gebühren auf umweltbelastenden Aktivitäten und Stoffen.

Aufgabe 69

Warum müssen auch für Schadstoffe, die vom Menschen nicht emittiert werden, Immissionsgrenzwerte festgelegt werden?

9 Beschaffung von Wasser und Nahrung

Lernziele Nach der Bearbeitung dieses Kapitels können Sie ...

- die Bedeutung des Wassers für den Menschen erörtern.
- die Entwicklung des Nahrungsverbrauchs und ihre Ursachen darlegen.
- Vor- und Nachteile der grünen Revolution diskutieren.
- Probleme der chemischen Schädlingsbekämpfung und Alternativen beschreiben.
- Grundsätze und Ziele der biologischen Landwirtschaft nennen.

Schlüsselbegriffe biologische Landwirtschaft, Fungizide, grüne Revolution, Insektizide, Integrierte Produktion, Kunstdünger, Massentierhaltung, Pestizide, Schädlingsbekämpfung

Wasser ist für den Menschen als Trinkwasser, zur Bewässerung von Nutzpflanzen und zur Herstellung von Nahrungsmitteln und Gütern lebenswichtig. Es wird auch zur Reinigung, zur Körperpflege und zum Abtransport von Abfällen (Kanalisation) verwendet.

9.1 Wasser

9.1.1 Wasserverbrauch

Trinkwasser

Der Mensch besteht zu 60% aus Wasser und verliert davon täglich ca. 2.5 l durch Transpiration, Atmung und Ausscheidung. Diese Verluste müssen durch Wasseraufnahme aus Flüssigkeit (ca. 1.5 l Wasser) und Nahrung (ca. 1 l Wasser) kompensiert werden. Ohne Wasseraufnahme überlebt der Mensch nur etwa 4 Tage.

Virtuelles Wasser

Neben dem Wasser, das der Mensch trinkt oder zur Reinigung verwendet, wird Wasser zur Herstellung von Nahrung und Gütern benötigt. Dieses virtuelle Wasser macht den Hauptteil des mittleren Pro-Kopf-Verbrauchs von 2 100 l/Tag aus.

Nahrungsproduktion

Zur Herstellung der Nahrung eines Vegetariers werden täglich 700 l Wasser verbraucht. Bei einem Fleischesser sind es 4 000 l. Aus der folgenden Liste ersehen Sie, wie viel Wasser zur Herstellung von jeweils 1 kg des genannten Produkts gebraucht wird.

Für 1 kg	Brot	Kopfsalat	Reis	Fleisch	Milch	Baumwolle
Wasser	1 000 l	130 l	4 000 l	15 000 l	1 000 l	20 000 l

Güterproduktion Energieerzeugung

Die Industrie braucht Wasser zur Produktion von Gütern aller Art. Für ein T-Shirt werden ca. 20 000 Liter Wasser verbraucht, für ein Auto ca. 400 000 Liter. In Wasserkraftwerken treibt Wasser Turbinen zur Stromerzeugung an und in Atomkraftwerken dient es als Kühlmittel.

Entwicklung des Verbrauchs

Der globale Wasserverbrauch ist zwischen 1900 und 2010 auf das Neunfache gestiegen. Weltweit werden 70% des Wassers in der Landwirtschaft verbraucht, 20% in der Industrie und 10% in den Haushalten (vgl. Abb. 9-1).

[Abb. 9-1]   Entwicklung des globalen Wasserverbrauchs

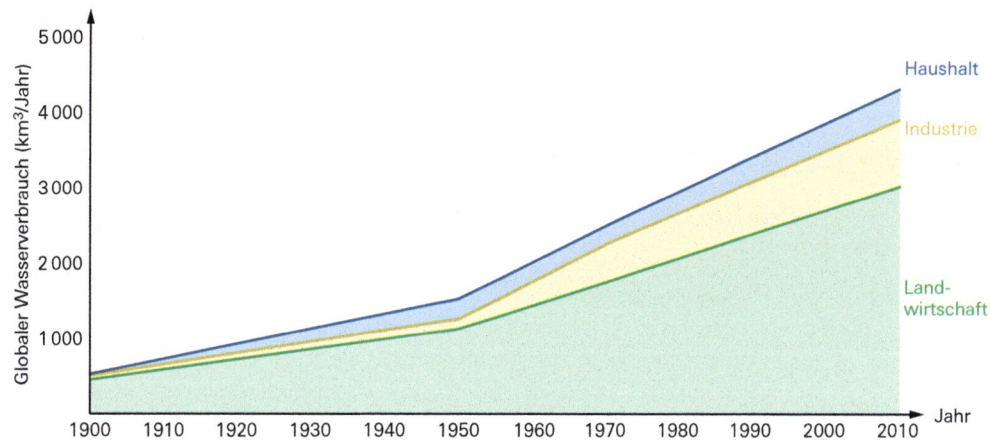

Anstieg des globalen Wasserverbrauchs zwischen 1900 und 2010 auf das Neunfache. Quelle: Unesco, http://www.unesco.org/new/en/natural-sciences/environment/water/

Verbrauch im Haus

Der Pro-Kopf-Verbrauch im Haushalt pro Einwohner und Tag liegt bei 15 l in Haiti und 300 l in den USA. In der Schweiz sind es 160 l. Davon verbrauchen wir 30% für die Toilettenspülung, 20% beim Baden und Duschen, 20% für Kleiderwäsche, 15% beim Kochen und Geschirrspülen.

9.1.2   Wasservorräte, Trinkwassergewinnung

Vorkommen

Etwa 70% der Erdoberfläche sind von Wasser, Eis oder Schnee bedeckt. Ausserdem kommt Wasser im Boden, als Grundwasser und in der Luft als Wasserdampf vor. Insgesamt gibt es auf der Erde etwa 1.4 Mrd. km^3 Wasser.

Kreislauf

Die Atmosphäre enthält 13 000 km^3 Wasser als Wasserdampf. Jeden Tag verdunsten 1 400 km^3 (das entspricht etwa dem 280-fachen Inhalt des Bodensees) Wasser in die Atmosphäre und die gleiche Menge fällt in Form von Niederschlägen wieder auf die Erdoberfläche zurück.

Süsswasser

Etwa 2.5% des Wassers auf der Erde, d. h. 35 Mio. km^3, sind Süsswasser. Davon sind

- ca. 70% Eis in Gebirgsgletschern und in den Polkappen,
- ca. 29% Grundwasser,
- 0.7% Wasser im Boden und in Sümpfen, Eis in Dauerfrostgebieten und
- 0.3% Wasser in Seen, Flüssen und Bächen.

9.1.3   Wassergewinnung

Trinkwasser

Trinkwasser wird aus Quellen, aus dem Grundwasser oder durch Aufbereitung von Seewasser gewonnen. Der Mensch nutzt bereits mehr als die Hälfte des verfügbaren Wassers. In der Schweiz stammen je 40% aus Quellen und Grundwasser und 20% aus Seen.

Verschmutzung

An vielen Orten ist das Trinkwasser durch Verschmutzung gefährdet. 1.2 Milliarden Menschen haben keinen Zugang zu sauberem Trinkwasser. Über 3 Millionen Kinder sterben jährlich an Erkrankungen durch verunreinigtes Wasser.

Ausbeutung

Die Entnahme von Wasser für Bewässerung und Stauseen vermindert die Wassermenge in den Fliessgewässern. Feuchtgebiete verschwinden, Flüsse trocknen aus. In Städten und in Gebieten mit Wasserknappheit wird oft mehr Grundwasser abgepumpt, als nachläuft: Der Grundwasserspiegel sinkt.

Zusammenfassung

70% der Erdoberfläche sind von Wasser bedeckt. Zudem kommt Wasser im Boden, als Grundwasser und in der Luft als Wasserdampf vor. Etwa 2.5% des Wassers auf der Erde sind Süsswasser (70% in Gletschern, 29% im Grundwasser, 0.7% im Boden, 0.3% in Seen und Flüssen).

Alle Lebewesen sind auf Wasser angewiesen, ein Mensch muss täglich ca. 2.5 l aufnehmen. Wasser wird auch benötigt zur Bewässerung von Nutzpflanzen, zur Herstellung von Nahrungsmitteln und Gütern (virtuelles Wasser), zur Reinigung, zur Abfallentsorgung, als Kühlmittel und zur Stromerzeugung. Zur Herstellung der Nahrung eines Menschen werden je nach Fleischanteil täglich 700–5 000 Liter Wasser verbraucht.

Der globale Wasserverbrauch ist seit Beginn des 20. Jahrhunderts auf das Neunfache gestiegen. Der mittlere Pro-Kopf-Verbrauch beträgt 2 100 l/Tag. Davon werden 70% in der Landwirtschaft, 20% in der Industrie und 10% in den Haushalten verbraucht. 1.2 Milliarden Menschen haben keinen Zugang zu sauberem Trinkwasser. Der Pro-Kopf-Verbrauch im Haushalt ist in der Schweiz 160 l. Davon stammen je 40% aus Quellen und Grundwasser, 20% aus Seen.

9.2 Nahrungsbedarf und Nahrungsproduktion

9.2.1 Agrarflächen

Entwicklung

Mit der Weltbevölkerung stieg auch der Nahrungsbedarf. Die Nahrungsproduktion wurde bis vor etwa 50 Jahren durch Vergrösserung der Anbaufläche laufend erhöht. Heute werden zwar immer noch Wälder gerodet und in Anbauflächen umgewandelt, aber die Agrarflächen nehmen ab, weil jedes Jahr 5–7 Millionen Hektar Ackerland durch Bodenerosion, Verwüstung und Versalzung verloren gehen.

Global

Weltweit werden 5 Mrd. ha, das ist etwa ein Drittel der bewachsenen Landfläche, landwirtschaftlich genutzt, 1.5 Mrd. ha als Ackerland und Dauerkulturen (Obst u. Ä.), der Rest als Weideland.

Schweiz

In der Schweiz beträgt die landwirtschaftlich genutzte Fläche 152 000 ha (38%), davon sind 41 000 ha (10%) Ackerland. Die Agrarfläche nimmt pro Jahr um 4 000 ha ab. Im Mittelland und im Jura ist dieser Verlust durch die Zunahme der Siedlungsflächen bedingt, in den Alpen erobert der Wald nicht mehr bewirtschaftetes Terrain zurück.

9.2.2 Zunahme der Nahrungsproduktion

Ertragssteigerung

Zwischen 1960 und 2010 hat sich die Weltbevölkerung mehr als verdoppelt, während die Agrarfläche leicht abgenommen hat. Bis 1990 konnte die Getreideproduktion durch Erhöhung der Flächenerträge entsprechend dem wachsenden Bedarf gesteigert werden (vgl. Abb. 9-2). Seit 1990 hat die globale Getreideernte um 20%, die Bevölkerung aber um 30% zugenommen. Die Getreideproduktion hat also in den letzten 20 Jahren mit dem Wachstum der Bevölkerung nicht mehr Schritt gehalten. Die Versorgung der immer noch wachsenden Bevölkerung wird in den nächsten Jahrzehnten immer schwieriger werden und nur mit grossen Anstrengungen möglich sein.

[Abb. 9-2]   Entwicklung der globalen Ackerfläche und Getreideernte

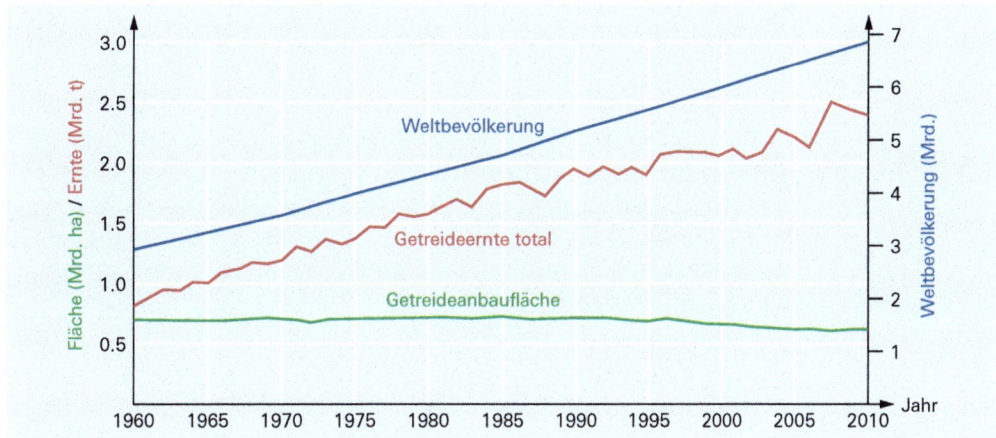

Bis 1990 konnten die Flächenerträge beim Getreideanbau so stark gesteigert werden, dass die Getreideproduktion etwas stärker zunahm als die Weltbevölkerung, obwohl die Anbaufläche leicht abnahm. Seit 1990 nimmt die Getreideernte pro Kopf ab. Quelle: Fischer Weltalmanach 2013

Versorgung

Weltweit werden heute etwas mehr als 2 Milliarden Tonnen Getreide geerntet. Davon gehen 10–20% durch falsche Lagerung und Schädlinge verloren und etwa 50% werden zur Produktion von Fleisch an Tiere verfüttert. Bei der «Umwandlung» von Getreide zu Fleisch gehen 70–90% der Nahrungsenergie verloren (vgl. Kap. 5.3.3, S. 94). Etwa 100 Millionen Tonnen Getreide werden zur Herstellung von Ethanol als Treibstoff verbraucht.

Ungleiche Verteilung

Auch wenn man diese Verluste in Rechnung stellt, stehen heute pro Kopf und Tag 2 800 kcal Nahrungsenergie zur Verfügung. Das würde für eine ausreichende Versorgung aller Menschen genügen. Weil die Nahrung aber ungleichmässig verteilt wird (vgl. Abb. 9-3), sind 935 Millionen Menschen unterernährt. Besonders betroffen sind Südasien und Afrika. In den Ländern südlich der Sahara ist ein Drittel der Menschen chronisch unterernährt.

[Abb. 9-3]   Nahrungsenergie pro Kopf

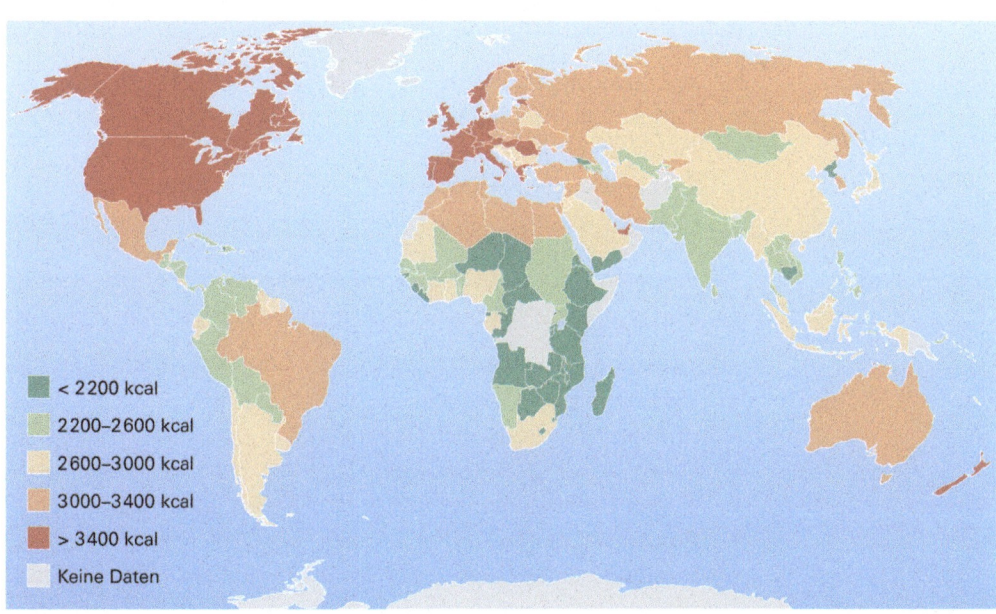

Die Karte zeigt, wie viel Nahrungsenergie einem Menschen pro Tag zur Verfügung steht. Quelle: FAO, http://www.fao.org

Nicht nachhaltig

So nötig die Ertragssteigerung der Landwirtschaft zur Versorgung der Weltbevölkerung war, ist und weiterhin sein wird, so wenig kann man übersehen, dass viele der heute eingesetzten Anbaumethoden nicht nachhaltig sind. Wir betrachten im Folgenden einige Aspekte der landwirtschaftlichen Entwicklung.

Zusammenfassung Zwischen 1960 und 2010 hat sich die Weltbevölkerung mehr als verdoppelt, während die Ackerfläche leicht abgenommen hat. Bis 1990 konnte die Getreideproduktion durch Erhöhung der Flächenerträge entsprechend dem steigenden Bedarf erhöht werden. Seit 1990 wächst die Getreideproduktion langsamer als die Bevölkerung. Weltweit werden über 2 Milliarden Tonnen Getreide geerntet. Davon geht ein Teil durch falsche Lagerung und Schädlinge verloren und fast die Hälfte wird zur Produktion von Fleisch an Vieh verfüttert. Dabei gehen 70–90% der Nahrungsenergie verloren. Die verbleibende Nahrungsenergie von 2800 kcal pro Kopf würde aber für eine ausreichende Ernährung aller Menschen genügen. Weil die Nahrung ungleich verteilt wird, sind trotzdem 14% der Menschen unterernährt.

Aufgabe 70 Wie lang müsste ein 10 m breites, 2 m tiefes Becken sein, um das Wasser zu speichern, das die rund 8 Millionen Bewohner der Schweiz in einem Jahr durch die Toiletten spülen? Schätzen Sie, bevor Sie rechnen.

Aufgabe 71 A] Der globale Verbrauch an Nahrung hat in den letzten Jahrzehnten deutlich zugenommen. Nennen Sie die zwei Hauptursachen.

B] Wie konnte der steigende Bedarf gedeckt werden?

9.3 Entwicklung der Landwirtschaft

9.3.1 Grüne Revolution

Höhere Erträge

Die Landwirtschaft hat sich durch die grüne Revolution in der zweiten Hälfte des 20. Jahrhunderts stark verändert. Die Flächenerträge stiegen auf das Fünffache und der Aufwand an Handarbeit wurde reduziert. Dazu haben folgende Massnahmen beigetragen:

- Anbau in Monokulturen
- Einsatz von Maschinen
- Züchtung ertragreicherer Sorten
- Verbesserung der Düngung
- Pflanzenschutz

Nicht nachhaltig

Die moderne Landwirtschaft produziert dank hoher Flächenerträge ausreichend Nahrung zur Versorgung der wachsenden Bevölkerung. Sie ist aber nicht nachhaltig und verursacht:

- Zerstörung der natürlichen Biozönosen und Verminderung der Biodiversität
- Verwüstung und Versalzung von Kulturland
- Abnahme der Bodenfruchtbarkeit
- Überdüngung von Gewässern
- Hohen Energieaufwand und hohen Wasserverbrauch
- Anfälligkeit der Nutzpflanzen und -tiere für Krankheiten und Schädlinge
- Belastungen der Böden, des Wassers und der Nahrung durch Pestizide

Wir betrachten nun einzelne Massnahmen der grünen Revolution und ihre Folgen. Dem Thema Schädlingsbekämpfung widmen wir ein eigenes Kapitel 9.4.2, S. 157.

9.3.2 Von der Mosaiklandschaft zu Monokulturen

Mosaiklandschaft

Bis ins 19. Jahrhundert gab es in Mitteleuropa trotz oder sogar durch die landwirtschaftliche Nutzung eine nischen- und artenreiche Mosaiklandschaft mit Wald, Feuchtgebieten, Wiesen, Obstwiesen und Äckern. Waldränder, Hecken und naturnahe Wiesen beherbergten artenreiche Biozönosen. Die Waldflächen waren gross genug, um die ökologischen Funktionen und die Schutzaufgaben zu erfüllen.

Monokulturen

Im 19. Jahrhundert nahmen die Agrarflächen zu und im 20. Jahrhundert wurde die kleinräumige traditionelle Landwirtschaft zunehmend durch eine hochmechanisierte Landwirtschaft mit grossen Monokulturen verdrängt. Die Wirtschaftlichkeit wurde zum Mass aller Dinge. Durch die Ausweitung der Agrarflächen und die Umwandlung in Monokulturen wurde die Artenvielfalt vermindert. Heute besteht oder entsteht die Hälfte der Nahrung aus Weizen, Reis und Mais und zwölf Nutzpflanzen-Arten liefern 80% der menschlichen Nahrung. Mit der Umwandlung in Agrarflächen gingen vielerorts die ursprünglichen Funktionen der natürlichen Ökosysteme verloren, z. B. der Einfluss der Wälder auf den Wasserhaushalt. Die natürlichen Regulationsmechanismen wurden beeinträchtigt oder zerstört.

Bodenfruchtbarkeit

Durch die traditionelle, kleinflächige Landwirtschaft hat in der Schweiz die Fruchtbarkeit der Böden seit dem Mittelalter bis ins 20. Jahrhundert eher zu- als abgenommen. In der modernen industriellen Landwirtschaft ist das nicht mehr der Fall.

Abholzen

Agrarflächen, die durch Abholzen tropischer Regenwälder gewonnen werden, sind meist nicht lange nutzbar. Die Erosion ist so stark, dass die dünne Humusschicht schon nach wenigen Jahren weggeschwemmt oder weggeblasen ist.

9.3.3 Der Acker als künstliches Ökosystem

Monokulturen

Äcker sind künstliche Ökosysteme, in denen meist nur eine Pflanzenart gedeihen soll (Monokultur). Sie zeigen alle Merkmale unreifer Ökosysteme (vgl. Kap. 5.6, S. 105):

- Da Äcker Biomasse produzieren sollen, müssen die Produzenten überwiegen.
- Ein Acker ist ein wenig gegliederter Lebensraum, die Zahl der Nischen ist gering.
- Die Zahl der Arten ist gering. Der Mensch schafft durch Bodenbearbeitung und Dünger und Pestizide so extreme Bedingungen, dass nur die kultivierte Pflanzenart gedeiht.
- Die Nahrungsketten sind kurz. Der Mensch will keine Mitesser. Alle Tiere, die sich von der Nutzpflanze ernähren, sind aus seiner Sicht «Schädlinge».
- Das System ist unstabil, die Populationsdichteschwankungen sind hoch. Ohne Pflanzenschutz würden Schädlinge einen grossen Teil der Kulturpflanzen vernichten.
- Da eine Pflanzenart dominiert, wird der Boden einseitig genutzt.
- Die Stoffkreisläufe sind unterbrochen. Der Mensch entnimmt mit der Ernte erhebliche Mengen an Nährstoffen und kompensiert dies durch Düngung.
- Da der Boden nur zeitweise und unvollständig bedeckt ist, erodiert er: Wind und Wasser tragen Humus weg. Der Humusverlust kann bei Äckern in geeigneten Lagen durch bodenschonende Bewirtschaftung, Zwischenpflanzung und Fruchtwechsel reduziert und durch Förderung der Humusbildung kompensiert werden.

9.3.4 Mechanisierung und Globalisierung

Mechanisierung

Die Mechanisierung der Landwirtschaft begann mit Maschinen, die von Pferden gezogen wurden. Ab 1920 setzten sich Traktoren und später auch Erntemaschinen wie Mähdrescher durch. Mit der Grösse der Maschinen nahm die Grösse der Felder und der Betriebe zu. Hecken und Bäume wurden weggeräumt und Mischkulturen wurden durch immer grössere Monokulturflächen ersetzt. Der Einsatz schwerer Maschinen verdichtet den Boden, beschädigt die Bodenstruktur und beeinträchtigt das Bodenleben.

Energieaufwand — Der Einsatz von Maschinen reduzierte die Zahl der Arbeitsstunden, erhöhte aber den Energieaufwand auf das 100-Fache (vgl. Abb. 9-4). Die Herstellung von Lebensmitteln kostet heute mehr Energie, als in ihnen enthalten ist.

[Abb. 9-4]   Energieaufwand in der Landwirtschaft

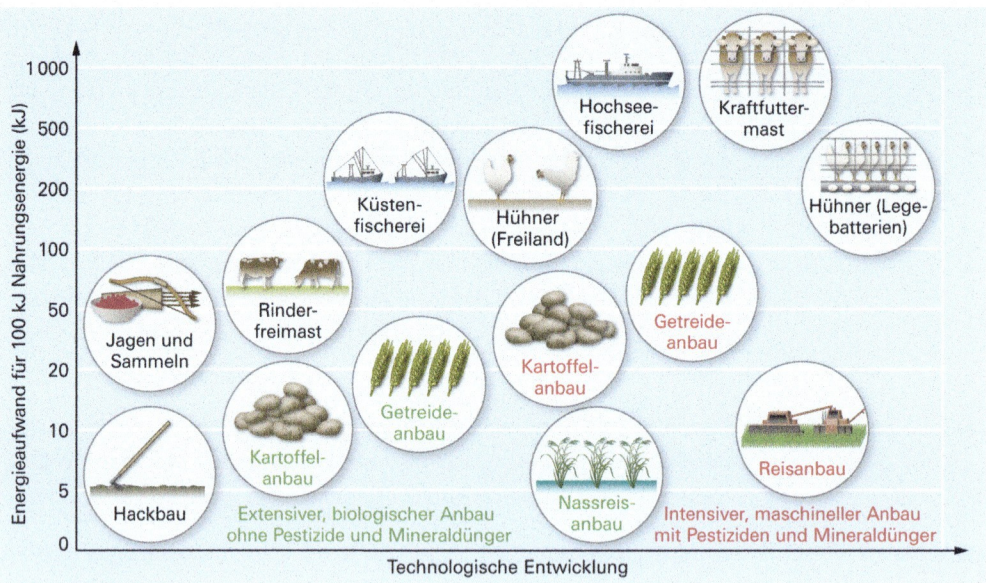

Die Darstellung zeigt, wie viel Energie zur Erzeugung von 100 kJ Nahrungsenergie durch verschiedene Technologien benötigt wird.

Treibhausgase — Die Landwirtschaft trägt mit ihren Emissionen von Kohlenstoffdioxid und Methan (aus Rindermägen und Reisfeldern) 18% zum anthropogenen Treibhauseffekt bei. Dazu kommt die Umweltbelastung durch den Transport von Produkten, Futtermitteln, Dünger etc.

Globalisierung — Weil die Transportkosten im Vergleich zu den Unterschieden in den Produktionskosten gering sind, werden Landwirtschaftsgüter oft über weite Distanzen transportiert. Das Preisgefälle führt auch dazu, dass in vielen Entwicklungsländern landwirtschaftliche Produkte für den Export hergestellt werden, während Grundnahrungsmittel fehlen. Die Situation wird sich noch verschärfen, wenn die Nachfrage nach «Biotreibstoffen» weiter zunimmt. Wo die Reichen ihr Benzin anbauen, ist kein Platz mehr für das Brot der Armen.

9.3.5   Neue Sorten

Ertragreicher — Die Züchtung neuer ertragreicherer Sorten hat entscheidend zur Ertragssteigerung in der Landwirtschaft beigetragen. Weil die Zucht primär auf maximale Erträge ausgerichtet war, sind die neuen Sorten oft anspruchsvoller und anfälliger für Krankheiten.

Steril — Viele moderne Getreidesorten können nicht mehr über ihre Samen vermehrt werden, die Bauern müssen jedes Jahr frisches Saatgut kaufen. Das ist v. a. für die kleinen Reisbauern in Entwicklungsländern ein grosses Problem.

Uniform — Durch die Konzentration auf die ertragreichsten Sorten nimmt die Diversität ab, der Genpool wird kleiner. Das Anpassungspotenzial sinkt, d. h., die Chancen, dass sich eine von den noch vorhandenen Sorten anpassen kann, wenn sich die Bedingungen ändern, nimmt ab.

9.3.6 Düngung und Überdüngung

Ernteverluste

Mit der Ernte werden den Äckern Mineralstoffe entnommen. Bei einem Getreidefeld sind es pro Hektar etwa 20–30 kg Stickstoff, 7–5 kg Phosphor, 20–30 kg Kalium.

Brache, Jauche, Gründüngung

Ein Teil des Ernteverlusts wird durch das Ausbringen von Jauche, Mist und Kompost ausgeglichen. Die verbleibenden Verluste versuchte man früher durch das Einschalten einer Brache zu kompensieren. In der Brache wurde nichts angebaut und der Boden konnte regenerieren. Später wurden im Brachejahr oder als Zwischenfrucht Hülsenfrüchtler wie Klee zur «Gründüngung» angepflanzt. Hülsenfrüchtler nutzen mithilfe der Knöllchenbakterien (vgl. Kap. 3.5, S. 64) an ihren Wurzeln den Luftstickstoff zum Aufbau ihrer Biomasse. Diese bleibt mit den nicht geernteten Teilen des Klees auf dem Acker oder wird nach der Verfütterung des Klees an Rinder in Form von Mist auf die Felder gebracht. Sie ist Futter für die Zerleger und erhöht die Bodenfruchtbarkeit. Die Zwischenfrucht dient auch der Lockerung des Bodens und kann der einseitigen Nutzung des Bodens entgegenwirken.

Kunstdünger

Mit der Herstellung von Kunstdünger wurde die Möglichkeit geschaffen, die Mineralstoffverluste auch ohne Brache oder Zwischenfrucht vollständig zu kompensieren. Kunstdünger sind mehrheitlich anorganische Mineraldünger, die die von den Nutzpflanzen in grösseren Mengen benötigten Mineralsalze enthalten. Weil die Mineraldünger kein Futter für die Destruenten in den Boden bringen, ist es wichtig, dass Biomasse in Form von Ernterückständen (Wurzeln, Stroh) auf den Äckern verbleibt. Die Fruchtbarkeit von stabilen Böden nimmt durch den korrekt dosierten Einsatz von Mineraldüngern nicht ab, wenn die Bodenlebewesen geschont und durch Naturdünger, Kompost oder eine Zwischenfrucht versorgt werden. Problematisch ist die Anreicherung von Schwermetallen, die in Kunstdüngern als Verunreinigungen enthalten sind.

Eutrophierung

Vom Dünger, der auf die Felder gebracht wird, wird ein Teil ausgewaschen und kann zur Eutrophierung von Gewässern (vgl. Kap. 6.3, S. 114) und zur Belastung des Grundwassers führen. Der mengenmässig und zeitlich korrekte Einsatz des Düngers vermindert die Auswaschung.

Überdüngung

Überdüngung kann den Bodenlebewesen schaden und die Fruchtbarkeit des Bodens vermindern. Sie führt zur Eutrophierung von Gewässern und zur Verunreinigung des Grundwassers. Auch auf die Qualität der Ernte kann sich Überdüngung negativ auswirken.

Klärschlamm

Mit der Zunahme der städtischen Bevölkerung sank der Anteil der menschlichen Abfälle, die direkt auf die Felder gebracht werden. Der grösste Teil der Haushaltabfälle wird heute über die Kanalisation abtransportiert und in der Kläranlage abgebaut bzw. als Klärschlamm entnommen (vgl. Kap. 13.2, S. 202). Da die Verwendung von Klärschlamm als Dünger in der Schweiz verboten ist, ist der Stoffkreislauf unterbrochen. Organische Abfälle aus der Küche sollen darum als Grüngut kompostiert und als Kompost auf die Felder gebracht werden.

9.3.7 Massentierhaltung

Nicht artgerecht

Mit dem Wohlstand stieg auch der Fleischkonsum, und dieser führte zur ethisch fragwürdigen Massentierhaltung, bei der Tiere auf engem Raum in einer pflegeleichten, aber reizarmen Umgebung nicht artgerecht gehalten werden. Die Tiere sind anfällig für Krankheiten und werden oft schon vorbeugend mit Antibiotika behandelt.

Mastbetriebe

In gemischten Bauernbetrieben, in denen Ackerbau und Milchwirtschaft betrieben werden, kann das Futter von den Wiesen und Feldern in den Stall und der Mist vom Stall auf die Felder geführt werden. In den auf Mast spezialisierten Betrieben werden die Tiere mindestens teilweise mit zugekauften Futtermitteln ernährt, was bedeutet, dass auch die Fläche für den sinnvollen Einsatz von Mist und Gülle fehlt.

Zusammenfassung

Durch die Umwandlung in Äcker werden natürliche Ökosysteme und Biozönosen zerstört. Äcker sind künstliche, unreife Ökosysteme, in denen meist nur eine Pflanzenart gedeihen soll: Produzenten überwiegen, die Zahl der Nischen und Arten ist gering, Nahrungsketten sind kurz, Dichteschwankungen sind hoch (Massenvermehrung von Schädlingen), der Boden wird einseitig genutzt und ist durch Erosion gefährdet, Stoffkreisläufe sind nicht geschlossen.

Die grüne Revolution hat die Landwirtschaft im 20. Jahrhundert stark verändert. Die Flächenerträge wurden durch ertragreichere Sorten, Düngung, Pflanzenschutz und maschinellen Anbau in Monokulturen erhöht. Die grüne Revolution hat aber auch ihre Schattenseiten:

- Durch die Mechanisierung der Landwirtschaft hat das Verhältnis von Energieeinsatz zu Energieertrag stark zugenommen.
- Die neuen Sorten sind ertragreicher, aber anspruchsvoller und krankheitsanfälliger.
- Die Düngung mit Kunstdünger oder Hofdünger kann zur Eutrophierung von Gewässern und zur Belastung des Grundwassers führen, weil ein Teil des Düngers ausgewaschen wird. Überdüngung schadet den Bodenlebewesen und vermindert die Fruchtbarkeit des Bodens. Kunstdünger enthalten keine Nahrung für Destruenten, sind mit Schwermetallen verunreinigt und ihre Herstellung kostet viel Energie.
- Bei der Massentierhaltung werden Tiere nicht artgerecht gehalten. Sie sind anfällig für Krankheiten. Wenn Futtermittel zugekauft werden, fehlt auch die Fläche für den sinnvollen Einsatz des Hofdüngers.

Aufgabe 72 Nennen Sie die Massnahmen, durch die die Landwirtschaft in den letzten 50 Jahren die Flächenerträge steigern konnte.

Aufgabe 73 Was versteht man unter Gründüngung? Welche Vor- und Nachteile hat sie gegenüber dem Einsatz von Kunstdüngern?

9.4 Pflanzenschutz

Schädlinge

Monokulturen sind unreife, unstabile Ökosysteme, in denen sich Pflanzenfresser und Parasiten, die von den Kulturpflanzen leben, rasch vermehren können. Zu diesen «Schädlingen», die unsere Ernte dezimieren, zählen Parasiten wie Pilze, Bakterien und Viren, die Pflanzenkrankheiten verursachen, und Pflanzenfresser wie Käfer, Raupen, Blattläuse etc., die Pflanzenteile fressen. Für den Menschen sind Schädlinge nicht Parasiten, sondern Konkurrenten.

Pflanzenschutz

Der Pflanzenschutz soll Verluste durch Schädlinge verhindern oder vermindern. Leider gibt es nur wenige Massnahmen (wie Schutznetze oder Zäune), die wirklich die Pflanzen vor dem Zugriff des Schädlings schützen. Häufiger wird der Schädling bekämpft.

9.4.1 Chemische Schädlingsbekämpfung mit Pestiziden

Pestizide

Meist bekämpft man Schädlinge mit chemischen Mitteln, die als Pestizide bezeichnet werden. Pestizide gegen Insekten heissen Insektizide, solche gegen Pilze Fungizide.

Herbizide

Neben Schädlingen werden in Monokulturen auch unerwünschte Pflanzen bekämpft. Diese «Unkräuter» können das Wachstum der Nutzpflanzen beeinträchtigen oder den Einsatz von Erntemaschinen verunmöglichen. Da die arbeitsintensive Entfernung durch Jäten und Hacken heute kaum mehr möglich ist, werden die Unkräuter meist mit Herbiziden vernichtet. Drei Viertel der eingesetzten Pestizidmenge sind Herbizide.

Obwohl mit Insektiziden im Pflanzenschutz und bei der Seuchenbekämpfung grosse Erfolge erzielt werden, haben sie auch ihre Schattenseiten. Wir betrachten

- das Insektizid DDT mit seinen gravierenden Nachteilen, aber auch Vorteilen – sowie
- einige andere Insektizide.

A Insektizid DDT

Bedeutung

Das Insektizid DDT (Dichlordiphenyltrichlorethan) ist das Paradebeispiel für die Vor- und Nachteile eines Insektizids. Die ersten Erfolge, die mit DDT in der Landwirtschaft und bei der Bekämpfung der Malaria erzielt wurden, waren so gross, dass der DDT-Entdecker Paul Müller 1948 den Nobelpreis erhielt. Heute ist DDT in den meisten Ländern verboten.

Wirkung

DDT ist ein Kontaktgift und tötet alle Insekten, die mit ihm in Berührung kommen. Seine Giftigkeit (Toxizität) für den Menschen und andere Warmblüter ist gering. DDT ist aber mutagen (d. h., es kann Mutationen auslösen) und steht im Verdacht, Krebs zu verursachen.

Nachteile

DDT hat die typischen Nachteile aller chlorierten Kohlenwasserstoffe:

Geringe Selektivität

DDT tötet alle Insekten, Nützlinge sterben nach dem Kontakt mit DDT genauso wie Schädlinge. Weil auch die Feinde der Schädlinge (sofern sie Insekten sind) eliminiert werden und sich danach langsamer vermehren als die Schädlinge (3. Regel von Volterra), kann ein DDT-Einsatz zu einer noch stärkeren Vermehrung der Schädlinge führen. Das Insektizid macht sich selbst unentbehrlich.

Abbau

DDT wird in der Natur nur langsam abgebaut und reichert sich darum im Boden an. Die Halbwertszeit, d. h., die Zeit, nach der die Hälfte einer bestimmten Menge abgebaut ist, beträgt in unserem Klima 15 Jahre.

Resistenz

Viele Schadinsekten werden gegen DDT resistent. Die Entwicklung einer Resistenz beruht auf Mutation und Selektion. In den grossen Populationen der Insekten gibt es unter den unzähligen Mutanten meist auch solche, die durch eine zufällige Mutation gegen das Insektizid resistent sind, z. B. weil sie über ein Enzym zum Abbau des Gifts verfügen. Diese Mutanten überleben den Insektizideinsatz und geben das Resistenzgen an ihre Nachkommen weiter. Weil sie sich nach der Vernichtung der Nichtresistenten durch das DDT sehr schnell vermehren, nimmt ihr Anteil in der Population schnell zu: Sie werden durch den Einsatz des Insektizids selektioniert.

Bioakkumulation

Weil DDT fettlöslich ist, wird es im Fettgewebe der Organismen gespeichert. Jedes Lebewesen sammelt das DDT, das es im Verlaufe seines Lebens aufnimmt. Darum hat das Phytoplankton einen höheren DDT-Gehalt als das Wasser, in dem es lebt. Das Zooplankton, das sich vom Phytoplankton ernährt, übernimmt dessen DDT-Vorräte und speichert sie. Sein Depot wird darum noch grösser. Diese Akkumulation wiederholt sich auf jeder Nahrungsebene (vgl. Abb. 9-5). Der DDT-Gehalt in Tieren, die am Ende einer langen Nahrungskette stehen, kann über 2 000-mal höher sein als der DDT-Gehalt im Wasser.

Auch beim Menschen stellte man in Gebieten, in denen DDT angewendet wurde, hohe DDT-Konzentrationen im Fettgewebe und in der Muttermilch fest. Bei vielen Vögeln (v. a. bei Greifvögeln) führt die Anreicherung von DDT zur Abnahme der Eischalendicke. Die Eier zerbrechen bei der Ablage oder beim Bebrüten: Die Vögel haben kaum mehr Nachkommen. Das zeigt: Auch Stoffe, die nicht akut toxisch sind, können zum Aussterben einer Art führen.

[Abb. 9-5]   Akkumulation von DDT in der Nahrungskette

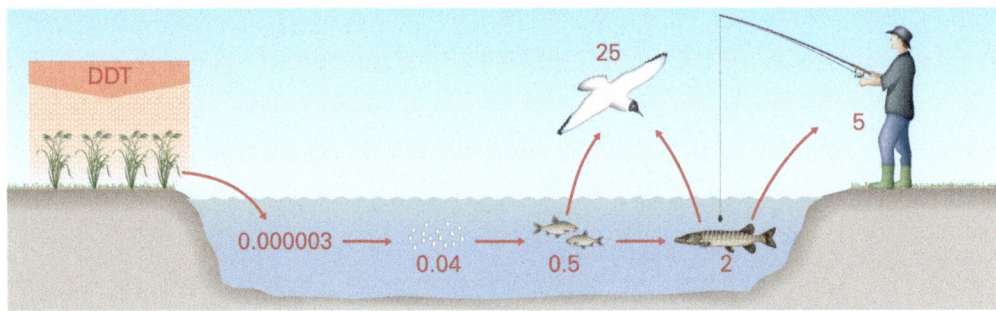

DDT wird von den Lebewesen akkumuliert und reichert sich darum in der Nahrungskette an.

Vorteile

Malariabekämpfung

Trotz dieser Nachteile ist die FAO (Food and Agriculture Organization of the United Nations) gegen ein Totalverbot von DDT, weil es oft das einzig verfügbare Mittel zur Bekämpfung von krankheitsübertragenden Insekten ist. Abbildung 9-6 zeigt den drastischen Rückgang der Malariaerkrankungen in Sri Lanka nach dem Einsatz von DDT gegen die Anophelesmücke, die die Malaria-Erreger überträgt. Die schnelle Zunahme der Malaria nach dem DDT-Verbot in Sri Lanka weckt Zweifel am Sinn des Verbots, zeigt aber auch, dass das Malaria-Problem auch durch den jahrzehntelangen Einsatz von DDT nicht wirklich gelöst wurde. Nur in Malaria-Randgebieten wie Sardinien konnte die Mücke und mit ihr die Krankheit ausgerottet werden. Die Dezimierung der Anophelesmücke mit DDT ist meist nur eine Notfallmassnahme zur Eindämmung der Krankheit.

[Abb. 9-6]   Malaria in Sri Lanka

Jahr	1946	1961	1963	1965	1967	1969	1972	1974	1980	2003
Erkrankungen	2 800 000	110	17	308	3 466	2 500 000	150 000	400 000	50 000	10 500
Insektizid-einsatz		DDT-Einsatz				DDT-Einsatz			Malathion-Einsatz	

Die Zahl der Malariaerkrankungen in Sri Lanka wurde zwischen 1946 und 1963 durch den Einsatz von DDT drastisch reduziert, nahm aber nach der Beendigung des DDT-Einsatzes rasch wieder zu. Durch Wiederaufnahme des DDT-Einsatzes 1969 konnte die Zahl der Krankheitsfälle noch einmal auf 150 000 gesenkt werden, stieg dann aber trotz andauerndem massivem DDT-Einsatz wieder an. Erst durch den Einsatz des Insektizids Malathion (aus der Gruppe der Phosphorsäureester) konnte die Krankheit auf ca. 10 000 Fälle eingedämmt werden.

B   Andere Insektizide

Bio-Insektizide

Manche Pflanzen enthalten Stoffe, die für Insekten giftig sind. Diese natürlichen Insektizide können zwar ebenso toxisch und unselektiv sein wie künstliche, werden aber leichter abgebaut. Bekannt ist z. B. Pyrethrum, das aus Blüten der Dalmatinischen Insektenblume (Tanacetum cinerariifolium, früher Pyrethrum), die der Margerite ähnlich ist, gewonnen wird. Sein Hauptwirkstoff ist das Nervengift Pyrethrin. Die geringe Stabilität und die hohen Herstellungskosten verhindern einen Einsatz in der Landwirtschaft.

Phosphorsäureester

Phosphorsäureester (wie Parathion oder E605) sind Nervengifte, die auch für den Menschen sehr toxisch sind. Im Gegensatz zu den Chlorkohlenwasserstoffen werden sie relativ schnell abgebaut. Sie wirken selektiver, weil sie in die Nutzpflanzen eindringen und nur von Insekten aufgenommen werden, die sich von diesen ernähren (Frassgifte).

9.4.2 Biologische Schädlingsbekämpfung

Einsatz von Feinden

Bei der biologischen Schädlingsbekämpfung werden die Schädlinge durch den Einsatz von Feinden (Räuber oder Parasiten) dezimiert. Zu den etwa 50 Arten, die dabei verwendet werden, zählen Schlupfwespen, Laufkäfer, Marienkäfer, Raubwanzen und Fadenwürmer.

- Marienkäfer sowie Florfliegenlarven werden gegen Blattläuse eingesetzt.
- Schlupfwespen legen ihre Eier in die Larven anderer Insekten. Die Larve verpuppt sich, aus dem Ei schlüpft die Schlupfwespenlarve und frisst den Inhalt der Puppe auf. Mit Schlupfwespen bekämpft man Schildläuse, Maiszünsler und Motten.
- Gegen Kartoffelkäfer werden Raubwanzen eingesetzt, die die Kartoffelkäfer und ihre Larven aussaugen.
- Die im Boden lebenden Larven des Dickmaulrüsslers, die Pflanzen durch Abfressen der Wurzeln zum Absterben bringen, können mit Fadenwürmern bekämpft werden.

[Abb. 9-7] Biologische Schädlingsbekämpfung

Ein Marienkäfer verspeist eine Blattlaus. Durch Aussetzen von Marienkäferlarven können Blattläuse bekämpft werden. Bild: CC Scott Bauer, USDA Agricultural Research Service, Bugwood.org

Mikroorganismen

Viele Schädlinge können mit Mikroorganismen wie Bakterien oder Pilzen oder auch mit Viren dezimiert werden. So wird das Bacterium thuringiensis gegen die Larven verschiedener Schädlinge eingesetzt und mit Viren wurden in Australien die Kaninchen bekämpft (vgl. Kap. 11.2, S. 171).

Voraussetzungen

Nicht jeder Schädling lässt sich biologisch bekämpfen. Voraussetzungen für den Einsatz von Nützlingen im Freien sind:

- Zucht, Lagerung und Ausbringung der Nützlinge dürfen nicht zu aufwendig sein.
- Die Nützlinge müssen sich ausreichend, aber nicht unkontrolliert vermehren.
- Die Nützlinge dürfen nur den Schädlingen schaden.

Vögel und Säuger

Insektenfressende Vögel und Säuger wirken bei der Kontrolle von Schädlingen mit, können aber eine Massenvermehrung der Schädlinge nicht stoppen, weil sie sich viel langsamer vermehren als diese. Ihre Wirkung auf den Schädling kann zwar mit dessen Dichte etwas zunehmen, weil sie weniger andere Beute fressen, aber sie bleibt beschränkt.

9.4.3 Biotechnische Schädlingsbekämpfung

Die biotechnische Schädlingsbekämpfung versucht, die Schädlinge mit unterschiedlichen Methoden abzuschrecken, zu fangen oder zu töten. Am bekanntesten sind Insekten-Repellents, die Mücken, Bremsen und Zecken vom Stechen abhalten (sollen). Im Wald lockt man Borkenkäfer mit Lockstoffen in Fallen, die sie dann nicht mehr verlassen können.

9.4.4 Integrierter Pflanzenschutz

Der integrierte Pflanzenschutz versucht, das Auftreten von Schädlingen durch Kulturmassnahmen und Schaffung von Ausgleichsflächen als Lebensraum für Nützlinge zu vermindern. Wir werden in Kapitel 9.5, S. 158 kurz darauf eingehen.

Zusammenfassung

In Monokulturen können sich Pflanzenfresser (z. B. Käfer und Raupen) und Parasiten (Pilze, Bakterien, Viren) rasch vermehren. Der Pflanzenschutz soll die Verluste durch Schädlinge vermindern. Bei der chemischen Bekämpfung werden Pestizide (Insektizide, Fungizide, Herbizide) eingesetzt.

Mit Kontaktinsektiziden wie DDT wurden im Pflanzenschutz und bei der Seuchenbekämpfung grosse Erfolge erzielt. Ihre Nachteile sind aber: geringe Selektivität, langsamer Abbau, Anreicherung im Boden, Bioakkumulation und Resistenzbildung. Frassgifte wie Phosphorsäureester wirken selektiver, sind aber auch für den Menschen sehr toxisch.

Die biologische Schädlingsbekämpfung dezimiert die Schädlinge durch den Einsatz ihrer Feinde (Räuber oder Parasiten wie Schlupfwespen, Marienkäfer, Fadenwürmer, Bakterien und Viren). Feinde mit langsamer Vermehrung wie Vögel und Säuger können bei der Kontrolle der Schädlinge mitwirken, aber eine Massenvermehrung nicht stoppen.

Die biotechnische Schädlingsbekämpfung versucht, die Schädlinge abzuschrecken (z. B. mit Duftstoffen), zu fangen oder zu töten.

Der integrierte Pflanzenschutz versucht, das Auftreten von Schädlingen durch Kulturmassnahmen und Ausgleichsflächen für Nützlinge zu vermindern.

Aufgabe 74 Sind Schädlinge Parasiten?

Aufgabe 75 Warum kann der Einsatz eines Insektizids auf lange Sicht einen Schädling sogar fördern?

9.5 Biologische Landwirtschaft und Integrierte Produktion

9.5.1 Biologische Landwirtschaft

Ziele

Die biologische Landwirtschaft verzichtet auf Pestizide und Kunstdünger und sucht eine Balance zwischen Produktivität und Umweltverträglichkeit. Zu ihren Zielen gehören geschlossene Stoffkreisläufe innerhalb des Betriebs und nachhaltige Nutzung der Ressourcen. Ausgleichsflächen mit artenreichen Biozönosen sollen den natürlichen Feinden der Schädlinge Lebensraum bieten und so ein ökologisches Gleichgewicht herstellen. Die Artenvielfalt und das Landschaftsbild sollen erhalten bzw. verbessert werden. Tiere müssen artgerecht gezüchtet, gehalten und gefüttert werden. Die Produkte sollen nicht weit transportiert, sondern in der gleichen Region konsumiert werden.

Richtlinien | Detaillierte Richtlinien garantieren die Verwirklichung der Grundsätze und geben Mindeststandards für die Produktion und Verarbeitung vor. Weil der biologische Anbau mehr Handarbeit voraussetzt und zu geringeren Erträgen führt, sind die Produkte meist teurer.

9.5.2 Integrierte Produktion (IP)

Ziele | Die Integrierte Produktion (IP) ist ein Mittelweg zwischen konventionellem und biologischem Anbau. Dünger, Pestizide und Futtermittel werden nur so weit wie unbedingt nötig und nach bestimmten Richtlinien und Listen eingesetzt.

- Die Kulturen erhalten aufgrund von Bodenanalysen und Bedarfsabklärungen (nur) die Düngermengen, die sie für ein gesundes Wachstum benötigen.
- Das Auftreten von Schädlingen wird durch Kulturmassnahmen (Fruchtfolge, Sortenwahl, Bodenpflege, Düngung, Saatzeit etc.) vermindert. Schädlinge werden nur bekämpft, wenn sie sich übermässig vermehren. Dabei werden biologische und biotechnische Methoden bevorzugt.

In der Schweiz werden Beiträge und Direktzahlungen nur an Landwirte entrichtet, die (mindestens) die Regeln und Vorschriften der Integrierten Produktion befolgen.

Zusammenfassung

Die biologische Landwirtschaft strebt eine Balance zwischen Umweltverträglichkeit und Produktivität an. Ihre Grundsätze und Ziele sind:

- Verzicht auf den Einsatz von Kunstdüngern und Pestiziden
- Weitgehend geschlossene Stoffkreisläufe innerhalb des Betriebs
- Anlage und Pflege von ökologischen Ausgleichsflächen
- Stärkung und Nutzung der natürlichen Selbstregulation
- Nachhaltige Nutzung der Ressourcen
- Erhaltung und Verbesserung von Artenvielfalt und Landschaftsbild
- Artgemässe Tierhaltung, -fütterung und -zucht
- Forcierung lokaler und regionaler Produktion

Die Integrierte Produktion (IP) ist ein Mittelweg zwischen dem konventionellen und dem biologischen Anbau. Dünger, Pestizide und Futtermittel werden nur so weit wie unbedingt nötig und nach bestimmten Richtlinien und Listen eingesetzt.

Aufgabe 76 | Wie wird bei der Integrierten Produktion der Düngereinsatz minimiert?

10 Energieverbrauch

Lernziele   Nach der Bearbeitung dieses Kapitels können Sie ...

- Ursachen des steigenden Energieverbrauchs und Gegenmassnahmen aufzählen.
- die globalen Belastungen der Umwelt durch die Nutzung fossiler Energieträger beschreiben und Gegenmassnahmen diskutieren.
- die wichtigsten Emissionen aus der Verbrennung fossiler Energieträger nennen und die Probleme erörtern, die sie verursachen.

Schlüsselbegriffe   erneuerbare Energie, Feinstaub, fossile Energieträger, Kernkraft, Sonnenenergie, VOC, Wasserkraft

Der wachsende globale Energieverbrauch stellt die Menschheit vor immer grössere Probleme. Deren Ausmass und Entwicklung betrachten wir in diesem Kapitel.

10.1 Entwicklung des globalen Energieverbrauchs

Entwicklung   Der globale Energieverbrauch ist in den letzten hundert Jahren auf das 12-Fache gestiegen (vgl. Abb. 10-1). Für diese Zunahme war neben dem Bevölkerungswachstum (auf das Vierfache) v. a. der steigende Pro-Kopf-Verbrauch in den Industrieländern (auf das Fünffache) verantwortlich. Ein Schweizer verbraucht zwanzigmal mehr Energie als ein Inder. Die jährliche Zunahme des globalen Verbrauchs ist mit um die 2.5% höher als je zuvor und diese Entwicklung wird ohne drastische Gegenmassnahmen anhalten, weil der Anstieg in vielen Entwicklungsländern grösser ist als die leichte Abnahme in einigen Industrieländern.

Fossile Energieträger   2010 wurden 80% des Energiebedarfs von insgesamt $530 \cdot 10^{15}$ kJ durch Verbrennung fossiler Energieträger gedeckt (vgl. Abb. 10-1). Dies entspricht der Energie aus der Verbrennung von über 12 Milliarden Tonnen Rohöl und verursachte einen Kohlenstoffdioxid-Ausstoss von ungefähr 30 Milliarden Tonnen, das sind über 4 t pro Person.

[Abb. 10-1]   Entwicklung und Prognose des globalen Energieverbrauchs

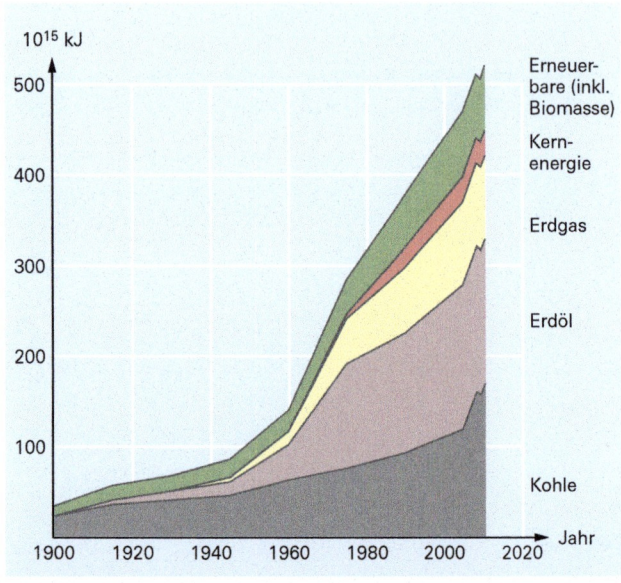
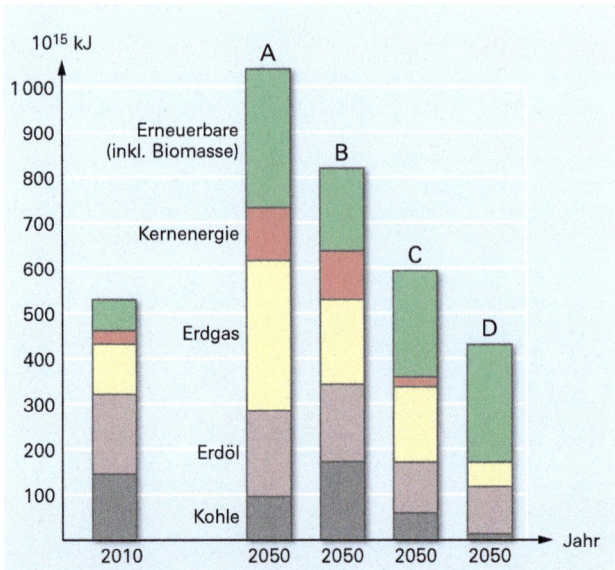

Entwicklung des globalen Primärenergieverbrauchs seit 1900 nach Energiequellen. Quelle: International Energy Agency (IEA), Key World Energy Statistics 2012, http://www.iea.org

Prognosen für das Jahr 2050 basierend auf Szenarien des World Energy Council, http://www.worldenergy.org. A: Wachstum, B: business as usual, C: ökologische Priorität, D: maximale Effizienz.

Prognosen
: Die weitere Entwicklung des Energieverbrauchs ist abhängig von der technischen, wirtschaftlichen, politischen und demografischen Entwicklung und entsprechend unterschiedlich sind die Prognosen. Die in Abbildung 10-1 dargestellten vier Voraussagen für das Jahr 2050 basieren auf einer Zunahme der Bevölkerung auf 9 Milliarden und gehen von einer starken Zunahme des Anteils der erneuerbaren Energien aus.

Verminderung des Verbrauchs
: Eine deutliche Verminderung des Verbrauchs fossiler Energieträger ist nur möglich, wenn eine Zunahme des Pro-Kopf-Verbrauchs vermieden wird. Dies ist möglich durch:

- Vermeidung nutzloser Verschleuderung
- Verminderung von Verlusten, hauptsächlich durch verbesserte Isolation
- Energieeinsparungen durch Erhöhung der Effizienz bei der Energieumwandlung in Geräten, Autos, Feuerungsanlagen etc.
- Verstärkten Einsatz von erneuerbaren Energien

Diese Massnahmen sind alle auch ökonomisch sinnvoll, die Anfangsinvestitionen werden durch Einsparungen bei den Brennstoffkosten wettgemacht.

Zusammenfassung
: Der globale Energieverbrauch ist in den letzten hundert Jahren auf das 12-Fache gestiegen, weil der Pro-Kopf-Verbrauch in den Industrieländern und auch die Weltbevölkerung zugenommen haben. Die jährliche Zunahme ist mit 2.5% höher als je zuvor. 80% des Energiebedarfs werden durch Verbrennung fossiler Energieträger gedeckt. Das entspricht der Energie aus der Verbrennung von 12 Milliarden Tonnen Rohöl und führt zur Bildung von 30 Milliarden Tonnen Kohlenstoffdioxid.

Ohne Gegenmassnahmen wird sich der globale Energieverbrauch bis 2050 mehr als verdoppeln und die Umwelt enorm belasten. Nötige Gegenmassnahmen sind: Einsparungen durch höhere Effizienz von Geräten, Autos, Heizanlagen etc., Verminderung von Verlusten (bessere Isolation) und Einsatz von erneuerbaren Energien.

10.2 Fossile Energie

Herkunft und Bedeutung
: Die heute genutzten fossilen Energieträger Erdöl, Erdgas und Kohle sind Gemische von Kohlenwasserstoffen, die im Verlauf von Jahrmillionen durch Umwandlungsprozesse unter Luftabschluss und hohem Druck aus dem organischen Material abgestorbener Lebewesen entstanden sind. Weil in den für uns relevanten Zeiträumen keine neuen fossilen Energieträger entstehen, werden diese zu den nicht erneuerbaren Energiequellen gerechnet.

Energieumwandlung und Reichweiten
: Die in den fossilen Energieträgern gebundene Energie wird bei der Nutzung umgewandelt in Wärme (Heizungen), mechanische Energie (Verbrennungsmotoren) oder elektrische Energie (thermische Kraftwerke). Bei der Umwandlung in mechanische oder elektrische Energie geht ein Teil der Energie in Form nicht nutzbarer Abwärme verloren. Prognosen über die Reichweiten der fossilen Energieträger sind schwierig, da Aussagen über die Entwicklung der Nachfrage und neuer Lagerstätten unsicher sind. Man schätzt, dass das Erdöl noch 50, das Erdgas 70 und Kohle mehr als 200 Jahre reichen werden.

Emissionen — Neben der Endlichkeit der Reserven liegt der grösste Nachteil der fossilen Energieträger in den Emissionen, die bei der Verbrennung, aber auch beim Transport und bei der Förderung entstehen. Die Reduktion des Verbrauchs und der energiebedingten CO_2-Emissionen und der Ersatz der fossilen durch erneuerbare Energieträger sind zwingend und grosse Herausforderungen für Energiepolitik, Wirtschaft und Forschung.

10.2.1 Belastung der Umwelt durch Förderung und Transport

Rohöl — Bei der Förderung und beim Transport von Erdöl gelangen jährlich ca. 3 Millionen Tonnen Rohöl in Gewässer und Böden. Immer wieder verschmutzen Tanker die Meere mit riesigen Ölteppichen, in denen Wasservögel qualvoll sterben. Küsten werden über Tausende von Kilometern mit der schwarzen, klebrigen Teermasse verkleistert. Viele Tanker verschmutzen das Wasser auch im Normalbetrieb und mit Absicht, weil die leeren Tanks mit Meerwasser gespült werden.

Erdgas — Das im Rohöl in den Lagerstätten gelöste Erdgas wird bei der Förderung frei. Über 100 Mrd. m^3 (das entspricht dem Jahresverbrauch von 50 Millionen EFH) werden jährlich abgeblasen oder abgefackelt. Beides erhöht die Konzentration der Treibhausgase.

Kohleabbau — Der Abbau von Kohle im Tagbau verschmutzt die Luft und führt zu grossen Landschaftsveränderungen und zum Absinken des Grundwasserspiegels.

10.2.2 Belastung der Umwelt durch Verbrennungsprodukte

Kohlenstoffdioxid — Fossile Brennstoffe bestehen hauptsächlich aus Kohlenwasserstoffen, die zu Kohlenstoffdioxid und Wasserdampf verbrennen. Weil die natürliche Kohlenstoffdioxid-Konzentration in der Luft recht klein ist, wird sie durch diese Emissionen deutlich erhöht. Mit den daraus resultierenden Folgen für den Wärmehaushalt und das Klima der Erde befassen wir uns in Kapitel 12.2, S. 177. In der Schweiz verursachen Feuerungsanlagen 60% und der Verkehr 40% der Emissionen.

Andere Produkte — Je nach Brennstoff und Verbrennungsbedingungen entstehen bei Verbrennungsvorgängen neben Kohlenstoffdioxid und Wasser noch andere Produkte, wie die folgenden fünf, die wir noch genauer betrachten:

- Schwefeldioxid (SO_2) entsteht bei der Verbrennung schwefelhaltiger Brennstoffe (Kohle, Heizöl), Hauptquelle sind Heizungen.
- Die als Stickoxide bezeichneten Verbindungen NO und NO_2 entstehen bei hohen Verbrennungstemperaturen durch die Reaktion der beiden Luftbestandteile Stickstoff und Sauerstoff.
- Kohlenstoffmonoxid (CO) entsteht bei unvollständiger Verbrennung. Hauptverursacher sind der Verkehr und Heizungen.
- VOC (Volatile Organic Compounds) sind leichtflüchtige organische Verbindungen (ohne Methan), die bei unvollständiger Verbrennung oder durch Verdunsten in die Luft gelangen.
- Feinstaub und Russ entstehen bei der unvollständigen Verbrennung von Kohle, Heizöl und Diesel. Staubteilchen mit einem Durchmesser von weniger als 10 μm (1/100 mm) werden als PM10 («Particulate Matter < 10 μm») bezeichnet.

[Abb. 10-2] Emissionen von Verbrennungsprodukten (in der Schweiz)

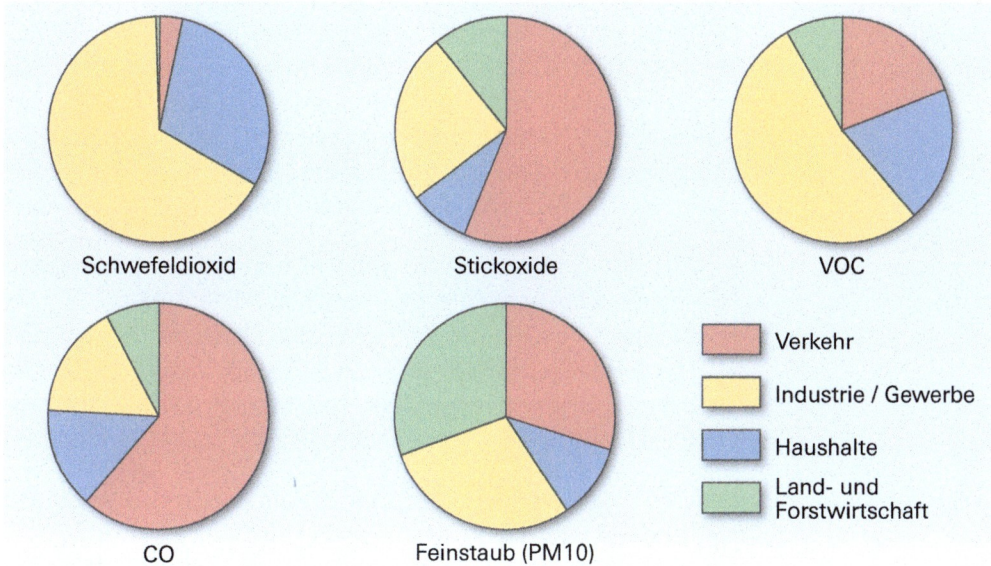

Emissionsdaten sind das Resultat von Erhebungen, Modellrechnungen und Annahmen, die z. T. mit erheblichen Unsicherheiten verbunden sind. Quelle: Bundesamt für Umwelt, http://www.bafu.admin.ch

Schwefeldioxid

Eigenschaften Schwefeldioxid SO_2 ist ein farbloses, stechend riechendes Gas, das bei der Verbrennung von Kohle und Erdöl entsteht, weil diese schwefelhaltige Verbindungen enthalten.

Wirkungen
- Schwefeldioxid reagiert in der Luft zu Schwefelsäure und trägt dadurch zum sauren Regen bei, der Pflanzen schädigt und zu einer Versauerung des Bodens führt (vgl. Kap. 12.4, S. 190).
- Schwefeldioxid verursacht zusammen mit Russ den Wintersmog (vgl. Kap. 12.3, S. 187).
- Schwefeldioxid ist für Mikroorganismen toxisch und schädigt Pflanzen und Tiere.
- Beim Menschen reizt Schwefeldioxid Augen und Schleimhäute und verursacht in höherer Konzentration Atemnot und Erkrankungen der Atemwege.

Emissionen Abbildung 10-3 zeigt die Entwicklung und die Quellen der Emissionen in der Schweiz.

[Abb. 10-3] Anthropogene Schwefeldioxidemissionen in der Schweiz

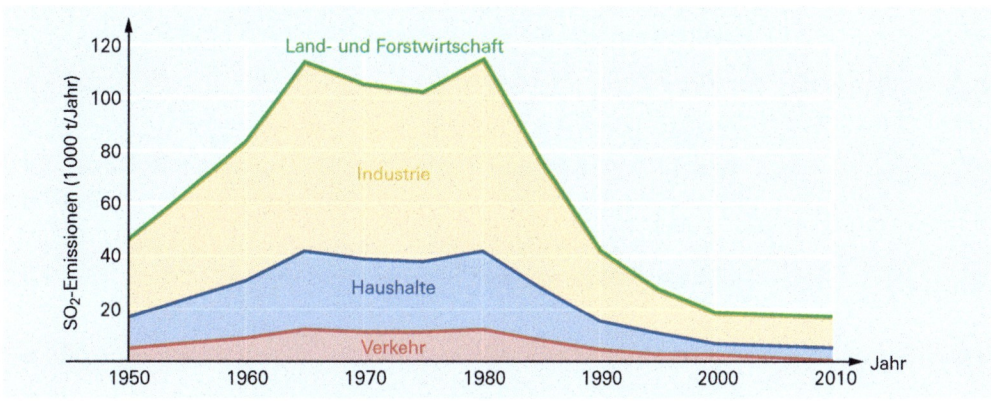

Quelle: Bundesamt für Umwelt, http://www.bafu.admin.ch/umwelt/indikatoren

Entschwefelung Die Emissionen haben durch die verbesserte Entschwefelung der Brennstoffe deutlich abgenommen. Der Grenzwert der Konzentration in der Luft ($30\,\mu g/m^3$) wird nicht überschritten. Zur Reduktion des Säureeintrags müssen die Emissionen um weitere 25% gesenkt werden.

Stickoxide

Eigenschaften und Entstehung

Die Stickoxide NO und NO_2 entstehen zwar bei der Verbrennung, stammen aber nur zu einem kleinen Teil aus Stickstoffverbindungen im Brennstoff (Holz). Der grösste Teil bildet sich – unabhängig vom Brennstoff – überall, wo die Temperatur über 1 000 °C steigt, durch die Reaktion der beiden Hauptkomponenten der Luft. Bei hoher Temperatur reagiert der normalerweise reaktionsträge Stickstoff mit dem Sauerstoff der Luft. Dabei bildet sich zuerst hauptsächlich NO, das rasch zum giftigeren NO_2 weiteroxidiert.

Wirkungen

- Aus Stickoxiden und VOC entsteht bei intensiver Sonneneinstrahlung der Sommersmog mit hohen Ozonwerten (vgl. Kap. 12.3, S. 187).
- Stickoxide reagieren in der Luft zu Salpetersäure, die zum sauren Regen beiträgt.
- Die Salpetersäure führt zu einer Stickstoffdüngung, die im Wasser und in Ökosystemen mit stickstoffarmen Böden wie Mooren und Magerwiesen Schaden anrichtet.
- Beim Menschen reizen und schädigen die Stickoxide die Atmungsorgane.

Emissionen

Rund 60% der anthropogenen Emissionen stammen aus dem Verkehr und 24% aus der Industrie (vgl. Abb. 10-4).

[Abb. 10-4] Anthropogene Stickoxid-Emissionen in der Schweiz

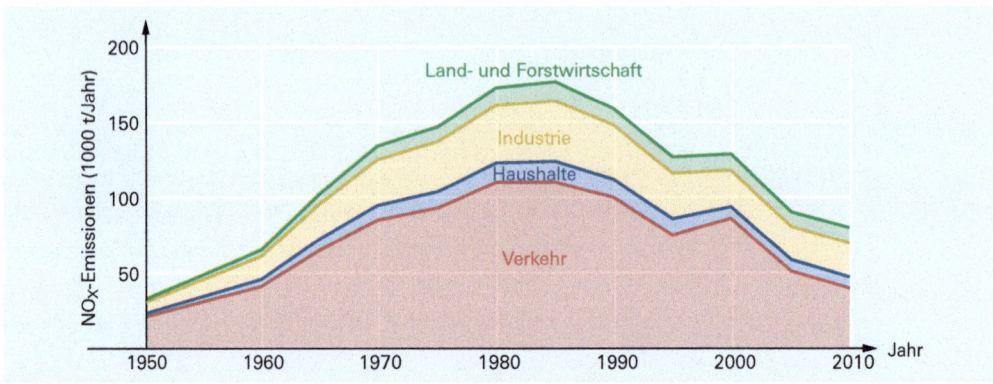

Quelle: Bundesamt für Umwelt, http://www.bafu.admin.ch/umwelt/indikatoren

Entwicklung

Durch die Einführung der Katalysatoren für Personenwagen und durch Optimierung der Brenner von Heizungen sind die Emissionen zwischen 1985 und 2010 zurückgegangen (vgl. Abb. 10-4). Die Einführung der umweltfreundlicheren Technologien wurde mit tieferen Abgasgrenzwerten durchgesetzt, genügt aber noch nicht. Die Grenzwerte werden in den grossen Städten nicht eingehalten. Noch häufiger werden die Grenzwerte für Ozon (Sommersmog) überschritten (vgl. Kap. 12.3, S. 187).

Ziele

Um die Ozongrenzwerte einzuhalten, müssen die Stickoxid-Emissionen – bei gleichzeitiger Reduktion der VOC-Emissionen – um weitere 60% gesenkt werden. Das bedingt eine Verschärfung aller Abgasvorschriften auf den neuesten Stand der Technik, Verbrauchslimiten, Beschränkung des Verkehrs und drastische Energiesparmassnahmen.

Kohlenstoffmonoxid

Entstehung

Kohlenstoffmonoxid entsteht bei unvollständiger Verbrennung, v. a. bei hohen Temperaturen.

Wirkungen

- Kohlenstoffmonoxid ist ein farb- und geruchloses Gas, das für den Menschen und alle Wirbeltiere giftig ist, weil es vom Hämoglobin etwa 400-mal besser gebunden wird als der Sauerstoff. Akute Vergiftungen sind nur in geschlossenen Räumen möglich.
- CO ist beteiligt an der Bildung des Sommersmogs.

Emissionen

Über 50% der anthropogenen Emissionen stammen aus dem Verkehr.

[Abb. 10-5]   Anthropogene Kohlenstoffmonoxid-Emission in der Schweiz

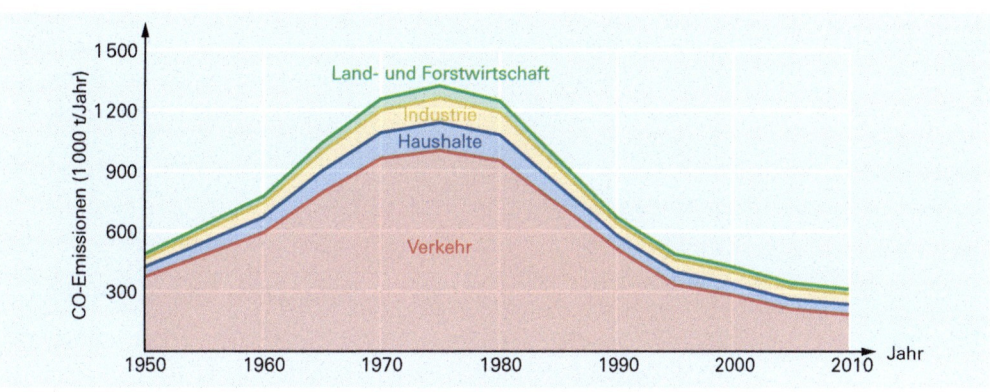

Quelle: Bundesamt für Umwelt, http://www.bafu.admin.ch/umwelt/indikatoren

Entwicklung | Seit 1980 sind die Emissionen durch den Autokatalysator und Verbesserungen bei den Feuerungsanlagen um 70% gesunken. Die Grenzwerte werden eingehalten.

VOC (Volatile Organic Compounds)

Entstehung | Leichtflüchtige organische Verbindungen (VOC) gelangen bei unvollständiger Verbrennung oder durch das Verdunsten von Treibstoffen, Lösungsmitteln etc. in die Luft.

Wirkungen
- Die VOC führen zusammen mit den Stickoxiden zur Bildung des Sommersmogs mit hohen Ozonwerten (vgl. Kap. 12.3, S. 187).
- Einige VOC sind krebserregend (z. B. Benzen), einige sind toxisch.
- Halogenierte VOC, insbesondere die FCKW (Fluor-Chlor-Kohlenwasserstoffe), tragen massgeblich zur Zerstörung der stratosphärischen Ozonschicht bei (vgl. Kap. 12.5, S. 192) und verstärken den Treibhauseffekt (vgl. Kap. 12.2, S. 177).

Emissionen | Die Emissionsgrenzwerte für Anlagen und die im Jahr 2000 eingeführte Abgabe auf VOC haben Industrie und Gewerbe veranlasst, ihre Emissionen zu verringern und vermehrt lösungsmittelfreie Produkte (z. B. Farben und Lacke) herzustellen. An den Tanksäulen werden die Emissionen beim Betanken durch das Absaugen der Gase vermindert.

Die VOC-Emmissionen sind seit Ende der 1980er-Jahre um rund 75% zurückgegangen (vgl. Abb. 10-6).

[Abb. 10-6]   Anthropogene VOC-Emissionen in der Schweiz

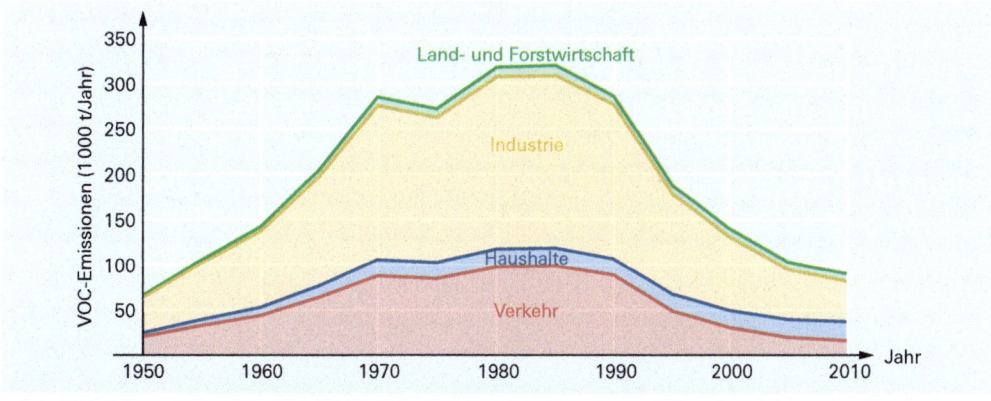

Quelle: Bundesamt für Umwelt, http://www.bafu.admin.ch/umwelt/indikatoren

Da die Ozongrenzwerte immer noch häufig und massiv überschritten werden, müssen die VOC-Emissionen weiter vermindert werden.

Feinstaub

Eigenschaften
Feinstaub besteht aus Partikeln, die so klein sind, dass sie lange in der Luft schweben. Sie können verschiedene Stoffe (z. B. Schwermetalle, Sulfat, Nitrat, polyzyklische aromatische Kohlenwasserstoffe) enthalten. Als PM10 (Particulate Matter < 10 µm) bezeichnet man Staub, dessen Partikel kleiner sind als 10 µm.

Quellen
PM10-Partikel gelangen durch Verbrennungsprozesse oder mechanischen Abrieb von Reifen, Bremsbelägen und Schienen in die Luft oder bilden sich aus gasförmigen Vorläuferstoffen (NO_x, NH_3, VOC).

Wirkungen
Die PM10-Partikel dringen bis in die Lungen ein und verursachen Erkrankungen der Atemwege. Russpartikel sind krebserzeugend.

Emissionen
Die PM10-Grenzwerte werden in den Städten und Agglomerationen deutlich überschritten. Die Emissionen müssen durch weitere Massnahmen wie Partikelfilter für Dieselfahrzeuge und Feuerungsanlagen gesenkt werden.

Zusammenfassung

Die Nutzung fossiler Energieträger (Kohle Erdöl, Erdgas) belastet die Umwelt stark.

- Förderung und Transport von Erdöl verschmutzen Gewässer und Böden.
- Das im Rohöl gelöste Erdgas wird bei der Förderung z. T. abgeblasen oder abgefackelt.
- Die Verbrennungsprodukte sind die Hauptursache der Luftverschmutzung und des Klimawandels:

Kohlenstoffdioxid

- entsteht als Hauptprodukt bei der Verbrennung fossiler Brennstoffe.
- verstärkt den Treibhauseffekt und verändert dadurch das Erdklima.

Schwefeldioxid

- entsteht durch Verbrennung schwefelhaltiger Brennstoffe (Kohle, Heizöl).
- ist ein farbloses, stechend riechendes Gas, das Lebewesen schädigt.
- reizt Augen und Schleimhäute und verursacht Erkrankungen der Atemwege.
- trägt durch Bildung von Schwefelsäure zum Wintersmog und zum sauren Regen bei.

Stickoxide (NO und NO_2)

- entstehen bei hohen Verbrennungstemperaturen durch die Reaktion der beiden Luftbestandteile Stickstoff und Sauerstoff und bei der Verbrennung von Holz.
- führen zusammen mit den VOC zur Bildung des Sommersmogs und tragen durch die Bildung von Salpetersäure zum sauren Regen und zur Stickstoffdüngung bei.

Kohlenstoffmonoxid

- entsteht bei unvollständiger Verbrennung.
- ist giftig und trägt zum Sommersmog bei.

VOC (Volatile Organic Compounds)

- sind leichtflüchtige organische Verbindungen (ohne Methan).
- gelangen bei unvollständiger Verbrennung oder Verdunstung von Treibstoffen in die Luft.
- tragen zur Bildung des Sommersmogs bei.

Feinstaub und Russ

- entstehen bei der unvollständigen Verbrennung von Kohle, Heizöl und Diesel.
- sind kanzerogen und tragen zum Wintersmog bei.

Aufgabe 77 Welche Luftschadstoff-Emissionen (ohne Kohlenstoffdioxid) stammen

A] zu über 50% aus der Industrie?   B] zu über 50% aus dem Verkehr?

C] zu über 25% aus den Haushalten?   D] zu über 25% aus der Land- und Forstwirtschaft?

Aufgabe 78 Welche Emissionen müssen reduziert werden, um

A] die Ozongrenzwerte einzuhalten?   B] den Säureeintrag zu vermindern?

10.3 Kernenergie

Vor- und Nachteile

Kernkraftwerke (KKW) belasten die Luft weniger mit Kohlenstoffdioxid als Wärmekraftwerke mit fossilen Energieträgern. Die Strahlenbelastung in der Umgebung liegt im Normalbetrieb 100-mal tiefer als die natürliche Belastung. In Kernkraftwerken entstehen aber radioaktive Abfälle, die nicht wirklich entsorgt werden können und für Jahrhunderte sicher gelagert und überwacht werden müssen. Unfälle, die zum Austreten von radioaktivem Material führen, sind zwar sehr unwahrscheinlich, können aber – wie Tschernobyl 1986 und Fukushima 2011 gezeigt haben – katastrophale Verstrahlungen zur Folge haben. Mitte 2012 waren auf der ganzen Welt 435 Kernkraftwerke in Betrieb und produzierten etwa 12% der Elektrizität. In der Schweiz liefern Kernkraftwerke im Jahresdurchschnitt 39% des Stroms.

Zusammenfassung

Kernkraftwerke belasten die Luft weniger mit Kohlenstoffdioxid als Kraftwerke mit fossilen Energieträgern, produzieren aber radioaktive Abfälle, die für Jahrhunderte sicher gelagert werden müssen. Die Strahlenbelastung liegt im Normalbetrieb deutlich unter der natürlichen Belastung. Das Risiko von Unfällen ist zwar klein, aber die Auswirkungen sind katastrophal, wie Tschernobyl 1986 und Fukushima 2011 gezeigt haben.

10.4 Erneuerbare Energien

10.4.1 Übersicht

Nachhaltige Quellen

Die gravierenden Nachteile der fossilen Energie und der Kernenergie machen einen Ersatz durch erneuerbare Energien zwingend. Erneuerbare Energien oder Alternativenergien sind Energie aus nachhaltigen Quellen wie Sonne und Wind. Sie bleiben im Gegensatz zu fossilen Energieträgern und Kernbrennstoffen, deren Vorräte durch die Nutzung abnehmen – in den für den Menschen relevanten Zeiträumen – unverändert verfügbar. Der Anteil der erneuerbaren Energien betrug 2010 weltweit 16.7%. Das ist sechsmal so viel, wie die Kernkraftwerke liefern.

[Abb. 10-7] Anteil der erneuerbaren Energieträger am globalen Energieverbrauch

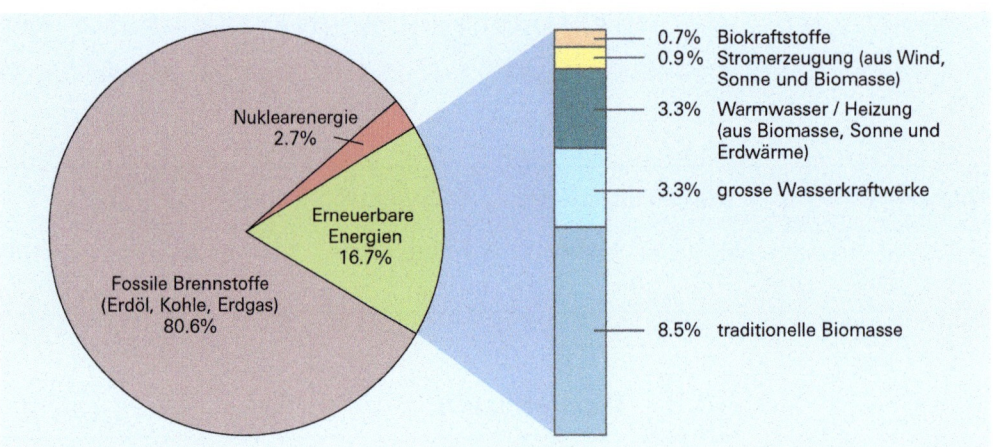

Unter traditioneller Biomasse wird hier die Biomasseverbrennung zur häuslichen Energieversorgung in Entwicklungsländern verstanden (Holz oder getrockneter Dung). Quelle: Renewables 2012, Global Status Report, http://www.ren21.net

Anteil Schweiz

Gemäss der Schweizerischen Energiestiftung betrug im Jahr 2010 der Endverbrauchsanteil aller erneuerbaren Energien in der Schweiz 19.4%. Dieser vergleichsweise hohe Anteil ist v. a. auf die Wasserkraft (12.66%) und Holz (4.18%) zurückzuführen. Umweltwärme (1.19%), Fernwärme (0.64%) sowie Sonne und Biogas (je 0.2%) deckten 2010 nur 2.2% des Endenergieverbrauchs. Mit entsprechenden Anstrengungen könnten Strom und Wärme in etwa 30 Jahren jedoch völlig aus erneuerbaren Quellen gewonnen werden.

Potenzial

Abbildung 10-8 illustriert das Potenzial der erneuerbaren Energien und macht deutlich, dass das nutzbare Potenzial wesentlich höher ist als der gesamte Weltenergiebedarf.

[Abb. 10-8] Erneuerbare Energien

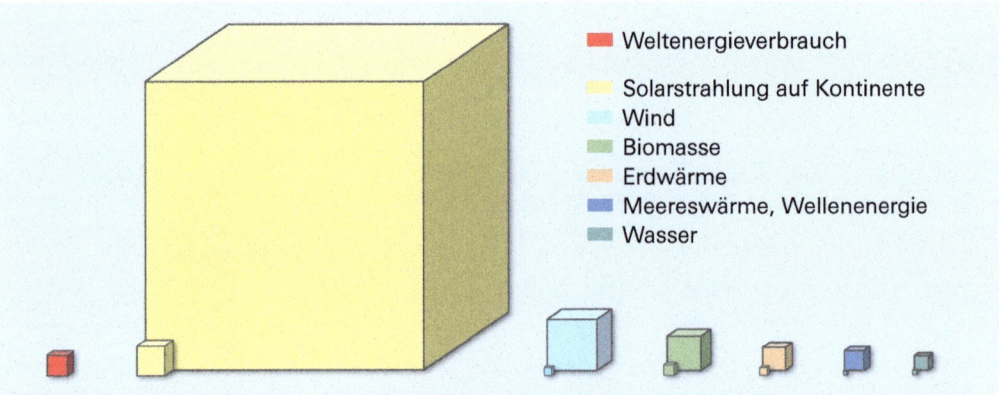

Quelle: Bundesministerium für Umwelt, Naturschutz und Reaktorsicherheit, Erneuerbare Energien, Innovationen für eine nachhaltige Energiezukunft, 2011, http://www.erneuerbare-energien.de

Die grossen Würfel stellen das natürliche Angebot der erneuerbaren Energien dar, die kleinen die davon technisch nutzbaren Anteile. Die erneuerbaren Energien könnten unter Berücksichtigung aller Einschränkungen sechsmal mehr Energie liefern, als heute verbraucht wird (roter Würfel).

Einschränkungen

Bei der Ermittlung der nutzbaren Anteile sind folgende Einschränkungen zu berücksichtigen:

– technische

Grenzen für Wirkungsgrade, Anlagengrössen und Möglichkeiten der vorhandenen oder in absehbarer Zeit verfügbaren Nutzungstechnik.

– ökologische

Ökologische Einschränkungen, z. B. bezüglich Flächenbedarf (Energiepflanzen), Beeinträchtigung von Fliessgewässern, Wasserhaushalt, Landschaften und Ökosystemen (Wasserkraftwerke), Beeinträchtigung von Stoffkreisläufen, z. B. Nutzung von Biomasse.

– strukturelle

Strukturelle Einschränkungen durch Ortsgebundenheit (z. B. Erdwärme), Transportwege (z. B. für Biomasse), Verfügbarkeit von Flächen (Kollektoren, Solarzellen, Energiepflanzen), fehlende Infrastruktur, zeitlich begrenzte Verfügbarkeit (Wind, Solarstrahlung).

10.4.2 Biomasse

Holz

Biomasse in Form von Holz ist der älteste vom Menschen genutzte Energieträger. Eine nachhaltige Nutzung setzt voraus, dass in einem bestimmten Zeitraum nicht mehr Holz geschlagen wird, als nachwächst. Der Energieaufwand bei der Nutzung soll möglichst gering sein.

Biotreibstoffe

Aus Biomasse können auch Treibstoffe für Fahrzeuge hergestellt werden. Am häufigsten wird aus Zucker durch Gärung Alkohol (Ethanol) produziert. Biotreibstoffe können zur Reduktion der Kohlenstoffdioxid-Emissionen beitragen, sind aber nicht CO_2-neutral, weil bei ihrer Produktion Energie benötigt wird. Die Herstellung von Ethanol aus Mais, Zuckerrohr o. Ä. ist nicht sinnvoll, weil die heutigen Agrarflächen zur Produktion von Nahrungsmitteln benötigt werden. Zudem braucht der Anbau von Mais und Zuckerrohr viel Energie und belastet die Umwelt. Sinnvoll ist aber die Herstellung von Biotreibstoff aus Abfällen, aus Holz oder aus Pflanzen, die mit wenig Energie, Dünger und Pestiziden auf Flächen gedeihen, die heute nicht nutzbar sind.

10.4.3 Wasserkraft

Wasserkraftwerke lieferten 2011 weltweit 15.3% des Stroms. In der Schweiz waren es rund 56% und der Anteil soll bis 2030 um mindestens 7% erhöht werden. Wasserkraftwerke produzieren praktisch kein Kohlenstoffdioxid, keine Luftbelastungen und keine Abfälle. Die Wasserkraft ist nachhaltig, weil sie erneuerbar ist. Ihre Schattenseiten sind Landschaftsveränderungen durch Stauseen und Eingriffe in den Wasserhaushalt. In den Bergen führen viele Bäche und Flüsse fast kein Wasser mehr und die meisten Wasserlebewesen sterben aus. Auch Feuchtgebiete und ihre Biozönosen werden zerstört.

Speicherwerke

Pumpspeicherwerke dienen zum Ausgleich der Unterschiede zwischen Strombedarf und Stromproduktion. Übertrifft die Stromproduktion den Bedarf (z. B. nachts), wird mit dem überschüssigen Strom Wasser in den Speicher gepumpt. Ist der Strombedarf höher als die Produktion, lässt man Wasser ab und produziert Strom. Pumpspeicherwerke sind nicht nachhaltig, denn sie brauchen mehr Strom, als sie liefern. Sie ermöglichen aber indirekt die Speicherung von elektrischer Energie.

10.4.4 Sonnenenergie

Indirekt steckt in fast allen Energieträgern Sonnenenergie. Die Sonne lässt Biomasse entstehen, treibt den Wasserkreislauf und die Windsysteme an. Bei der direkten Nutzung der Sonnenenergie kann in Sonnenkollektoren Wärme oder in Solarzellen (Fotovoltaik) Strom erzeugt werden. In Gebieten mit sehr hoher Einstrahlung kann die Sonnenenergie auch zur Herstellung von Wasserstoff aus Wasser dienen. Der gewonnene Wasserstoff ist ein Treibstoff, dessen Verbrennung die Umwelt kaum belastet.

10.4.5 Erdwärme

99% der Erdmasse sind heisser als 1 000 °C. In der ca. 30 km dicken Erdkruste nimmt die Temperatur von aussen nach innen pro 100 m um ca. 3 °C zu. Ein Teil der Wärme stammt aus der Entstehungszeit der Erde, ein grosser Teil entsteht laufend durch den Zerfall natürlicher Isotope. Schon mit den heute verfügbaren technischen Mitteln könnte der gesamte Wärme-Energiebedarf gedeckt werden. Die nutzbaren Vorräte sind 30-mal grösser als die Vorräte an fossilen Brennstoffen. Heute wird vorwiegend die oberflächennahe Erdwärme (bis in eine Tiefe von 500 m), in der die Temperatur selten über 20 °C steigt, mithilfe von Wärmepumpen genutzt.

Zusammenfassung

Erneuerbare Energien aus nachhaltigen Quellen (Biomasse, Wasser, Sonne, Erdwärme, Wind) lieferten 2010 weltweit 16.7% der Energie. Ihr Anteil kann und muss erhöht werden. Das nutzbare Potenzial der Alternativenergien ist höher als der heutige Weltenergiebedarf. Biomasse ist in Form von Holz der älteste Energieträger und liefert heute immer noch etwa 8.5% der Primärenergie. Aus Biomasse erzeugte Biokraftstoffe können eine bessere Ökobilanz aufweisen als Benzin. Ihre Produktion soll aber nicht in umweltbelastenden Monokulturen und nicht auf Flächen geschehen, die zur Nahrungsproduktion genutzt werden können. Biomasse aus Abfällen kann in Biogasanlagen zur Erzeugung von Biogas (Methan) genutzt werden. Methan kann als Treibstoff oder als Heizgas dienen.

Wasserkraftwerke liefern weltweit 15.3% des Stroms. Die Nutzung der Wasserkraft produziert praktisch kein Kohlenstoffdioxid, keine Luftbelastungen und keine Abfälle. Die Schattenseiten sind: Landschaftsveränderungen, Eingriffe in den Wasserhaushalt, Austrocknen von Fliessgewässern und Feuchtgebieten. Mit Sonnenenergie kann in Sonnenkollektoren Wärme oder in Solarzellen Strom erzeugt werden. 99% der Erdmasse sind heisser als 1 000 °C. Heute wird vorwiegend die oberflächennahe Erdwärme mithilfe von Wärmepumpen genutzt.

Aufgabe 79

Ergänzen Sie die folgende Tabelle. Verwenden Sie bei den Hauptquellen folgende Abkürzungen: Industrie: I, Haushalte: H, Land- und Forstwirtschaft: L+F, Verkehr: V.

Schadstoff(gruppe)	Wirkungen	Hauptquellen (I, V, H, L+F)		
		66%:	30%:	3%:
	Sommersmog, saurer Regen	56%:	24%:	11%:
VOC		53%:	Je 19%:	
	Kanzerogen	Je 30%:	11%:	
	Giftig	61%:	Je 15%:	

11 Veränderungen von Ökosystemen und Biozönosen

Lernziele — Nach der Bearbeitung dieses Kapitels können Sie …

- anthropogene Veränderungen von Landschaften und Biozönosen an Beispielen erörtern.
- Folgen der Ausrottung von Tier- und Pflanzenarten darlegen.
- Probleme der Aussetzung von neuen Tier- und Pflanzenarten an Beispielen beschreiben.

Schlüsselbegriffe — Landschaftsveränderungen, Neophyten, Neozoen

Die Eingriffe des Menschen in den Haushalt der Natur für zu tiefgreifenden Veränderungen unserer Umwelt.

11.1 Landschaftsveränderungen

Der Mensch verändert Landschaften u. a. durch

- Abholzen von Wäldern,
- Gewinnung von Agrarflächen,
- Bebauung,
- Flussbegradigungen und Trockenlegung von Feuchtgebieten und
- Abbau von Bodenschätzen.

Eingriffe in die Landschaft verändern neben dem Lebensraum auch dessen Biozönose, den Wasserhaushalt, die Stoffkreisläufe und das lokale Klima.

Verlust an Vielfalt — In der Schweiz war die Landschaft vor hundert Jahren noch kleinräumig gegliedert. Wald, Wiesen, Feuchtgebiete, Äcker und Siedlungsflächen bildeten ein den Geländeverhältnissen weitgehend angepasstes Mosaik. Seit einigen Jahrzehnten werden die Gestaltung und die Nutzung vereinheitlicht, die Flächen werden vergrössert, geometrisiert und ausgeräumt. Siedlungs- und Verkehrsflächen dehnen sich aus. Auch die Zunahme der Nutzungsintensität trägt zum Verlust an Vielfalt bei.

Zusammenfassung — Der Mensch verändert die Landschaft und ihre Biozönosen u. a. durch Abholzen von Wäldern, Flussbegradigungen und Trockenlegung von Feuchtgebieten, Bebauung, Abbau von Bodenschätzen, Gewinnung und Umgestaltung von Agrarflächen. Die Veränderung oder Zerstörung von Lebensräumen führt zum Aussterben vieler Arten.

11.2 Veränderungen von Biozönosen

Artensterben — Eingriffe des Menschen in die Landschaft und Veränderungen der abiotischen Bedingungen verändern Biozönosen wesentlich stärker als direkte Eingriffe wie die Jagd. Den Verlust an Vielfalt und das grosse Artensterben hat der Mensch primär durch Veränderung und Zerstörung von Lebensräumen verursacht. Auch die Ausrottung oder das Aussetzen von Arten kann aber, wie die folgenden Beispiele zeigen, für eine Biozönose erhebliche Folgen haben.

11.2.1 Ausrottung der Fleischfresser

Ausrottung

Durch die Ausrottung von Wolf und Bär in Mitteleuropa haben Rehe, Hirsche und Wildschweine keine natürlichen Feinde mehr. Wenn ihre Populationen nicht durch die Jagd kontrolliert werden, richten sie im Wald v. a. durch den Verbiss junger Bäume Schaden an.

11.2.2 Aussetzen neuer Arten

Aussetzen

Das Aussetzen einer neuen Art führt langfristig meist nicht zu einer Erhöhung der Artenzahl und kann sich, wie die folgenden Beispiele zeigen, negativ auswirken, wenn die ausgesetzte Art

- zu wenig natürliche Feinde hat und sich entsprechend stark ausbreitet,
- als Konkurrent um Nahrung und Lebensraum einheimische Arten verdrängt,
- als Raubtier oder als Gifttier die heimische Fauna schädigt oder
- Krankheiten einschleppt, gegen die sie selbst immun ist.

Wiederansiedlung

Ökologisch unproblematisch ist die Wiederansiedlung ausgestorbener Arten, deren Nischen nicht besetzt sind (z. B. Luchs, Bartgeier, Wolf). Allerdings können solche Arten den Jägern Konkurrenz machen oder Nutztiere erbeuten.

Kaninchen in Australien

Im Jahr 1859 brachte ein Engländer 24 Wildkaninchen als Jagdwild nach Australien. Da die Kaninchen kaum natürliche Feinde hatten, vermehrten sie sich rasant und wurden zur Plage. Besonders in den trockenen Gebieten Australiens frassen sie das Grasland förmlich kahl und trugen mit ihrer Wühlarbeit zur Erosion des Bodens bei. Durch die Zerstörung der Pflanzendecke nahmen sie den einheimischen Tieren die Nahrung und den Unterschlupf.

Zaun als Barriere

Zu Beginn des 20. Jahrhunderts versuchte man, den noch weitgehend kaninchenfreien Südwesten des Landes mit einem 1 800 km langen Zaun durch ganz Australien zu schützen. Aber die Kaninchen liessen sich nicht aufhalten. Mitte des Jahrhunderts gab es mehr als 600 Millionen Kaninchen, die in der Landwirtschaft einen Schaden von über 100 Millionen Franken pro Jahr verursachten.

Bekämpfung mittels Virus

1950 setzte man zur Bekämpfung ein Virus ein, das bei Kaninchen die Myxomatose verursacht und durch Stechmücken und Flöhe übertragen wird. Innerhalb von zwei Jahren starben ca. 600 Millionen Kaninchen, aber dann wurden sie resistent gegen das Virus und vermehrten sich wieder munter. In 40 Jahren stieg der Bestand erneut auf 300 Millionen.

Ein neues, gentechnisch verändertes Virus wurde getestet und «entkam» auf ungeklärte Weise, noch bevor sein Einsatz bewilligt war. 95% der Kaninchen starben in kurzer Zeit. Das führte allerdings dazu, dass Räuber wie der Fuchs, die man zur Bekämpfung der Kaninchen eingeführt hatte, nun einheimische Beuteltiere und Vögel erlegten.

Aga-Kröte

Bekämpfung des Zuckerrohrkäfers

Weil das Zuckerrohr in Australien vom Menschen eingeführt wurde, hat der ebenfalls eingeschleppte Zuckerrohrkäfer *(Lepidoderma albohirtum)* kaum natürliche Feinde und richtet grossen Schaden an. Zu seiner Bekämpfung importierte man 1935 die bis 25 cm grosse Aga-Kröte *(Bufo marinus).* Diese frass allerdings in Australien fast alles ausser Zuckerrohrkäfern und vermehrte sich immer schneller, weil sie mit ihrem Gift ihre Fressfeinde dezimierte. Die australischen Reptilien (Warane, Schlangen, Echsen) fressen die ihnen unbekannte Kröte, weil sie ihr Giftigkeit nicht kennen, und sterben, weil sie gegen das Gift nicht resistent sind.

Neozoen der Schweiz

Beispiele von Neozoen

Auch in der Schweiz breiten sich eingeschleppte oder ausgesetzte Tierarten aus. Wir nennen sechs Beispiele von solchen Neozoen[1]:

- Der amerikanische Signalkrebs brachte die für ihn harmlose Krebspest, an der die einheimischen Krebse sterben, in die Schweiz.
- Die Regenbogenforelle verdrängte die Bachforelle. Dadurch fehlt z. B. der Perlmuschel, deren Larven sich in den Kiemen der Bachforelle entwickeln, die Kinderstube.
- Der Asiatische Marienkäfer (vgl. Abb. 11-1), der in Europa zur biologischen Bekämpfung von Blattläusen in Gewächshäusern eingeführt wurde, hat den Weg aus den Gewächshäusern gefunden. Er verdrängt die einheimischen Marienkäferarten.
- Der Ochsenfrosch frisst einheimische Amphibien.
- Die Rostgans ist aggressiv und verdrängt Nahrungskonkurrenten. Als Höhlenbrüter besetzt sie auch potenzielle Brutplätze einheimischer Vögel.
- Die Wandermuschel wurde wahrscheinlich am Rumpf von Booten eingeführt. Sie trägt als Planktonfiltrierer zur Klärung des Wassers bei, kann aber auch Wasserfassungen und Rohre besiedeln und Leitungen verstopfen. Weil sie vielen Wasservögeln als Nahrung dient, pendelten sich die Bestände nach der raschen, anfänglichen Vermehrung ein.

Neophyten der Schweiz

Beispiele von Neophyten

Auch unter den eingeschleppten Pflanzen gibt es Arten, die sich stark ausbreiten und einheimische Arten verdrängen. Man nennt sie Neophyten[2]. In der Schweiz stehen u. a. folgende Arten auf der schwarzen Liste:

- Riesenbärenklau *(Heracleum mantegazzianum),*
- Aufrechtes Traubenkraut *(Ambrosia artemisiifolia,* vgl. Abb. 11-1),
- Ostasiatischer Beifuss *(Artemisia verlotiorum),*
- Kanadische Goldrute *(Solidago canadensis),*
- Sommerflieder *(Buddleja davidii).*

[Abb. 11-1] Neozoen und Neophyten in der Schweiz

Der Asiatische Marienkäfer wurde als Schädlingsbekämpfer in Gewächshäusern eingeführt und breitet sich jetzt im Freiland aus. Bild: © Beat Wermelinger

Die Samen des Aufrechten Traubenkrauts wurden v. a. mit Vogelfutter eingeschleppt. Pollen und Saft können Allergien auslösen. Bild: CC Ted Bodner, Southern Weed Society, Bugwood.org

---

[1] Gr. *neo* «neu», gr. *zoon* «Tier».
[2] Gr. *neo* «neu», gr. *phyt* «Pflanze».

Zusammenfassung Das Aussetzen einer neuen Art kann sich negativ auswirken, wenn die ausgesetzte Art zu wenig natürliche Feinde hat, als Konkurrent einheimische Arten verdrängt, als Raubtier oder als Gifttier die heimische Fauna schädigt oder Krankheiten einschleppt. Beispiele sind die Kaninchen und die Aga-Kröte in Australien. Neozoen der Schweiz sind: Regenbogenforelle, Signalkrebs, Wandermuschel, Asiatischer Marienkäfer. Neophyten: Riesenbärenklau, Ambrosia, Goldrute.

Aufgabe 80 Warum wirkt sich das Aussetzen neuer Arten auf die Stabilität einer Biozönose meist negativ aus? Müsste die Stabilität der Biozönose mit steigender Artenzahl nicht zunehmen?

12 Belastungen der Luft und Klimaveränderungen

Lernziele Nach der Bearbeitung dieses Kapitels können Sie …

- die wichtigsten globalen Luftprobleme und ihre Ursachen nennen.
- den Treibhauseffekt und die Bedeutung der Ozonschicht erklären.
- Ursachen und Folgen des Klimawandels darlegen und Gegenmassnahmen erörtern.
- Entstehung des Sommersmogs erklären und Gegenmassnahmen nennen.
- Gründe der Versauerung der Niederschläge darlegen.
- Ursachen und Folgen des Ozonlochs beschreiben und Gegenmassnahmen erörtern.

Schlüsselbegriffe Atmosphäre, FCKW, Klimaänderung, Ozon, Ozonloch, saurer Regen, Sommersmog, Treibhauseffekt

In diesem Kapitel besprechen wir die gravierenden Belastungen des Umweltbereichs Luft und deren Auswirkungen auf das Weltklima.

12.1 Grundlagen

12.1.1 Stockwerke der Atmosphäre

Atmosphäre

Die Atmosphäre ist die Gashülle der Erde. Sie besteht aus mehreren Schichten, die sich in Temperatur, Druck, Einstrahlung und Dichte unterscheiden und in denen darum unterschiedliche Reaktionen ablaufen. Für das Leben auf der Erde sind v. a. die unteren zwei Schichten massgebend: die Troposphäre und die Stratosphäre:

50 km Stratosphäre	In der Stratosphäre 15–50 km über der Erde löst die intensive kurzwellige UV-Strahlung Reaktionen aus, die in der Troposphäre nicht ablaufen. So werden in einer Höhe von 22–30 km O_2-Moleküle in O-Atome gespalten, und diese bilden mit O_2-Molekülen Ozon-Moleküle (O_3).
30 km Ozonschicht 22 km	Die so gebildete Ozonschicht schützt die Lebewesen auf der Erde vor der kurzwelligen UV-Strahlung, indem sie diese absorbiert.
15 km Troposphäre	Die Troposphäre reicht im Mittel bis in eine Höhe von 15 km (am Äquator 18 km, an den Polen 8 km). Sie enthält 90% der gesamten Luft und ihre Zusammensetzung ist für die Lebewesen von direkter Bedeutung.

12.1.2 Bedeutung anthropogener Emissionen

Spurengase mit grosser Wirkung

Die Zusammensetzung der Luft in der Atmosphäre (vgl. Abb. 12-1) war während Jahrtausenden praktisch konstant und ändert sich durch die vom Menschen produzierten Stoffe nur wenig. Trotzdem fallen die anthropogenen Emissionen bei Spurengasen wie Kohlenstoffdioxid, Ozon oder Fluor-Chlor-Kohlenwasserstoffen (FCKW), die in der unbelasteten Luft nur in winzigen Mengen oder gar nicht vorkommen, ins Gewicht. Beim Kohlenstoffdioxid entspricht die vom Menschen verursachte Erhöhung der Konzentration um 100 ppm einer Zunahme um 35%.

Vor allem Gase, die die Einstrahlung oder den Wärmehaushalt der Erde beeinflussen, können schon in kleinen Mengen grosse Wirkung haben. So verstärken die Emissionen von Kohlenstoffdioxid und Methan den Treibhauseffekt und die anthropogenen Fluor-Chlor-Kohlenwasserstoffe verursachen durch den Ozonabbau in der Stratosphäre eine verstärkte und lebensbedrohende UV-Einstrahlung.

[Abb. 12-1]   Zusammensetzung der trockenen Luft

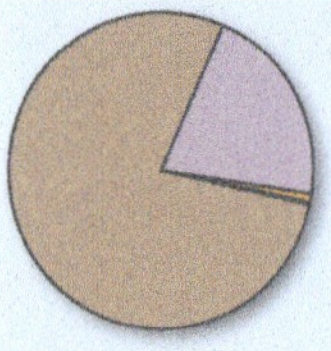

Komponenten in %		Spurengase in ppb (parts per billion: 1:10⁹)			
Stickstoff	78.08	Methan	1800	Ammoniak	0.4
Sauerstoff	20.94	Distickstoffoxid	310	Schwefeldioxid	0.2
Argon	0.93	Kohlenstoffmonoxid	100	Stickoxide	0.1
Kohlenstoffdioxid	0.040	VOC	50		
Spurengase	0.012	Ozon	30		

Globale Folgen   Weil sich die Emissionen in der Luft schnell verteilen, wirken sie weit über die Emissionsgebiete hinaus und können zu globalen Veränderungen führen. Anthropogene Emissionen haben innerhalb von wenigen Jahrzehnten zu gravierenden klimatischen Veränderungen, zum Abbau der schützenden Ozonschicht, zur Versauerung der Niederschläge und zu hohen Smogbelastungen geführt.

Schäden   In der Schweiz führt die Luftverschmutzung zu Atemwegserkrankungen und ca. 4 000 vorzeitigen Todesfällen. In der Landwirtschaft verursacht sie Ernteeinbussen von 5–15%. Natürliche Ökosysteme sind durch Säureeintrag und Überdüngung aus der Luft gefährdet.

12.1.3   Die wichtigsten globalen Luftbelastungen (Übersicht)

Überblick   Das folgende Schema gibt Ihnen einen Überblick über Quellen, Umfang und Wirkungen der wichtigsten anthropogenen Luftschadstoffe auf der ganzen Welt. Die Zahlenangaben beruhen auf Schätzungen und variieren je nach Quelle erheblich. Sie dienen lediglich zur Orientierung über die Grössenordnung der Emissionen. Das Schema zeigt auch, durch welche Emissionen die vier Hauptprobleme der Luftbelastung verursacht werden.

[Abb. 12-2]   Globale anthropogene Luftbelastungen (Übersicht)

	Saurer Regen				Anthropogener Treibhauseffekt			
	Schwefeldioxid	Stickoxide	VOC	Kohlenstoffmonoxid	Methan	Kohlenstoffdioxid	FCKW	Distickstoffoxid
Emissionen	150 Mt/J	130 Mt/J	150 Mt/J	1 200 Mt/J	400 Mt/J	32 000 Mt/J	1 Mt/J	15 Mt/J
Quellen	Verbrennung S-haltiger Brennstoffe	Verbrennung bei hoher Temperatur	Unvollständige Verbrennung, Verdunstung	Verbrennung bei hoher Temperatur	Reisfelder, Viehhaltung, Erdgasverluste	Verbrennung, Brandrodung	Kältemittel, Treibgase in Kunststoffen	Stickstoffdünger, Bodenbearbeitung
Trend	↓	→	→	↓	↑	↑↑	↓↓	↑
	SO_2	NO_x	VOC	CO	CH_4	CO_2	FCKW	N_2O
			Sommersmog				Abbau der Ozonschicht	

Mt = Megatonnen = 10⁶ t; ppm = parts per million = 1 : 10⁶ (z. B. mg/kg).

Zusammenfassung   Die Troposphäre ist die unterste, etwa 15 km dicke Schicht der Atmosphäre. Sie enthält neben Stickstoff (78%) und Sauerstoff (21%) Edelgase wie Argon und winzige Mengen von Spurengasen wie Kohlenstoffdioxid (400 ppm), Methan, Kohlenstoffmonoxid, Ozon etc.

In der Stratosphäre 15–50 km über dem Erdboden bildet sich unter Einwirkung kurzwelliger UV-Strahlen Ozon (O_3). Die Ozonschicht schützt die Lebewesen auf der Erde vor der kurzwelligen UV-Strahlung, indem sie diese absorbiert.

Emissionen können Lebewesen direkt schädigen wie das giftige Kohlenstoffmonoxid oder zur Bildung von sekundären Schadstoffen wie Ozon führen. Sie können die Absorption von Licht und den Wärmehaushalt der Erde beeinflussen und dadurch das Klima verändern (Treibhauseffekt, Abbau der Ozonschicht). Viele Schadstoffe gelangen aus der Luft durch Auswaschung oder Ablagerung in Gewässer oder Böden.

Folgen der Luftbelastungen sind: Klimaänderung durch den anthropogenen Treibhauseffekt, fotochemischer Smog, Ozonabbau in der Stratosphäre, saure Niederschläge.

Aufgabe 81 Geben Sie für jeden Schadstoff an, zu welchem oder welchen Luftproblemen er beiträgt:

A] Kohlenstoffdioxid   B] Schwefeldioxid   C] VOC   D] FCKW   E] Stickoxide

Aufgabe 82 Warum bildet sich aus Sauerstoff in der Stratosphäre Ozon und in der Troposphäre nicht?

12.2 Veränderung des Erdklimas

12.2.1 Treibhauseffekt

Treibhausgase

Das Klima auf der Erde ist von der Zusammensetzung der Lufthülle abhängig. Die Strahlung von der Sonne (mit Wellenlängen von 300–740 nm) wird von der Luft fast nicht absorbiert und heizt die Erdoberfläche auf (vgl. Kap. 12.3, S. 187). Die erwärmte Erdoberfläche strahlt Wärme ab wie ein Stein, der an der Sonne liegt. Diese Infrarotstrahlung hat eine höhere Wellenlänge (> 740 nm) als die Einstrahlung von der Sonne und wird darum in der Luft von den sogenannten Treibhausgasen absorbiert. Bei der Absorption wird die Strahlung vom Gas «verschluckt» und ihre Energie beschleunigt die Bewegung der Gasteilchen. Dadurch steigt die Temperatur des Gases.

Die Treibhausgase absorbieren also die Wärmestrahlung der Erde und heizen sich und dadurch die Luft auf.

Die nicht absorbierte Wärmestrahlung kann von Wolken reflektiert werden oder die Troposphäre verlassen. Je höher die Konzentration der Treibhausgase ist, umso höher ist der Anteil der Wärmestrahlung, die in der Troposphäre bleibt, weil sie absorbiert wird.

[Abb. 12-3] Treibhauseffekt

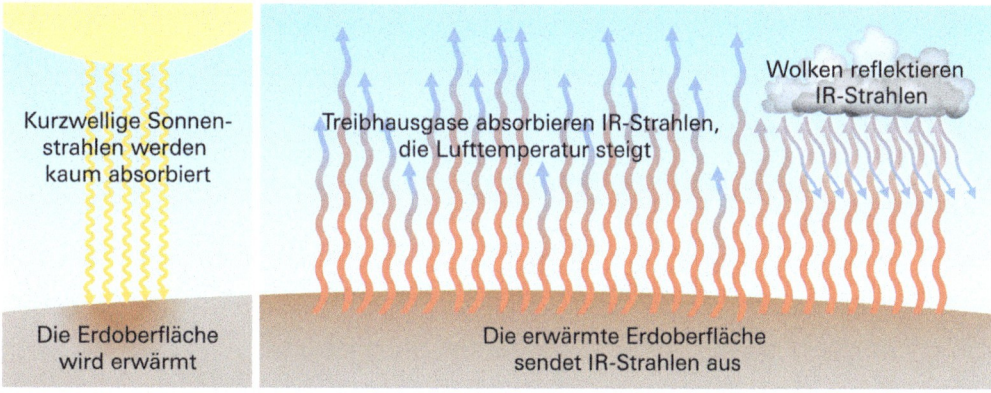

Treibhausgase lassen die kurzwellige Einstrahlung von der Sonne zur Erde passieren, absorbieren aber die von der Erde ausgehende langwellige Infrarotstrahlung.

Natürlich — Der natürliche Treibhauseffekt erhöht die mittlere Jahrestemperatur auf der Erde von –18 °C auf 15 °C. Wie Sie aus Abbildung 12-4 ersehen, beruht er hauptsächlich auf Wasserdampf, Kohlenstoffdioxid, Ozon, Distickstoffmonoxid und Methan.

[Abb. 12-4] Die natürlichen Treibhausgase

Wasserdampf 20 °C 60 %	Kohlenstoffdioxid 6.9 °C 21 %	Lachgas 2.3 °C 6 %	Ozon 2.3 °C 6 %	Methan	Übrige

Die Anteile der natürlichen Treibhausgase am natürlichen Treibhauseffekt von 33 °C.

Anthropogen — Weil die natürlichen Treibhausgase abgesehen vom Wasserdampf in der sauberen Luft nur in winzigen Mengen vorkommen (vgl. Abb. 12-1), fällt die Erhöhung ihrer Konzentrationen durch die anthropogenen Emissionen so stark ins Gewicht, dass die Treibhauswirkung deutlich verstärkt wird. Die Verstärkung der Wärmeabsorption wird als anthropogener Treibhauseffekt bezeichnet. Der anthropogene Treibhauseffekt beeinflusst den Wärmehaushalt der Erde und führt zu gravierenden Veränderungen des Klimas.

12.2.2 Die beobachtete Klimaänderung

IPCC — Obwohl die Grundtatsachen des anthropogenen Treibhauseffekts schon seit über 50 Jahren bekannt sind, wurde (und wird) seine Wirkung auf das Klima lange verharmlost oder bestritten. Die folgende Darstellung über die Klimaänderung und ihre Ursachen stützt sich auf den Klimabericht 2014[1] des IPCC (Intergovernmental Panel on Climate Change), der auf der wissenschaftlichen Arbeit von über 1 000 Klimaforschern auf der ganzen Welt beruht.

[Abb. 12-5] Globale Erwärmung und Anstieg des Meeresspiegels

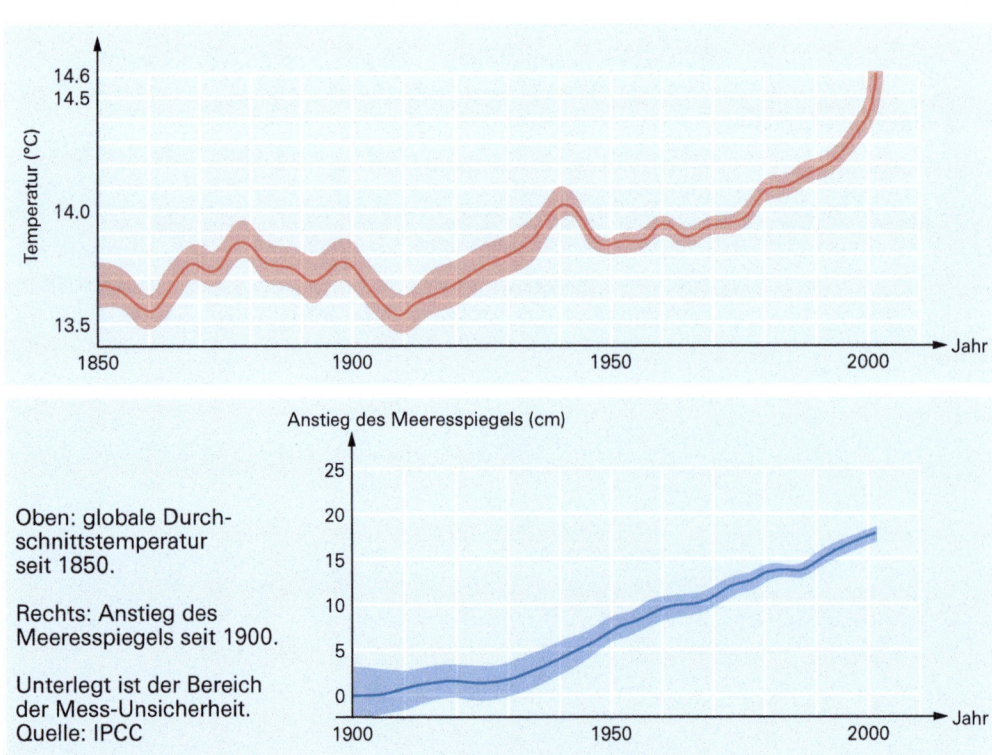

Oben: globale Durchschnittstemperatur seit 1850.

Rechts: Anstieg des Meeresspiegels seit 1900.

Unterlegt ist der Bereich der Mess-Unsicherheit. Quelle: IPCC.

---

[1] IPCC, 2014: Climate Change 2014: Synthesis Report. Contribution of Working Groups I, II and III to the Fifth Assessment Report of the Intergovernmental Panel on Climate Change (Core Writing Team, R. K. Pachauri and L. A. Meyer [eds.]). IPCC, Geneva, Switzerland, 151 pp.

Messbare Tatsachen

Das Erdklima hat sich in den letzten Jahrzehnten deutlich verändert:

- Die globale Oberflächentemperatur ist seit 1880 um 0.85 °C gestiegen.
- Jedes der letzten drei Jahrzehnte war wärmer als jedes Jahrzehnt seit 1850.
- Die Zeit von 1983 bis 2012 war die wärmste 30-Jahre-Periode in den vergangenen 1 400 Jahren der nördlichen Hemisphäre.
- Die Häufigkeit heftiger Niederschläge hat zugenommen.
- Die jährliche Ausbreitung des arktischen Meereises hat zwischen 1979 und 2012 in jedem Jahrzehnt um 3.5 bis 4.1% abgenommen.
- Die Temperaturen in den oberen Schichten des Permafrostbodens sind seit 1980 um 3 Grad gestiegen. Die Fläche des im Frühling gefrorenen Bodens hat seit 1900 um 15% abgenommen.
- Die Oberflächentemperatur der Ozeane hat zwischen 1971 und 2010 um 0.44 °C zugenommen. Die Ozeane sind im globalen Mittel bis in Tiefen von 3 000 Meter wärmer geworden.
- Der Meeresspiegel ist in der Zeit von 1901 bis 2010 um 19 cm gestiegen. Davon sind 60% verursacht durch die thermische Ausdehnung, 25% durch Abschmelzen der Gebirgsgletscher und 15% durch das Abschmelzen der Eisschilde.

12.2.3 Ursachen der Klimaänderung

Natürlich oder anthropogen?

Da das Erdklima von vielen Faktoren abhängt, ist der Einfluss der anthropogenen Emissionen schwer nachweisbar. Aus Abbildung 12-6 ersehen Sie aber ganz klar, dass die seit 1950 auf den verschiedenen Kontinenten beobachtete Erwärmung nur mit den Modellrechnungen übereinstimmt, die die Wirkung anthropogener Emissionen mit einrechnen.

[Abb. 12-6] Modellrechnungen zu den Ursachen der Klimaänderungen

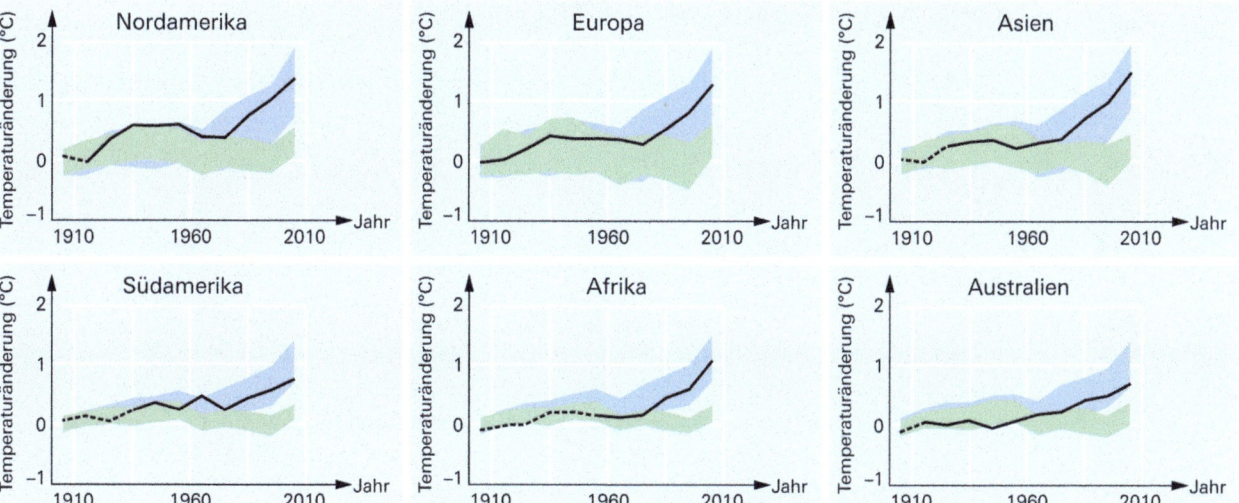

Die schwarzen Linien zeigen die Entwicklung der mittleren Oberflächentemperaturen, die farbigen Flächen markieren die Bereiche der Ergebnisse von 77 verschiedenen Computersimulationen zur Klimaentwicklung. Blau ist der Bereich von Simulationen mit anthropogenen Einflüssen, grün ist der Bereich von Simulationen ohne anthropogene Einflüsse. Quelle: IPCC, 2014, Full Report, Figure 1.10, S. 49

Anthropogene Treibhausgase

Der Bericht des IPCC kommt zum Schluss: Die für Klimaänderungen verantwortlichen Änderungen des Wärmehaushalts der Erde sind vorwiegend durch anthropogene Emissionen von Treibhausgasen verursacht. Änderungen der Sonneneinstrahlung haben nur einen geringen Einfluss. Die wichtigsten anthropogenen Treibhausgase sind Kohlenstoffdioxid, Methan, Ozon, Fluor-Kohlenwasserstoff und Lachgas (Distickstoffmonoxid).

[Abb. 12-7] Anthropogene Treibhausgase 2010 (Übersicht)

	Potenzial*	Effekt**	Wichtigste Quellen
Kohlenstoffdioxid	1	76%	Fossile Brennstoffe, Brandrodungen
Methan	21	16%	Reisfelder, Rinder, Deponien, Erdgas
FKW	bis 12 000	2%	Kühlmittel, Treibgas
Distickstoffmonoxid (Lachgas, NO_2)	300	6.2%	Düngung

* Treibhauspotenzial im Vergleich zu CO_2.

** Anteil an den anthropogenen Treibhausgasemissionen (nach IPCC, 2014, Synthesis Report, Figure SPM.2, S. 5).

[Abb. 12-8] Quellen anthropogener Treibhausgase in der Schweiz

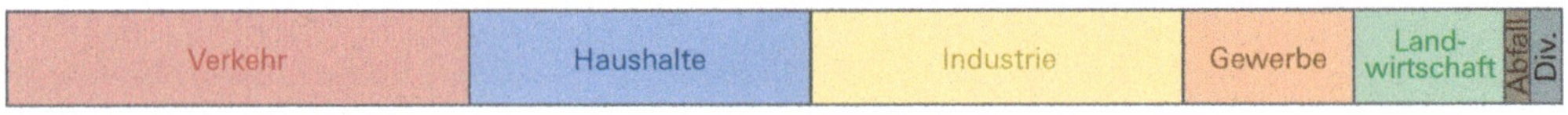

| Verkehr | Haushalte | Industrie | Gewerbe | Landwirtschaft | Abfall | Div. |

Anteil verschiedener Verursacher an den Gesamtemissionen von Treibhausgasen. Quelle: BAFU

Wir betrachten die fünf wichtigsten Treibhausgase, ihre Quellen und die nötigen Massnahmen zur Verminderung ihrer Emissionen:

- Kohlenstoffdioxid
- Methan
- Synthetische Gase (fluorierte Kohlenwasserstoffe)
- Distickstoffmonoxid
- Ozon

Kohlenstoffdioxid

Konzentration

Die Kohlenstoffdioxid-Konzentration der Luft hat von 1750 bis 2013 um 42% von 280 ppm auf 400 ppm zugenommen (vgl. Abb. 12-9). Der Anstieg, der mit der Industrialisierung begann, hat sich in den letzten Jahrzehnten beschleunigt. Die jährliche Zunahme liegt heute bei 1.9 ppm. Die jahreszeitlichen Schwankungen sind durch die Vegetationsperioden auf der Nordhalbkugel bedingt.

Untersuchungen an Eisbohrkernen zeigen, dass die Kohlenstoffdioxid-Konzentration seit 650 000 Jahren noch nie so hoch war wie heute.

[Abb. 12-9] Entwicklung der Konzentration von Kohlenstoffdioxid von 1000 bis 2013

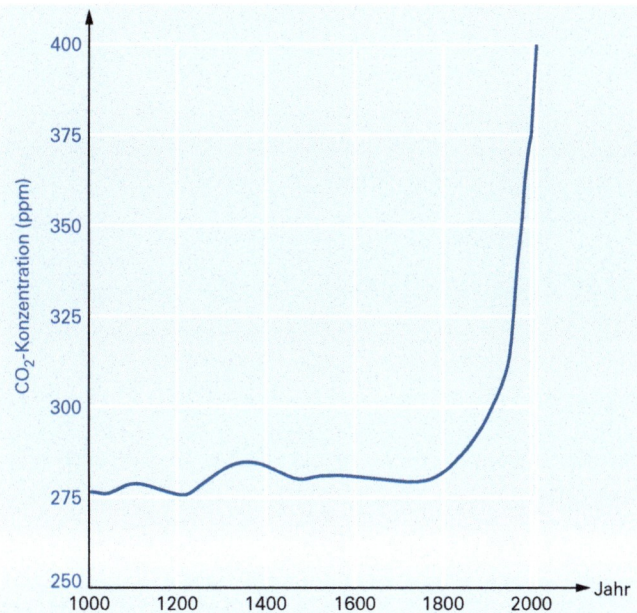

Kohlenstoffdioxid-Konzentration von 1000–2013, ermittelt anhand von Eisbohrkernen.

Emissionen

Im Jahr 2013 wurden 36 Gt (1 Gt = 10^9 t) Kohlenstoffdioxid emittiert.[1] Hauptquellen waren die Verbrennung fossiler Brennstoffe (ca. 80%) und Brandrodungen (ca. 20%). Die Emissionen aus der Verbrennung fossiler Brennstoffe steigen immer noch.

[Abb. 12-10] Entwicklung der Emissionen und der Konzentration von Kohlenstoffdioxid

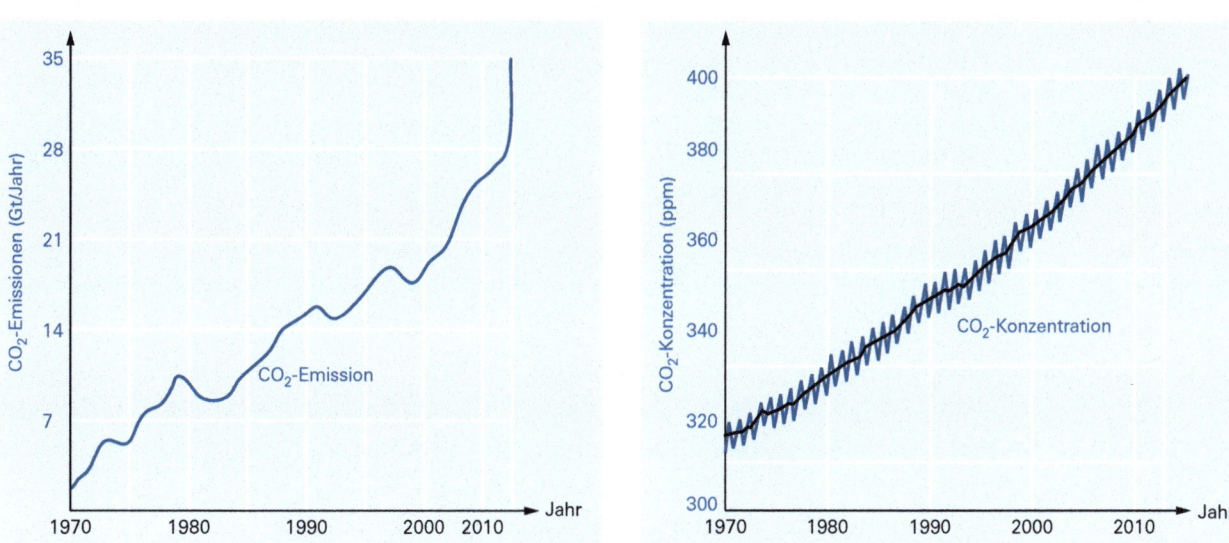

Kohlenstoffdioxid-Konzentration in der Luft von 1970 bis 2007 auf dem Mauna-Loa (Hawaii) und globale Kohlenstoffdioxid-Emissionen. Quelle: IPCC, 2014, Synthesis Report, Figure 1.5 ff., S. 45 ff.

Senken

Etwa die Hälfte des seit Beginn der Industrialisierung emittierten Kohlenstoffdioxids ist in der Atmosphäre verblieben und verstärkt den natürlichen Treibhauseffekt. Wohin die andere Hälfte verschwunden ist, bleibt unklar. Ein Teil hat sich im Wasser gelöst. Ob dies auch weiterhin geschehen wird, ist ebenfalls unklar. Wenn nicht, wird die Kohlenstoffdioxid-Konzentration noch viel schneller steigen als bisher.

[1] Quelle: CDIAC (Carbon Dioxide Information Analysis Center), http://cdiac.ornl.gov/GCP/carbonbudget/2013/ (24.3.2015)

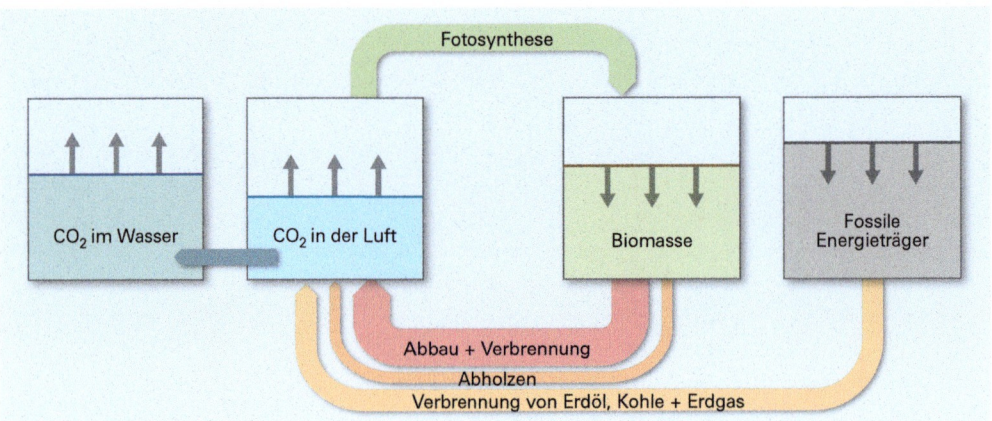

[Abb. 12-11] Eingriffe in den Kohlenstoffkreislauf

Massnahmen

Kohlenstoffdioxid verursacht mehr als die Hälfte des anthropogenen Treibhauseffekts. Seine Emissionen müssen gesenkt werden. Zu den nötigen Massnahmen gehören:

- Stopp der Brandrodungen
- Erhöhung der Energieumwandlungs-Effizienz in Feuerungsanlagen, Motoren etc.
- Verminderung der Verluste durch bessere Isolation von Gebäuden, Kühlanlagen etc.
- Verbrauchsreduktion bei Kraftfahrzeugen
- Ersatz fossiler Energieträger durch erneuerbare Energien (vgl. Kap. 10.4, S. 167)

Methan

Quellen

Methan entsteht beim anaeroben Abbau von organischen Stoffen durch Methanbakterien, z. B. in Sümpfen oder im Verdauungstrakt von Wiederkäuern. Rund 60% der jährlichen Produktion stammen aus anthropogenen Quellen wie Reisfeldern, Rinderherden, Deponien, Erdölförderung, Erdgas-Nutzung.

Konzentration

Die Methan-Konzentration ist seit 1800 von 715 ppb auf rund 1 780 ppb (10^{-9}) gestiegen. Die jährliche Zunahme betrug in den letzten 10 Jahren 3 ppb.

Wirkung

Das Treibhauspotenzial von Methan ist etwa 20-mal höher als dasjenige von Kohlenstoffdioxid. Methan wird durch Bodenbakterien oder fotochemisch zu Kohlenstoffdioxid oxidiert.

Gegenmassnahmen

Massnahmen zur Verminderung der Methan-Emissionen sind: Erdgas bei der Erdölförderung nicht abblasen, Verlust aus Leitungen vermeiden, Rinderzahl reduzieren, organische Abfälle nicht deponieren, sondern zur Biogasgewinnung nutzen.

Synthetische Gase (fluorierte Kohlenwasserstoffe)

FCKW, FKW

Fluor-Chlor-Kohlenwasserstoffe (FCKW) und Fluor-Kohlenwasserstoffe (FKW) sind synthetische Gase, die nur aus anthropogenen Quellen in die Luft gelangen. Sie werden als Kühlmittel und als Treibgase bei der Kunststoffherstellung eingesetzt. In Spraydosen werden sie praktisch nicht mehr verwendet. Die FCKW sind weitgehend verboten, weil sie in der Stratosphäre zur Zerstörung der Ozonschicht beitragen (vgl. Kap. 12.5, S. 192). Dieser erfreulichen Reduktion steht allerdings die weniger erfreuliche Zunahme der als Treibhausgas wirksamen FKW als Kühlmittel, z. B. in Autoklimaanlagen, gegenüber. Der Beitrag der fluorierten Kohlenwasserstoffe zum Treibhauseffekt ist trotz winziger Konzentrationen relativ hoch, weil ihr Treibhauspotenzial bis zu 12 000-mal höher ist als dasjenige von Kohlenstoffdioxid.

Distickstoffmonoxid

Quellen

Distickstoffmonoxid oder Lachgas ist ein farbloses, geruchloses, ungiftiges Gas, das von Bodenbakterien gebildet wird. Der Mensch erhöht diese Produktion durch die Stickstoff-Düngung. Auch die chemische Industrie setzt N_2O frei. Die Distickstoffmonoxid-Konzentration ist seit 1750 von 270 ppb auf rund 320 ppb gestiegen. Seit 1980 ist die Zunahme konstant.

Wirkungen

Distickstoffmonoxid ist als Treibhausgas 300-mal wirksamer als Kohlenstoffdioxid. Es trägt auch zur Zerstörung der Ozonschicht in der Stratosphäre bei.

Ozon

Smog

Ozon wird vom Menschen praktisch nicht emittiert, entsteht aber im Sommersmog (vgl. Kap. 12.3.2, S. 187) aus den anthropogenen Emissionen von Stickoxiden und Kohlenwasserstoffen. Ozon ist gesundheitsschädigend und als Treibhausgas 2 000-mal wirksamer als Kohlenstoffdioxid. Seine Konzentration muss durch Reduktion der Emissionen von Stickoxiden und Kohlenwasserstoffen gesenkt werden (vgl. Kap. 10.2.2, S. 162).

12.2.4 Prognosen für die Klimaentwicklung

Klimamodelle

Prognosen über die Entwicklung des Klimas in den nächsten 100 Jahren basieren auf Klimamodellen und bestimmten Annahmen über die Entwicklung (Bevölkerung, Lebensstandard, Energieverbrauch, Energieträger etc.). Ein Vergleich der Klimaprognosen, die vor 25 Jahren gemacht wurden, mit der tatsächlichen Entwicklung zeigt, dass die meisten Voraussagen grundsätzlich richtig, aber zu optimistisch waren. Auch die im Folgenden dargestellten Prognosen sind sicher keine Schwarzmalerei. Sie beruhen auf den vom IPCC entwickelten Emissionsszenarien, denen verschiedene Annahmen über die Entwicklung im 21. Jahrhundert zugrunde liegen. Abbildung 12-12 zeigt die Emissionen und die globale Erwärmung für zwei von diesen Szenarien.

[Abb. 12-12] Resultate der Modellrechnungen für die Klimaentwicklung im 21. Jh.

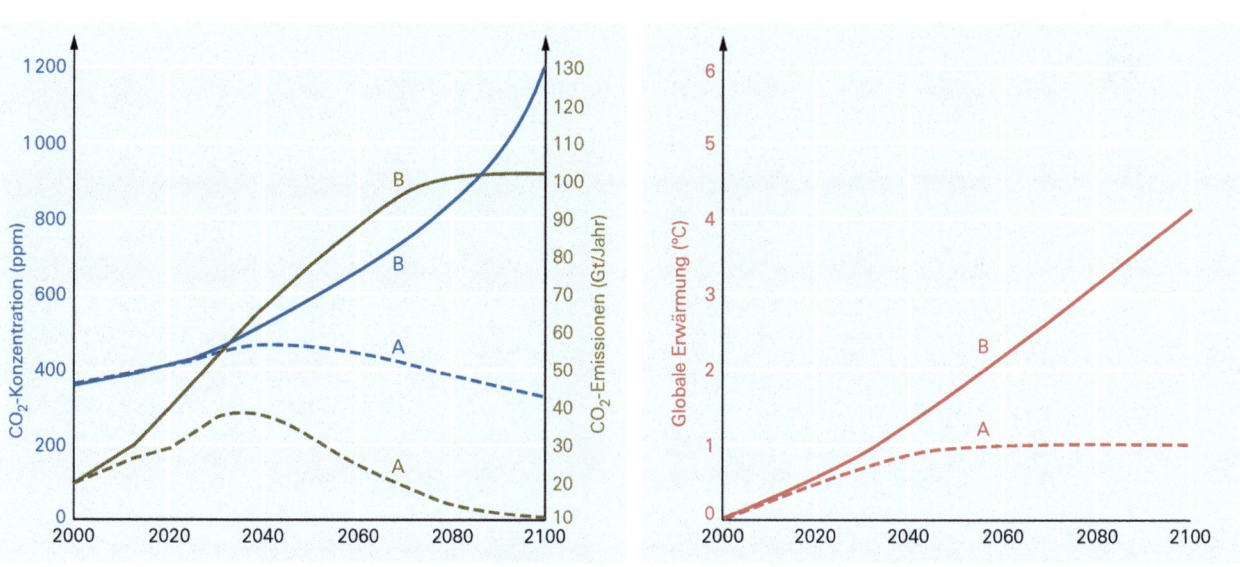

Das optimistischste Szenario A geht davon aus, dass die Bevölkerung bis 2050 noch zu- und dann abnimmt und 2100 9 Milliarden Menschen betragen wird. Im pessimistischsten Szenario B rechnet man damit, dass die Bevölkerung weiterhin wächst und 2100 12 Milliarden Menschen umfassen wird. Die beiden Szenarien unterscheiden sich auch im Energieverbrauch und in der Energiebeschaffung: In Szenario A rechnet man mit einem sehr geringen Anteil fossiler Brennstoffe, bei Szenario B hingegen mit einem sehr hohen Anteil von fast 50% Kohle. Die Kohlenstoffdioxid-Emissionen werden nach Szenario B von heute rund 20 $GtCO_2$/Jahr auf über 100 $GtCO_2$/Jahr am Ende des Jahrhunderts ansteigen, bei A dagegen um das Jahr 2080 auf null zurückgehen. Quelle: IPCC, 2014, Synthesis Report und Bildungsserver Wiki, http://wiki.bildungsserver.de/klimawandel/index.php/RCP-Szenarien (28.4.2015)

CO₂-Konzentration — Die Kohlenstoffdioxid-Konzentration wird in jedem Fall von heute 400 ppm auf über 500 ppm und im Extremfall auf fast 1 000 ppm steigen. Letzteres wäre gegenüber dem vorindustriellen Wert von 280 ppm ein Anstieg auf 360%.

Globale Erwärmung
- Für das Szenario A, bei dem erneuerbare Energien stark gefördert werden, muss im Lauf des 21. Jahrhunderts mit einer Erwärmung von 1 °C (0.4–1.6 °C) gerechnet werden.[1]
- Für das Szenario B mit starker Nutzung fossiler Energieträger ist mit einem Temperaturanstieg um 2.0 °C (1.4–2.6 °C) zu rechnen.[2] Das hätte für das Klima und zigmillionen Menschen katastrophale Folgen!

Nahrungs- und Wassermangel — Die UNO schätzt, dass die in den nächsten Jahrzehnten zu erwartenden Klimaveränderungen allein in Afrika die Lebensgrundlagen von 90 Millionen Menschen gefährden wird.

Meeresspiegel — Der Meeresspiegel wird im 21. Jahrhundert nach dem Szenario A um 17–32 cm ansteigen, nach Szenario B um 22–38 cm.[3] Weil es eine erhebliche Unsicherheit hinsichtlich der weiteren Entwicklung des grönländischen und des antarktischen Eisschilds gibt, kann der Anstieg auch deutlich höher sein. Eine dauerhafte Erwärmung um 3 °C kann langfristig zum vollständigen Abschmelzen des grönländischen Inlandeises führen, was einen Anstieg des Meeresspiegels um 7 m zur Folge hätte.

Niederschlag — Die Klimaveränderung wird auch zu Veränderungen der Niederschlagsverteilung führen. In den höheren Breiten werden die Niederschläge zunehmen, in den Tropen und Subtropen (einschliesslich der Mittelmeerregion) werden sie abnehmen.

Senke im Meer — Bis heute ist nur etwa die Hälfte des emittierten Kohlenstoffdioxids in der Luft geblieben. Von der anderen Hälfte hat sich ein grosser Teil im Wasser der Ozeane gelöst. Weil mit steigender Temperatur die Löslichkeit von CO_2 in den Ozeanen sinkt, muss damit gerechnet werden, dass in Zukunft weniger CO_2 in den Ozeanen verschwindet.

Fotosynthese — Ein Anstieg der Kohlenstoffdioxid-Konzentration und der Temperatur kann die Fotosynthese beschleunigen, wenn kein anderer Faktor limitierend wirkt. Das führt aber nicht zu einer Abnahme der CO_2-Konzentration, weil der Abbau von Biomasse durch den Temperaturanstieg mindestens ebenso stark beschleunigt wird.

12.2.5 Folgen der Klimaänderung

Rückkopplung — Die Erwärmung der Atmosphäre beeinflusst das Klima und das Leben auf der Erde. Die vage Hoffnung, dass sich das Klimasystem selbst reguliere, wurde und wird nicht erfüllt, weil es viel mehr positive als negative Rückkopplungen gibt, d. h., die Erwärmung führt zu Veränderungen, die die Erwärmung weiter verstärken. Einige Beispiele:

- Die Erwärmung der Meere führt zur Abnahme der Löslichkeit für Kohlenstoffdioxid.
- Durch das Auftauen von Permafrostböden wird zusätzliches Methan frei.
- Die Verminderung der Eis- und Gletscherfläche reduziert die weissen Teile der Erdoberfläche, die die Sonnenwärme reflektieren; das verstärkt die Erwärmung.
- Steigende Temperaturen können die Fotosynthese beschleunigen, sodass mehr Kohlenstoffdioxid gebunden wird. Leider wird die Atmung noch stärker beschleunigt, sodass das organische Material noch schneller abgebaut wird.
- Höhere Temperaturen lassen mehr Wasser verdunsten und verstärken dadurch die Wolkenbildung. Tiefe Wolken verstärken die Erwärmung (positive Rückkopplung), hohe vermindern sie, weil sie die Einstrahlung reduzieren (negative Rückkopplung).

---

[1] Quelle: IPCC, 2014, Synthesis Report, Table 2.1, S. 60
[2] Quelle: ebenda
[3] Quelle: ebenda

Folgen

Weitere Folgen der Erwärmung sind:

- Der Anstieg des Meeresspiegels führt zur Überflutung von Küstengebieten und Inseln.
- Die für das Erdklima wichtigen Meeresströmungen werden sich ändern.
- Die Erwärmung der Meere führt zum Absterben von Korallenriffen.
- Extreme Wettersituationen mit Wirbelstürmen, Flutkatastrophen und Dürren werden häufiger und werden viele Menschen in Not bringen.
- Viele Arten werden aussterben, Ökosysteme werden destabilisiert.
- Tropische Krankheitserreger werden sich weiter ausbreiten.
- Das Verschwinden der Gletscher verursacht in Berggebieten im Sommer Wassermangel.

[Abb. 12-13] Eisberge in der Antarktis

Das Eis in der Antarktis schmilzt immer schneller und der Meeresspiegel steigt. Bild: © Torihaidinger, Dreamstime.com

Zusammenfassung

Treibhausgase absorbieren die Wärmestrahlung der durch die Sonne erwärmten Erde und heizen sich und damit die Luft auf. Je höher ihre Konzentration ist, umso grösser ist der Anteil der Wärme, der in der Troposphäre bleibt. Der natürliche Treibhauseffekt, der hauptsächlich auf Wasserdampf, Kohlenstoffdioxid, Ozon, Distickstoffmonoxid und Methan beruht, erhöht die mittlere Jahrestemperatur von –18 °C auf 15 °C.

Das Erdklima hat sich in den letzten Jahrzehnten deutlich verändert:

- Die globale Oberflächentemperatur ist seit 1880 um 0.85 °C gestiegen.
- Die Häufigkeit heftiger Niederschläge hat zugenommen.
- Gletscher und Festlandeis in Grönland und in der Antarktis haben abgenommen.
- Die Dicke des Meereises in der Arktis hat seit 1950 um 40% abgenommen.
- Die Temperatur des Permafrostbodens ist seit 1980 um 0.5 °C gestiegen.
- Die Oberflächentemperatur der Ozeane hat seit 1900 um rund 0.5 °C zugenommen.
- Der Meeresspiegel ist seit Beginn des 20. Jahrhunderts um 19 cm gestiegen.

Nach den heutigen Erkenntnissen (Bericht des IPCC 2014) ist die Klimaänderung vorwiegend durch die anthropogenen Emissionen der Treibhausgase Kohlenstoffdioxid, Methan, Ozon, Fluor-Kohlenwasserstoffe und Distickstoffmonoxid verursacht.

- Die Kohlenstoffdioxid-Konzentration der Luft ist seit 1750 um 42% auf 400 ppm gestiegen und die Zunahme hat sich auf 1.9 ppm/Jahr beschleunigt. Die Emissionen stammen zu 80% aus der Verbrennung fossiler Brennstoffe und zu 20% aus Brandrodungen.
- Methan entsteht beim anaeroben Abbau organischer Stoffe durch Methanbakterien. Die Methan-Konzentration hat seit 1800 um 150% zugenommen. 60% der Emissionen stammen aus anthropogenen Quellen (Reisfelder, Rinder, Deponien, Erdgasverluste).
- Ozon entsteht im Sommersmog aus den emittierten Stickoxiden und VOC.
- Fluorierte Kohlenwasserstoffe (FCKW, FKW) stammen aus anthropogenen Quellen (Kühlmittel, Treibgase). Sie tragen wegen ihres hohen Treibhauspotenzials trotz winziger Konzentrationen wesentlich zum Treibhauseffekt bei.
- Die Bildung von Distickstoffmonoxid durch Bodenbakterien wird durch die Stickstoff-Düngung und Bodenbearbeitung erhöht.

Ohne drastische Massnahmen zur Reduktion der Treibhausgas-Emissionen wird die mittlere Jahrestemperatur im 21. Jahrhundert um mehr als 2 °C steigen und katastrophale Folgen haben. Auch für das beste Szenario, bei dem alle möglichen Massnahmen schnell realisiert werden, muss mit einem Anstieg um ca. 1 °C gerechnet werden.

- Der Meeresspiegel wird im 21. Jahrhundert um ca. 20–60 cm ansteigen. Wenn das Inlandeis Grönlands schmilzt, noch wesentlich stärker.
- Die Niederschläge nehmen in den höheren Breiten zu, in den Tropen und Subtropen ab.
- Meeresströmungen werden sich ändern.
- Extreme Wettersituationen (Wirbelstürme, Überschwemmungen, Dürren) nehmen zu.
- Viele Arten werden aussterben, Ökosysteme werden destabilisiert.
- Die Erwärmung der Meere führt zum Absterben von Korallenriffen.
- Tropische Krankheitserreger werden sich ausbreiten.

Die Erwärmung führt zu Veränderungen, die die Erwärmung weiter verstärken:

- Durch die Erwärmung der Meere sinkt die Löslichkeit für Kohlenstoffdioxid.
- Das Auftauen von Permafrostböden setzt Methan frei.
- Mit den Schnee- und Eisflächen nimmt der Anteil der weissen, wärmereflektierenden Erdoberfläche ab.
- Steigende Temperaturen erhöhen die Verdunstung und die Wolkenbildung. Tiefe Wolken verstärken die Erwärmung (positive Rückkopplung), hohe vermindern sie.

Aufgabe 83 Müsste es auf der Erde nicht kälter werden, wenn die Treibhausgase einen Teil der Wärmestrahlung der Sonne absorbieren?

Aufgabe 84 Welche der folgenden Veränderung(en) würde(n) den anthropogenen Treibhauseffekt verstärken, welche würde(n) ihn abschwächen und welche hätte(n) keine Wirkung?

A] Vergrösserung der Waldfläche
B] Ersatz von Holz- durch Ölheizungen
C] Substitution von Kohle durch Erdgas
D] Ozonbildung in der Troposphäre
E] Ersatz von Waldflächen durch Äcker
F] Erhöhung des Stickstoffanteils der Luft auf Kosten des Sauerstoffs

Aufgabe 85 Welche Wirkungen können folgende Veränderungen auf das Erdklima haben?

A] Zunahme der Reisanbaufläche?

B] Zunahme der Verdunstung durch die steigende Temperatur?

C] Zunahme der Fläche der Sandwüsten?

Aufgabe 86 Warum kann die Verstärkung des Treibhauseffekts dazu führen, dass es in gewissen Gebieten kälter wird?

Aufgabe 87 Warum wirkt sich das Schmelzen von Festlandeis auf den Meeresspiegel sehr viel stärker aus als das Schmelzen von Meereis?

Aufgabe 88 Eine Gruppe von Meeresforschern behauptet, durch Ausbringen von Eisen(II)-sulfat ins offene Meer könne das Algenwachstum angeregt und der Treibhauseffekt vermindert werden. Welche Voraussetzungen müssten erfüllt sein, damit beides zutreffen würde?

12.3 Smog

Smoke fog

Der Begriff Smog wurde um 1900 in London für die im Winter auftretende «Londoner Erbsensuppe» aus Rauch (smoke) und Nebel (fog) geprägt. Heute ist v. a. der im Sommer auftretende ozonreiche Sommersmog das grössere Problem als der Wintersmog.

12.3.1 Wintersmog

Aus Russ und SO_2

Der Wintersmog wird durch hohe Konzentrationen von Russ und Schwefeldioxid aus der Verbrennung von schwefelhaltigen Brennstoffen, insbesondere von Kohle, verursacht. Die Russteilchen fördern die Nebelbildung und das Schwefeldioxid reagiert in der Luft zu Schwefelsäure. 1952 starben in London innerhalb von zwei Wochen mehrere Tausend Menschen an den Folgen des Wintersmogs. In den letzten Jahren ist er in den westlichen Industrieländern seltener geworden, weil anstelle der schwefelhaltigen Kohle weitgehend entschwefeltes Heizöl verbrannt wird. Er tritt v. a. bei winterlichen Inversionslagen auf.

12.3.2 Sommersmog und Ozon

Smogbildung

Aus NO_x und VOC

Der Sommersmog entsteht bei schönem, warmem Wetter in und bei Gebieten mit hohem Verkehrsaufkommen. Er bildet sich durch fotochemische Reaktionen, die durch das Sonnenlicht ausgelöst werden, aus den vom Menschen emittierten VOC, Stickoxiden und Kohlenstoffmonoxid (vgl. Kap. 10.2.2, S. 162). Weil die hauptsächlich aus dem Verkehr stammenden Emissionen während der Smogbildung durch den Wind verfrachtet werden, sind auch ländliche Gebiete betroffen.

Ozon

Unter den im Smog gebildeten Stoffen ist Ozon der dominierende Bestandteil und dient als Referenz zur Beurteilung der Smogbelastung. Ozon ist ein farbloses Gas mit einem charakteristischen Geruch, der in der Nähe von Laserdruckern zu riechen ist. Ozon kommt in der natürlichen Troposphäre nur in sehr geringer Konzentration vor.

Wirkungen von Ozon

Oxidationsmittel — Ozon ist ein starkes Oxidationsmittel, das lebende Gewebe schädigt. Beim Menschen beeinträchtigt es schon in einer Konzentration von 120 µm/m³ (Grenzwert in der Schweiz) die Lungenfunktion. Bei Pflanzen und bei Mikroorganismen im Boden hemmt Ozon das Wachstum und vermindert dadurch die landwirtschaftlichen Erträge.

Treibhausgas — Ozon ist als Treibhausgas 2 000-mal wirksamer als CO_2. Es trägt darum trotz geringer Konzentration etwa 8% zum anthropogenen Treibhauseffekt bei.

Ozonbildung

Aus NO_2 — In der Troposphäre bildet sich Ozon bei der fotochemischen Reaktion von NO_2 mit Sauerstoff zu NO. Weil die Reaktion durch Licht ausgelöst und durch Wärme begünstigt wird, findet die Ozonbildung v. a. im Sommer bei schönem Wetter statt.

$$NO_2 + O_2 \xrightleftharpoons{\text{Licht}} NO + O_3$$

NO wird in der Luft schnell wieder zu NO_2 oxidiert. Wenn dabei Ozon als Oxidationsmittel dient, wird das bei der obigen Reaktion gebildete Ozon wieder verbraucht und die Ozonkonzentration steigt nicht (vgl. Abb. 12-14). Wird aber NO durch ein anderes Oxidationsmittel (OM) als Ozon oxidiert, bleibt das Ozon in der Luft und seine Konzentration steigt.

[Abb. 12-14] Ozonbildung im Smog

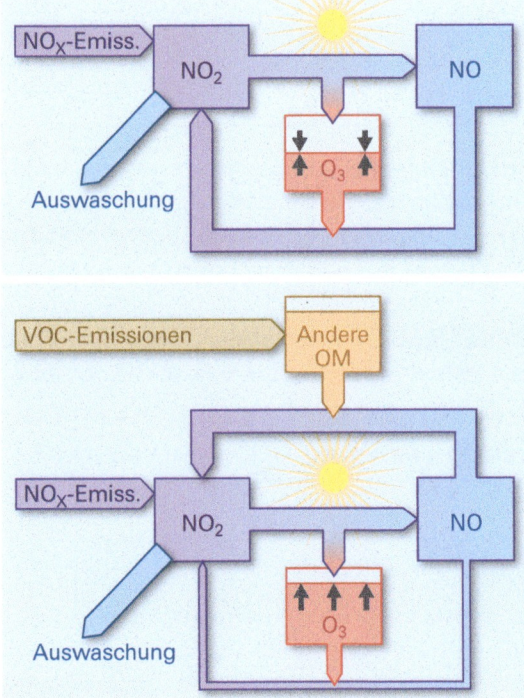

Ist ausser dem gebildeten Ozon kein Oxidationsmittel vorhanden, reagiert NO mit Ozon wieder zu NO_2. Dadurch wird das bei der Bildung von NO entstandene Ozon wieder verbraucht.

Die Ozonkonzentration bleibt konstant.

Die Stickoxide allein verursachen darum keine Erhöhung der Ozonkonzentration.

Wird das NO aber durch andere Oxidationsmittel wie Peroxidradikale (HOO) zu NO_2 oxidiert, bleibt das bei der NO-Bildung entstandene Ozon in der Luft:

Die Ozonkonzentration steigt.

Andere Oxidationsmittel entstehen durch Reaktionen der VOC und des CO in der Luft. Ihre Konzentration nimmt mit den VOC-Emissionen zu. Wenn ihre Konzentration hoch ist, produziert der Stickoxid-Zyklus Ozon. Darum führt die Kombination von VOC und Stickoxid-Emissionen zur Erhöhung der Ozonkonzentration.

Ozongrenzwert wird häufig überschritten

Grenzwerte — Der Sommersmog bildet sich bei schönem Wetter, wenn die Stickoxide und die VOC-Konzentrationen erhöht sind. In der Schweiz wird der Grenzwert der Luftreinhalteverordnung sehr häufig überschritten (vgl. Abb. 12-15). Die Vorläuferstoffe NO_x und VOC müssen darum weiter reduziert werden.

[Abb. 12-15] Ozon

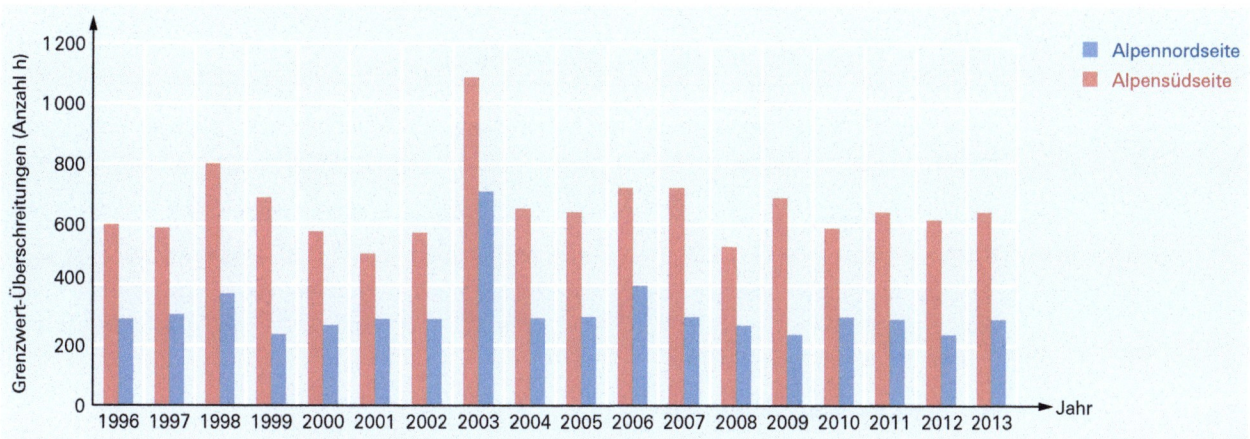

Die Ozongrenzwerte werden in der Schweiz häufig überschritten.
Quelle: Bundesamt für Umwelt. http://www.bafu.admin.ch/luft/luftbelastung/

Zusammenfassung

Der Sommersmog oder fotochemische Smog entsteht bei schönem, warmem Wetter in und bei Gebieten mit hohem Verkehrsaufkommen aus den anthropogenen Emissionen von VOC und Stickoxiden. Er enthält u. a. Ozon.

Ozon ist ein farbloses Gas mit charakteristischem Geruch, das als starkes Oxidationsmittel lebende Gewebe schädigt. Es beeinträchtigt beim Menschen die Lungenfunktion und bei Pflanzen das Wachstum. Ozon ist als Treibhausgas 2 000-mal wirksamer als Kohlenstoffdioxid und trägt darum trotz geringer Konzentration zum anthropogenen Treibhauseffekt bei.

NO_2 (aus anthropogenen Emissionen) wird unter Ozonbildung zu NO, das dann wieder zu NO_2 oxidiert wird. Geschieht die Oxidation ausschliesslich durch Ozon, steigt die Ozonkonzentration nicht. Wird NO durch andere Oxidationsmittel wie Peroxidradikale oxidiert, bleibt ein Teil des gebildeten Ozons in der Luft. Andere Oxidationsmittel entstehen durch die Reaktion von VOC- und CO-Emissionen in der Luft. Darum führt erst die Kombination von VOC- und Stickoxid-Emissionen zur Erhöhung der Ozonwerte.

Wintersmog wird durch Russ und Schwefeldioxid aus der Verbrennung schwefelhaltiger Brennstoffe (Kohle) verursacht. Die Russteilchen fördern die Nebelbildung und das Schwefeldioxid bildet mit den Wassertröpfchen des Nebels Schwefelsäure.

Aufgabe 89 Durch welche technischen Massnahmen wurden die Emissionen, aus denen sich der Sommersmog bildet, reduziert? Warum genügt das nicht?

Aufgabe 90 Warum wurde der Ozongrenzwert im Jahr 2003 extrem häufig überschritten?

12.4 Saurer Regen

12.4.1 Ursachen der sauren Niederschläge

Auswaschung — Regen und Schnee reinigen die Luft, indem sie wasserlösliche Stoffe auswaschen. Leider gelangt das verschmutzte «Waschwasser» in Gewässer und Böden und auf Lebewesen.

Säuregehalt — Auch in Gebieten mit sauberer Luft ist das Regenwasser leicht sauer (pH 5–5.6), weil sich Nichtmetalloxide (CO_2, SO_2, NO_x) aus natürlichen Quellen im Regenwasser lösen. In Europa und in Nordamerika ist aber der mittlere pH-Wert der Niederschläge heute 4.1. Der Säuregehalt im Regen ist durch die Luftverschmutzung auf das Zwanzigfache gestiegen. Die Hauptanteile daran haben

- Schwefelsäure (60%) und
- Salpetersäure (30%).

Schwefelsäure

Aus SO_2 — Schwefelsäure entsteht durch die Reaktion von Schwefeldioxid mit OH-Radikalen[1]:

$$SO_2 + 2\,OH \longrightarrow H_2SO_4$$

Schwefeldioxid entsteht bei der Verbrennung schwefelhaltiger Brennstoffe (vgl. Kap. 10.2.2, S. 162). Schwefelsäure kondensiert in Form winziger Tröpfchen, die sich absetzen oder mit den Niederschlägen ausgewaschen werden.

Salpetersäure

Aus NO_2 — Salpetersäure entsteht durch die Reaktion von Stickstoffdioxid mit OH-Radikalen:

$$NO_2 + OH \longrightarrow HNO_3$$

Stickoxide entstehen v. a. in Verbrennungsmotoren und Feuerungsanlagen.

Die Salpetersäure trägt auch zur Stickstoff(über)düngung aus der Luft bei.

12.4.2 Auswirkungen der sauren Niederschläge

In Gewässern — In Gebieten mit kalkarmem Untergrund versauern Gewässer und Böden durch den Säureeintrag aus der Luft rasch. So hat das Wasser in vielen skandinavischen Seen pH-Werte unter 5 und beherbergt nur noch «säurefeste» Organismen. In Seen mit neutralem Wasser leben im Durchschnitt 300 Fischarten, in Seen mit pH 4.5 sind es nur noch 7.

In Sedimenten — Durch die Senkung des pH-Werts in den Gewässern lösen sich auch schwer lösliche Stoffe aus den Sedimenten. Dadurch gelangen u. a. toxische Schwermetall-Ionen ins Wasser.

Im Boden — Im Boden verdrängen die Teilchen, die im sauren Wasser in erhöhter Konzentration enthalten sind (Hydronium-Ionen), Mineralsalz-Ionen wie Ca^{2+} und Mg^{2+} von der Oberfläche der Bodenteilchen, wo sie normalerweise festgehalten werden. Das hat zur Folge, dass ein Teil der Mineralstoffe mit dem Wasser in tiefere Schichten oder ins Grundwasser gespült wird und den Pflanzen nicht mehr zur Verfügung steht. Da das saure Bodenwasser Aluminium-Ionen aus den Tonmineralien des Bodens löst, gelangen diese für Bodenorganismen und Pflanzen toxischen Ionen in die Organismen.

---

[1] Radikale sind ungeladene Teilchen (Atome oder Moleküle) mit mindestens einem einsamen Elektron. Sie sind reaktionsfreudig. OH-Radikale entstehen durch die Reaktion von Sauerstoff-Atomen mit Wasser-Molekülen: $O + H_2O \longrightarrow 2\,OH$.

Auf Bodenlebewesen
: Von den Veränderungen im Boden sind Bodenorganismen besonders betroffen, was sich wiederum auf höhere Pflanzen auswirkt. So kann die Schädigung der Wurzelpilze (Mykorrhiza) zum Erkranken und Absterben der Bäume führen, die ihre Symbiosepartner sind.

Auf Pflanzen
: Saure Niederschläge wirken auch direkt auf die Oberfläche von Lebewesen, insbesondere von Pflanzen. Sie schädigen die Epidermis, stören die Funktion der Schliesszellen und beeinträchtigen die Fotosynthese.

[Abb. 12-16] Wirkungen des sauren Regens

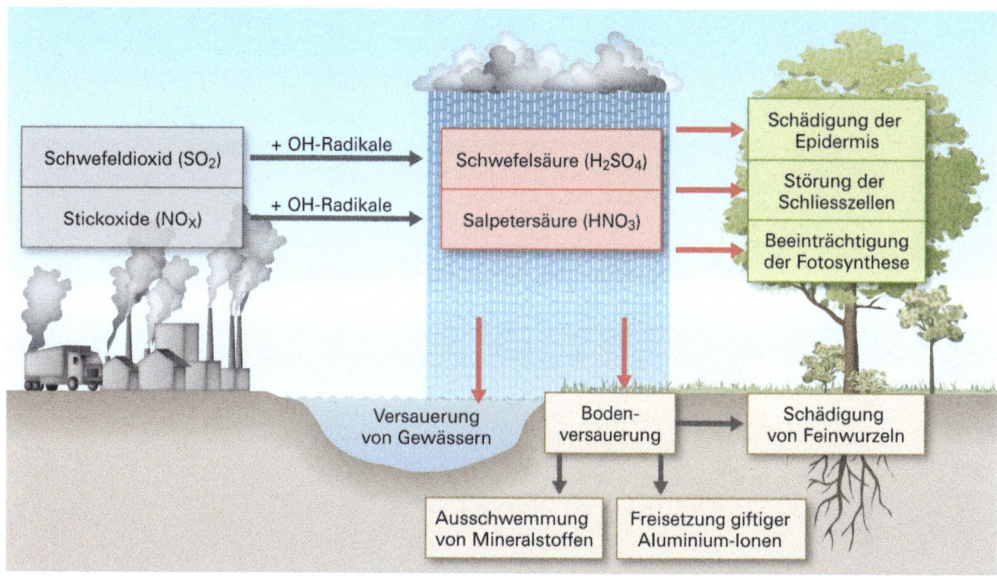

Der saure Regen schadet den Lebewesen direkt über ihre Oberfläche oder durch Veränderungen im Boden oder im Wasser.

Bauwerke
: Der saure Regen zerstört Kunst- und Bauwerke aus Marmor, Kalk- oder Sandstein. Der hohe Säuregehalt der Niederschläge fördert auch die Korrosion von Metallteilen. Selbst das Eisen im Beton kann rosten.

[Abb. 12-17] Zerstörung durch sauren Regen

Bild: © Grybaz, Dreamstime.com

Zusammenfassung Regen und Schnee «reinigen» die Luft, indem sie wasserlösliche Substanzen auswaschen.

In Europa sind die Niederschläge sauer (∅ pH-Wert 4.1). Der Säuregehalt (60% Schwefelsäure, 30% Salpetersäure) ist durch die Luftverschmutzung auf das 20-Fache gestiegen.

- Schwefelsäure entsteht durch die Reaktion von Schwefeldioxid (aus der Verbrennung schwefelhaltiger Brennstoffe) mit OH-Radikalen.
- Salpetersäure entsteht durch die Reaktion von NO_2 (aus Verbrennung bei hohen Temperaturen) mit OH-Radikalen. Sie trägt auch zur Stickstoffdüngung aus der Luft bei.

Der saure Regen gefährdet und beeinträchtigt die Existenz vieler Lebewesen durch direktes Einwirken und durch die Versauerung von Gewässern und Böden. Die Versauerung stört den Mineralstoffhaushalt des Bodens und der Pflanzen, mobilisiert Aluminium- und Schwermetall-Ionen und vernichtet viele Wasser- und Bodenbewohner.

Aufgabe 91 Wodurch kann die Bildung von Schwefelsäure in der Atmosphäre vermindert werden?

Aufgabe 92 A] Warum ist die Stickstoffdüngung aus der Luft unerwünscht?

B] Warum kann die Stickstoffdüngung aus der Luft in Wäldern zu Mangelerscheinung bei Bäumen führen?

12.5 Ozonabbau in der Stratosphäre

12.5.1 Bildung und Bedeutung der Ozonschicht

Ozonbildung

In der Stratosphäre 15–50 km über der Erde ist die kurzwellige UV-Strahlung (mit Wellenlängen unter 242 nm) sehr intensiv. Sie spaltet O_2-Moleküle in O-Atome, und diese reagieren mit O_2-Molekülen zu Ozon-Molekülen (O_3).

$$O_2 \xrightarrow{UV} O + O \qquad O + O_2 \longrightarrow O_3$$

Strahlenschutz

Obwohl seine Gesamtmenge sehr klein ist, ist das Stratosphären-Ozon für die Lebewesen auf der Erde lebenswichtig. Es bewahrt sie vor tödlichem «Sonnenbrand» und Mutationen, indem es die kurzwellige, energiereiche UV-Strahlung absorbiert. Der Mensch beschädigt diesen Strahlenschutzschild durch die Emission von «Ozonkillern», die bis in die Stratosphäre aufsteigen und hier den Abbau der Ozonschicht verursachen.

12.5.2 Abbau der stratosphärischen Ozonschicht

Ozonabbau

Der Ozonabbau wird durch die anthropogenen Emissionen von synthetischen Gasen wie Fluor-Chlor-Kohlenwasserstoffen (FCKW) und durch Distickstoffmonoxid N_2O verursacht. Diese langlebigen Substanzen sind in der Troposphäre völlig stabil und reagieren erst in der Stratosphäre unter dem Einfluss kurzwelliger UV-Strahlen. Diese spalten von ihren Molekülen reaktive Chlor- bzw. NO-Radikale ab, die den Ozonabbau katalysieren.

Ozonabbau durch FCKW

FCKW-Verwendung

FCKW werden oder wurden wegen ihrer Reaktionsträgheit als Treibgase bei der Herstellung von Schaumstoffen, als Kältemittel in Kühlgeräten und als Reinigungs- und Lösemittel in der Textil- und der Elektronikindustrie eingesetzt. Früher gelangten auch grosse Mengen als Treibgase aus Sprühdosen in die Luft. Halogen-Kohlenwasserstoffe, deren Moleküle auch Brom-Atome enthalten (Halone) wie $CBrF_3$ oder $CBrClF_2$, werden oder wurden z. B. in Feuerlöschgeräten eingesetzt.

Wirkung

Als inerte (reaktionsträge) Gase steigen die FCKW im Verlauf von etwa 10 Jahren unverändert durch die Troposphäre in die Stratosphäre auf. Erst in einer Höhe von 20–30 km ist die kurzwellige UV-Strahlung so intensiv, dass sich von den FCKW-Molekülen Chlor-Atome abspalten. Diese sind sehr reaktiv. Ein Chlor-Atom kann einem Ozon-Molekül ein Sauerstoff-Atom abnehmen und mit diesem ein ClO-Molekül bilden. Aus dem ClO-Molekül entstehen durch Reaktion mit einem freien O-Atom wieder ein Cl-Atom und ein O_2-Molekül:

$$O_3 + Cl \longrightarrow O_2 + ClO \qquad ClO + O \longrightarrow Cl + O_2$$

Die freien O-Atome für die zweite Reaktion entstehen in der Stratosphäre durch die Spaltung von O_2-Molekülen unter Wirkung kurzwelliger UV-Strahlung.

Cl-Atome als Katalysator

Die Chlor-Atome aus der zweiten Reaktion können erneut mit Ozon reagieren. Sie wirken als Katalysator. Ein einziges Chlor-Atom kann den Abbau von über hunderttausend Ozon-Molekülen katalysieren, bevor es inaktiviert wird.

Inaktivierung

Die Inaktivierung kann z. B. durch die Reaktion mit OH-Radikalen zu HCl und O_2 geschehen. Die HCl-Moleküle sind stabil und werden ausgewaschen. Abbildung 12-18 fasst die Vorgänge zusammen.

[Abb. 12-18] Ozonabbau durch FCKW

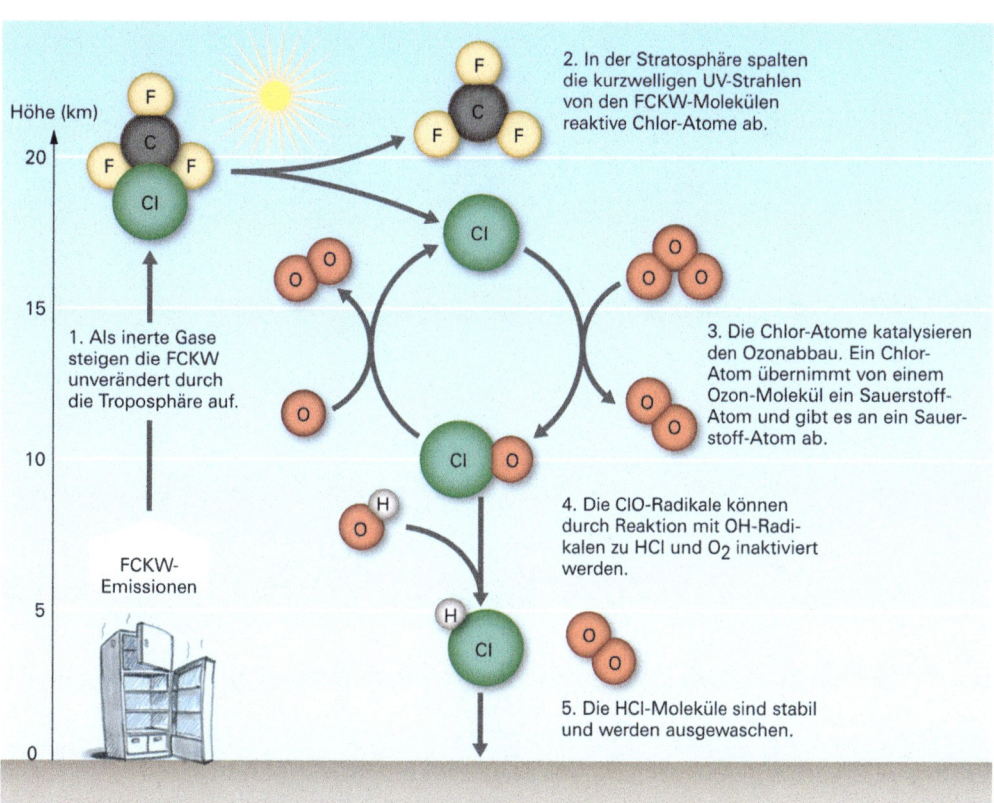

Unter 30 km — In Höhen unter 30 km überwiegen die Inaktivierungsreaktionen. Die katalytische Wirkung der Chlor-Atome ist unbedeutend, weil die Konzentration der O-Atome, an die die ClO-Moleküle ihr O-Atom abgeben, in dieser Höhe gering ist. (Die Spaltung von O_2 durch kurzwellige UV-Strahlung findet v. a. in der oberen Stratosphäre statt.) Erst in Höhen über 30 km tragen die Chlor-Radikale wesentlich zum Ozonabbau bei.

Ozonabbau durch Distickstoffmonoxid (N_2O)

NO aus N_2O — Distickstoffmonoxid (N_2O) entsteht hauptsächlich im Boden und steigt als inertes Gas bis in die Stratosphäre auf. Hier wird es durch die kurzwellige UV-Strahlung in NO und N_2 gespalten. Das NO kann mit O_3 zu NO_2 und O_2 reagieren und das NO_2 wird durch Abgabe des O-Atoms (an ein anderes O-Atom) wieder zu NO. NO katalysiert also den Ozonabbau.

$$O_3 \searrow \quad NO \searrow \quad O_2$$
$$O_2 \nearrow \quad NO_2 \nearrow \quad O$$

Anthropogen — Der Mensch trägt durch Stickstoffdüngung und Bodenbearbeitung zur Erhöhung der N_2O-Emissionen und damit zum Ozonabbau bei.

12.5.3 Das Ozonloch über der Antarktis

Entdeckung
Umfang — Schon im Jahre 1956 stellte Gordon Dobson eine jahreszeitlich bedingte Abnahme der Ozonschicht über der Antarktis fest. Trotzdem überraschten in den 1970er-Jahren die mithilfe von Satelliten gemessenen extrem tiefen Ozonwerte sogar die Fachwelt. In den folgenden Jahren nahm die Ozonkonzentration in der Stratosphäre über der Antarktis im September / Oktober, d. h. im Süd-Frühling, immer stärker ab. Seit 1985 verschwinden hier in Höhen von 14–19 km im Süd-Frühling 60–90% des Ozons. Die Grösse dieses «Ozonlochs» entspricht der Fläche Nordamerikas.

[Abb. 12-19] Das Ozonloch

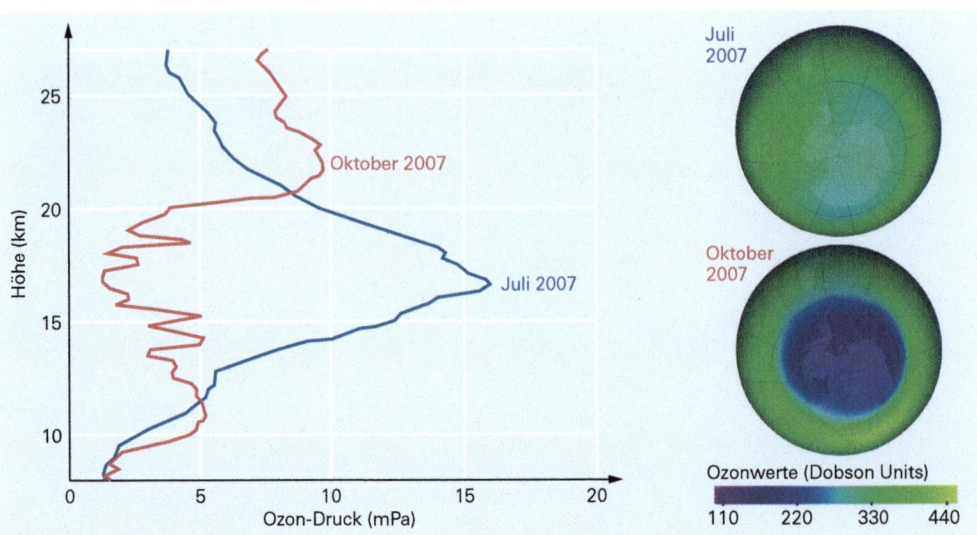

Quelle: NOAA / GMD Global Monitoring Division, http://www.esrl.noaa.gov/gmd/

Ursachen — Dass der Ozonabbau gerade über der Antarktis so stark ist, wird mit den hier vorhandenen Eiswolken erklärt. Im Südwinter (Mai bis August) sammeln sich hier stabile Chlorverbindungen an. Aus diesem Depot werden im Frühjahr (September / Oktober) unter Einwirkung der Sonnenstrahlen Chlor-Atome freigesetzt, die den Ozonabbau katalysieren.

Zunahme	Das Ozonloch dehnte sich im Verlauf der letzten Jahre immer weiter nach Norden aus und reichte bis nach Südamerika (vgl. Abb. 12-20). In Australien gehören Warnungen vor intensiver UV-Strahlung zum Alltag. Auch in den nördlichen gemässigten Breiten hat der Ozongehalt abgenommen und über der Arktis treten im Nord-Frühjahr kleine «Löcher» auf.

[Abb. 12-20] Entwicklung des Ozonlochs

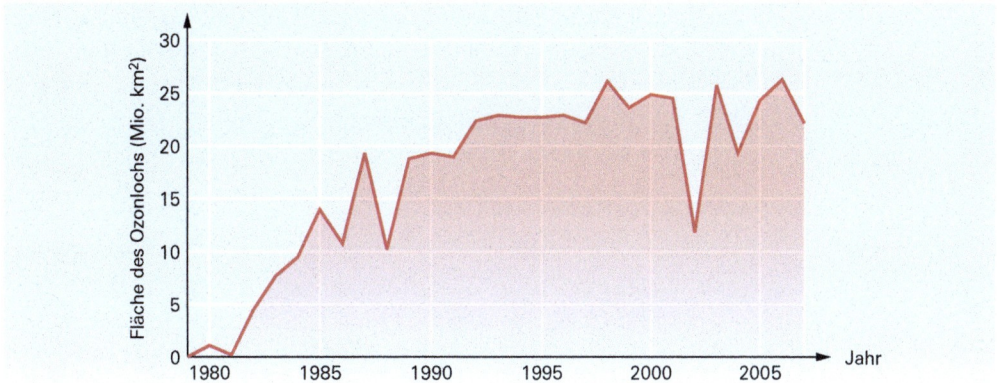

Die Darstellung zeigt die Fläche des Ozonlochs in den Jahren 1980–2007.

Gegenmassnahmen	1987 haben die meisten Industrieländer ein Abkommen (Montrealer Protokoll) über die Reduktion ozonzerstörender Substanzen unterzeichnet. Danach wurden die FCKW als Kühlmittel durch die weniger schädlichen teilhalogenierten Fluor-Chlor-Kohlenwasserstoffe (HFCKW) ersetzt. 2007 haben sich die meisten Länder auch auf einen Zeitplan für die Reduktion der HFCKW und den vollständigen Verzicht (in Industrieländern bis 2020, in Entwicklungsländern bis 2030) geeinigt. Weil der Aufstieg der Ozonkiller in die Stratosphäre einige Jahre dauert, wird sich die Ozonschicht nur langsam erholen.
Trendwende	Durch das weltweite Verbot von FCKW gibt es jetzt Anzeichen für eine erfreuliche Trendwende: Nach neuesten Messungen regeneriert sich die Ozonschicht wieder. Gemäss einem Bericht der UNO und der Weltorganisation für Meteorologie (WMO) könnte sich die Ozonschicht bis zum Jahr 2050 in weiten Teilen regeneriert haben.[1]

12.5.4 Folgen des Ozonabbaus

UV-Strahlung ↑ Mutationen ↑ Hautkrebs ↑	Der Abbau des Ozonschilds führt zu einer Zunahme der kurzwelligen UV-Einstrahlung auf die Erdoberfläche. Diese energiereichen UV-Strahlen schädigen lebende Zellen (Sonnenbrand) und verursachen in den Zellkernen Veränderungen der DNA (Mutationen). Beim Menschen sind v.a. die Hautzellen betroffen. Ein Ozonverlust von 1% verursacht eine Zunahme der Hautkrebserkrankungen um 2–5%.
Plankton, Pflanzen	Über Schäden an Pflanzen und Planktonlebewesen ist noch wenig bekannt. Grundsätzlich sind Einzeller und Lebewesen mit einer dünnen Haut noch stärker gefährdet als wir. Eine erhöhte UV-Strahlung vermindert die landwirtschaftlichen Erträge und schädigt die Planktonlebewesen in der obersten Schicht der Gewässer.
Unten zu viel	Wir haben bei der Besprechung des Sommersmogs gesehen, dass die Ozonkonzentration in der Troposphäre zu hoch ist. Was unten zu viel ist, kann aber leider das, was oben fehlt, nicht ersetzen.

[1] Quelle: World Meteorological Organization (WMO), Scientific Assessment of Ozone Depletion: 2014

Zusammenfassung

In der Stratosphäre 15–50 km über der Erde ist die kurzwellige UV-Strahlung sehr intensiv und spaltet O_2-Moleküle in O-Atome, die mit O_2- zu O_3-Molekülen reagieren. Das Stratosphären-Ozon absorbiert die kurzwellige, energiereiche UV-Strahlung der Sonne und bewahrt dadurch die Lebewesen vor Mutationen und tödlichem Sonnenbrand.

«Ozonkiller» wie FCKW und N_2O steigen unverändert bis in die Stratosphäre auf. Hier spalten sie unter Einfluss kurzwelliger UV-Strahlung Chlor-Atome (bzw. NO-Radikale) ab, die den Ozonabbau katalysieren. Ein Chlor-Atom reagiert mit einem Sauerstoff-Atom, das es einem Ozon-Molekül abnimmt, zu einem ClO-Molekül. Aus diesem entstehen durch Reaktion mit einem freien Sauerstoff-Atom wieder ein Cl-Atom und ein O_2-Molekül. Die Inaktivierung der Chlor-Atome kann z. B. durch die Reaktion mit einem OH-Radikal zu HCl und O_2 geschehen. Die HCl-Moleküle sind stabil und werden ausgewaschen.

Das Ozonloch ist die im Süd-Frühjahr auftretende extreme Abnahme der Ozonkonzentration in der Stratosphäre über der Antarktis. Sie wird v. a. durch Chlor-Atome aus den FCKW verursacht. In der winterlichen Polarnacht bilden sich in der Stratosphäre über der Antarktis aus den Chlor-Atomen stabile Chlorverbindungen. Aus diesem «Depot» werden im Frühjahr Chlor-Atome freigesetzt, die den Ozonabbau katalysieren.

Seit 1987 werden die FCKW in den meisten Industrieländern als Kühlmittel durch die weniger schädlichen teilhalogenierten Fluor-Chlor-Kohlenwasserstoffe (HFCKW) ersetzt und auch diese sollen in Zukunft nicht mehr eingesetzt werden. Weil der Aufstieg der Ozonkiller in die Stratosphäre einige Jahre dauert, wird sich die Ozonschicht nur langsam erholen.

Der Abbau der Ozonschicht in der Stratosphäre verursacht auf der Erde eine Zunahme der kurzwelligen UV-Strahlung, die Zellen schädigt und Mutationen auslöst.

Aufgabe 93 Nehmen Sie Stellung zur Behauptung: «Ozon ist für Lebewesen schädlich.»

Aufgabe 94 Warum können die FCKW das unerwünschte Ozon in der Troposphäre nicht zerstören?

12.6 Luftqualität in der Schweiz (Bilanz)

Situation

In der Schweiz haben technische Massnahmen wie der Autokatalysator, Low-NO_x-Brenner und Entschwefelung der Brennstoffe zur Verminderung von Emissionen beigetragen. Die Grenzwerte für Stickoxide, Ozon und Feinstaub werden aber immer noch massiv überschritten. Gleiches gilt für die Säure- und Stickstoffeinträge aus der Luft.

Kohlenstoffdioxid

Beim Kohlenstoffdioxid hat die Schweiz das ehemalige Ziel der Reduktion um 10% von 1990 bis 2010 nicht erreicht. Die Kohlenstoffdioxid-Emissionen aus Brennstoffen haben seit 1990 zwar abgenommen, aber nur um 5 statt um 15%. Die Kohlenstoffdioxid-Emissionen des Verkehrs, die ca. ein Drittel ausmachen und um 8% abnehmen müssten, wachsen immer noch! Die Strecke, die täglich von allen Pkws in der Schweiz gefahren wird, ist in den letzten 50 Jahren um 1 900% gestiegen!

[Tab. 12-1] Luftqualität (Bilanz)

Schadstoff	Notwendige Reduktion	Grundlage
Kohlenstoffdioxid	10%	CO_2-Gesetz, Kyoto-Protokoll
Schwefeldioxid	25%	CL Säuren
Stickoxide	65%	IGW Ozon, CL Säuren und Stickstoff
VOC	60%	IGW Ozon
Feinstaub PM10	50%	IGW PM10
Kanzerogene Stoffe	So weit irgend möglich	Gesundheit

IGW: Immissionsgrenzwert der Luftreinhalteverordnung; CL: kritischer Belastungswert, der aufgrund internationaler Verpflichtungen (Genfer Konvention) langfristig eingehalten werden soll.

Schäden

In der Schweiz verursacht die Luftverschmutzung:

- Atemwegs- und Herzkreislauferkrankungen und 3000 bis 4000 vorzeitige Todesfälle pro Jahr
- Jährliche Kosten von mehreren Milliarden Franken
- Ernteeinbussen in der Landwirtschaft von ca. 15%
- Versauerung von Seen und Waldböden
- Überschreitung der kritischen Belastungswerte für Säure- und Stickstoffeinträge

Ziele

Der Ausstoss von Stickoxiden (NO_x), flüchtigen organischen Verbindungen (VOC), lungengängigen Feinstäuben und krebserregenden Stoffen muss weiter reduziert werden! Zu den möglichen Massnahmen gehört die Anwendung der besten Technik bei Fahrzeugen, bei Industrie- und Landwirtschaftsanlagen sowie bei Feuerungsanlagen. Ebenso notwendig ist die Weiterführung von Lenkungsmassnahmen wie beispielsweise die LSVA, die VOC-Abgabe und Beiträge an die energetische Sanierung von Gebäuden. Sinnvoll sind oder wären auch ökonomische Massnahmen wie verbrauchsabhängige Gebühren und Steuern, CO_2-Abgabe oder Strassenbenützungsgebühren, durch die umweltgerechtes Verhalten belohnt wird.

Zusammenfassung

Trotz Verminderung der Emissionen durch technische Massnahmen (Autokatalysator, Low-NO_x-Brenner, Entschwefelung der Brennstoffe) werden in der Schweiz die Grenzwerte für Stickoxide, Ozon und Feinstaub noch massiv überschritten. Gleiches gilt für die Säure- und Stickstoffeinträge aus der Luft. Beim Kohlenstoffdioxid ist die Schweiz vom Ziel des Kyoto-Protokolls noch weit entfernt. Hier sind weitere Massnahmen dringend nötig.

13 Belastungen von Gewässern und Böden

Lernziele Nach der Bearbeitung dieses Kapitels können Sie …

- die wichtigsten Belastungen der Gewässer nennen.
- die Selbstreinigung eines Fliessgewässers beschreiben.
- Bau und Funktionsweise der Kläranlage an einem Schema erläutern.
- die Bedeutung des Bodens für die Lebewesen darlegen.
- Gründe für die Bodenerosion und für die Abnahme der Bodenfruchtbarkeit erörtern.
- die wichtigsten Belastungen des Bodens nennen.

Schlüsselbegriffe Boden, Bodenerosion, Bodenverschmutzung, Gewässergüte, Kläranlage, Klärschlamm, Selbstreinigung

Die Übernutzung von Gewässern und Böden hat grosse Auswirkungen auf die verschiedensten Bereiche von Ökosystemen.

13.1 Belastungen der Gewässer

13.1.1 Übersicht

Belastungen der Gewässer

Oberflächengewässer werden durch Einleiten von Abwasser und durch Auswaschungen aus der Luft und aus dem Boden mit Fremdstoffen belastet. Auch natürliche Stoffe wie Phosphate können zum Problem werden, wenn ihre Konzentration erhöht wird. Eine weitere Belastung ist die Erwärmung durch die Verwendung von Flusswasser zur Kühlung v. a. in thermischen Kraftwerken.

[Tab. 13-1] Belastungen der Gewässer: Übersicht

Auswaschung aus der Luft	Säuren, Nitrate, Schwermetalle
Verkehrsflächen	Streusalz, Mineralöle, Abrieb
Landwirtschaft	Dünger und Pestizide
Mülldeponien	Auswaschung von Schadstoffen
Industrie	Fremdstoffe, Mineralöle, Lösungsmittel, Säuren
Schiffsverkehr	Mineralöle
Haushalte	Organische Abfälle, Reinigungs- und Waschmittel, Medikamente
Kraftwerke	Erwärmung durch die Nutzung als Kühlwasser

Wirkungen

Schadstoffe beeinträchtigen die Lebensgemeinschaften in den Gewässern und können in die Nahrungsketten und ins Trinkwasser gelangen.

13.1.2 Gewässergüteklassen und Selbstreinigung

Leitorganismen

Das Wasser von Flüssen und Seen wird nach der Belastung mit organischen Stoffen in vier Güteklassen mit charakteristischen Lebensgemeinschaften eingeteilt. Abbildung 13-1 zeigt einige Leitorganismen für diese vier Gewässergüteklassen. Das Vorkommen der Leitorganismen ist ein Hinweis auf den Gehalt an organischen Stoffen.

[Abb. 13-1]   Leitorganismen der vier Wassergüteklassen

Selbstreinigung

Der Abbau organischer Stoffe verbraucht Sauerstoff und ist darum in stehenden Gewässern nur beschränkt möglich. Dagegen haben Fliessgewässer mit natürlichem Lauf und starker Wasserbewegung ein erhebliches Selbstreinigungsvermögen. Studieren Sie dazu Abbildung 13-2 sorgfältig.

[Abb. 13-2]   Selbstreinigung

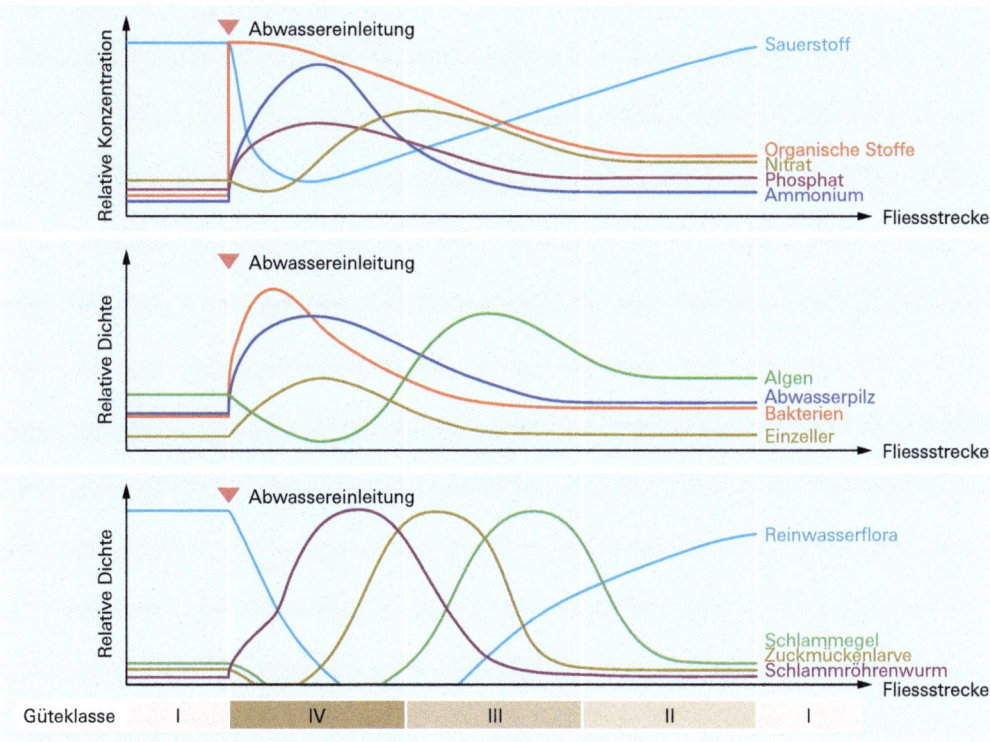

In einem natürlichen Fliessgewässer verbessert sich die Wasserqualität und die Zusammensetzung der Biozönose ändert sich, weil organische Stoffe abgebaut werden.

13.1.3   Wasserverschmutzungen

Die wichtigsten sechs Wasserverschmutzungen, die wir hier besprechen, sind:

- Leicht abbaubare organische Stoffe
- Schwer abbaubare organische Stoffe
- Mikroverunreinigungen

- Phosphat
- Stickstoffverbindungen
- Schwermetalle

Leicht abbaubare organische Stoffe

Zu den leicht abbaubaren organischen Belastungen gehören Fäkalien, Lebensmittelabfälle und andere Arten von Biomasse. Im Mittelalter verursachten diese Abfälle in den Städten immer wieder verheerende Pest- und Cholera-Epidemien. Der Bau von Kanalisationen verbesserte die hygienische Situation in den Städten, führte aber zu einer starken Verschmutzung der Gewässer, in die das Abwasser eingeleitet wurde.

Die leicht abbaubaren Stoffe können zwar in den Gewässern durch Mikroorganismen abgebaut werden; das braucht aber Sauerstoff und dauert einige Zeit. Zum Abbau der organischen Stoffe, die ein Mensch pro Tag ausscheidet, wird der Sauerstoff von 10 000 Litern Wasser verbraucht. Bei der heutigen Bevölkerungsdichte würde das direkte Einleiten der häuslichen Abwässer mit unseren «natürlichen» organischen Abfällen das Selbstreinigungspotenzial der Gewässer weit überfordern. Das Abwasser muss darum in einer Kläranlage (vgl. Kap. 13.2, S. 202) gereinigt werden, bevor es in ein Gewässer eingeleitet wird.

Schwer abbaubare organische Stoffe

Schwer abbaubare organische Stoffe wie Lösungsmittel, Mineralölprodukte, Pestizide etc. gelangen bei Unglücksfällen, Leckagen oder durch unerlaubtes Einleiten ins Abwasser oder direkt in ein Gewässer. Sie werden auch in der Kläranlage nur unvollständig abgebaut. Sie können Wasserbewohner schädigen und ins Trinkwasser oder über die Nahrungsketten in unsere Nahrung gelangen.

Mikroverschmutzungen

Winzige Mengen

Tausende von organischen Verbindungen aus Waschmitteln, Kosmetika, Medikamenten, Reinigungsmitteln, Anstrichen, Pestiziden, Kunststoffen etc. gelangen direkt oder indirekt ins Wasser. Obwohl diese Mikroverunreinigungen in den Gewässern in so kleinen Konzentrationen vorliegen, dass sie kaum nachweisbar sind, können sie Lebewesen schädigen. So können Hormone aus der Antibabypille, die mit dem Urin ins Abwasser gelangen, bei Fischen schon in winziger Konzentration zu Unfruchtbarkeit führen. Auch Stoffe aus Waschmitteln und Kunststoffen können bei Wasserlebewesen als Hormone wirken. Antibiotika gelangen direkt oder mit Urin ins Wasser und können Abbauvorgänge beeinträchtigen und zu Resistenzen von Bakterien führen.

Entfernung

Mikroverunreinigungen können durch Filterung mit Aktivkohle oder durch Ozonierung entfernt werden. Heute verfügen aber nur wenige Kläranlagen über eine solche Stufe.

Phosphate

Wirkung

Weil in nährstoffarmen Gewässern das Algenwachstum meist durch den Phosphatgehalt limitiert ist, wird es durch die Zufuhr von Phosphaten gefördert. Man spricht von Überdüngung oder Eutrophierung (vgl. Kap. 6.3, S. 114).

Quellen

Der Phosphatgehalt des Abwassers, das in die Gewässer geleitet wird, wurde in der Schweiz durch das Verbot des Phosphateinsatzes in Textil-Waschmitteln und durch die Phosphatfällung in den Kläranlagen deutlich reduziert. Heute stammen 60% der Phosphatbelastung aus der Landwirtschaft und gelangen durch Ausschwemmung von gedüngten Böden direkt in die Gewässer. Im ungeklärten Abwasser stammen etwa 70% der

Phosphate aus Fäkalien und Urin, 10% aus Haushaltabfällen und 15% aus Wasch- und Reinigungsmitteln.

Seen

Der Phosphatgehalt der Schweizer Seen ist in den letzten 30 Jahren deutlich gesunken. In Seen dicht besiedelter oder landwirtschaftlich intensiv genutzter Gebiete (Greifensee, Hallwilersee) ist er aber immer noch zu hoch.

Stickstoffverbindungen

Organische Stickstoffverbindungen gelangen mit toter Biomasse und «Abfällen» ins Abwasser. Nitrate, Salpetersäure und Ammoniumverbindungen werden aus gedüngten Böden oder aus der Luft in die Gewässer ausgewaschen. Die Konzentration in den Gewässern ist seit 1950 gestiegen. Lokal können Nitrate das Trinkwasser belasten. Hohe Nitrataufnahme mit Nahrung und Trinkwasser kann die Gesundheit des Menschen gefährden.

Schwermetalle

Von den Schwermetallen sind einige (Fe, Cu, Zn) für Lebewesen in minimalen Mengen essenziell. In hohen Dosen wirken viele toxisch. Quellen anthropogener Schwermetall-Emissionen (Cadmium, Quecksilber, Blei, Zink) sind neben der Metall-Industrie die Verbrennung von Müll und Kohle und der Einsatz von Mineraldüngern. Schwermetalle können nicht abgebaut werden. Sie reichern sich im Boden und in den Sedimenten an und können in die Nahrung oder ins Grund- und Trinkwasser gelangen.

Zusammenfassung

Das Wasser von Seen und Flüssen wird nach seinem Gehalt an organischen Stoffen in vier Güteklassen eingeteilt. Für jede Klasse gibt es charakteristische Leitorganismen. Leicht abbaubare organische Verbindungen können im Wasser durch Destruenten abgebaut werden. Die natürliche Selbstreinigung erfordert Zeit und Sauerstoff.

Die wichtigsten Wasserverschmutzungen sind:

Gruppe	Quellen	Folgen
Leicht abbaubare org. Stoffe	Fäkalien und Haushaltabfälle	Eutrophierung
Schwer abbaubare organische Stoffe	Lösungsmittel, Mineralölprodukte, Pestizide	Gefährden Wasserbewohner und Trinkwasser
Mikroverschmutzungen	Waschmittel, Medikamente, Kosmetika, Farben, Pestizide	Schädigen Wasserbewohner
Phosphate	Abwässer und Auswaschung aus gedüngten Böden	Eutrophierung
Stickstoffverbindungen (Nitrate und Ammoniumverbindungen)	Auswaschung aus gedüngten Böden und aus der Luft	Gefährden das Trinkwasser
Schwermetalle	Müll- und Kohleverbrennung, Metallindustrie, Mineraldünger	Anreicherung in Sedimenten und Boden, toxisch

Aufgabe 95

Warum erhöht die Zufuhr von Phosphaten in einem oligotrophen See das Algenwachstum viel stärker als die Zufuhr von Nitraten?

Aufgabe 96

Warum ist das Selbstreinigungsvermögen

A] in einem begradigten Fluss und B] in einem Gletscherbach beschränkt?

Aufgabe 97 Erklären Sie den Verlauf folgender Kurven in Abbildung 13-2, S. 199. Begründen Sie bei jeder Kurve, wann und warum sie ansteigt und fällt.

A] Bakterien   B] Einzeller   C] Phosphat   D] Ammonium   E] Algen   F] Sauerstoff

13.2 Abwasserreinigung in der Kläranlage

13.2.1 Übersicht

In der Kläranlage (Abwasserreinigungsanlage) wird das Abwasser in mehreren Stufen gereinigt, bevor es in ein natürliches Gewässer eingeleitet wird:

Mechanische Stufe	Grobe Verschmutzungen und unlösliche Stoffe werden mechanisch entfernt.
Biologische Stufe	Leicht abbaubare organische Stoffe werden durch Mikroorganismen entfernt.
Chemische Stufe	Phosphate werden durch Zusatz von Fällungsmitteln als schwer lösliche Salze ausgefällt.
Denitrifikation	Nitrate werden unter anaeroben Bedingungen durch denitrifizierende Bakterien zu N_2 reduziert.
Mikroverschmutzung	Mikroverunreinigungen werden durch eine Filtration über Aktivkohle entfernt oder durch Ozonisierung oxidiert.

Eine moderne Abwasserreinigungsanlage (ARA) besitzt mindestens die ersten drei Stufen.

Mechanische Stufe

Rechen, Sandfang Ölabscheider, Vorklärbecken

In der mechanischen Stufe werden grobe Verschmutzungen mechanisch entfernt. Grobe Teile wie WC-Papier, Windeln, Plastiksäcke, Karton etc. werden im Rechen zurückgehalten, Sand und Kies setzen sich im Sandfang ab, Öl schwimmt im Ölabscheider obenauf und Schlamm setzt sich im Vorklärbecken ab. Das entfernte Material wird in einer Kehrichtverbrennungsanlage verbrannt oder in einer Mülldeponie deponiert.

[Abb. 13-3] Schema einer dreistufigen Kläranlage

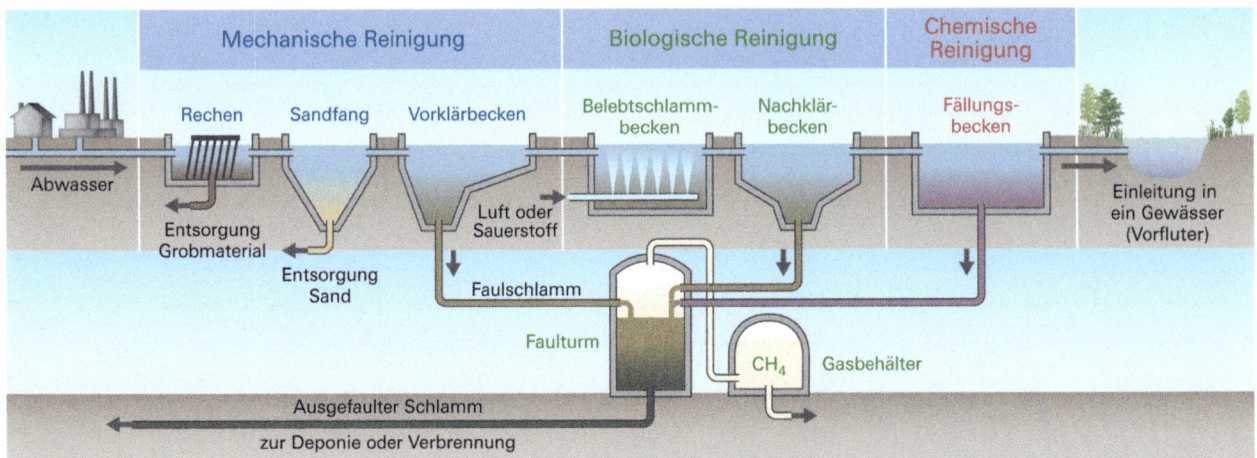

Moderne Abwasserreinigungsanlagen haben mindestens drei Stufen, in denen das Abwasser mechanisch, biologisch und chemisch gereinigt wird.

Biologische Stufe

Belebtschlamm- und Nachklärbecken

Die biologische Stufe besteht aus Belebtschlamm- und Nachklärbecken. Die Vorgänge in der biologischen Stufe entsprechen weitgehend der Selbstreinigung in einem natürlichen Fliessgewässer, müssen aber innerhalb der kurzen Verweilzeit des Wassers im Belebtschlammbecken ablaufen. Das setzt eine hohe Dichte der Mikroorganismen und eine gute Sauerstoffversorgung voraus. Deshalb wird das Wasser im Belebtschlammbecken durch Einblasen von Luft oder durch Bewegen mit grossen Propellern so durchlüftet, dass sich aerobe Mikroorganismen (vgl. Abb. 13-4) schnell vermehren. Sie nehmen organische Verbindungen auf und bauen etwa die Hälfte davon zur Energiebeschaffung zu Kohlenstoffdioxid und Wasser ab. Aus der anderen Hälfte bilden sie Biomasse: Sie wachsen und vermehren sich.

Die Mikroorganismen bilden Belebtschlammflocken, die sich im Nachklärbecken als Schlamm absetzen. Ein Teil davon wird ins Belebtschlammbecken zurückgepumpt, der Rest kommt zur Schlammbehandlung in den Faulturm, wo der Abbau durch anaerobe Mikroorganismen fortgesetzt wird (s. unten). Toxische Stoffe im Abwasser können die Funktion der biologischen Stufe stören.

Behandlung und Verwertung des Klärschlamms

Der Rohschlamm aus der biologischen Stufe kann zum Ausfaulen in Faultürme gebracht werden. Hier bauen anaerobe Mikroorganismen die organischen Stoffe ohne Sauerstoff weitgehend ab. Dabei entsteht ein Gasgemisch mit einem hohen Anteil an brennbarem Methan, dessen Energie sich nutzen lässt. Der ausgefaulte Schlamm hat einen beachtlichen Düngewert, darf aber in der Schweiz, wo jährliche 4 Mio. m^3 anfallen, wegen seines Schwermetallgehalts nicht mehr als Dünger verwendet werden. Er wird getrocknet und verbrannt oder deponiert. Die Verbrennung liefert Energie und verringert das Volumen des Deponiematerials, setzt aber voraus, dass die Rauchgase optimal gereinigt werden.

[Abb. 13-4] Lebewesen im Belebtschlamm

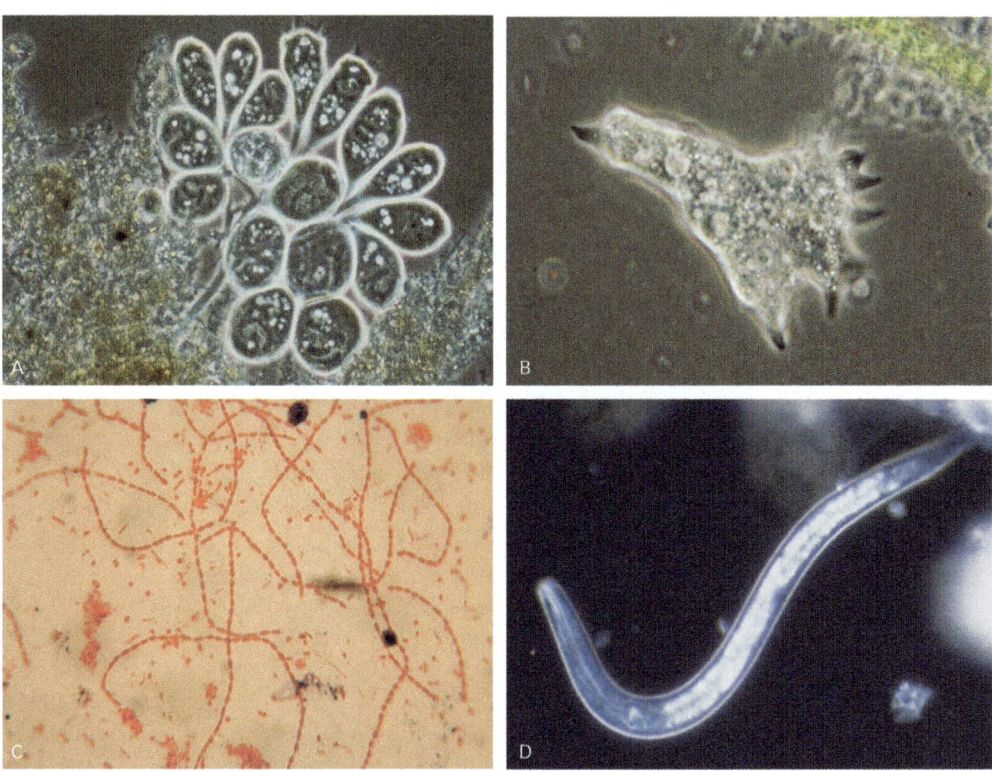

A] Glockentierchen, B] Amöbe, C] Bakterien, D] Fadenwurm. Bilder: © AWEL

Chemische Stufe – Phosphatelimination

Biologisch

Die Mikroorganismen der biologischen Stufe nehmen auch Phosphat auf. Da die Phosphatkonzentration im Abwasser meist hoch ist, können sie aber nur etwa 30% der Phosphatfracht aus dem Wasser entnehmen. Das genügt nicht. Die Phosphate müssen in einer dritten Stufe durch eine chemische Fällung entfernt werden.

Chemische Fällung

Bei Zugabe einer Lösung von Eisen(III)-chlorid bilden die Eisen(III)-Ionen mit den Phosphat-Ionen schwer lösliches Eisen(III)-phosphat, das sich absetzt (ausfällt):

$$PO_4^{3-} + FeCl_3 \longrightarrow FePO_4\downarrow + 3\ Cl^-$$

Die Phosphat-Ionen können auch durch Zugabe von Aluminiumsulfat oder Aluminiumchlorid als Aluminiumphosphat gefällt werden. Die Sulfat- bzw. Chlorid-Ionen des Fällungsmittels bleiben im Wasser.

Die Phosphatfällung kann durch Zugabe des Fällungsmittels im Vorklärbecken, im Belebtschlammbecken oder als Nachklärung in einem eigenen Absetzbecken ausgeführt werden.

Flockungsmittel

Weil sich die Phosphatfällung schlecht absetzt, wird die Phosphatelimination in neueren Anlagen durch Zusatz von synthetischen Polymeren als Flockungsmittel verbessert. Die Fällung bildet Flocken, die abfiltriert werden können.

Denitrifikation – Stickstoffelimination

Nitrifikation

Die Mikroorganismen der biologischen Stufe nehmen organische Stickstoffverbindungen und Ammonium-Ionen auf. Rund die Hälfte davon dient ihnen zum Aufbau eigener Stickstoffverbindungen und landet im Klärschlamm. Die andere Hälfte wird vollständig nitrifiziert, also zu Nitrat oxidiert.

$$NH_4^+ + 2\ O_2 \longrightarrow NO_3^- + H_2O + 2\ H^+$$

Denitrifikation

Das Nitrat verbleibt zusammen mit dem Nitrat, das im Abwasser schon enthalten war, im Wasser, wenn es nicht durch eine Denitrifikation zu Stickstoff N_2 reduziert wird. Der Stickstoff entweicht als Gas in die Luft. Eine solche Reduktion findet unter anaeroben Bedingungen durch denitrifizierende Bakterien statt:

$$2\ NO_3^- + 10\ H \longrightarrow N_2 + 4\ H_2O + 2\ OH^-$$

H-Spender

H steht für Wasserstoff-Atome, die, wie im Stoffwechsel von Lebewesen üblich, an ein Träger-Molekül (Coenzym) gebunden sind. Das Coenzym überträgt H von einem Spender (Reduktionsmittel) auf einen Empfänger. Als Wasserstoff-Spender müssen organische Verbindungen vorhanden sein. Sind zu wenig organische Verbindungen im Abwasser, endet der Abbau auf einer der Zwischenstufen und es kann sich Nitrit oder Distickstoffoxid anhäufen. Das Abwasser sollte also für die Denitrifikation möglichst vollständig nitrifiziert sein und doch noch organische Stoffe enthalten. Die Denitrifikation kann vor, simultan oder nach der biologischen Reinigung, bei der ja die Nitrifikation geschieht, erfolgen. Wir betrachten als Beispiel die simultane Denitrifikation.

Simultane Denitrifikation

Bei der simultanen Denitrifikation finden die aerobe Nitrifikation und die anaerobe Denitrifikation in einem Becken statt. In diesem wechseln sich sauerstoffreiche und sauerstoffarme Zonen ab (technisch wird dies u. a. durch punktuelle Sauerstoffzufuhr im Becken erreicht). Das Abwasser durchläuft also abwechselnd aerobe Zonen, wo nitrifiziert wird, und anaerobe Zone, wo denitrifiziert wird. Damit immer eine ausreichende Menge aktiver Biomasse im Becken ist, wird ein Teil des Schlamms in den Zulauf des Beckens zurückgeführt. Über die Schlammrückführung kann die Biomassenkonzentration in Belebtschlammbecken den schwankenden Belastungen im Abwasser angepasst werden und den Abbau der Stickstoffverbindungen regeln.

Anammox

Eine alternative Methode zur Stickstoffelimination ist die anaerobe Ammoniak-Oxidation (Anammox-Verfahren). Dabei wird die Hälfte des Ammoniums zu Nitrit oxidiert. Das Gemisch aus Ammonium und Nitrit wird vom Bakterium Candidatus brocadia anammoxidans unter anaeroben Bedingungen zu Stickstoff (N_2) umgesetzt:

$$NH_4^+ + NO_2^- \longrightarrow N_2 + 2\,H_2O$$

Mikroverschmutzungen

In einer vierten Stufe werden Mikroverschmutzungen durch Ozonisierung oxidiert oder durch Filtration über Aktivkohle entfernt.

[Abb. 13-5] Kläranlage

1 Rechenhaus
2 Öl- und Sandfang
3 Vorklärbecken
4 Belebtschlammbecken und Phosphatfällung
5 Nachklärbecken
6 Filtration
7 Faulturm
8 Schlammentwässerung
9 Schlammeindicker
10 Gasbehälter

Bild: © Kläranlage Kloten / Opfikon

13.2.2 Verschmutzungen vermeiden

Effizienter als die nachträgliche Entfernung ist die Vermeidung von Verschmutzungen:

- Organische Reste wie Speisereste: als Grüngut kompostieren
- Nicht abbaubare Teile wie Wattestäbchen, Tampons oder Kondome: in den Abfallsack
- Medikamente, Kosmetika, Pestizide, Farben, Lösungsmittel, Öle etc.: in die Sonderabfallsammlung
- Reinigungs- und Putzmittel sparsam verwenden
- Autowaschen: nur auf Hartplätzen mit Ölabscheider

Zusammenfassung

In der Abwasserreinigungsanlage ARA wird das Abwasser mechanisch, biologisch und chemisch gereinigt.

In der mechanischen Stufe wird das Abwasser durch Zurückhalten und Absetzenlassen grober Stoffe mechanisch geklärt.

In der biologischen Stufe nehmen aerobe Mikroorganismen im Belebungsbecken organische Stoffe auf und bauen etwa die Hälfte davon zu CO_2 und H_2O ab. Aus der anderen Hälfte bilden sie Biomasse, die sich im Nachklärbecken als Rohschlamm absetzt. Nicht abbaubare Stoffe wie Schwermetalle werden von den Mikroorganismen z. T. aufgenommen und bleiben im Klärschlamm.

Die Biomasse des Rohschlamms aus der biologischen Stufe wird im Faulturm durch anaerobe Mikroorganismen ohne Sauerstoff weitgehend abgebaut. Dabei entsteht ein Gasgemisch mit einem hohen Anteil an Methan, dessen Energie sich nutzen lässt. Der ausgefaulte Schlamm darf in der Schweiz wegen seines Schwermetallgehalts nicht mehr als Dünger verwendet werden. Er wird getrocknet und verbrannt oder deponiert.

In der chemischen Stufe werden Phosphate z. B. durch Zugabe von Eisen(III)-chlorid oder Aluminiumsulfat als Eisen(III)- oder Aluminiumphosphat ausgefällt.

Bei der Denitrifikation reduzieren anaerobe Bakterien in Anwesenheit von organischen Stoffen als Wasserstoff-Spender Nitrat zu elementarem Stickstoff, der in die Luft entweicht.

In einer vierten Stufe werden Mikroverunreinigungen durch Ozonisierung oxidiert oder durch Filtration über Aktivkohle entfernt.

Aufgabe 98   In welcher Form verlässt der Kohlenstoff leicht abbaubarer Verbindungen die Kläranlage? Nennen Sie alle möglichen Verbindungen.

Aufgabe 99   Welche Probleme ergeben sich, wenn die Denitrifikation

A] vor und   B] nach der biologischen Klärung geschieht?

13.3 Belastungen des Bodens

13.3.1 Aufbau und Funktionen des Bodens

Definition — Boden ist die äusserste, von Wasser und Luft durchsetzte 50–200 cm tiefe Schicht der Erdkruste (Lithosphäre). Er besteht aus der festen Matrix und dem Porenraum.

Aufgaben — Der Boden ist der Lebensraum vieler Organismen und liefert den Pflanzen Wasser und Mineralstoffe. In Landökosystemen leben die meisten Destruenten im Boden und die Stoffkreisläufe führen in der Regel durch den Boden. Ein fruchtbarer Boden bildet die Grundlage für die Entwicklung der Pflanzen und damit für die Ernährung aller Landbewohner.

Porenraum — Der Porenraum macht etwa die Hälfte des Bodenvolumens aus. Er ermöglicht den Stoffaustausch, insbesondere die Durchlüftung, speichert Wasser und darin gelöste Stoffe und ist Lebensraum für unzählige Lebewesen.

Matrix

Die Matrix besteht aus mineralischen Bestandteilen (90–98%) und Humus (2–10%). Die mineralischen Bestandteile entstehen durch Verwitterung der Gesteine, bei der sich durch mechanische Zerlegung und chemische Vorgänge Tonmineralien bilden. Humus besteht aus den organischen Zersetzungsprodukten von Biomasse. Die Teilchen der Matrix können Stoffe je nach Eigenschaften und Bedingungen binden und speichern oder ans Bodenwasser, an die Luft und an Organismen abgeben. Das ist Voraussetzung für die Versorgung der Pflanzen und damit für die Fruchtbarkeit des Bodens. Die Ionen der Mineralsalze werden von den Bodenteilchen gerade so stark gebunden, dass sie nicht ausgewaschen, aber von den Wurzeln der Pflanzen aufgenommen werden können. Durch Mineralisierung von Biomasse, Verwitterung von Gesteinen oder Düngung werden die Bodenteilchen wieder mit Mineralsalz-Ionen beladen.

[Abb. 13-6] Bodenstruktur und Austauschvorgänge im Boden

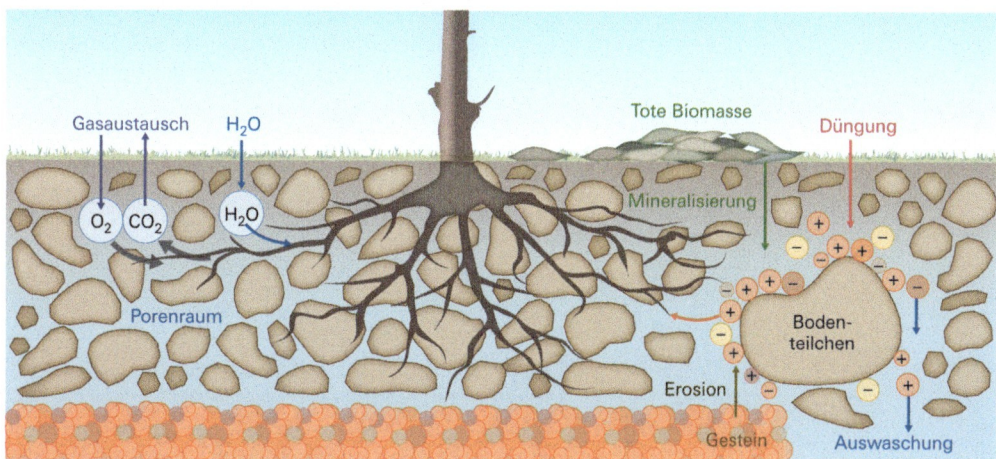

Ein fruchtbarer Boden hält Mineralsalz-Ionen und Wasser gerade so stark fest, dass sie nicht ausgewaschen, aber von den Wurzeln aufgenommen werden können. Das Mineralstoffreservoir wird durch Erosion des Gesteins, Mineralisierung von Biomasse und Düngung gespeist.

Speichervermögen

Die Bodenhaftung verschiedener Teilchen ist von ihren Eigenschaften (Grösse, Ladung, Polarität) und von den Bedingungen im Boden abhängig. Diese sind je nach Bodenart ganz unterschiedlich. Neben der Bindungskapazität für Mineralstoffe und Wasser ist v. a. der Säuregrad (pH-Wert) entscheidend. Durch Versauerung des Bodens lösen sich Mineralsalz-Ionen von den Bodenteilchen und gehen durch Auswaschung verloren (vgl. Kap. 12.4, S. 190). Toxische Teilchen wie Aluminium-Ionen lösen sich aus der Matrix und können in die Pflanzen oder ins Wasser gelangen.

Degradation

Einwirkungen, die die Struktur oder die chemische Beschaffenheit des Bodens verändern, verschlechtern die Bodeneigenschaften (Bodendegradation): Die Bodenfruchtbarkeit nimmt ab. Nach Erhebungen der FAO (Food and Agriculture Organization of the United Nations) sind fast 50% aller fruchtbaren Böden durch Eingriffe des Menschen mehr oder weniger stark von Degradation bedroht.

13.3.2 Chemische Veränderungen und Verschmutzungen

Die wichtigsten chemischen Belastungen des Bodens sind: Düngung, Versauerung, Versalzung und Verschmutzung mit Fremdstoffen.

Düngung

Auf landwirtschaftlichen Nutzflächen sind die Stoffkreisläufe unterbrochen. Die Ernteverluste müssen durch Düngung kompensiert werden (vgl. Kap. 9.3.6, S. 153). Dies geschieht im Ackerbau zu einem wesentlichen Teil mit Mineraldüngern. Wenn zu wenig organisches Material auf den Äckern bleibt, nimmt die Zahl der Destruenten ab und die Bodenfruchtbarkeit sinkt. Auch unsachgemässe Düngung bzw. Überdüngung schadet den Bodenbewohnern. Mit Mineraldüngern werden zudem Schwermetalle in die Böden gebracht.

Versauerung — Die Bodenversauerung durch die sauren Niederschläge (vgl. Kap. 12.4, S. 190) schadet den Bodenbewohnern und stört die Austauschvorgänge an den Bodenteilchen.

Versalzung — Bodenversalzung ist meist die Folge von Bewässerung in Trockengebieten. Da auch Süsswasser gelöste Salze enthält, die im Boden bleiben, wenn das Wasser verdunstet, reichern sich die Salze im Boden an. In versalzten Böden vertrocknen die Pflanzen. Der versalzte Boden entzieht den Wurzeln Wasser, weil er eine höhere osmotische Saugkraft hat als die Wurzeln (vgl. Kap. 2.4.2, S. 38). Auch Streusalz kann zur Bodenversalzung beitragen.

Verschmutzung — Fremdstoffe, die sich aus der Luft absetzen oder mit den Niederschlägen in den Boden gelangen, werden z. T. von den Bodenteilchen adsorbiert und im Boden gespeichert. Ihr Schicksal wird von chemischen und biochemischen Ab- und Umbauvorgängen und vom Austausch mit Luft, Wasser und Lebewesen bestimmt (vgl. Abb. 13-7). Fremdstoffe, die gut adsorbiert und kaum abgebaut werden wie z. B. Schwermetalle, reichern sich über lange Zeiträume an. Darum können auch kleine Einträge zu starker Verschmutzung führen, die nachträglich kaum zu beheben ist. Schadstoffe oder ihre Folge- und Abbauprodukte können aus dem Boden ins Trinkwasser und über die Pflanzen in die Nahrung gelangen.

[Abb. 13-7] Verhalten von Schadstoffen im Boden

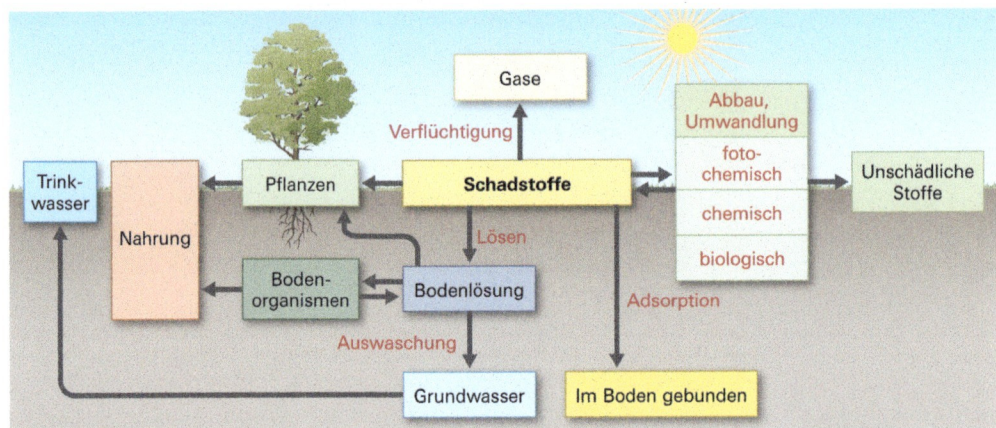

Schadstoffe bleiben im Boden meist deutlich länger als in der Luft und im Wasser. Sie können sich verflüchtigen, adsorbiert, ausgewaschen, ausgefällt oder abgebaut werden.

Belastungen — Die Hauptbelastungen des Bodens werden durch die Luftverschmutzung, die Landwirtschaft und die Abfallbeseitigung verursacht. Sie gelangen durch die Luft oder über das Wasser auf und in die Böden:

Aus Luft und Wasser
- Säuren: Auswaschung von Schwefelsäure und Salpetersäure aus der Luft
- Stickstoffverbindungen: Ablagerung und Auswaschung von Salpetersäure, Nitraten und Ammoniumverbindungen, die sich aus den Emissionen von Stickoxiden bzw. Ammoniak bilden
- VOC: Auswaschung und Deponierung von VOC, die durch Verdunstung oder bei unvollständiger Verbrennung in die Luft gelangen
- Organische Verbindungen: Ablagerung von Fremdstoffen aus der Müllverbrennung oder aus Industrieabgasen über die Luft oder über das Abwasser
- Schwermetalle: Ablagerung von Schwermetallen aus der Verbrennung von Müll und fossilen Brennstoffen

Direkte Belastungen — Zu den Belastungen, die direkt auf und in die Böden gelangen, gehören:

- Düngemittel mit diversen Fremdstoffen, v. a. Schwermetallen
- Pestizide
- Stoffe aus Abfällen, die aus Mülldeponien in die Böden geschwemmt werden
- Erdöl und Erdölprodukte aus Leckagen und Unfällen, Mineralöle von Verkehrsflächen
- Chemikalien aus Industrieanlagen und Gewerbebetrieben

Schädigung von Lebewesen — Fremdstoffe können Organismen direkt oder indirekt (durch Veränderung der Bedingungen) schädigen. Die toxische Wirkung für den Menschen ergibt sich meist aus der Verschmutzung der Nahrung oder des Trinkwassers.

13.3.3 Erosion, physikalische Belastungen und Veränderungen

Erosion — Die Zerstörung oder Veränderung der Pflanzendecke durch das Roden von Wäldern, intensiven Ackerbau, Ausräumen der Landschaft und Überweiden fördert die Erosion. Wind und Wasser tragen die Humusschicht rasch ab, wenn diese nicht durch eine geschlossene Pflanzendecke geschützt ist.

[Abb. 13-8]   Erosion

Wo der Wald abgeholzt wurde, erodiert der Boden, der Humus wird weggeschwemmt. Bild: © Chris Sattleberger, Science Photo Library, Keystone

Strukturänderungen — Eingriffe in die Bodenstruktur beeinträchtigen die Durchlüftung, das Wasserspeichervermögen und die Lebensbedingungen im Boden. Das gefährdet die Bodenlebewesen und stört die Funktion und die Entwicklung der Pflanzenwurzeln: Die Bodenfruchtbarkeit nimmt ab.

Versiegelung — Beim Betonieren und Asphaltieren wird der Boden versiegelt und das Bodenleben weitgehend zerstört. In der Schweiz werden so täglich 75 000 m^2 Boden zerstört.

Verdichtung — Der Einsatz grosser Maschinen in der Landwirtschaft führt zur Verdichtung des Bodens. Die Verminderung der Durchlüftung und des Wasserspeichervermögens beeinträchtigt das Wurzelwachstum.

Verarmung — Die einseitige Nutzung des Bodens durch Monokulturen führt zu einer Verarmung des Bodens.

Zusammenfassung

Boden ist die oberste, etwa 50–200 cm dicke Schicht der Erdkruste (Lithosphäre). Die Matrix enthält mineralische Stoffe, entstanden durch die Verwitterung von Gesteinen, und Humus aus der Zersetzung von Biomasse. Der Porenraum sorgt für die Durchlüftung, beherbergt Lebewesen und speichert Wasser. Die Durchlüftung und das Wasserspeichervermögen sind von der Bodenstruktur abhängig. Die Bodenteilchen binden und speichern Mineralsalz-Ionen so, dass sie den Pflanzen zur Verfügung stehen. Das Speichervermögen ist abhängig von der Bodenart und von den Bedingungen, insbesondere vom Säuregrad.

Fremdstoffe gelangen aus der Luft (VOC, Stickstoffverbindungen, Schwermetalle, Säuren) oder direkt (Dünger, Pestizide, Erdölprodukte, andere Chemikalien) in die Böden. Sie können Organismen direkt oder indirekt schädigen und in die Nahrung oder ins Trinkwasser gelangen. Das Schicksal von Fremdstoffen im Boden hängt vom Austausch mit anderen Umweltbereichen (Luft, Wasser) und von den chemischen und biochemischen Umwandlungs- und Abbaureaktionen ab.

Eingriffe in die Bodenstruktur beeinträchtigen die Durchlüftung, das Wasserspeichervermögen und die Lebensbedingungen im Boden und vermindern die Bodenfruchtbarkeit.

Beim Betonieren und Asphaltieren wird der Boden versiegelt und das Bodenleben weitgehend zerstört. Der Einsatz grosser Maschinen verdichtet den Boden und die einseitige Nutzung durch Monokulturen führt zu einer Verarmung. Die Zerstörung oder Veränderung der Pflanzendecke durch das Roden von Wäldern, intensiven Ackerbau, Ausräumen der Landschaft und Überweiden fördert die Erosion durch Wind und Wasser.

Aufgabe 100 Warum sind die Schwermetalle, die in Kunstdüngern als Verunreinigungen enthalten sind, trotz kleiner Konzentration nicht harmlos?

Aufgabe 101 Früher wurde auf dem Land die Gülle aus den Toiletten auf die Felder gebracht. Welche Vor- und Nachteile hatte das?

Aufgabe 102 Warum nimmt die Zahl der Mikroorganismen (meistens Destruenten) im Boden mit zunehmender Tiefe sehr stark ab?

Aufgabe 103 Warum ist verdichteter Boden weniger fruchtbar als ein porenreicher?

TEIL D
Anhang

Gesamtzusammenfassung

1 Grundlagen

1.1 Fragen und Ziele der Ökologie

Die Ökologie befasst sich mit den Beziehungen zwischen den Organismen und ihrer belebten und unbelebten Umwelt sowie mit dem Stoff- und Energiehaushalt der Erde und ihrer Ökosysteme. Die angewandte Ökologie analysiert die Belastungen der Umwelt und sucht Lösungen für die meist vom Menschen verursachten Umweltprobleme.

1.2 Lebewesen und Umwelt

Ökosystem

Ein Ökosystem ist ein mehr oder weniger deutlich abgegrenzter Bereich, in dem bestimmte Bedingungen herrschen und der viele verschiedenartige Lebewesen beherbergt. Ein Ökosystem besteht aus Biotop und Biozönose:

Biotop

- Das Biotop ist der Lebensraum, der durch die abiotischen Faktoren wie Wasser, Licht, Temperatur, Bodenqualität etc. charakterisiert ist.

Biozönose

- Die Biozönose ist die Lebensgemeinschaft aller Lebewesen eines Ökosystems. Die von Lebewesen ausgehenden Einflüsse auf ein Individuum nennt man biotische Faktoren.

Umwelt

Die Umwelt eines Lebewesens umfasst die abiotischen Faktoren des Biotops und die biotischen Faktoren der Biozönose, die sein Leben beeinflussen. Zur Biozönose gehören Artgenossen, Beute, Feinde und Konkurrenten.

2 Abiotische Ökofaktoren

2.1 Ökologische Potenz

Toleranzbereich

Abiotische Faktoren wie Temperatur, Licht, Wasser etc. beeinflussen die Entwicklung und die Aktivitäten der Lebewesen. Werte unter dem Minimum oder über dem Maximum führen zum Tod. Der Bereich dazwischen heisst Toleranzbereich, der ideale Wert Optimum. Die Fähigkeit einer Art, Schwankungen eines Umweltfaktors innerhalb des Toleranzbereichs zu ertragen, heisst ökologische Potenz. Arten mit grosser ökologischer Potenz nennt man euryök (z. B. eurytherm), Arten mit kleinem Toleranzbereich stenök (z. B. stenotherm).

Ökologische Potenz

Die ökologische Potenz bestimmt die mögliche Verbreitung. Euryöke Arten haben ein grosses potenzielles Verbreitungsgebiet, stenöke ein kleines. Das effektive Verbreitungsgebiet einer Art hängt davon ab, wie gut sie sich in der Konkurrenz mit anderen Arten durchsetzt. Bioindikatoren oder Zeigerarten sind Arten mit geringer Toleranz für einen bestimmten Faktor. Ihr Vorkommen weist auf eine bestimmte Eigenschaft des Standorts hin.

Ökologische Nische

Die periodischen Schwankungen eines Ökofaktors im Verlauf eines Tages oder eines Jahres können die Aktivität und die Entwicklung einer Art steuern. Viele Arten können ungünstige Zeiten als Ruhe- oder Dauerstadium überleben. Der Toleranzbereich, der durch alle für eine Art relevanten Umweltfaktoren definiert ist, wird als ökologische Nische der Art bezeichnet.

Limitierender Faktor	Der Einfluss eines Faktors auf ein Lebewesen ist umso stärker, je weiter sein Wert vom Optimum entfernt ist. Die Aktivitäten eines Lebewesens werden durch den Faktor limitiert, der vom Optimum am weitesten entfernt ist (Minimumfaktor, limitierender Faktor).
Modifikation, Mutation und Selektion	Ökofaktoren wirken auch indirekt über andere Arten auf eine Population. So beeinflusst die Temperatur auch Feinde, Beute und Konkurrenten. Lebewesen können sich den Umweltbedingungen durch Modifikation oder durch Mutation und Selektion anpassen:

- Modifikationen entstehen, indem bestimmte Leistungen bzw. Körperteile oder Verhaltensweisen trainiert werden. Sie werden nicht vererbt, weil sich das Erbgut nicht verändert. Sie können bleibend oder vorübergehend sein.
- Vererbbare Anpassungen beruhen auf Mutation und Selektion und führen zur Veränderung der Population. Durch Mutation und Rekombination entstehen neue Varianten, die positiv oder negativ selektiert werden.

Abiotische Faktoren	Die abiotischen Faktoren können in drei Gruppen eingeteilt werden:

- Klima: Licht, Wasser, Temperatur, Zusammensetzung der Luft, Wind
- Lage: Höhenlage, Raumstruktur, Exposition
- Boden: Bodenart, Wasser- und Mineralsalzgehalt, mechanische Eigenschaften

2.2 Temperatur

Wirkung	Die Temperatur beeinflusst die Geschwindigkeit der chemischen Reaktionen, die den Lebensvorgängen zugrunde liegen. Eine Erhöhung um 10 °C verdoppelt die Reaktionsgeschwindigkeit. Unter dem Temperaturminimum gefriert die Körperflüssigkeit, über dem Temperaturmaximum werden die Proteine denaturiert.
Verbreitung	Die Temperatur ist ein entscheidender Faktor für die Verbreitung der Arten. Sie verursacht die gürtelförmige Anordnung der Vegetationszonen auf der Erde und die Höhenstufen der Vegetation.
Pflanzen	Pflanzen können sich bei hohen Temperaturen durch Verdunsten von Wasser kühlen. Jahreszeitliche Schwankungen der Temperatur beeinflussen periodische Vorgänge wie die Blütenbildung. Für den Winter ziehen sich Stauden in Überwinterungsorgane (Wurzeln, Zwiebeln, Knollen) in den Boden zurück, Laubbäume und Sträucher verlieren ihre Blätter.
Wechselwarme Tiere	Bei wechselwarmen Tieren fällt die Aktivität bei Temperaturen über und unter dem Optimum stark ab. Bei Temperaturen unter dem Minimum und über dem Maximum fallen sie in eine Kälte- bzw. Hitzestarre und können eine Zeit lang überleben, ohne aktiv zu sein.
Gleichwarme Tiere	Bei den gleichwarmen Tieren ist die Aktivität im Bereich zwischen Minimum und Maximum praktisch konstant und von der Aussentemperatur unabhängig. Unterhalb des Minimums und oberhalb des Maximums können sie ihre Innentemperatur nicht halten und überleben nur kurze Zeit, weil ihr Stoffwechsel auf die konstante Temperatur eingerichtet ist.
Besonderheiten der gleichwarmen Tiere	Gleichwarme Tiere haben eine Isolation, ein Regelsystem, einen leistungsfähigeren Stoffwechsel und einen höheren Nahrungsbedarf als wechselwarme. Im Winter machen einige einen Winterschlaf oder eine Winterruhe oder ziehen in wärmere Gebiete. Kleine Tiere brauchen bezogen auf die gleiche Masse wesentlich mehr Energie als grosse. Arten, die in kalten Gebieten leben, sind grösser (Bergmann'sche Regel) und haben kürzere Körperanhänge wie Ohren oder Beine (Allen'sche Regel) als nahe verwandte Arten in warmen Gebieten.

2.3 Licht

Bedeutung

Licht liefert die Energie für die Fotosynthese, von der alle Lebewesen abhängig sind. Es beeinflusst die Entwicklung, das Wachstum (Fototropismus), die Gestalt der Pflanzen und die Pigmentierung von Tieren. Der Tag-Nacht-Wechsel bestimmt zusammen mit der inneren Uhr den Aktivitätsrhythmus und der Wechsel der Tageslänge löst (z. B. in Kombination mit der Temperatur) jahresperiodische Aktivitäten aus (Blütenbildung, Laubfall, Balz, Vogelzug). Tiere mit Augen nutzen das Licht zur Orientierung. Gegen die mutagenen, kurzwelligen UV-Strahlen sind die meisten Landlebewesen durch Pigmente geschützt.

2.4 Wasser

Bedeutung

Wasser ist der mengenmässig dominierende Bestandteil aller Lebewesen. Alle Lebensvorgänge laufen in wässrigen Lösungen ab. Wasser dient als Transportmittel und nimmt an vielen Reaktionen des Stoffwechsels teil. Für Wasserbewohner ist das Wasser auch das Medium, in dem sie leben. Pflanzen und Tiere ohne Skelett werden durch den Innendruck gestützt.

Wasserhaushalt

Salzwasserbewohner, die eine tiefere Salzkonzentration als die Umgebung haben, müssen aktiv Wasser aufnehmen, weil sie durch Osmose Wasser verlieren. Süsswasserbewohner müssen Wasser aktiv nach aussen befördern, weil durch Osmose Wasser eindringt.

Landbewohner

Landbewohnende Tiere haben eine verhornte Haut oder eine Cuticula und atmen durch Lungen oder Tracheen. Ihr Skelett ist tragend, die Ausscheidungsorgane (Nieren) und der Darm halten Wasser zurück, die Eier haben Schalen und werden im Körper befruchtet. Sie sehen und hören meist gut und können riechen und schmecken.

Sprosspflanzen

Die meisten Landpflanzen sind Sprosspflanzen. Sie nehmen Wasser mit den Wurzeln auf und transportieren es in den Gefässen nach oben, wo es z. B. für die Fotosynthese gebraucht wird oder verdunstet. Der Transpirationsstrom transportiert auch Mineralstoffe aus den Wurzeln zu den Blättern und die Verdunstung kühlt die Pflanze. Die wachsartige Cuticula verhindert übermässige Verdunstung. Der Gasaustausch erfolgt durch regelbare Spaltöffnungen auf der Blattunterseite, die sich bei Wassermangel schliessen. Grösse und Durchlässigkeit der Pflanzenoberfläche sind dem Wasserangebot des Standorts angepasst.

Laubfall

In Gebieten mit kaltem Winter leiden Bäume und Sträucher bei gefrorenem Boden unter Wassermangel, weil kein Wasser zu den Wurzeln gelangt. Laubbäume vermindern darum im Herbst die Transpiration, indem sie die Blätter abwerfen. Die Nadeln der Nadelbäume sind gegen Verdunstung besser geschützt (Wachsschicht, kleine Oberfläche).

3 Beziehungen zwischen den Lebewesen

3.1 Innerartliche Beziehungen

Kooperation und Konkurrenz

Lebewesen der gleichen Art können kooperieren und sich gegenseitig nützen. Sie stehen aber immer in Konkurrenz, da sie in der Regel die gleichen Ansprüche an die Umwelt stellen. Bei Tieren können Revierverhalten und Rangordnung destruktive Folgen der Konkurrenz vermeiden. Innerartliche Auseinandersetzungen werden als Turnierkämpfe geführt und zielen nicht auf die Verletzung des Gegners ab. Tiere mit Metamorphose (Insekten, Amphibien) haben eine Jugendform (Larve), die nicht in Konkurrenz steht zu den erwachsenen Tieren, weil sie eine andere Lebensweise hat.

Brutfürsorge — Viele Tiere verbessern die Überlebenschancen der Nachkommen durch Brutfürsorge vor der Eiablage bzw. Geburt (z. B. Schutz der Eier, Anlegen eines Nahrungsvorrats) und / oder durch Brutpflege (Füttern, Wärmen, Anlernen etc. der Jungtiere).

3.2 Zwischenartliche Konkurrenz und Einnischung

Einnischung — Die zwischenartliche Konkurrenz hat im Verlauf der Stammesgeschichte zur Einnischung der Arten durch Spezialisierung geführt. Jede heute lebende Art stellt spezifische Ansprüche an die Umwelt und nutzt bestimmte Ressourcen auf eine spezifische Art. Jede Art hat ihre eigene ökologische Nische und besetzt im Ökosystem die entsprechende Planstelle. Die ökologische Nische umfasst alle Umweltfaktoren, die für eine Art von Bedeutung sind. Sie beschreibt die Ansprüche und die Rolle, die eine Art im Ökosystem spielt.

Konkurrenzausschluss — In einer Biozönose sind nie zwei Arten mit gleicher ökologischer Nische vertreten, weil auf lange Sicht immer eine von beiden erfolgreicher ist und mehr Nachkommen hat (Gause- oder Konkurrenzausschluss-Prinzip).

Verbreitung — Die Konkurrenz beeinflusst die Verbreitung der Arten. Konkurrenzstarke Arten leben dort, wo die Bedingungen für sie optimal sind, während konkurrenzschwächere Arten in Bereiche ausweichen müssen, in denen die konkurrenzstärkeren Arten nicht (gut) gedeihen.

Äquivalente Planstellen — In Ökosystemen mit ähnlichen Bedingungen gibt es äquivalente Planstellen. Äquivalente Planstellen in geografisch getrennten Teilen der Biosphäre können durch verschiedene Arten mit ähnlichen Nischen besetzt sein.

3.3 Fressfeind-Beute-Beziehungen

Fresser — Räuber erbeuten, töten und fressen Tiere, Pflanzenfresser fressen hauptsächlich Pflanzen(teile), Allesfresser fressen Tiere und Pflanzen.

Feindabwehr — Beutetiere haben Strategien entwickelt, um ihren Feinden zu entgehen. Tarnung, Flucht, Schwarmbildung, Warntracht, Mimikry, Schalen, Abwehrdüfte, Frassgifte, Stacheln etc. vermindern den Appetit oder den Jagderfolg der Feinde.

Frassschutz — Pflanzen können sich durch Schutzvorrichtungen (Dornen, Stacheln, Brennhaare), Gifte oder Abwehrdüfte vor dem Gefressenwerden schützen.

3.4 Parasit-Wirt-Beziehungen

Schädliche Nutzniesser — Im Unterschied zum Räuber, der seine Beute tötet und frisst, lebt ein Parasit auf oder in seinem Wirt und ernährt sich von ihm, ohne ihn zu töten. Die meisten Parasiten schaden ihrem Wirt durch das, was sie ausscheiden oder übertragen.

Halb- und Vollparasiten — Unter den Blütenpflanzen gibt es nur wenige Parasiten. Wir unterscheiden autotrophe Halbparasiten (Mistel) und heterotrophe Vollparasiten (Sommerwurz-Arten).

Bakterien und Pilze — Aus biologischer Sicht sind auch Krankheitserreger wie pathogene Bakterien und Pilze Parasiten. Weil sie sehr klein sind, können sie leicht mit der Luft, mit dem Wasser oder mit der Nahrung übertragen werden.

Stenök — Endoparasiten wie Bakterien, Einzeller, Würmer etc. leben im Wirt und sind diesem meist stark angepasst. Sie sind darum wirtsspezifisch und stenök. Ektoparasiten wie Flöhe, Läuse und Zecken leben auf dem Wirt. Sie sind meist weniger spezialisiert.

Permanent oder temporär — Permanente Parasiten wie die Bandwürmer leben ständig im Wirt, temporäre wie die Mücken besuchen ihn nur hie und da, meist um Nahrung zu holen.

Endoparasiten — Das Leben in einem Wirt hat Vorteile (grosses Angebot an verdauter Nahrung, konstante Temperatur, keine Feinde) und Nachteile (Fortpflanzung und Verbreitung sind schwierig). Je nach Aufenthaltsort kann die Sauerstoffversorgung kritisch sein und Verdauungsenzyme oder die Abwehrsysteme des Wirts machen den Parasiten das Leben schwer.

Kommensalen — Lebewesen, die von einem Wirt profitieren, ohne ihn zu schädigen (wie gewisse Darmbakterien), werden als Kommensalen bezeichnet.

3.5 Symbiosen

Bedeutung — Symbiosen sind Lebensgemeinschaften von zwei Arten, die sich gegenseitig nützen. Viele Symbiosen stehen im Zusammenhang mit dem Nahrungserwerb, mit der Fortpflanzung oder mit dem Schutz vor Feinden. Die Partner kontrollieren einander gegenseitig.

Flechten — Flechten sind Symbiosen von Algen und Pilzen, die einen Superorganismus bilden. Der Pilz bezieht Zucker, die Alge Wasser, Kohlenstoffdioxid und Mineralstoffe. Flechten sind Pionierpflanzen, die auch unter extremen Bedingungen auf Felsen und Steinen gedeihen.

Knöllchenbakterien — Knöllchenbakterien können Luftstickstoff assimilieren und tauschen einen Teil der Stickstoffverbindungen, die sie herstellen, gegen Zucker. Sie leben in Knöllchen an den Wurzeln von Hülsenfrüchtlern wie Bohnen oder Klee.

Mykorrhizapilze — Mykorrhizapilze leben an und in Wurzeln von Bäumen. Sie beziehen vom Baum organische Stoffe wie Zucker und liefern ihm Wasser und Mineralstoffe.

Blütenpflanzen — Die meisten Blütenpflanzen stehen in Symbiose mit Tieren, die Blütenstaub (Pollen) übertragen und / oder ihre Samen verbreiten. Sie werden mit Nektar, Pollen oder Früchten belohnt.

Weitere — Weitere Beispiele von Symbiosen sind Korallenpolypen / Algen, Einsiedlerkrebs / Seeanemone, Blattläuse / Ameisen, Blattschneiderameisen / Pilze. Bei Putzersymbiosen (Madenhacker / Nashorn, Putzergarnelen / Fische) ist der Nutzen für den Wirt nicht immer garantiert.

4 Populationen

4.1 Bedeutung, Grösse und Verteilung der Population

Definition — Eine Population ist eine Fortpflanzungsgemeinschaft aller Individuen einer Art, die in einem Ökosystem leben und sich miteinander fortpflanzen könn(t)en.

Die Lebewesen einer Population stehen in Konkurrenz, können aber auch kooperieren, z. B. bei der Fortpflanzung, Brutpflege, Verteidigung oder beim Nahrungserwerb.

Variabilität und Genpool — Die Individuen einer Population stimmen in den arttypischen Merkmalen überein, unterscheiden sich aber in ihren individuellen Merkmalen, weil ihre Erbanlagen verschieden sind. Diese Variabilität erhöht die Überlebenschance der Population, wenn sich die Bedingungen ändern. Die Gene bzw. Genvarianten (Allele) aller Individuen einer Population bilden den Genpool, aus dem bei der geschlechtlichen Fortpflanzung neue Kombinationen gebildet werden. Die Grösse des Genpools ist ein Mass für die Variabilität und für die Anpassungsfähigkeit der Population. Die Populationen von Nutzpflanzen und Nutztieren sind meist sehr uniform und haben einen kleinen Genpool.

Merkmale — Zu den Eigenschaften einer Population gehören neben Grösse und Dichte auch räumliche Verteilung, Altersstruktur, Geburten- und Sterberate, Zu- und Abwanderung.

Populationsgrösse	Bei Pflanzen wird die Populationsgrösse durch Auszählen auf ausgemessenen repräsentativen Probenflächen und durch Hochrechnen auf die ganze Fläche ermittelt. Bei Tieren werden oft Fallen eingesetzt. Auch Jagdstatistiken, Kot, Verbiss, Trittspuren und Nester können Hinweise auf die Dichte geben. Bei der Fang-Wiederfang-Methode werden Lebewesen einer Population gefangen, gezählt, markiert und wieder freigelassen. Dann wiederholt man das Fangprozedere und bestimmt den Anteil der Tiere, die markiert sind. So erfährt man, welcher Teil der Gesamtpopulation beim ersten Mal gefangen und markiert wurde, und kann die Grösse der ganzen Population berechnen.
Räumliche Verteilung	Die Individuen einer Population können im Lebensraum unterschiedlich verteilt sein (z. B. zufällig, gleichmässig oder verklumpt).

4.2 Populationswachstum

Wachstumsrate	Das Wachstum einer Population ergibt sich aus der Differenz zwischen Geburten und Sterbefällen und kann durch die relative Wachstumsrate r beschrieben werden:

$$\text{Relative Wachstumsrate} = \frac{\text{Geburtenzahl} - \text{Sterbefälle (im definierten Zeitraum)}}{\text{Individuenzahl (zu Beginn des Zeitraums)}}$$

Ist die relative Wachstumsrate konstant und grösser als 0, nimmt der jährliche Zuwachs der ganzen Population immer schneller zu: Die Population wächst exponentiell.

Logistisches Wachstum	Früher oder später geht bei jeder Population das exponentielle in ein logistisches Wachstum über. Die Umwelt (Nahrung, Feinde, Lebensraum, Epidemien, sozialer Stress etc.) bremst das Wachstum. Wenn die Individuenzahl die Umweltkapazität K, d. h. die in diesem Ökosystem maximal mögliche Grösse, erreicht hat, wächst die Population nicht mehr. Ihre Grösse schwankt mehr oder weniger stark (Massenwechsel) um K. Im Idealfall nimmt die relative Wachstumsrate schon deutlich vor Erreichen von K ab und wird dann 0.

4.3 Regulation der Populationsdichte

Einflussfaktoren	Das Wachstum einer Population wird von dichteabhängigen und dichteunabhängigen Faktoren beeinflusst.
Dichteabhängige Faktoren	Dichteabhängige Faktoren wie spezifische Feinde und Parasiten, Nahrungsmenge, sozialer Stress, Epidemien und Abwanderung wirken regulierend auf die Populationsdichte, weil ihre Wirkung mit zunehmender Populationsdichte zunimmt.
Dichteunabhängige Faktoren	Dichteunabhängige Faktoren wie Klima, Boden, Nahrungsqualität etc. wirken sich auf grosse und kleine Populationen gleich aus. Sie limitieren das Wachstum einer Population, wirken aber nicht regulierend. Änderungen dichteunabhängiger Faktoren verändern die Umweltkapazität für bestimmte Populationen.
Innere Faktoren	Periodisch auftretende Massenwechsel können durch innere Faktoren wie Änderung im Genpool bedingt sein.

4.4 Wechselwirkungen zwischen Räuber und Beute

Volterra-Regeln

Für Populationen eines einfachen Räuber-Beute-Systems gelten die Volterra-Regeln:

- Erste Volterra-Regel: Die Grösse beider Populationen schwankt periodisch, wobei die Schwankungen der Räuberpopulation den Schwankungen der Beutepopulation verzögert folgen.
- Zweite Volterra-Regel: Trotz periodischer Schwankungen sind die Mittelwerte der Populationsgrössen von Räuber und Beute über einen längeren Zeitraum konstant.
- Dritte Volterra-Regel: Werden beide Populationen dezimiert, erholt sich die Beutepopulation schneller als die Räuberpopulation.

In der Natur

Der Räuber ist von der Beute abhängig, das Umgekehrte gilt nur selten. In natürlichen Systemen kann ein Räuber seine Beute nicht ausrotten.

4.5 Vielfalt und Stabilität

In Ökosystemen mit starker Gliederung und gemässigten, relativ konstanten Bedingungen ist die Zahl der Nischen hoch, die Biozönosen sind artenreich und die Populationsgrössen relativ stabil.

5 Biozönosen und Ökosysteme

5.1 Produzenten, Konsumenten und Destruenten

Trophie-Ebene

Die Populationen einer Biozönose werden nach ihrer Ernährung einer Nahrungsebene (Trophie-Ebene, trophische Ebene) zugeordnet:

Produzenten

- Produzenten sind autotroph: Sie stellen alle organischen Stoffe, die sie brauchen, aus anorganischen Stoffen (Mineralstoffen und Kohlenstoffdioxid) her und versorgen die Lebewesen der Biozönose mit organischen Stoffen und Energie. Die meisten Produzenten beziehen die Energie von der Sonne (Fotosynthese).

Konsumenten

- Konsumenten sind heterotroph und fressen andere Lebewesen. Primärkonsumenten sind Pflanzenfresser. Sie werden von Fleischfressern (Sekundärkonsumenten) gefressen und diese von Tertiärkonsumenten.

Destruenten

- Destruenten fressen die organischen Abfälle und bauen sie weitgehend ab.
  - Zerleger (Aasfresser, Totholzfresser, Kotfresser) fressen Reste und Leichen von Pflanzen und Tieren und bauen diese teilweise ab.
  - Mineralisierer wie Pilze und Bakterien bauen die restlichen organischen Stoffe zu Kohlenstoffdioxid und Mineralstoffen ab, die von den Produzenten benötigt werden.

Vollständige / unvollständige Biozönosen

In vollständigen Biozönosen ist das Zahlenverhältnis bzw. die Leistung von Produzenten, Konsumenten und Destruenten ausgewogen, die Stoffkreisläufe sind geschlossen. In unvollständigen Biozönosen ist eine Gruppe über- oder untervertreten: In der Tiefsee fehlen Produzenten, in Mooren ist die Zahl der Destruenten zu klein und in unseren Wäldern fehlen die grossen Fleischfresser (Wolf, Bär).

5.2 Nahrungskette und Nahrungsnetze

Produzenten und Konsumenten verschiedener Trophie-Ebenen bilden Nahrungsketten, in denen ein Teil des organischen Materials weitergegeben wird. Die Destruenten machen es letztlich in Form von Mineralstoffen wieder für die Produzenten verfügbar. In natürlichen Biozönosen sind die Nahrungsketten verzweigt und bilden komplexe Nahrungsnetze.

5.3 Produktivität und Energiedurchfluss

Produktivität

Die Nettoprimärproduktivität ist die von den Produzenten auf einer bestimmten Fläche in einem bestimmten Zeitraum gebildete Biomasse. Sie beträgt je nach Ökosystem in einem Jahr 10–2 500 g Trockenmasse/m^2.

Primärproduktion

Produzenten nutzen etwa 1% der Sonnenenergie, die sie erreicht, zum Aufbau von Biomasse. Von dieser Bruttoprimärproduktion (BPP) dient etwa die Hälfte zum Aufbau von Biomasse (Nettoprimärproduktion, NPP), die andere Hälfte wird dissimiliert.

Energiedurchfluss

Von der Nettoproduktion einer Ebene gelangen etwa 4/5 mit abgestorbenen Teilen, Leichen, Ausscheidungen, Frassabfällen etc. zu den Destruenten und ca. 1/5 zu den Konsumenten der folgenden Nahrungsebene. Diese verbrauchen davon auch etwa die Hälfte zur Gewinnung von Energie. Die andere Hälfte wird zu Biomasse (NP).

Energiepyramide

Weil von der Nettoproduktion einer Ebene nur ca. 10% zur nächsthöheren Ebene gelangen, ergibt die schematische Darstellung der Produktion von Produzenten und Konsumenten einer Biozönose eine Pyramide (Produktivitäts- oder Energiepyramide). Die Nahrungspyramide, in der die Biomasse oder Individuenzahl der trophischen Ebenen dargestellt wird, ist meist, aber nicht immer, pyramidenförmig. So ist die Biomasse der Produzenten im Meer extrem klein, im Wald sehr hoch.

5.4 Stoffkreisläufe

Jedes Element, das in den Stoffen der Lebewesen vorkommt, durchläuft (meist in Form verschiedener Verbindungen) einen bio-geochemischen Kreislauf, in dessen Verlauf es von den Lebewesen aus der unbelebten Natur aufgenommen und wieder abgegeben wird.

Kohlenstoff

Kohlenstoff ist Bestandteil aller organischen Verbindungen und kommt hauptsächlich vor

- in den organischen Verbindungen der Lebewesen und ihren Resten,
- als Kohlenstoffdioxid in der Luft und im Wasser gelöst,
- in Carbonaten wie Kalk im Boden, in Gesteinen und im Wasser gelöst,
- in fossilen organischen Kohlenstoffverbindungen in Kohle, Erdöl und Erdgas.

Die wichtigsten Umwandlungsvorgänge sind

- Assimilation (Foto- und Chemosynthese): Kohlenstoffdioxid → organische Verbindungen,
- Dissimilation (Zellatmung, Gärung): organische Verbindungen → Kohlenstoffdioxid,
- Verbrennung: organische Verbindungen → Kohlenstoffdioxid,
- Austausch von Kohlenstoffdioxid zwischen Luft und Wasser,
- Ablagerung von Carbonaten in den Sedimenten.

Würden sich Auf- und Abbau organischer Stoffe die Waage halten, blieben die Mengen in den Depots und die Kohlenstoffdioxid-Konzentration in der Luft konstant. Weil der Mensch durch Verbrennen fossiler Energieträger und durch Brandrodungen zusätzlich Kohlenstoffdioxid in die Luft bringt (30 Gt/Jahr), ist die Konzentration in der Luft seit 1750 um 42% gestiegen.

Sauerstoff

Der elementare Sauerstoff wird hauptsächlich von Lebewesen produziert (Fotosynthese) und beim Abbau von Biomasse verbraucht (Atmung, Verbrennung). Wäre der Kohlenstoffkreislauf geschlossen, bliebe auch die Sauerstoffkonzentration konstant. Der Mensch stört den Kreislauf durch die Verbrennung fossiler Brennstoffe. Die Abnahme der Konzentration fällt aber wegen des hohen Sauerstoffanteils der Atmosphäre nicht ins Gewicht.

Stickstoff

Stickstoff kommt in folgenden Depots vor:

- elementar als reaktionsträges Gas N_2 in der Luft (Anteil 78%),
- in Form von Nitrat- und Ammonium-Ionen im Boden,
- in den organischen Stickstoffverbindungen der Lebewesen (Proteine, Nucleinsäuren).

Die wichtigsten Umwandlungs- und Austauschvorgänge sind:

- Produzenten: Nitrat- und Ammonium-Ionen → organische Stickstoffverbindungen
- Konsumenten: Aufnahme organischer Stickstoffverbindungen, teilweiser Abbau
- Destruenten: organische Stickstoffverbindungen → Ammonium-Ionen
- Nitrifizierende Bakterien: Ammonium → Nitrat
- Stickstofffixierende Bakterien: Luftstickstoff → Ammonium-Ionen
- Denitrifizierende Bakterien: Nitrat → N_2 (Denitrifikation)
- Mensch: künstliche Stickstoff-Fixierung bei der Herstellung von Kunstdünger
- Blitze, Motoren, Heizanlagen: N_2 → Stickoxide → Nitrat

Phosphor

Phosphor kommt in folgenden Depots vor:

- in den Lebewesen in Form von Nucleinsäuren, ATP, Phospholipiden und in anorganischen Phosphaten von Hartteilen wie Knochen, Zähnen, Schalen etc.,
- im Boden und in Gesteinen in Form von anorganischen Phosphaten,
- im Wasser in Form von Phosphat-Ionen.

Die wichtigsten Umwandlungs- und Austauschvorgänge sind:

- Pflanzen: Phosphate aus dem Boden → organische Phosphate
- Destruenten: organische Phosphate → Phosphate im Boden
- Der Mensch bringt Phosphate (Fäkalien, Haushaltabfälle, Waschmittel, Dünger) in die Gewässer, wo sie das Wachstum der Algen fördern.

5.5 Gleichgewicht, Stabilität und Vielfalt

Biozönotisches Gleichgewicht

Im biozönotischen Gleichgewicht bleibt die Zusammensetzung der Biozönose über einen gewissen Zeitraum praktisch konstant. Zahl und Art der Populationen ändern sich praktisch nicht und die Populationsdichten schwanken in einem beschränkten Bereich um einen konstanten Mittelwert. Kleine Störungen durch Veränderung der abiotischen Faktoren oder Eingriffe in die Biozönose können ausgeglichen werden. Starke Störungen führen zu bleibenden Veränderungen. Das geschieht in natürlichen Systemen meist langsam, d. h. im Verlauf von Jahrzehnten oder Jahrhunderten und ohne katastrophale Massensterben.

Mosaikmodell

Grosse Ökosysteme, die gesamthaft betrachtet stabil scheinen, bestehen meist aus vielen dynamischen Teilsystemen, in denen sich die Bedingungen und die Teil-Biozönosen stark verändern. Das ganze Ökosystem ist ein Mosaik von Teilsystemen in unterschiedlichen Entwicklungsstadien. Die Summe ihrer Eigenschaften bleibt praktisch konstant.

In artenreichen Biozönosen gibt es viele Beziehungen zwischen den Populationen. Darum schwanken die Populationsdichten weniger stark als in artenarmen Biozönosen.

r-Strategen

r-Strategen wie Insekten und Nagetiere sind meist klein, kurzlebig und sehr fruchtbar. Ihre Dichte passt sich den Bedingungen schnell an. Sie können einen neuen Lebensraum schnell besiedeln, werden dann aber von den K-Strategen weitgehend verdrängt.

K-Strategen | K-Strategen entwickeln sich langsamer, leben länger und sind meist grösser als r-Strategen. Sie haben weniger Nachkommen und sind den r-Strategen in der Konkurrenz überlegen. Ihre Dichte passt sich bei Veränderungen der Umweltbedingungen nur langsam an.

5.6 Entwicklung von Ökosystemen: Sukzession

Sukzession | Sukzession ist die Abfolge von Biozönosen in einem Ökosystem bei der Neubesiedlung (Primärsukzession) oder nach einer groben Störung (Sekundärsukzession). Die Primärsukzession führt von der Pioniergesellschaft zur Klimaxgesellschaft.

Unreife Biozönosen | Für unreife Biozönosen gilt: Die Produzenten überwiegen, die Biomasse steigt. Die Artenzahl ist gering und die Dichteschwankungen sind hoch. Alleskönner (Generalisten) und r-Strategen überwiegen. Die Nahrungsketten sind kurz und wenig verzweigt.

Klimaxgesellschaften | Für Klimaxgesellschaften gilt: Das Zahlenverhältnis bzw. die Stoffproduktion von Produzenten, Konsumenten und Destruenten ist ausgewogen, die Stoffkreisläufe sind geschlossen. Die Artenzahl ist hoch, die Dichteschwankungen sind gering. Die Spezialisten dominieren, K-Strategen überwiegen. Die Nahrungsketten sind lang und verzweigt.

6 Der See als Ökosystem

6.1 Lebensräume und Bewohner eines Sees

Gliederung | Ein See ist in verschiedene Bereiche mit unterschiedlichen Bedingungen und Biozönosen gegliedert. Wir unterscheiden den Freiwasserbereich (Pelagial) und den Bodenbereich (Benthal) mit der Uferzone (Litoral) und der Tiefenzone (Profundal).

Nähr- und Zehrschicht | Im Pelagial wird in der lichtreichen oberflächennahen «Nährschicht» mehr Biomasse produziert als verbraucht. Ein Teil dieses Materials sinkt ab und wird in der lichtarmen «Zehrschicht», wo mehr Biomasse verzehrt als produziert wird, abgebaut.

Uferzone | Die Uferzone ist durch die unterschiedliche Wassertiefe in Gürtel mit charakteristischen Pflanzengesellschaften und Bewohnern gegliedert: Bruchwald, Seggenried, Röhrichtgürtel, Schwimmblatt- und Tauchblattpflanzen.

Pelagial | Im Pelagial leben neben aktiven Schwimmern die schwebenden Kleinlebewesen des Planktons, von denen sich viele Strudler und Filtrierer ernähren. Das Phytoplankton besteht aus Produzenten, das Zooplankton aus Konsumenten.

Tiefenzone | In der dunklen Tiefenzone, wo Produzenten fehlen, leben hauptsächlich Destruenten wie Würmer, Krebse, Schnecken und Bakterien. Sie ernähren sich von der Biomasse, die absinkt.

6.2 Horizontale Schichtung und Zirkulation

Weil die Dichte des Wassers von der Temperatur abhängig ist, ändert sich die Schichtung des Wassers im Verlauf des Jahres.

Sommer | Im Sommer wird das Wasser an der Oberfläche erwärmt und bleibt (weil seine Dichte abnimmt) oben. In der Tiefe bleibt die Temperatur 4 °C. Diese stabile Schichtung (Sommerstagnation) hat zur Folge, dass praktisch kein Sauerstoff in die Tiefe gelangt.

Herbst — Im Herbst findet eine Zirkulation statt, weil sich das Wasser an der Oberfläche abkühlt und dadurch absinkt, bis die Temperatur im ganzen See 4 °C beträgt. Jetzt kann ein Austausch zwischen Oberflächen- und Tiefenwasser stattfinden.

Winter — Im Winter kühlt das Wasser an der Oberfläche unter 4 °C ab. Weil seine Dichte dabei abnimmt, bleibt es oben und gefriert schliesslich, während die Temperatur in der Tiefe immer noch 4 °C beträgt.

Frühling — Im Frühling erwärmt sich das Wasser zuerst im ganzen See bis auf 4 °C und es kann wieder eine Zirkulation stattfinden.

6.3 Nährstoffgehalt und Eutrophierung

Nährschicht — In der Nährschicht nährstoffreicher (eutropher) Seen vermehren sich die Algen v. a. dank dem hohen Phosphatgehalt stark und bilden mehr Biomasse, als Konsumenten und Destruenten fressen und abbauen. Der Überschuss sinkt ab und wird in der Zehrschicht von Konsumenten und Destruenten unter Sauerstoffverbrauch abgebaut. Weil das warme, sauerstoffreiche Wasser oben bleibt (Sommerstagnation), sinkt dadurch der Sauerstoffgehalt im Tiefenwasser. Die Mineralstoffe, die beim Abbau freigesetzt werden, bleiben unten. Ein Teil des Phosphats setzt sich als schwer lösliches Eisen(III)-phosphat ab. Die Zirkulation im Herbst bringt wieder sauerstoffreicheres Oberflächenwasser in die Tiefe und mineralstoffreicheres Tiefenwasser an die Oberfläche.

Anaerober Abbau — In stark eutrophierten Seen kann das Wachstum der Algen so stark sein, dass der Abbau der anfallenden Biomasse den Sauerstoff im Tiefenwasser vollständig verbraucht. Dann bauen anaerobe Bakterien das organische Material durch Gärungsvorgänge unvollständig ab und produzieren Faulschlamm und Faulgase (Ammoniak, Methan und Schwefelwasserstoff), die z. T. giftig sind. Aus dem in den Sedimenten abgelagerten Eisen(III)-phosphat werden unter anaeroben Bedingungen Phosphat-Ionen freigesetzt. Sie gelangen bei der nächsten Zirkulation nach oben und verstärken das Algenwachstum.

6.4 Verlandung

Schlammschicht — Im Uferbereich stehender Gewässer bildet sich aus überschüssigem Pflanzenmaterial eine Schlammschicht, die sich zu Torf entwickelt. Die Wassertiefe nimmt ab und die Pflanzengürtel des Uferbereichs wandern Richtung Seemitte. Es findet eine Sukzession statt, bei der die Biozönosen des Uferbereichs aufeinanderfolgen. Der See verlandet.

Moor — Beim unvollständigen Abbau von Pflanzenresten entstehen Huminsäuren und Torf. Auf den nährstoffarmen, sauren Moorböden leben Spezialisten wie fleischfressende Pflanzen.

Hochmoor — Hochmoore entstehen im Laufe von Jahrhunderten in niederschlagsreichen, kühlen Gebieten, in denen das Torfmoos gedeiht. Das Torfmoos bildet dicke Torfschichten, indem es nach oben wächst, während die unteren Teile absterben und zu Torf werden. Die Pflanzen im Hochmoor haben keinen Kontakt zum Mineralboden und werden über das Niederschlagswasser versorgt.

7 Der Wald als Ökosystem

7.1 Definition und Struktur des Waldes

Wälder sind Ökosysteme, in denen die Bäume ein geschlossenes Kronendach bilden, das die Lebensbedingungen wesentlich beeinflusst. Typisch ist die hohe Dichte an langlebigen

Produzenten. Die Konkurrenz um Licht führt zu einer vertikalen Gliederung in verschiedene Stockwerke (Baumkronen, Sträucher, Kräuter, Moose und Pilze).

Aspektfolge

Im Laubmischwald ändern sich die Bedingungen und die Biozönose im Verlauf des Jahres drastisch und führen zu einer jahreszeitlichen Aspektfolge.

7.2 Waldentwicklung und Waldtypen

Entwicklung

Von den Wäldern, die ursprünglich 50% des Festlands bedeckt haben, hat der Mensch etwa die Hälfte zerstört und heute werden in jedem Jahr 7 Mio. ha Naturwald gerodet. Mitteleuropa wäre mit Ausnahme der hochalpinen Regionen, Gewässer, Moore und Heiden ohne Eingriffe des Menschen vollständig bewaldet (sommergrüne Laubmischwälder). Wiesen, Äcker und Weiden entstanden durch Rodung und würden ohne Eingriffe des Menschen wieder zu Wald (Sukzession).

Wald in der Schweiz

In der Schweiz wären im Mittelland auf mittleren bis guten Böden Mischwälder mit Buche, Eiche, Esche, Kiefer und Tanne die natürliche Schlussgesellschaft. Die meisten Wälder sind aber vom Menschen beeinflusste artenarme Forste, in denen die schnell wachsende, vielseitig verwendbare Fichte dominiert. In höheren Lagen kommen natürliche Fichtenwälder sowie Lärchen-Arvenwälder vor. Im Mittelalter wurde die Waldfläche durch Rodungen zur Gewinnung von Anbauflächen und Siedlungsflächen von 70% auf 25% vermindert. Die Zunahme von Überschwemmungen, Erdrutschen und Lawinen führte um 1900 zum gesetzlichen Schutz durch Rodungsverbote. In den letzten 150 Jahren hat die Waldfläche wieder zugenommen und wächst heute hauptsächlich im Alpenraum.

Mosaikwald

Auch ein Wald, in dem sich die Schlussgesellschaft etabliert hat, verändert sich. Er ist ein Mosaik von Parzellen in unterschiedlichen Entwicklungsstadien, die sich relativ stark verändern können, ohne dass sich in der Summe etwas ändert: Das biozönotische Gleichgewicht bleibt erhalten.

7.3 Stoffproduktion und die Nahrungspyramide im Wald

Produktivität

Wälder besitzen von allen natürlichen Landökosystemen die höchste Produktivität, weil die Dichte der Produzenten sehr hoch ist. Bezogen auf die gleiche Biomasse, ist die Produktion des Waldes aber gering, weil nur ein kleiner Teil der Biomasse Fotosynthese macht. Da die Pflanzenfresser nur 1% der Nettoprimärproduktion übernehmen, ist die Biomasse der Konsumenten klein und die der Destruenten gross. Eine grosse Buche bildet etwa so viel Sauerstoff, wie fünf Menschen im gleichen Zeitraum veratmen. Ein Laubmischwald mit der Grösse eines Fussballfelds hat 230 t Biomasse und bildet jährlich 9 t Biomasse. Er bindet 16.5 t Kohlenstoffdioxid und gibt 12 t Sauerstoff ab. Das entspricht dem biologischen Umsatz von 30 bzw. dem Gesamtverbrauch von 3 Menschen.

7.4 Bewohner des Waldes

Artenreichtum

In den nischen- und artenreichen Mischwäldern sind die Nahrungsketten lang, verzweigt und stark vernetzt. Die Schwankungen der Populationsdichten sind klein, das biozönotische Gleichgewicht ist stabil.

Artenarme Wälder

In rauem Klima, auf schlechten Böden oder unter Einfluss des Menschen entstehen Wälder mit wenigen Baumarten wie die Fichtenwälder in grosser Höhe. Ihr Aufbau ist weniger vielschichtig, die Zahl der Nischen und Arten ist kleiner, die Nahrungsketten sind kürzer und weniger vernetzt.

Destruenten

Die Zahl der Destruenten, die im Wald den Abbau von 99% der Nettoprimärproduktion übernehmen, ist hoch. In den obersten 30 cm Waldboden leben pro m^2 über 10 Millionen

Kleintiere wie Fadenwürmer, Regenwürmer, Schnecken, Milben, Insekten, Asseln etc. und eine gigantische Zahl von Einzellern, Pilzen und Bakterien.

7.5 Wirkung und Bedeutung des Waldes

Wälder verändern die Umweltbedingungen mindestens lokal und

- schützen vor Erosion, Lawinen, Wind, Lärm und Hochwasser,
- regulieren den Wasserhaushalt und das Lokalklima,
- filtern die Luft, nehmen Kohlenstoffdioxid auf und speichern es in der Biomasse,
- sind Lebensräume für viele Arten,
- liefern Holz und sind Erholungsräume für den Menschen.

8 Globale Umweltprobleme, Bevölkerungswachstum

8.1 Der Mensch als Verursacher globaler Umweltprobleme

Ursachen

Die globalen Umweltbelastungen sind Folgen des hohen Verbrauchs an Nahrung, Energie und Rohstoffen, der sich aus der grossen Bevölkerungsdichte und dem hohen Pro-Kopf-Verbrauch ergibt. Die Hauptursachen für die starke Zunahme in den letzten Jahrzehnten sind: Bevölkerungswachstum, Industrialisierung, steigende Güterproduktion, zunehmende Mobilität, wirtschaftlicher Wohlstand und Verstädterung.

Nachhaltigkeit

Die Ausbeutung und die Zerstörung der Umwelt müssen durch eine nachhaltige Nutzung der Ressourcen ersetzt werden. Nachhaltig ist die Nutzung eines natürlichen Systems, wenn dieses dabei mit seinen wesentlichen Charakteristika langfristig erhalten bleibt.

8.2 Bevölkerungsentwicklung

Stand

Heute leben auf der Erde über 7.3 Milliarden Menschen und ihre Zahl steigt jährlich um rund 81.7 Millionen. Zwischen 1900 und 1980 ist die menschliche Bevölkerung überexponentiell gewachsen. Die Wachstumsrate hat zugenommen, weil die Sterberate gesunken ist. Verbesserung der Ernährung, der Hygiene und Fortschritte in der Medizin verminderten die Kindersterblichkeit und erhöhten die durchschnittliche Lebenserwartung.

Entwicklung

Seit 1960 sinken in den Industrieländern auch die Geburtenraten und die Wachstumsraten gehen gegen null. Die Entwicklungsländer haben den demografischen Übergang von hohen zu niederen Sterbe- und Geburtenraten noch vor sich. Ihre Bevölkerung nimmt immer noch um 1–3.9% pro Jahr zu. Eine Verminderung der Geburtenzahlen setzt eine Verbesserung der Versorgung, der Ausbildung und der Altersversorgung voraus.

8.3 Ökologischer Fussabdruck

Grösse und Bedeutung

Der ökologische Fussabdruck ist die Fläche (in global Hektar) mit mittlerer Produktivität, die ein Mensch benötigen würde, um mit dem gewohnten Lebensstandard (mit den heutigen Technologien) nachhaltig zu leben. Der ökologische Fussabdruck beinhaltet die Flächen zur Bereitstellung von Nahrung, Kleidung und Energie und zur Entsorgung von Müll und freigesetztem Kohlenstoffdioxid. Im globalen Mittel hat der Fussabdruck eine Fläche von 2.7 global Hektar (gha). Das sind 50% mehr als die 1.8 gha, die heute zur Verfügung stehen. Von 1961 bis 2007 hat der Fussabdruck durch die Zunahme des Energieverbrauchs von 2.4 auf 2.7 gha zugenommen, während sich die Fläche, die jedem Menschen zur Verfügung steht, durch die Bevölkerungszunahme von 3.7 auf 1.8 gha reduziert hat.

Kapazitätsgrenze Die Bevölkerung hat die Kapazitätsgrenze schon Ende der Siebzigerjahre überschritten. Der Lebensstil und die verwendeten Technologien müssen sich ändern. Durch neue Methoden der Energiebeschaffung und -nutzung kann der Fussabdruck um 30–50% verkleinert werden.

8.4 Steigender Bedarf und Verschleiss

Die Zunahme der Bevölkerung und die Zunahme des Pro-Kopf-Verbrauchs verursach(t)en eine starke Zunahme des Verbrauchs an Nahrung, Wasser, Rohstoffen und Energie. Die Bereitstellung von Wasser und Nahrung, die Produktion von Gütern, der Verbrauch von Energie, die Zunahme von Verkehrs- und Siedlungsflächen belasten die Umwelt.

8.5 Ziele und Instrumente des Umweltschutzes

Emission und Immission Die Abgabe von Stoffen, Lärm und Strahlen an die Umwelt nennt man Emission, ihr Einwirken auf Lebewesen und Sachen Immission.

Ziele Umweltschutz soll die Umwelt vor nachteiligen Wirkungen menschlicher Aktivitäten schützen und die durch den Menschen verursachten Gefahren und Schäden beheben. Er soll die Lebensgrundlagen des Menschen sichern und eine nachhaltige Nutzung der natürlichen Ressourcen durchsetzen. Umweltschutz beginnt mit der Erfassung des Istzustands und definiert den Sollzustand. Wann und wie dieser erreicht werden soll, wird unter Berücksichtigung der technischen und ökonomischen Möglichkeiten festgelegt.

Grenzwerte Zur Beurteilung der Belastung von Umwelt und Lebewesen durch Schadstoffe, Lärm und Strahlung werden Grenzwerte ermittelt bzw. festgelegt.

- Immissionsgrenzwerte definieren die Konzentration eines Schadstoffs in der Umwelt, die nicht überschritten werden soll.
- Emissionsgrenzwerte sind maximal zulässige Höchstwerte für die Abgabe (Emission). Sie berücksichtigen neben den Immissionsgrenzwerten auch die Realisierbarkeit der Emissionsbeschränkung und werden dem Stand der Technik angepasst.

Massnahmen Umweltpolitische Massnahmen sind u. a.: Vorschriften zur Entsorgung von Abfällen, Emissionsgrenzwerte, Gebühren auf umweltbelastenden Aktivitäten und Stoffen.

9 Beschaffung von Wasser und Nahrung

9.1 Wasser

Wasservorräte 70% der Erdoberfläche sind von Wasser bedeckt. Zudem kommt Wasser im Boden, als Grundwasser und in der Luft als Wasserdampf vor. Etwa 2.5% des Wassers auf der Erde sind Süsswasser (70% in Gletschern, 29% im Grundwasser, 0.7% im Boden, 0.3% in Seen und Flüssen).

Wasserverbrauch Alle Lebewesen sind auf Wasser angewiesen, ein Mensch muss täglich ca. 2.5 l aufnehmen. Wasser wird auch benötigt zur Bewässerung von Nutzpflanzen, zur Herstellung von Nahrungsmitteln und Gütern (virtuelles Wasser), zur Reinigung, zur Abfallentsorgung, als Kühlmittel und zur Stromerzeugung. Zur Herstellung der Nahrung eines Menschen werden je nach Fleischanteil täglich 700–5 000 Liter Wasser verbraucht.

Der globale Wasserverbrauch ist seit Beginn des 20. Jahrhunderts auf das Neunfache gestiegen. Der mittlere Pro-Kopf-Verbrauch beträgt 2 100 l/Tag. Davon werden 70% in der Landwirtschaft, 20% in der Industrie und 10% in den Haushalten verbraucht. 1.2 Milliarden

Menschen haben keinen Zugang zu sauberem Trinkwasser. Der Pro-Kopf-Verbrauch im Haushalt ist in der Schweiz 160 l. Davon stammen je 40% aus Quellen und Grundwasser, 20% aus Seen.

9.2 Nahrungsbedarf und Nahrungsproduktion

Entwicklung

Zwischen 1960 und 2010 hat sich die Weltbevölkerung mehr als verdoppelt, während die Ackerfläche leicht abgenommen hat. Bis 1990 konnte die Getreideproduktion durch Erhöhung der Flächenerträge entsprechend dem steigenden Bedarf erhöht werden. Seit 1990 wächst die Getreideproduktion langsamer als die Bevölkerung. Weltweit werden über 2 Milliarden Tonnen Getreide geerntet. Davon geht ein Teil durch falsche Lagerung und Schädlinge verloren und fast die Hälfte wird zur Produktion von Fleisch an Vieh verfüttert. Dabei gehen 70–90% der Nahrungsenergie verloren. Die verbleibende Nahrungsenergie von 2 800 kcal pro Kopf würde aber für eine ausreichende Ernährung aller Menschen genügen. Weil die Nahrung ungleich verteilt wird, sind trotzdem 14% der Menschen unterernährt.

9.3 Entwicklung der Landwirtschaft

Äcker

Durch die Umwandlung in Äcker werden natürliche Ökosysteme und Biozönosen zerstört. Äcker sind künstliche, unreife Ökosysteme, in denen meist nur eine Pflanzenart gedeihen soll: Produzenten überwiegen, die Zahl der Nischen und Arten ist gering, Nahrungsketten sind kurz, Dichteschwankungen sind hoch (Massenvermehrung von Schädlingen), der Boden wird einseitig genutzt und ist durch Erosion gefährdet, Stoffkreisläufe sind nicht geschlossen.

Grüne Revolution

Die grüne Revolution hat die Landwirtschaft im 20. Jahrhundert stark verändert. Die Flächenerträge wurden durch ertragreichere Sorten, Düngung, Pflanzenschutz und maschinellen Anbau in Monokulturen erhöht. Die grüne Revolution hat aber auch ihre Schattenseiten:

- Durch die Mechanisierung der Landwirtschaft hat das Verhältnis von Energieeinsatz zu Energieertrag stark zugenommen.
- Die neuen Sorten sind ertragreicher, aber anspruchsvoller und krankheitsanfälliger.
- Die Düngung mit Kunstdünger oder Hofdünger kann zur Eutrophierung von Gewässern und zur Belastung des Grundwassers führen, weil ein Teil des Düngers ausgewaschen wird. Überdüngung schadet den Bodenlebewesen und vermindert die Fruchtbarkeit des Bodens. Kunstdünger enthalten keine Nahrung für Destruenten, sind mit Schwermetallen verunreinigt und ihre Herstellung kostet viel Energie.
- Bei der Massentierhaltung werden Tiere nicht artgerecht gehalten. Sie sind anfällig für Krankheiten. Wenn Futtermittel zugekauft werden, fehlt auch die Fläche für den sinnvollen Einsatz des Hofdüngers.

9.4 Pflanzenschutz

Chemisch

In Monokulturen können sich Pflanzenfresser (z. B. Käfer und Raupen) und Parasiten (Pilze, Bakterien, Viren) rasch vermehren. Der Pflanzenschutz soll die Verluste durch Schädlinge vermindern. Bei der chemischen Bekämpfung werden Pestizide (Insektizide, Fungizide, Herbizide) eingesetzt.

DDT

Mit Kontaktinsektiziden wie DDT wurden im Pflanzenschutz und bei der Seuchenbekämpfung grosse Erfolge erzielt. Ihre Nachteile sind aber: geringe Selektivität, langsamer Abbau, Anreicherung im Boden, Bioakkumulation und Resistenzbildung. Frassgifte wie Phosphorsäureester wirken selektiver, sind aber auch für den Menschen sehr toxisch.

Biologisch

Die biologische Schädlingsbekämpfung dezimiert die Schädlinge durch den Einsatz ihrer Feinde (Räuber oder Parasiten wie Schlupfwespen, Marienkäfer, Fadenwürmer, Bakterien und Viren). Feinde mit langsamer Vermehrung wie Vögel und Säuger können bei der Kontrolle der Schädlinge mitwirken, aber eine Massenvermehrung nicht stoppen.

Biotechnisch

Die biotechnische Schädlingsbekämpfung versucht, die Schädlinge abzuschrecken (z. B. mit Duftstoffen), zu fangen oder zu töten.

Integriert

Der integrierte Pflanzenschutz versucht, das Auftreten von Schädlingen durch Kulturmassnahmen und Ausgleichsflächen für Nützlinge zu vermindern.

9.5 Biologische Landwirtschaft und Integrierte Produktion

Balance

Die biologische Landwirtschaft strebt eine Balance zwischen Umweltverträglichkeit und Produktivität an. Ihre Grundsätze und Ziele sind:

- Verzicht auf den Einsatz von Kunstdüngern und Pestiziden
- Weitgehend geschlossene Stoffkreisläufe innerhalb des Betriebs
- Anlage und Pflege von ökologischen Ausgleichsflächen
- Stärkung und Nutzung der natürlichen Selbstregulation
- Nachhaltige Nutzung der Ressourcen
- Erhaltung und Verbesserung von Artenvielfalt und Landschaftsbild
- Artgemässe Tierhaltung, -fütterung und -zucht
- Forcierung lokaler und regionaler Produktion

IP

Die Integrierte Produktion (IP) ist ein Mittelweg zwischen dem konventionellen und dem biologischen Anbau. Dünger, Pestizide und Futtermittel werden nur so weit wie unbedingt nötig und nach bestimmten Richtlinien und Listen eingesetzt.

10 Energieverbrauch

10.1 Entwicklung des globalen Energieverbrauchs

Zunahme

Der globale Energieverbrauch ist in den letzten hundert Jahren auf das 12-Fache gestiegen, weil der Pro-Kopf-Verbrauch in den Industrieländern und auch die Weltbevölkerung zugenommen haben. Die jährliche Zunahme ist mit 2.5% höher als je zuvor. 80% des Energiebedarfs werden durch Verbrennung fossiler Energieträger gedeckt. Das entspricht der Energie aus der Verbrennung von 12 Milliarden Tonnen Rohöl und führt zur Bildung von 30 Milliarden Tonnen Kohlenstoffdioxid.

Perspektiven

Ohne Gegenmassnahmen wird sich der globale Energieverbrauch bis 2050 mehr als verdoppeln und die Umwelt enorm belasten. Nötige Gegenmassnahmen sind: Einsparungen durch höhere Effizienz von Geräten, Autos, Heizanlagen etc., Verminderung von Verlusten (bessere Isolation) und Einsatz von erneuerbaren Energien.

10.2 Fossile Energie

Die Nutzung fossiler Energieträger (Kohle Erdöl, Erdgas) belastet die Umwelt stark.

- Förderung und Transport von Erdöl verschmutzen Gewässer und Böden.
- Das im Rohöl gelöste Erdgas wird bei der Förderung z. T. abgeblasen oder abgefackelt.
- Die Verbrennungsprodukte sind die Hauptursache der Luftverschmutzung und des Klimawandels:

Kohlenstoffdioxid

Kohlenstoffdioxid:

- entsteht als Hauptprodukt bei der Verbrennung fossiler Brennstoffe.
- verstärkt den Treibhauseffekt und verändert dadurch das Erdklima.

Schwefeldioxid

Schwefeldioxid:

- entsteht durch Verbrennung schwefelhaltiger Brennstoffe (Kohle, Heizöl).
- ist ein farbloses, stechend riechendes Gas, das Lebewesen schädigt.
- reizt Augen und Schleimhäute und verursacht Erkrankungen der Atemwege.
- trägt durch Bildung von Schwefelsäure zum Wintersmog und zum sauren Regen bei.

Stickoxide (NO und NO_2)

Stickoxide (NO und NO_2):

- entstehen bei hohen Verbrennungstemperaturen durch die Reaktion der beiden Luftbestandteile Stickstoff und Sauerstoff und bei der Verbrennung von Holz.
- führen zusammen mit den VOC zur Bildung des Sommersmogs und tragen durch die Bildung von Salpetersäure zum sauren Regen und zur Stickstoffdüngung bei.

Kohlenstoffmonoxid

Kohlenstoffmonoxid:

- entsteht bei unvollständiger Verbrennung.
- ist giftig und trägt zum Sommersmog bei.

VOC (Volatile Organic Compounds)

VOC (Volatile Organic Compounds):

- sind leichtflüchtige organische Verbindungen (ohne Methan).
- gelangen bei unvollständiger Verbrennung oder Verdunstung von Treibstoffen in die Luft.
- tragen zur Bildung des Sommersmogs bei.

Feinstaub und Russ

Feinstaub und Russ:

- entstehen bei der unvollständigen Verbrennung von Kohle, Heizöl und Diesel.
- sind kanzerogen und tragen zum Wintersmog bei.

10.3 Kernenergie

Kernkraftwerke belasten die Luft weniger mit Kohlenstoffdioxid als Kraftwerke mit fossilen Energieträgern, produzieren aber radioaktive Abfälle, die für Jahrhunderte sicher gelagert werden müssen. Die Strahlenbelastung liegt im Normalbetrieb deutlich unter der natürlichen Belastung. Das Risiko von Unfällen ist zwar klein, aber die Auswirkungen sind katastrophal, wie Tschernobyl 1986 und Fukushima 2011 gezeigt haben.

10.4 Erneuerbare Energien

Nachhaltig

Erneuerbare Energien aus nachhaltigen Quellen (Biomasse, Wasser, Sonne, Erdwärme, Wind) lieferten 2010 weltweit 16.7% der Energie. Ihr Anteil kann und muss erhöht werden. Das nutzbare Potenzial der Alternativenergien ist höher als der heutige Weltenergiebedarf. Biomasse ist in Form von Holz der älteste Energieträger und liefert heute immer noch etwa 8.5% der Primärenergie.

Biokraftstoffe

Aus Biomasse erzeugte Biokraftstoffe können eine bessere Ökobilanz aufweisen als Benzin. Ihre Produktion soll aber nicht in umweltbelastenden Monokulturen und nicht auf Flächen geschehen, die zur Nahrungsproduktion genutzt werden können. Biomasse aus Abfällen kann in Biogasanlagen zur Erzeugung von Biogas (Methan) genutzt werden. Methan kann als Treibstoff oder als Heizgas dienen.

Wasserkraft und Sonnenenergie

Wasserkraftwerke liefern weltweit 15.3% des Stroms. Die Nutzung der Wasserkraft produziert praktisch kein Kohlenstoffdioxid, keine Luftbelastungen und keine Abfälle. Die Schattenseiten sind: Landschaftsveränderungen, Eingriffe in den Wasserhaushalt, Austrocknen von Fliessgewässern und Feuchtgebieten. Mit Sonnenenergie kann in Sonnenkollektoren Wärme oder in Solarzellen Strom erzeugt werden. 99% der Erdmasse sind heisser als 1 000 °C. Heute wird vorwiegend die oberflächennahe Erdwärme mithilfe von Wärmepumpen genutzt.

11 Veränderungen von Ökosystemen und Biozönosen

11.1 Landschaftsveränderungen

Artensterben

Der Mensch verändert die Landschaft und ihre Biozönosen u. a. durch Abholzen von Wäldern, Flussbegradigungen und Trockenlegung von Feuchtgebieten, Bebauung, Abbau von Bodenschätzen, Gewinnung und Umgestaltung von Agrarflächen. Die Veränderung oder Zerstörung von Lebensräumen führt zum Aussterben vieler Arten.

11.2 Veränderungen von Biozönosen

Neue Arten

Das Aussetzen einer neuen Art kann sich negativ auswirken, wenn die ausgesetzte Art zu wenig natürliche Feinde hat, als Konkurrent einheimische Arten verdrängt, als Raubtier oder als Gifttier die heimische Fauna schädigt oder Krankheiten einschleppt. Beispiele sind die Kaninchen und die Aga-Kröte in Australien. Neozoen der Schweiz sind: Regenbogenforelle, Signalkrebs, Wandermuschel, Asiatischer Marienkäfer. Neophyten: Riesenbärenklau, Ambrosia, Goldrute.

12 Belastungen der Luft und Klimaveränderungen

12.1 Grundlagen

Troposphäre

Die Troposphäre ist die unterste, etwa 15 km dicke Schicht der Atmosphäre. Sie enthält neben Stickstoff (78%) und Sauerstoff (21%) Edelgase wie Argon und winzige Mengen von Spurengasen wie Kohlenstoffdioxid (400 ppm), Methan, Kohlenstoffmonoxid, Ozon etc.

Stratosphäre

In der Stratosphäre 15–50 km über dem Erdboden bildet sich unter Einwirkung kurzwelliger UV-Strahlen Ozon (O_3). Die Ozonschicht schützt die Lebewesen auf der Erde vor der kurzwelligen UV-Strahlung, indem sie diese absorbiert.

Emissionen

Emissionen können Lebewesen direkt schädigen wie das giftige Kohlenstoffmonoxid oder zur Bildung von sekundären Schadstoffen wie Ozon führen. Sie können die Absorption von Licht und den Wärmehaushalt der Erde beeinflussen und dadurch das Klima verändern (Treibhauseffekt, Abbau der Ozonschicht). Viele Schadstoffe gelangen aus der Luft durch Auswaschung oder Ablagerung in Gewässer oder Böden.

Folgen

Folgen der Luftbelastungen sind: Klimaänderung durch den anthropogenen Treibhauseffekt, fotochemischer Smog, Ozonabbau in der Stratosphäre, saure Niederschläge.

12.2 Veränderung des Erdklimas

Treibhausgase

Treibhausgase absorbieren die Wärmestrahlung der durch die Sonne erwärmten Erde und heizen sich und damit die Luft auf. Je höher ihre Konzentration ist, umso grösser ist der Anteil der Wärme, der in der Troposphäre bleibt. Der natürliche Treibhauseffekt, der hauptsächlich auf Wasserdampf, Kohlenstoffdioxid, Ozon, Distickstoffmonoxid und Methan beruht, erhöht die mittlere Jahrestemperatur von −18 °C auf 15 °C.

Klimaänderung

Das Erdklima hat sich in den letzten Jahrzehnten deutlich verändert:

- Die globale Oberflächentemperatur ist seit 1880 um 0.85 °C gestiegen.
- Die Häufigkeit heftiger Niederschläge hat zugenommen.
- Gletscher und Festlandeis in Grönland und in der Antarktis haben abgenommen.
- Die Dicke des Meereises in der Arktis hat seit 1950 um 40% abgenommen.
- Die Temperatur des Permafrostbodens ist seit 1980 um 0.5 °C gestiegen.
- Die Oberflächentemperatur der Ozeane hat seit 1900 um rund 0.5 °C zugenommen.
- Der Meeresspiegel ist seit Beginn des 20. Jahrhunderts um 19 cm gestiegen.

Ursachen

Nach den heutigen Erkenntnissen (Bericht des IPCC 2014) ist die Klimaänderung vorwiegend durch die anthropogenen Emissionen der Treibhausgase Kohlenstoffdioxid, Methan, Ozon, Fluor-Kohlenwasserstoffe und Distickstoffmonoxid verursacht.

- Die Kohlenstoffdioxid-Konzentration der Luft ist seit 1750 um 42% auf 400 ppm gestiegen und die Zunahme hat sich auf 1.9 ppm/Jahr beschleunigt. Die Emissionen stammen zu 80% aus der Verbrennung fossiler Brennstoffe und zu 20% aus Brandrodungen.
- Methan entsteht beim anaeroben Abbau organischer Stoffe durch Methanbakterien. Die Methan-Konzentration hat seit 1800 um 150% zugenommen. 60% der Emissionen stammen aus anthropogenen Quellen (Reisfelder, Rinder, Deponien, Erdgasverluste).
- Ozon entsteht im Sommersmog aus den emittierten Stickoxiden und VOC.
- Fluorierte Kohlenwasserstoffe (FCKW, FKW) stammen aus anthropogenen Quellen (Kühlmittel, Treibgase). Sie tragen wegen ihres hohen Treibhauspotenzials trotz winziger Konzentrationen wesentlich zum Treibhauseffekt bei.
- Die Bildung von Distickstoffmonoxid durch Bodenbakterien wird durch die Stickstoff-Düngung und Bodenbearbeitung erhöht.

Folgen

Ohne drastische Massnahmen zur Reduktion der Treibhausgas-Emissionen wird die mittlere Jahrestemperatur im 21. Jahrhundert um mehr als 2 °C steigen und katastrophale Folgen haben. Auch für das beste Szenario, bei dem alle möglichen Massnahmen schnell realisiert werden, muss mit einem Anstieg um ca. 1 °C gerechnet werden.

- Der Meeresspiegel wird im 21. Jahrhundert um ca. 20–60 cm ansteigen. Wenn das Inlandeis Grönlands schmilzt, noch wesentlich stärker.
- Die Niederschläge nehmen in den höheren Breiten zu, in den Tropen und Subtropen ab.
- Meeresströmungen werden sich ändern.
- Extreme Wettersituationen (Wirbelstürme, Überschwemmungen, Dürren) nehmen zu.
- Viele Arten werden aussterben, Ökosysteme werden destabilisiert.
- Die Erwärmung der Meere führt zum Absterben von Korallenriffen.
- Tropische Krankheitserreger werden sich ausbreiten.

Weitere Verstärkungen

Die Erwärmung führt zu Veränderungen, die die Erwärmung weiter verstärken:

- Durch die Erwärmung der Meere sinkt die Löslichkeit für Kohlenstoffdioxid.
- Das Auftauen von Permafrostböden setzt Methan frei.
- Mit den Schnee- und Eisflächen nimmt der Anteil der weissen, wärmereflektierenden Erdoberfläche ab.
- Steigende Temperaturen erhöhen die Verdunstung und die Wolkenbildung. Tiefe Wolken verstärken die Erwärmung (positive Rückkopplung), hohe vermindern sie.

12.3 Smog

Sommersmog

Der Sommersmog oder fotochemische Smog entsteht bei schönem, warmem Wetter in und bei Gebieten mit hohem Verkehrsaufkommen aus den anthropogenen Emissionen von VOC und Stickoxiden. Er enthält u. a. Ozon.

Ozon

Ozon ist ein farbloses Gas mit charakteristischem Geruch, das als starkes Oxidationsmittel lebende Gewebe schädigt. Es beeinträchtigt beim Menschen die Lungenfunktion und bei Pflanzen das Wachstum. Ozon ist als Treibhausgas 2 000-mal wirksamer als Kohlenstoffdioxid und trägt darum trotz geringer Konzentration zum anthropogenen Treibhauseffekt bei.

Ozonbildung

NO_2 (aus anthropogenen Emissionen) wird unter Ozonbildung zu NO, das dann wieder zu NO_2 oxidiert wird. Geschieht die Oxidation ausschliesslich durch Ozon, steigt die Ozonkonzentration nicht. Wird NO durch andere Oxidationsmittel wie Peroxidradikale oxidiert, bleibt ein Teil des gebildeten Ozons in der Luft. Andere Oxidationsmittel entstehen durch die Reaktion von VOC- und CO-Emissionen in der Luft. Darum führt erst die Kombination von VOC- und Stickoxid-Emissionen zur Erhöhung der Ozonwerte.

Wintersmog

Wintersmog wird durch Russ und Schwefeldioxid aus der Verbrennung schwefelhaltiger Brennstoffe (Kohle) verursacht. Die Russteilchen fördern die Nebelbildung und das Schwefeldioxid bildet mit den Wassertröpfchen des Nebels Schwefelsäure.

12.4 Saurer Regen

Ursachen

Regen und Schnee «reinigen» die Luft, indem sie wasserlösliche Substanzen auswaschen.

In Europa sind die Niederschläge sauer (∅ pH-Wert 4.1). Der Säuregehalt (60% Schwefelsäure, 30% Salpetersäure) ist durch die Luftverschmutzung auf das 20-Fache gestiegen.

- Schwefelsäure entsteht durch die Reaktion von Schwefeldioxid (aus der Verbrennung schwefelhaltiger Brennstoffe) mit OH-Radikalen.
- Salpetersäure entsteht durch die Reaktion von NO_2 (aus Verbrennung bei hohen Temperaturen) mit OH-Radikalen. Sie trägt auch zur Stickstoffdüngung aus der Luft bei.

Auswirkungen

Der saure Regen gefährdet und beeinträchtigt die Existenz vieler Lebewesen durch direktes Einwirken und durch die Versauerung von Gewässern und Böden. Die Versauerung stört den Mineralstoffhaushalt des Bodens und der Pflanzen, mobilisiert Aluminium- und Schwermetall-Ionen und vernichtet viele Wasser- und Bodenbewohner.

12.5 Ozonabbau in der Stratosphäre

Ozonschicht

In der Stratosphäre 15–50 km über der Erde ist die kurzwellige UV-Strahlung sehr intensiv und spaltet O_2-Moleküle in O-Atome, die mit O_2- zu O_3-Molekülen reagieren. Das Stratosphären-Ozon absorbiert die kurzwellige, energiereiche UV-Strahlung der Sonne und bewahrt dadurch die Lebewesen vor Mutationen und tödlichem Sonnenbrand.

Ozonabbau

«Ozonkiller» wie FCKW und N_2O steigen unverändert bis in die Stratosphäre auf. Hier spalten sie unter Einfluss kurzwelliger UV-Strahlung Chlor-Atome (bzw. NO-Radikale) ab, die den Ozonabbau katalysieren. Ein Chlor-Atom reagiert mit einem Sauerstoff-Atom, das es einem Ozon-Molekül abnimmt, zu einem ClO-Molekül. Aus diesem entstehen durch Reaktion mit einem freien Sauerstoff-Atom wieder ein Cl-Atom und ein O_2-Molekül. Die Inaktivierung der Chlor-Atome kann z. B. durch die Reaktion mit einem OH-Radikal zu HCl und O_2 geschehen. Die HCl-Moleküle sind stabil und werden ausgewaschen.

Ozonloch   Das Ozonloch ist die im Süd-Frühjahr auftretende extreme Abnahme der Ozonkonzentration in der Stratosphäre über der Antarktis. Sie wird v. a. durch Chlor-Atome aus den FCKW verursacht. In der winterlichen Polarnacht bilden sich in der Stratosphäre über der Antarktis aus den Chlor-Atomen stabile Chlorverbindungen. Aus diesem «Depot» werden im Frühjahr Chlor-Atome freigesetzt, die den Ozonabbau katalysieren.

Entwicklung   Seit 1987 werden die FCKW in den meisten Industrieländern als Kühlmittel durch die weniger schädlichen teilhalogenierten Fluor-Chlor-Kohlenwasserstoffe (HFCKW) ersetzt und auch diese sollen in Zukunft nicht mehr eingesetzt werden. Weil der Aufstieg der Ozonkiller in die Stratosphäre einige Jahre dauert, wird sich die Ozonschicht nur langsam erholen.

Der Abbau der Ozonschicht in der Stratosphäre verursacht auf der Erde eine Zunahme der kurzwelligen UV-Strahlung, die Zellen schädigt und Mutationen auslöst.

12.6 Luftqualität in der Schweiz (Bilanz)

Trotz Verminderung der Emissionen durch technische Massnahmen (Autokatalysator, Low-NO_x-Brenner, Entschwefelung der Brennstoffe) werden in der Schweiz die Grenzwerte für Stickoxide, Ozon und Feinstaub noch massiv überschritten. Gleiches gilt für die Säure- und Stickstoffeinträge aus der Luft. Beim Kohlenstoffdioxid ist die Schweiz vom Ziel des Kyoto-Protokolls noch weit entfernt. Hier sind weitere Massnahmen dringend nötig.

13 Belastungen von Gewässern und Böden

13.1 Belastungen der Gewässer

Gewässergüte   Das Wasser von Seen und Flüssen wird nach seinem Gehalt an organischen Stoffen in vier Güteklassen eingeteilt. Für jede Klasse gibt es charakteristische Leitorganismen. Leicht abbaubare organische Verbindungen können im Wasser durch Destruenten abgebaut werden. Die natürliche Selbstreinigung erfordert Zeit und Sauerstoff.

Die wichtigsten Wasserverschmutzungen sind:

Gruppe	Quellen	Folgen
Leicht abbaubare org. Stoffe	Fäkalien und Haushaltabfälle	Eutrophierung
Schwer abbaubare organische Stoffe	Lösungsmittel, Mineralölprodukte, Pestizide	Gefährden Wasserbewohner und Trinkwasser
Mikroverschmutzungen	Waschmittel, Medikamente, Kosmetika, Farben, Pestizide	Schädigen Wasserbewohner
Phosphate	Abwässer und Auswaschung aus gedüngten Böden	Eutrophierung
Stickstoffverbindungen (Nitrate und Ammoniumverbindungen)	Auswaschung aus gedüngten Böden und aus der Luft	Gefährden das Trinkwasser
Schwermetalle	Müll- und Kohleverbrennung, Metallindustrie, Mineraldünger	Anreicherung in Sedimenten und Boden, toxisch

13.2 Abwasserreinigung in der Kläranlage

Übersicht

In der Abwasserreinigungsanlage ARA wird das Abwasser mechanisch, biologisch und chemisch gereinigt.

Mechanische Stufe

In der mechanischen Stufe wird das Abwasser durch Zurückhalten und Absetzenlassen grober Stoffe mechanisch geklärt.

Biologische Stufe

In der biologischen Stufe nehmen aerobe Mikroorganismen im Belebungsbecken organische Stoffe auf und bauen etwa die Hälfte davon zu CO_2 und H_2O ab. Aus der anderen Hälfte bilden sie Biomasse, die sich im Nachklärbecken als Rohschlamm absetzt. Nicht abbaubare Stoffe wie Schwermetalle werden von den Mikroorganismen z. T. aufgenommen und bleiben im Klärschlamm.

Klärschlamm

Die Biomasse des Rohschlamms aus der biologischen Stufe wird im Faulturm durch anaerobe Mikroorganismen ohne Sauerstoff weitgehend abgebaut. Dabei entsteht ein Gasgemisch mit einem hohen Anteil an Methan, dessen Energie sich nutzen lässt. Der ausgefaulte Schlamm darf in der Schweiz wegen seines Schwermetallgehalts nicht mehr als Dünger verwendet werden. Er wird getrocknet und verbrannt oder deponiert.

Chemische Stufe

In der chemischen Stufe werden Phosphate z. B. durch Zugabe von Eisen(III)-chlorid oder Aluminiumsulfat als Eisen(III)- oder Aluminiumphosphat ausgefällt.

Stickstoffelimination

Bei der Denitrifikation reduzieren anaerobe Bakterien in Anwesenheit von organischen Stoffen als Wasserstoff-Spender Nitrat zu elementarem Stickstoff, der in die Luft entweicht.

Mikroverunreinigungen

In einer vierten Stufe werden Mikroverunreinigungen durch Ozonisierung oxidiert oder durch Filtration über Aktivkohle entfernt.

13.3 Belastungen des Bodens

Aufbau

Boden ist die oberste, etwa 50–200 cm dicke Schicht der Erdkruste (Lithosphäre). Die Matrix enthält mineralische Stoffe, entstanden durch die Verwitterung von Gesteinen, und Humus aus der Zersetzung von Biomasse. Der Porenraum sorgt für die Durchlüftung, beherbergt Lebewesen und speichert Wasser. Die Durchlüftung und das Wasserspeichervermögen sind von der Bodenstruktur abhängig. Die Bodenteilchen binden und speichern Mineralsalz-Ionen so, dass sie den Pflanzen zur Verfügung stehen. Das Speichervermögen ist abhängig von der Bodenart und von den Bedingungen, insbesondere vom Säuregrad.

Fremdstoffe

Fremdstoffe gelangen aus der Luft (VOC, Stickstoffverbindungen, Schwermetalle, Säuren) oder direkt (Dünger, Pestizide, Erdölprodukte, andere Chemikalien) in die Böden. Sie können Organismen direkt oder indirekt schädigen und in die Nahrung oder ins Trinkwasser gelangen. Das Schicksal von Fremdstoffen im Boden hängt vom Austausch mit anderen Umweltbereichen (Luft, Wasser) und von den chemischen und biochemischen Umwandlungs- und Abbaureaktionen ab.

Physikalische Veränderungen

Eingriffe in die Bodenstruktur beeinträchtigen die Durchlüftung, das Wasserspeichervermögen und die Lebensbedingungen im Boden und vermindern die Bodenfruchtbarkeit.

Beim Betonieren und Asphaltieren wird der Boden versiegelt und das Bodenleben weitgehend zerstört. Der Einsatz grosser Maschinen verdichtet den Boden und die einseitige Nutzung durch Monokulturen führt zu einer Verarmung. Die Zerstörung oder Veränderung der Pflanzendecke durch das Roden von Wäldern, intensiven Ackerbau, Ausräumen der Landschaft und Überweiden fördert die Erosion durch Wind und Wasser.

Lösungen zu den Aufgaben

1 Seite 15 — Auch ein künstlich angelegter Teich beherbergt Lebewesen und ist somit ein Ökosystem. Das Biotop umfasst gemäss Definition nur die abiotischen Faktoren.

2 Seite 15 — Die Arten A, D und E begünstigen das Wachstum der Wasserfroschpopulation.

3 Seite 25 — Bei 43–79% relativer Luftfeuchtigkeit.

4 Seite 25 — Die Behauptung ist falsch, weil die Pflanze die Mineralstoffe in unterschiedlichen Mengen braucht. So sind oft die Stickstoffverbindungen limitierend, obwohl ihre Konzentration viel höher ist als die Konzentration anderer Mineralstoffe. Das Wachstum der Pflanze wird limitiert durch den Stoff, dessen Konzentration vom Optimum am weitesten entfernt ist.

5 Seite 33 — Im Wasser sind die Temperaturschwankungen viel weniger gross als in der Luft. Da sich bei Wechselwarmen die Aktivität nach der Aussentemperatur richtet, schwankt sie im Wasser viel weniger stark als an der Luft.

6 Seite 33 — Die Masse der Nahrung, die täglich gebraucht wird, ist bei einer Spitzmaus etwa das Doppelte der Körpermasse, beim Tiger nur ca. 1/25. Bei der Spitzmaus ist die Oberfläche, die Wärme verliert, gross im Vergleich zum wärmeproduzierenden Volumen.

7 Seite 33 — Die Temperatur im Körper des Sprinters ändert sich praktisch nicht. Die Aussentemperatur hat darum keinen direkten Einfluss auf seine Leistung.

8 Seite 37 — Das Licht ist nicht der limitierende Faktor. Das Wachstum der Pflanzen wird durch die Temperatur, die Kohlenstoffdioxid-Konzentration, das Wasser oder durch einen Nährstoff limitiert.

9 Seite 37 — Die Kurve für den Kohlenstoffdioxid-Verbrauch sinkt bei wenig Licht unter null, weil die Fotosynthese weniger Kohlenstoffdioxid verbraucht, als die Atmung liefert.

10 Seite 43 — Amöbenarten, die im Süsswasser leben, haben pulsierende Vakuolen, denn bei ihnen dringt durch Osmose laufend Wasser in die Zelle ein, weil die Konzentration gelöster Stoffe in der Zelle höher ist als in der Umgebung. Bei Salzwasseramöben ist dies nicht der Fall.

11 Seite 43 — Da die Salzkonzentration im Tümpel zunimmt, dringt durch Osmose weniger Wasser ins Pantoffeltierchen ein; die Vakuolen entleeren sich weniger häufig.

12 Seite 43 —
A] Spaltöffnungen ermöglichen den Gasaustausch, der für die Fotosynthese bzw. für die Atmung nötig ist. Sie ermöglichen auch die Verdunstung von Wasser, die dafür sorgt, dass der Wasserstrom in den Gefässen immer fliesst und Mineralstoffe nach oben bringt. Die Verdunstung dient auch zur Kühlung.

B] Die Schliesszellen regulieren die Transpiration und sorgen dafür, dass die Pflanze weder zu viel noch zu wenig Wasser abgibt.

C] Gefässe dienen dem Transport von Wasser und Mineralstoffen aus der Wurzel nach oben.

13	Seite 48	A] Das ist Brutfürsorge, denn der Kuckuck sorgt vor, indem er die Eier in ein Nest legt, in dem sie mit grosser Wahrscheinlichkeit gut versorgt werden. Es ist nicht Brutpflege, weil der Kuckuck selbst weder die Eier noch die Jungvögel pflegt. B] Viele Wirtsvögel würden es merken, wenn die Zahl der Eier nicht mehr stimmen würde, und sie würden das Gelege nicht weiter bebrüten.
14	Seite 48	Das Revier muss grösser werden. Es wird also zu Auseinandersetzungen mit den Nachbarn kommen. Einige werden ihr Revier verlieren und sich nicht mehr fortpflanzen, wodurch sich die Dichte dem Nahrungsangebot anpasst.
15	Seite 55	Diese Weiden können auf nassen Böden gedeihen und sind hier konkurrenzstärker als andere Arten, die entweder gar nicht oder schlecht gedeihen. Das bedeutet nicht unbedingt, dass sie feuchte Böden bevorzugen. Dass diese Weidenarten auf trockeneren Böden kaum vorkommen, bedeutet, dass sie dort entweder gar nicht gedeihen oder von anderen Arten verdrängt werden.
16	Seite 55	Beim Aussetzen einer Art besteht die Gefahr, dass die neue Art heimische Arten verdrängt, ohne alle ihre Funktionen ganz zu übernehmen. Das Aussetzen einer Art kann sinnvoll sein, wenn ihre Nische frei ist.
17	Seite 58	Tiere mit Warntracht sind für ihre Feinde giftig oder unbekömmlich. Tiere mit Mimikry ahmen eine Warnfarbe nach, ohne giftig zu sein. Die Warntracht wurde zuerst «erfunden».
18	Seite 58	• In Trockengebieten ist das Nahrungsangebot knapp und der Druck der Konsumenten entsprechend hoch. • Sukkulenten sind für viele Tiere nicht nur als Futter, sondern auch als Wasserspender attraktiv. • Sukkulenten wachsen langsam und brauchen lange, um Verluste zu ersetzen. • Wenn Sukkulenten angefressen werden, ist die Gefahr, dass sie austrocknen und ganz absterben, viel grösser als bei anderen Pflanzen, die den Verlust von Blättern und Zweigen meist problemlos überleben.
19	Seite 64	Parasiten sind meist kleiner als ihr Wirt und haben die kürzere Lebensdauer. Viele sind wirtsspezifisch. Sie töten ihren Wirt nicht und schaden ihm meist durch das, was sie ausscheiden. Räuber sind meist etwa gleich gross wie ihre Beute und haben oft eine längere Lebensdauer. Sie leben in der Regel von verschiedenen Arten. Sie töten und fressen ihre Beute.
20	Seite 64	A] Bandwürmer beschaffen Energie durch Gärung. B] Die Gärung setzt viel weniger Energie frei als die Zellatmung. Das spielt für die Bandwürmer keine grosse Rolle, weil sie die energieliefernde Nahrung praktisch ohne Aufwand ins Haus geliefert bekommen und keine Energie für Bewegung etc. verbrauchen.
21	Seite 64	Weil die Menschen dann inaktiv werden und im Bett liegen. Das vermindert die Chance der Viren, auf andere Menschen übertragen zu werden.

| 22 | Seite 64 | Vorteile:
• Grosses und konstantes Angebot an bereits verdauter Nahrung.
• Temperatur ist konstant.
• Keine Feinde.

Nachteile:
• Verdauungsenzyme zerlegen Eindringlinge ebenso wie die Nahrung.
• Sauerstoff fehlt.
• Peristaltik drückt den Darminhalt Richtung Ausgang.
• Fortpflanzung ist schwierig, die Nachkommen müssen in einen neuen Wirt gelangen. |
|---|---|---|
| 23 | Seite 69 | Einsiedlerkrebs und Seeanemone, Blattläuse und Ameisen, Putzersymbiosen z. B. zwischen Madenhacker und Nashorn, Putzergarnelen und Fischen. |
| 24 | Seite 69 | Knöllchenbakterien liefern ihrem Wirt Stickstoffverbindungen, die sie aus Luftstickstoff herstellen.

Mykorrhizapilze liefern ihrem Wirt Wasser und gelöste Mineralsalze, welche(s) sie aus dem Boden aufnehmen.

Blütenpflanzen liefern den Bienen Futter in Form von Nektar und / oder Pollen. |
| 25 | Seite 73 | Durch die Auseinandersetzung um die Rolle des Platzhirschs findet eine Selektion statt. Der Genpool wird kleiner, weil viele Varianten ihre Erbanlagen nicht weitergeben können. Da der Platzhirsch seinen Konkurrenten körperlich überlegen ist, werden hauptsächlich Varianten mit kleiner Leistung von der Fortpflanzung ausgeschlossen. |
| 26 | Seite 73 | Weil es in einer artenreichen Wiese so viele Arten mit unterschiedlichen Ansprüchen gibt, dass auch unter unterschiedlichen Bedingungen immer einige gut wachsen und den Boden vollständig bedecken. |
| 27 | Seite 76 | A] Die relative Wachstumsrate wäre im Idealfall $r = 0$.

B] Die relative Wachstumsrate wechselt zwischen einem Wert $r > 0$ (Zuwachs) und einem Wert $r < 0$ (Abnahme) hin und her. |
| 28 | Seite 76 | Die relative Wachstumsrate gibt das Wachstum der Population pro Individuum an. Der tägliche Zuwachs der Population ist das Produkt aus Wachstumsrate und Individuenzahl. Er wird bei konstanter Wachstumsrate immer grösser, weil die Individuenzahl zunimmt. |
| 29 | Seite 79 | Die Wirkung des Mäusebussards auf die Feldmauspopulation kann dichteabhängig sein, weil der Anteil der Feldmäuse auf seiner Speisekarte zunimmt, da er sie bei hoher Dichte leichter fängt.

Langfristig kann auch die Dichte der Mäusebussarde zunehmen, weil sie mehr Nachkommen haben, wenn viel Beute zur Verfügung steht, oder weil weitere Bussarde zuwandern. |
| 30 | Seite 79 | Ansteckende Krankheiten sind dichteabhängige Faktoren, denn mit zunehmender Dichte der Population begegnen sich die Individuen häufiger. Die Wahrscheinlichkeit der Ansteckung und damit die Zahl der Erkrankungen nehmen zu. Nichtansteckende Krankheiten sind dichteunabhängige Faktoren; da sie nicht von Individuum zu Individuum übertragen werden. |

31	Seite 79	A] Dichteunabhängige Faktoren limitieren das Wachstum einer Population. B] Nein. Ihre Wirkung schwankt, ist aber nicht von der Dichte der betrachteten Population abhängig.
32	Seite 82	A] Durch das Insektengift werden sowohl die Blattläuse als auch ihre Feinde dezimiert. Die Blattlauspopulation erholt sich schneller, weil sich die Blattläuse schneller vermehren als die Marienkäfer und die Florfliegen, deren Entwicklung länger dauert. Da die Blattläuse dadurch weniger Feinde haben, vermehren sie sich noch stärker als vor dem Insektizideinsatz. B] Die dritte Volterra-Regel. Sie besagt: Werden Räuber- und Beutepopulation dezimiert, erholt sich die Beutepopulation schneller als die Räuberpopulation.
33	Seite 82	Weil er die Beutetiere immer schlechter findet, je mehr ihre Dichte abnimmt, wird er entweder andere Beute jagen oder verhungern.
34	Seite 83	Entscheidend für die Stabilität ist nicht die Artenzahl, sondern die Zahl der Beziehungen in der Biozönose. Diese ist in einem Zoo klein.
35	Seite 90	In der Biozönose der Tiefsee fehlen die Produzenten. Man nennt sie abhängig, weil sie von der Zufuhr organischer Stoffe aus der Biozönose höherer Wasserschichten abhängig ist.
36	Seite 91	A] Parasiten können weder Produzenten noch Destruenten sein. B] Bakterien können allen Ebenen angehören. C] Pilze können nie Produzenten sein. D] Mücken können nicht Produzenten oder Destruenten sein.
37	Seite 91	Nur Produzenten können aus anorganischen Stoffen organische aufbauen; die anderen Lebewesen sind auf organische Stoffe als Nahrungsquelle angewiesen.
38	Seite 91	Die meisten Konsumenten haben nicht nur eine einzige Art als Nahrungsgrundlage und dienen verschiedenen Arten als Nahrung. Werden die Nahrungswege als Ketten dargestellt, wird diese Vielfalt der Beziehungen vernachlässigt.
39	Seite 96	Weil von der Nettoproduktion einer Ebene nur ca. 10% zur nächsthöheren Ebene gelangen, nimmt die Produktivität mit jeder Ebene um ca. 90% ab. Die Energiepyramide ist darum immer pyramidenförmig. Für die Biomassenpyramide gilt das nicht unbedingt, weil die Biomasse der Produzenten bei gleicher Produktivität sehr unterschiedlich sein kann. Sie ist bei Produzenten wie Bäumen höher, weil nur ein kleiner Teil der Biomasse Fotosynthese macht.
40	Seite 96	Der erste Teil der Aussage stimmt: Die Meere tragen von allen Biozönosen am meisten zur globalen Produktion von Biomasse bei. Der Grund ist aber nicht ihre hohe Nettoproduktivität, sondern ihre grosse Fläche (65% der Erdoberfläche). Die Nettoproduktivität der offenen Meere (ohne Korallenriffe und Uferzonen) ist gering.

41	Seite 101	A] Etwa die Hälfte des Kohlenstoffdioxids aus der Verbrennung fossiler Brennstoffe und aus Brandrodungen bleibt in der Luft, die andere Hälfte löst sich im Wasser.
		B] Durch Vergrösserung der Biomasse der Wälder.
		C] Durch Bildung von Carbonaten und Ablagerung in den Sedimenten.
42	Seite 101	A] Nitrifizierende Bakterien wandeln Ammonium-Ionen über Nitrit- zu Nitrat-Ionen um.
		B] Knöllchenbakterien wandeln Luftstickstoff in organische Stickstoffverbindungen um.
		C] Pflanzen wandeln Nitrate und Ammonium-Verbindungen in organische Stickstoff-Verbindungen um.
		D] Denitrifizierende Bakterien wandeln Nitrat zu N_2 um (Denitrifikation).
		E] Destruenten verwandeln organische Stickstoffverbindungen in Ammonium-Ionen.
43	Seite 101	A] Die Sauerstoffkonzentration sinkt, weil mehr organisches Material oxidiert, als gebildet wird.
		B] Weil die gesamte Sauerstoffmenge sehr gross ist, fällt die Abnahme nicht ins Gewicht. Der Sauerstoffanteil der Luft ist durch die Abnahme der Sauerstoffkonzentration von 20.95 auf 20.94 Vol.-% nur um 0.05% gesunken.
44	Seite 101	A] Die Geschwindigkeit der Fotosynthese nimmt durch die steigende Kohlenstoffdioxid-Konzentration nur zu, wenn das Kohlenstoffdioxid der limitierende Faktor ist.
		B] Durch die Oxidation des bei der Fotosynthese gebildeten organischen Materials entsteht wieder Kohlenstoffdioxid. Nur wenn die Biomasse der Pflanzen dauerhaft zunehmen würde (z. B. durch Zunahme der Waldflächen), könnte Kohlenstoffdioxid gebunden werden.
45	Seite 101	A] Die Knöllchenbakterien sind die einzigen Organismen, die das Stickstoffreservoir in der Luft direkt nutzen können, genauso, wie nur die grünen Pflanzen den Kohlenstoff-Speicher der Luft (Kohlenstoffdioxid) nutzen können.
		B] Stickoxide aus Verbrennungsvorgängen werden ausgewaschen und düngen den Boden mit Stickstoff. Die Pflanzen, die auf stickstoffarmen Böden gedeihen können, verlieren ihren Vorteil und werden durch konkurrenzstärkere Arten verdrängt. Sie verlieren ihre ökologische Nische.
46	Seite 105	r-Strategen haben kürzere Generationszeiten und passen ihre Dichte rasch an. Das ist bei stark schwankenden Bedingungen wichtig. K-Strategen können die Möglichkeiten eines guten Jahres nur begrenzt nutzen, weil sie sich langsam vermehren.
47	Seite 105	Im biozönotischen Gleichgewicht bleibt die Zusammensetzung der Biozönose über einen gewissen Zeitraum praktisch konstant. Zahl und Art der Populationen ändern sich praktisch nicht und die Populationsdichten schwanken in einem beschränkten Bereich um einen konstanten Mittelwert. Kleine Störungen durch Veränderung der abiotischen Faktoren oder Eingriffe in die Biozönose können ausgeglichen werden.
48	Seite 106	In der Pioniergesellschaft überwiegen die Produzenten, die Produktion übertrifft den Abbau, die Biomasse steigt. Die Artenzahl ist gering und die Dichteschwankungen sind hoch. Es gibt hauptsächlich Alleskönner, die r-Strategen überwiegen. Die Nahrungsketten sind kurz und wenig verzweigt.

49 Seite 106   Eiche, Bär, Blauwal.

50 Seite 112   A] Das Phytoplankton besteht aus den autotrophen Kleinlebewesen, die im Oberflächenwasser schweben. Sie sind die Produzenten des Pelagials. Es sind hauptsächlich Algen (Geisselalgen, Kieselalgen, Grünalgen etc.). Da sie auf Licht angewiesen sind, leben sie nur in den obersten Wasserschichten. Sie schweben dank eingelagerten Fett-Tröpfchen oder Gasblasen oder langen Fortsätzen.

B] Da die Planktonlebewesen im Wasser schweben und sich kaum aktiv bewegen, würden sie von der Strömung mitgezogen bis ins nächste Gewässer ohne Strömung. Bewohner von Fliessgewässern müssen sich gegen die Strömung bewegen können.

51 Seite 112   Im Profundal fehlen die Produzenten und es dominieren Destruenten wie Würmer, Krebse und Schnecken sowie Bakterien, die sich direkt oder indirekt von organischem Material ernähren, das von oben absinkt. In nährstoffreichen Seen sinkt der Sauerstoffgehalt im Profundal im Sommer stark ab. Die Biozönose ist meist artenarm und starken Dichteschwankungen unterworfen.

52 Seite 115   A] Die Sauerstoffkonzentration im Tiefenwasser sinkt vom April bis Juni bis auf null und steigt zwischen Dezember und April wieder. Im Sommer sinkt viel organisches Material ab und wird von den Konsumenten und Destruenten unter Sauerstoffverbrauch abgebaut. Die Sommerstagnation verhindert eine Zirkulation. Im Herbst und im Frühjahr bringt die Zirkulation wieder sauerstoffreiches Wasser nach unten.

B] Die Phosphatkonzentration im Tiefenwasser nimmt im Verlauf des Jahres zu, weil bei der Zersetzung der absinkenden Biomasse Phosphat freigesetzt wird. Weil im Winter kein Phosphat mehr freigesetzt wird, sinkt die Konzentration durch Ablagerung in den Sedimenten wieder.

C] Die Ammoniumkonzentration im Tiefenwasser nimmt im Verlauf des Jahres zu, weil bei der Zersetzung der absinkenden Biomasse Ammonium-Ionen gebildet werden. Weil im Winter kein Ammonium mehr freigesetzt wird, sinkt die Konzentration durch Oxidation zu Nitrat.

53 Seite 115   Das Phytoplankton vermehrt sich im Frühjahr stark, weil die Temperatur steigt und genügend Mineralstoffe vorhanden sind. Weil ein Teil der Biomasse absinkt und weil wegen der Sommerstagnation keine Zirkulation stattfindet, sinkt die Mineralstoff-Konzentration in der Nährschicht stark und das Phytoplankton nimmt ab. Im Herbst bringt die Zirkulation des Wassers wieder Mineralstoffe nach oben und das Phytoplankton vermehrt sich noch einmal, bis die Temperatur zu tief wird. Dann nimmt es ab und die Mineralstoff-Konzentration steigt, weil noch Biomasse abgebaut wird.

54 Seite 118   A] Fleischfressende Pflanzen sind autotroph und gehören damit zu den Produzenten. Sie können aber wie Konsumenten Beute töten, verdauen und deren organische Stoffe nutzen.

B] Fleischfressende Pflanzen können auf extrem stickstoffarmen Böden leben, weil sie die Insekten als Stickstoffquelle nutzen. Auf stickstoffreicheren Böden sind sie weniger konkurrenzfähig.

55 Seite 118   Tausendblatt – Seerose – Binse – Segge – Erle – Birke.

56	Seite 121	A] Frühblüher blühen, bevor die Bäume Blätter bilden, und erhalten darum mehr Licht. Auch die Chance, von bestäubenden Insekten besucht zu werden, ist höher. B] Weil Bäume und Sträucher in Stämmen, Zweigen und Wurzeln Reserven speichern, aus denen sie im Frühjahr – wenn sie noch nicht viel Fotosynthese machen – Stoffe für die Bildung von Blüten beziehen können.
57	Seite 121	Weil sich die für den Wald typischen Bedingungen (Waldklima) erst unter einem geschlossenen Kronendach mit einer gewissen Grösse einstellen.
58	Seite 121	Die Aspektfolge ist eine zeitliche Abfolge, die sich regelmässig (z. B. jedes Jahr) wiederholt. Eine Sukzession ist eine Abfolge von Biozönosen, die zu einer Schlussgesellschaft führt. Sie wiederholt sich höchstens nach Katastrophen oder Eingriffen des Menschen.
59	Seite 126	Fichtenforste sind wenig gegliedert, nischenarm, artenarm, unstabil, Nahrungsketten sind kurz und wenig verzweigt, Produzenten überwiegen, Populationsdichteschwankungen sind hoch, Massenvermehrung von Baumschädlingen, wenig Licht am Boden, artenarmer Unterwuchs, Bodenversauerung durch Nadelstreu, einseitige Nutzung des Bodens durch die Flachwurzler.
60	Seite 127	Die Aussage ist ungenau und gilt nur im Vergleich mit den natürlichen Landökosystemen: Wälder besitzen von allen natürlichen Landökosystemen die höchste Nettoproduktivität.
61	Seite 127	Für den Aufbau von 9 t Biomasse werden 16.5 t Kohlenstoffdioxid benötigt (vgl. Kap. 7.3, S. 126). In 1 t Holz sind also 1.8 t Kohlenstoffdioxid gespeichert. Im Holz sind 45% der NP gebunden (vgl. Kap. 7.3, S. 126) und die NP macht 50% der BP aus. Die NP der Fichte war also rund 2 t und die BP 4 t. Beim Aufbau von 4 t Biomasse hat die Fichte 7.3 t Kohlenstoffdioxid umgesetzt.
62	Seite 130	Weil 99% der Biomasse, die von den Bäumen produziert wird, zu den Destruenten gelangen. Die Pflanzenfresser übernehmen nur 1%. Gründe dafür sind die schlechte Verdaubarkeit von Holz und die schlechte Erreichbarkeit der Blätter von Bäumen für Bodenbewohner.
63	Seite 132	A] Aus dem Sperbelgraben fliesst nur halb so viel Wasser ab wie aus dem Rappengraben. B] Der Sperbelgraben ist stärker bewaldet als der Rappengraben.
64	Seite 139	A] Nein, wenn r = 0 ist, bleibt die Bevölkerung konstant. B] Ja, die Bevölkerung wächst, wenn r > 0 ist. C] Ja, die Bevölkerung wächst, wenn r > 0 ist. D] Wenn r nur minimal abnimmt, aber immer noch > 0 bleibt. E] Nein, wenn r < 0 ist, nimmt die Bevölkerung ab.
65	Seite 139	A] G – S > 0 B] G – S > 0 und konstant C] G – S > 0 und zunehmend D] G – S < 0 E] G – S > 0 und abnehmend
66	Seite 141	Der Fussabdruck kann durch Ändern des Lebensstils und -standards und durch neue Technologien verkleinert werden. Die pro Kopf zur Verfügung stehende Fläche würde bei einer Abnahme der Bevölkerung grösser.

67	Seite 141	Der Anteil der Fläche für den Energieverbrauch hat von 12.5% im Jahr 1961 auf das Vierfache (ca. 50%) im Jahr 2007 zugenommen.
68	Seite 142	Die Bevölkerung hat sich im 20. Jahrhundert vervierfacht. Wäre die Bevölkerung in allen Ländern gleich stark gewachsen, hätte sich auch der Energieverbrauch vervierfacht. Da der Anteil der Bevölkerung mit geringem Energieverbrauch (in den Entwicklungsländern) stärker zugenommen hat, wäre der Energieverbrauch bei gleichem Pro-Kopf-Verbrauch sogar weniger als auf das Vierfache stark gestiegen.
69	Seite 145	Weil schädliche Immissionen auch in der Luft aus anderen anthropogenen Emissionen entstehen oder aus natürlichen Quellen in die Luft gelangen können.
70	Seite 150	Von den 160 l, die ein Schweizer täglich verbraucht, werden 30% zur Toilettenspülung verwendet. Das sind bei ca. 8 Millionen Einwohnern pro Jahr: 160 l/d · 0.3 · 365 d · 8 Mio. = 140 160 Mio. l oder 140.16 Mio. m^3. Ein 10 m breites, 2 m tiefes Speicherbecken müsste 7 008 km lang sein.
71	Seite 150	A] Der Verbrauch an Nahrung ist durch die Zunahme der Bevölkerung und des Pro-Kopf-Verbrauchs (durch steigenden Fleischkonsum) gestiegen. B] Der steigende Bedarf konnte durch Erhöhung der Flächenerträge gedeckt werden.
72	Seite 154	Die Flächenerträge wurden durch Einsatz ertragreicherer Sorten, Düngung, Pflanzenschutz und maschinellen Anbau in grossen Monokulturen erhöht.
73	Seite 154	Bei der Gründüngung werden Hülsenfrüchtler wie Klee angebaut, die mithilfe der Knöllchenbakterien an ihren Wurzeln den Luftstickstoff zum Aufbau ihrer organischen Stickstoffverbindungen nutzen. Ihre Biomasse bleibt mit den nicht geernteten Teilen auf dem Acker oder wird nach der Verfütterung des Klees an Rinder in Form von Mist auf die Felder gebracht. Die Klee-Biomasse ist Futter für die Zerleger und erhöht die Bodenfruchtbarkeit. Vorteile: Die Gründüngung bringt Stickstoff in den Boden und erhöht die Bodenfruchtbarkeit. Sie versorgt die Destruenten, lockert den Boden und wirkt der einseitigen Nutzung des Bodens entgegen. Nachteile: Die Zwischenfrucht bringt nur wenig Ertrag (Klee als Viehfutter). Der Mineralstoffverlust wird nicht so vollständig und gezielt kompensiert wie mit Kunstdüngern.
74	Seite 158	Schädlinge sind Lebewesen, die von unseren Nutzpflanzen oder Nutztieren leben und dadurch unsere Erträge mindern. Sie sind Konsumenten, die als Fresser oder als Parasiten leben. Sie sind aber nicht Parasiten des Menschen.
75	Seite 158	Der Einsatz eines Insektizids eliminiert alle (nicht resistenten) Insekten. Wenn unter diesen auch Feinde der Schadinsekten sind, werden die Schädlinge begünstigt (3. Regel von Volterra). Es kann auch sein, dass die Schadinsekten gegen das Insektizid resistent sind, dann sterben nur die Feinde der Schädlinge, was diese natürlich begünstigt.
76	Seite 159	• Die Kulturen erhalten aufgrund von Bodenanalysen und Bedarfsabklärungen nur die Düngermengen, die für ein gesundes Wachstum der Pflanzen benötigt werden. • Der Zeitpunkt der Düngung wird sorgfältig gewählt und der Dünger wird nur bei geeigneter Witterung ausgebracht. • Ernterreste werden auf den Feldern belassen. • Die Einhaltung einer bestimmten Fruchtfolge verhindert eine einseitige Bodennutzung.

77 Seite 167

A] Zu über 50% aus der Industrie: Schwefeldioxid, VOC.

B] Zu über 50% aus dem Verkehr: Kohlenstoffmonoxid, Stickoxide.

C] Zu über 25% aus den Haushalten: Schwefeldioxid.

D] Zu über 25% aus der Land- und Forstwirtschaft: Feinstaub PM10.

78 Seite 167

A] Um die Ozongrenzwerte einzuhalten, müssen die Emissionen von VOC und Stickoxiden reduziert werden.

B] Um den Säureeintrag zu vermindern, müssen die Emissionen von Stickoxiden und Schwefeldioxid reduziert werden.

79 Seite 170

Schadstoff(gruppe)	Wirkungen	Hauptquellen (I, V, H, L+F)		
Schwefeldioxid	Wintersmog, saurer Regen	66%: I	30%: H	3%: V
Stickoxide	Sommersmog, saurer Regen	56%: V	24%: I	11%: L
VOC	Sommersmog	53%: I	Je 19%: H, V	
Feinstaub PM10	Kanzerogen	Je 30%: I, L, V	11%: H	
Kohlenstoffmonoxid	Giftig	61%: V	Je 15%: I, H	

80 Seite 174

Die Stabilität einer Biozönose nimmt mit der Zahl der Arten bzw. mit der Zahl der Beziehungen zwischen den Arten zu. Nach dem Aussetzen einer neuen Art nimmt die Artenzahl langfristig meist ab, weil die ausgesetzte Art heimische Arten verdrängt.

81 Seite 177

A] Kohlenstoffdioxid: anthropogener Treibhauseffekt.

B] Schwefeldioxid: saure Niederschläge, Wintersmog.

C] VOC: fotochemischer Smog.

D] FCKW: Ozonabbau in der Stratosphäre, anthropogener Treibhauseffekt.

E] Stickoxide (NO und NO_2): fotochemischer Smog, saure Niederschläge.

82 Seite 177

Weil die zur Spaltung der O_2-Moleküle erforderliche kurzwellige UV-Strahlung nur in der Stratosphäre vorkommt.

83 Seite 186

Nein, die Treibhausgase absorbieren nicht die Strahlung, die von der Sonne kommt, sondern die langwellige IR-Strahlung, die von der erwärmten Erde ausgeht. Je höher ihre Konzentration ist, umso mehr Wärme bleibt in der Troposphäre.

84 Seite 186

Den anthropogenen Treibhauseffekt verstärken würden:

- B] Ersatz von Holz- durch Ölheizungen
- D] Ozonbildung in der Troposphäre
- E] Ersatz von Waldflächen durch Äcker

Den anthropogenen Treibhauseffekt abschwächen würden:

- A] Vergrösserung der Waldfläche
- C] Substitution von Kohle durch Erdgas

Keine Wirkung hätte:

- F] Erhöhung des Stickstoffanteils in der Luft auf Kosten des Sauerstoffs

85	Seite 187	A] Durch die Zunahme der Reisanbaufläche nehmen die Methan-Emissionen zu. Das verstärkt den Treibhauseffekt. B] Mit steigender Temperatur nimmt die Verdunstung zu, der Wasserdampfgehalt der Atmosphäre steigt. Das verstärkt den Treibhauseffekt. C] Durch die Zunahme der Fläche der Sandwüsten steigt der Anteil der hellen Erdoberfläche, die die Sonnenstrahlung stärker reflektiert. Das vermindert die Erwärmung.
86	Seite 187	Die Erwärmung der Meere führt zu Veränderungen der Strömungen. In Gebieten, die heute durch warme Meeresströmungen erwärmt werden, kann es darum kälter werden.
87	Seite 187	Eis hat eine etwas kleinere Dichte als Wasser mit 0 °C. Wenn Meereis schmilzt, nimmt das Volumen also sogar leicht ab (weil das Volumen des Eises etwas grösser ist als das Volumen des Schmelzwassers). Lediglich die folgende Erwärmung des Wassers führt zu einer kleinen Volumenzunahme. Schmilzt dagegen Eis, das auf dem Festland liegt, fliesst das Schmelzwasser als zusätzliches Wasser ins Meer und lässt den Meeresspiegel steigen.
88	Seite 187	Es müssen folgende Voraussetzungen erfüllt sein: Das Algenwachstum wird durch das Ausbringen von Eisen(II)-sulfat ins offene Meer nur dann zunehmen, wenn Eisen der limitierende Faktor für das Algenwachstum ist. Das Eisen(III)-sulfat muss an der Oberfläche bleiben, denn nur hier leben und vermehren sich die Algen. Die Algen müssen nach ihrem Tod absinken. Ihre Biomasse muss erhalten bleiben und in der Tiefe der Meere abgelagert werden.
89	Seite 189	Durch den Autokatalysator und die Low-NO_x-Brenner bei Feuerungsanlagen. Die VOC auch durch moderne Betankungssysteme. Das genügt nicht, weil der Verkehr immer noch zunimmt.
90	Seite 189	Weil der Sommer schön und warm war.
91	Seite 192	Die Bildung von Schwefelsäure wird durch Reduktion der Schwefeldioxid-Emissionen vermindert. Dies kann durch Umstellung von Kohle auf Erdöl oder Erdgas, durch die Entschwefelung der Brennstoffe und durch Verminderung des Verbrauchs an fossilen Brennstoffen geschehen.
92	Seite 192	A] Durch die Stickstoffdüngung aus der Luft werden auch naturnahe Flächen wie Magerwiesen, Moore und Heiden gedüngt. Dadurch verlieren die seltenen Pflanzenarten, die mit wenig Stickstoff auskommen, ihren Vorteil im Konkurrenzkampf und werden von anderen (weniger seltenen) Arten verdrängt. B] Die Stickstoffdüngung aus der Luft fördert das Wachstum der Bäume. Dadurch werden dem Boden viele Mineralstoffe entzogen und es kann ein Mangel auftreten.
93	Seite 196	Ozon ist schädlich, wenn es auf die Lebewesen einwirkt, aber in der Stratosphäre ist es lebenswichtig, weil es kurzwellige UV-Strahlen absorbiert und dadurch die Lebewesen vor Schäden und Mutationen schützt.
94	Seite 196	Weil die zur Abspaltung der katalytisch wirksamen Chlor-Atome nötige UV-Strahlung in der Troposphäre fehlt. Auch die zur Umwandlung von ClO zu Cl nötigen O-Atome fehlen.

95	Seite 201	In oligotrophen Seen sind meist die Phosphat-Ionen der Faktor, der das Algenwachstum beschränkt. Darum erhöht die Zufuhr von Phosphat das Algenwachstum stark. Stickstoffverbindungen gibt es praktisch in allen Seen im Überfluss, eine Erhöhung ihrer Konzentration hat keinen Einfluss auf das Algenwachstum.
96	Seite 201	A] Weil in einem begradigten Fluss die Wasserbewegung schwach ist, wird nur wenig Sauerstoff ins Wasser aufgenommen. B] Weil die Temperatur in einem Gletscherbach sehr tief ist, gibt es wenig Zerleger, und diese haben eine geringe Aktivität.
97	Seite 202	A] Bakterien ernähren sich von den eingeleiteten organischen Stoffen und haben eine sehr hohe Wachstumsrate. Sie sind schon im Abwasser enthalten und vermehren sich unterhalb der Einleitungsstelle schlagartig. Durch die Abnahme der organischen Nahrung und die Zunahme der Fressfeinde (Einzeller) nimmt ihre Dichte dann ab. B] Heterotrophe Einzeller ernähren sich als Destruenten von organischen Stoffen und als Räuber von Bakterien und vermehren sich nicht ganz so schnell wie diese. Ihre Population wächst darum etwas verzögert. Sobald das Futter knapp wird, nimmt sie wieder ab. C] Die Konzentration der Phosphat-Ionen steigt unterhalb der Einleitungsstelle durch die Zersetzung der organischen Verbindungen. Später sinkt sie durch den Verbrauch der Produzenten, insbesondere der Algen. D] Die Ammonium-Ionen sind z. T. schon im Abwasser enthalten und ihre Konzentration steigt dann durch die Zersetzung der organischen Verbindungen an. Später sinkt sie hauptsächlich durch die Nitrifikation, bei der sie durch die nitrifizierenden Bakterien zu Nitrat oxidiert werden. Ihre Konzentration sinkt, die Nitratkonzentration steigt. E] Algen ernähren sich von anorganischen Stoffen. Diese entstehen erst bei der Mineralisierung der organischen Stoffe durch die Bakterien. Das Algenwachstum setzt darum später ein. Unmittelbar nach der Einleitung sinkt die Algendichte, weil die Konsumenten (v. a. Einzeller) mehr Algen fressen, als sich neu bilden. Später steigt die Algendichte und nimmt wieder ab, wenn die Mineralstoffkonzentration sinkt. F] Die Sauerstoffkonzentration nimmt unterhalb der Einleitungsstelle schnell ab, weil die Bakterien zum Abbau des organischen Materials Sauerstoff verbrauchen. Sie steigt wieder, weil das Wasser im Bach bewegt wird und Sauerstoff aus der Luft aufnimmt, weil die Produzenten Sauerstoff bilden und weil der Verbrauch durch die Destruenten abnimmt.
98	Seite 206	Der Kohlenstoff leicht abbaubarer Verbindungen verlässt die Kläranlage • als Kohlenstoffdioxid, das von den Mikroorganismen bei der Zellatmung abgegeben wird und in die Luft entweicht oder sich im Wasser löst. • in Form von organischen Kohlenstoffverbindungen in der Biomasse der Lebewesen, die im Klärschlamm abtransportiert werden. • in Form von organischen Kohlenstoffverbindungen, die im Wasser verbleiben.
99	Seite 206	A] Bei der Denitrifikation vor der biologischen Klärung ist die Umwandlung der organischen Stickstoff-Verbindungen zu Ammonium noch nicht vollständig. B] Bei der Denitrifikation nach der biologischen Klärung ist der Gehalt an organischen Kohlenstoffverbindungen, die als Wasserstoff-Spender gebraucht werden, evtl. zu gering.
100	Seite 210	Schwermetalle werden im Boden gut adsorbiert und nicht abgebaut. Weil sie sich dadurch über lange Zeiträume anreichern, können auch kleine Einträge zu einer erheblichen Verschmutzung führen, die nachträglich kaum zu beheben ist.

101 Seite 210

Günstig war, dass ein Teil des Materials, das den Wiesen mit dem Gras entnommen wurde, wieder auf die Wiesen zurückgebracht wurde.

Ungünstig war,

- dass oft ein Teil der Jauche in die Gewässer geschwemmt wurde.
- dass mit der Jauche andere Stoffe und Abfälle aus den Toiletten auf die Wiesen gelangten.
- dass die Kreisläufe von Parasiten durch das Ausbringen der Jauche geschlossen wurden. So gelangten mit der Jauche auch die Eier des Rinderbandwurms, der im Menschendarm lebt, auf die Wiesen und konnten ein Rind infizieren.

102 Seite 210

1. Die organischen Stoffe, die von den Mikroorganismen als Nahrung benötigt werden, fallen v. a. oberirdisch an. Sie werden dann zu einem kleinen Teil von Tieren wie Mäusen, Regenwürmern o. Ä. in die oberen Bodenschichten transportiert, wo sie den Mikroorganismen ebenso wie abgesetzter Kot zur Verfügung stehen. In tiefere Bodenschichten gelangt kaum organisches Material.

2. Die Durchlüftung des Bodens nimmt mit zunehmender Tiefe ab, die Sauerstoffversorgung wird schlechter.

103 Seite 210

In einem verdichteten Boden gibt es weniger Poren mit Luft und Wasser. Die Durchlüftung ist schlecht und der Nachschub von Wasser und Mineralstoffen unzureichend. Pflanzen und Bodenbewohner können sich nicht optimal entwickeln.

Glossar

Abiotische Faktoren — Abiotische Ökofaktoren sind Faktoren der unbelebten Umwelt, d. h. Umweltfaktoren, die nicht von Lebewesen ausgehen, wie Temperatur, Licht, Wasser.

Allen'sche Regel — Die Allen'sche Regel besagt, dass gleichwarme Tiere, die in kalten Gebieten leben, kürzere Körperanhänge (z. B. Ohren oder Beine) haben als nahe verwandte Arten in warmen Gebieten.

Alternativenergien — → erneuerbare Energien

Anpassung — Lebewesen können sich an die Umweltbedingungen durch → Modifikation oder durch → Mutation und → Selektion anpassen.

Anthropogen — Durch Menschen verursacht (gr. *anthropos* «Mensch», gr. *genea* «Abstammung»).

Aspektfolge — Eine Aspektfolge ist eine sich wiederholende (meist jahreszeitliche) Abfolge verschiedener Entwicklungsstadien und Biozönosen in einem Ökosystem.

Atmosphäre — Die Atmosphäre ist die Gashülle der Erde. Sie besteht aus mehreren Schichten (→ Troposphäre, → Stratosphäre), die sich in Temperatur, Druck, Einstrahlung und Dichte unterscheiden und in denen als Folge der unterschiedlichen Bedingungen unterschiedliche Reaktionen ablaufen.

Benthal — Das Benthal ist der Bodenbereich eines stehenden Gewässers. Es ist unterteilt in Uferzone (Litoral) und Tiefenzone (Profundal).

Bergmann'sche Regel — Die Bergmann'sche Regel besagt, dass gleichwarme Tierarten, die in kalten Gebieten leben, grösser sind als nahe verwandte Arten in warmen Gebieten. Kleine Tiere brauchen bezogen auf gleiche Masse mehr Energie als grosse, weil das Verhältnis Volumen zu Oberfläche kleiner ist.

Bioakkumulation — Bioakkumulation ist die Anreicherung von Stoffen aus der Nahrung in einem Lebewesen.

Biogas — Biogas entsteht beim anaeroben Abbau von Biomasse durch anaerobe Bakterien. Es enthält Methan, Ammoniak und Schwefelwasserstoff und ist durch den Methananteil von 60% brennbar.

Bioindikatoren — Bioindikatoren oder Zeigerarten sind Arten mit geringer Toleranz für einen bestimmten Faktor. Ihr Vorkommen weist auf eine bestimmte Eigenschaft des Standorts hin.

Biologischer Anbau — Die biologische Landwirtschaft arbeitet mit naturschonenden und nachhaltigen Methoden ohne Kunstdünger und Pestizide. Ziele sind: geschlossene Stoffkreisläufe, Stärkung der natürlichen Selbstregulation durch ökologische Ausgleichsflächen, nachhaltige Nutzung der Ressourcen, Erhaltung und Verbesserung der Artenvielfalt, artgemässe Tierhaltung.

Biomasse — Biomasse ist das von Lebewesen hergestellte organische Material.

Bioproduktiv — Bioproduktiv sind Flächen, auf denen Pflanzen (Produzenten) leben.

Biosphäre — Die Biosphäre ist der von Lebewesen bewohnte Teil der Erde.

Biotop — Das Biotop ist der Lebensraum, der durch die → abiotischen Faktoren charakterisiert ist.

Biotreibstoffe — Biotreibstoffe werden aus Biomasse hergestellt. Am häufigsten wird Zucker zu Ethanol vergoren. Aus Abfall-Biomasse erzeugte Biotreibstoffe haben eine bessere Ökobilanz als Benzin und sind nahezu CO_2-neutral. Die Produktion von Biotreibstoffen aus Getreide, Zuckerrohr etc. ist nicht sinnvoll, weil sie die Nahrungsproduktion konkurrenziert und die Umwelt stark belastet.

Biozönose — Die Biozönose ist die Lebensgemeinschaft aller Organismen eines Ökosystems.

– vollständige — In einer vollständigen Biozönose ist das Zahlenverhältnis bzw. die Leistung von Produzenten, Konsumenten und Destruenten ausgewogen, die Stoffkreisläufe sind geschlossen.

– unvollständige — In einer unvollständigen Biozönose ist eine Gruppe über- oder untervertreten.

– unreife — Für unreife Biozönosen gilt: Produzenten überwiegen, Biomasse steigt, Artenzahl ist gering, Dichteschwankungen sind hoch, Alleskönner (Generalisten) und r-Strategen überwiegen, Nahrungsketten sind kurz und wenig verzweigt.

– reife — → Klimaxgesellschaft

Boden	Boden ist die oberste, etwa 50–200 cm dicke Schicht der Lithosphäre. Die Matrix enthält mineralische Stoffe, entstanden durch die Verwitterung von Gesteinen, und Humus aus der Zersetzung von Biomasse. Der Porenraum sorgt für die Durchlüftung, beherbergt Lebewesen und speichert Wasser. Durchlüftung und Wasserspeichervermögen sind von der Bodenstruktur abhängig.
Bodendegradation	Bodendegradation ist die Abnahme der Bodenfruchtbarkeit durch Verschmutzung (Versauerung, Versalzung) oder durch Veränderung der Bodenstruktur (Versiegelung, Verdichtung, Erosion).
Bodenerosion	Bei der Bodenerosion wird Bodenmaterial durch Wind und Wasser weggetragen. Die Erosion wird gefördert durch die Reduktion oder Zerstörung der schützenden Pflanzendecke, durch das Roden von Wäldern, durch Überweidung, intensiven Ackerbau und durch Ausräumen der Landschaft.
Bodenteilchen	Die Bodenteilchen binden Mineralsalz-Ionen so, dass sie den Pflanzen zur Verfügung stehen. Das Speichervermögen ist abhängig von der Art und vom Säuregrad (pH-Wert) des Bodens.
Bodenveränderung	Eingriffe in die Bodenstruktur beeinträchtigen die Durchlüftung, das Wasserspeichervermögen und die Lebensbedingungen im Boden und vermindern die Bodenfruchtbarkeit. Beim Bebauen wird der Boden versiegelt und das Bodenleben weitgehend zerstört. Der Einsatz grosser Maschinen verdichtet den Boden und die einseitige Nutzung durch Monokulturen führt zur Verarmung.
Boden-verschmutzung	Der Boden wird verschmutzt durch Dünger, Pestizide, Erdölprodukte und andere Chemikalien und durch die Auswaschung von Stoffen von Verkehrsflächen (Mineralöle, Staub) und aus der Luft (VOC, Stickstoff-Verbindungen, Schwermetalle, Säuren). Die Fremdstoffe können Organismen direkt oder indirekt schädigen und in die Nahrung oder ins Trinkwasser gelangen.
Brutfürsorge	Brutfürsorge nennt man Verhaltensweisen vor der Eiablage bzw. Geburt, die die Überlebenschancen der Nachkommen verbessern, z. B. Schutz der Eier, Anlegen eines Nahrungsvorrats.
Brutpflege	Unter Brutpflege versteht man die Fürsorge der Eltern für ihre Nachkommen nach dem Schlüpfen bzw. nach der Geburt (Füttern, Wärmen, Anlernen etc. der Jungtiere).
Bruttoproduktion	Die Bruttoproduktion umfasst alles organische Material, das ein Lebewesen aus seiner Nahrung aufnimmt bzw. produziert. Etwa die Hälfte davon dient zum Aufbau von Biomasse (→ Nettoproduktion), der Rest wird zur Energiebeschaffung dissimiliert.
DDT	DDT ist ein Kontaktinsektizid, mit dem im Pflanzenschutz und bei der Bekämpfung von Krankheitsüberträgern (Malaria) grosse Erfolge erzielt wurden. Seine Nachteile sind: geringe Selektivität, langsamer Abbau, Anreicherung im Boden, Bioakkumulation und Resistenzbildung.
Demografie	Die Demografie befasst sich mit der Entwicklung der Bevölkerung.
Demografischer Übergang	Der demografische Übergang ist der Übergang von hohen zu niedrigen Sterbe- und Geburtenraten. Er führt zur Abnahme der Wachstumsrate und hat in den Industrieländern bereits stattgefunden, in den Entwicklungsländern nicht.
Denitrifizierer	→ Stickstoffkreislauf
Destruenten	Destruenten fressen die organischen Abfälle und bauen sie weitgehend ab.
– Zerleger	Zerleger (Aasfresser, Totholzfresser, Kotfresser) fressen Reste und Leichen von Pflanzen und Tieren und bauen diese teilweise ab.
– Mineralisierer	Mineralisierer wie Pilze und Bakterien bauen die restlichen organischen Stoffe zu Kohlenstoffdioxid und Mineralstoffen ab, die von den Produzenten benötigt werden.
Dichteabhängig	Dichteabhängig nennt man Faktoren, deren Wirkung von der Populationsdichte abhängt (spezifische Feinde und Parasiten, Nahrungsmenge, sozialer Stress, Epidemien und Abwanderung). Sie regulieren die Populationsdichte.
Dichteunabhängig	Dichteunabhängig nennt man Faktoren, deren Wirkung nicht von der Populationsdichte abhängig ist (Klima, Boden, Nahrungsqualität etc.). Sie limitieren das Wachstum einer Population.
Distickstoff-monoxid	Distickstoffmonoxid (N_2O) oder Lachgas ist ein farbloses Gas, das von Bodenbakterien gebildet wird. Die Produktion wird durch Stickstoff-Düngung und Bodenbearbeitung erhöht und trägt zum anthropogenen Treibhauseffekt bei.

Diversität	Die Diversität einer Biozönose steigt mit der Vielfalt der Arten und mit der genetischen Vielfalt (Grösse des Genpools) in den Populationen.
Düngung	Die Düngung mit Kunstdünger oder Hofdünger (Jauche, Mist) soll den Agrarflächen die Mineralstoffe wieder zuführen, die ihnen bei der Ernte entzogen wurden.
Emission(en)	Emission ist die Abgabe von Stoffen, Lärm und Strahlen (Emissionen) an die Umwelt.
Emissionsgrenzwert	→ Grenzwerte
Energiedurchfluss	Die Lebewesen eines Ökosystems nehmen mit ihrer Nahrung oder mit dem Sonnenlicht Energie auf und geben Energie (Wärme, Bewegungsenergie) an die Umwelt ab. Es gibt also einen Energiefluss durch das Ökosystem, auch wenn die Stoffkreisläufe geschlossen sind.
Energiepyramide	Die Energiepyramide ist eine grafische Darstellung der Energie, die von den Lebewesen der verschiedenen Nahrungsebenen einer Biozönose umgesetzt wird. Weil nur etwa 10% der Energie von einer Ebene zur nächsthöheren gelangen, ist sie immer pyramidenförmig.
Energieverwertung	Jedes Lebewesen verbraucht von der Energie, die es von der Sonne oder mit der Nahrung aufnimmt, etwa die Hälfte als Betriebsenergie. Der Rest dient zum Aufbau von Biomasse (Nettoproduktion).
Erdwärme	99% der Erdmasse sind heisser als 1 000 °C. Heute wird vorwiegend die oberflächennahe Erdwärme (mit Temperaturen um 20 °C) mithilfe von Wärmepumpen genutzt.
Erneuerbare Energie	Erneuerbare Energien aus nachhaltigen Quellen (Biomasse, Wasser, Sonne, Erdwärme, Wind) lieferten 2010 weltweit 16.7% der Energie. Ihr Anteil kann und muss erhöht werden.
Eury-, euryök	Euryök sind Lebewesen mit grosser ökologischer Potenz. Gilt die Aussage nur für einen Faktor, wird die Vorsilbe eury- (gr. *eurys* «breit») dem Faktor vorangestellt, z. B.: eurytherm.
Eutroph	Eutroph (eutroph von gr. *eu* «gut», gr. *trophe* «Nahrung») oder nährstoffreich nennt man Seen, die durch das Einleiten von Abwasser und Auswaschungen aus Luft und Boden (Eutrophierung) reich an Mineralstoffen, v. a. an Phosphaten, sind. Die Algen wachsen stark.
Eutrophiert	In eutrophierten Seen ist das Wachstum der Algen so stark, dass ein Teil absinkt und in der Tiefe unter Sauerstoffverbrauch abgebaut wird. Das führt während der Sommerstagnation zu Sauerstoffmangel im Tiefenwasser. Anaerobe Bakterien bauen das organische Material durch Gärungsvorgänge unvollständig ab und produzieren → Faulschlamm und → Faulgase, die z. T. giftig sind.
Eutrophierung	Als Eutrophierung bezeichnet man die Überdüngung eines Gewässers durch Zufuhr von Mineralstoffen, insbesondere von Phosphat.
Faulgas	→ Biogas
Faulschlamm	Faulschlamm entsteht beim anaeroben Abbau von Biomasse durch anaerobe Bakterien.
FCKW, FKW	Fluor-Chlor- und Fluor-Kohlenwasserstoff (FCKW, FKW) stammen aus anthropogenen Quellen (Kühlmittel, Treibgase). Sie tragen wegen ihres hohen Treibhauspotenzials trotz winziger Konzentrationen 11% zum Treibhauseffekt bei.
Feinstaub	Feinstaub entsteht bei der unvollständigen Verbrennung von Kohle, Heizöl und Diesel. Er besteht aus Partikeln, die so klein sind, dass sie lange in der Luft schweben, und die z. B. Schwermetalle, Sulfat, Nitrat und Kohlenwasserstoffe enthalten → PM10.
Flachmoor	Ein Flachmoor entsteht bei der → Verlandung eines Sees. Beim unvollständigen Abbau von Pflanzenresten bilden sich Huminsäuren und Torf. Auf den nährstoffarmen, sauren Moorböden leben Spezialisten wie fleischfressende Pflanzen.
Flechten	Flechten sind Symbiosen von Algen und Pilzen, die einen Superorganismus bilden. Der Pilz bezieht Zucker, die Alge Wasser, Kohlenstoffdioxid und Mineralstoffe. Flechten sind → Pionierpflanzen.
Forste	Forste sind vom Menschen angelegte oder stark beeinflusste Wälder. Im Extremfall sind es Monokulturen mit nur einer Baumart (Fichtenforste).

Fossile Energieträger	Die fossilen Energieträger Kohle, Erdöl und Erdgas sind aus Biomasse entstanden. Ihre Nutzung (Förderung, Transport, Verbrennung) belastet die Umwelt.
Fototropismus	Fototropismen sind durch Licht ausgelöste Bewegungen von Pflanzenorganen zum Licht hin oder vom Licht weg.
Fungizide	Fungizide sind Pestizide gegen Pilze.
Fussabdruck	Der ökologische Fussabdruck ist die Fläche (mit mittlerer Produktivität), die ein Mensch benötigen würde, um mit dem gewohnten Lebensstandard (und mit den heutigen Technologien) nachhaltig zu leben. Der ökologische Fussabdruck beinhaltet die Flächen zur Bereitstellung von Nahrung, Kleidung und Energie und zur Entsorgung von Müll und freigesetztem Kohlenstoffdioxid. Im globalen Mittel hat der Fussabdruck eine Fläche von 2.7 global Hektar (gha), es stehen aber nur 1.8 gha pro Kopf zur Verfügung.
Gause-Prinzip	In einer Biozönose sind nie zwei Arten mit gleicher ökologischer Nische vertreten, weil immer eine von beiden erfolgreicher ist und mehr Nachkommen hat (Konkurrenzausschluss-Prinzip).
Genpool	Der Genpool einer Population umfasst die Gene bzw. Genvarianten (Allele) aller Individuen. Aus diesen werden bei der geschlechtlichen Fortpflanzung neue Kombinationen gebildet. Der Umfang des Genpools ist ein Mass für die Variabilität und für die Anpassungsfähigkeit der Population.
Gewässergüte	Das Wasser von Seen und Flüssen wird nach seinem Gehalt an organischen Stoffen in vier Güteklassen eingeteilt. Für jede Klasse gibt es charakteristische Leitorganismen.
Gleichgewicht, biozönotisches	Im biozönotischen Gleichgewicht bleibt die Zusammensetzung der Biozönose über einen gewissen Zeitraum praktisch konstant. Zahl und Art der Populationen ändern sich kaum und die Populationsdichten schwanken in einem beschränkten Bereich um einen konstanten Mittelwert. Kleine Störungen können ausgeglichen werden.
Gleichgewicht, dynamisches	In einem dynamischen Gleichgewicht bleibt eine Grösse konstant, weil die Vorgänge, die ihren Wert vergrössern, gleich schnell verlaufen wie die Vorgänge, die ihn verkleinern.
Gleichwarme	Gleichwarme halten ihre Körpertemperatur unabhängig von der Aussentemperatur konstant. Ihre Aktivität ist im Bereich zwischen Minimum und Maximum praktisch konstant.
Global Hektar	Ein global Hektar entspricht einem Hektar mit durchschnittlicher biologischer Produktivität. 1 gha entspricht 0.5 ha Ackerland oder 2 ha Weideland.
Grenzwerte	Grenzwerte dienen zur Beurteilung von Belastungen der Umwelt und der Lebewesen durch Schadstoffe, Lärm und Strahlung.
– Immissions-	Immissionsgrenzwerte definieren die Konzentration eines Schadstoffs in der Umwelt, die nicht überschritten werden soll.
– Emissions-	Emissionsgrenzwerte sind maximal zulässige Höchstwerte für die Abgabe von Schadstoffen, Lärm oder Strahlen (Emission). Sie berücksichtigen neben den Immissionsgrenzwerten auch die Realisierbarkeit der Emissionsbeschränkung und werden dem Stand der Technik angepasst.
Gründüngung	Durch Anpflanzen von Hülsenfrüchtlern wie Klee kann der Boden mit Stickstoff angereichert werden, weil die → Knöllchenbakterien Luftstickstoff assimilieren.
Grüne Revolution	Die grüne Revolution in der Landwirtschaft hat die Flächenerträge im 20. Jahrhundert durch ertragreichere Sorten, Düngung, Pflanzenschutz und maschinellen Anbau in Monokulturen erhöht.
Habitat	Das Habitat ist der Aufenthaltsbereich einer Population in einem Ökosystem.
Herbizide	Herbizide sind Pestizide gegen unerwünschte Pflanzen (Unkräuter).
Hitzetod	Der Hitzetod geschieht bei Wechselwarmen durch Denaturierung von Proteinen, bei Gleichwarmen, wenn sie ihre Temperatur nicht mehr halten können.
Hochmoor	Hochmoore entstehen in niederschlagsreichen, kühlen Gebieten. Das Torfmoos bildet dicke Torfschichten, indem die oberen Teile wachsen, während die unteren absterben und zu Torf werden.
Immission(en)	Immission ist die Einwirkung von Stoffen, Lärm und Strahlen auf Lebewesen und Sachen.

Insektizide	Insektizide sind Pestizide gegen Insekten.
– Kontaktinsektizide	Kontaktinsektizide wie DDT töten alle Insekten, die mit ihnen in Berührung kommen.
– Frassgifte	Frassgifte wie Phosphorsäureester wirken über die Nahrung. Sie sind selektiver, aber für den Menschen giftig.
Integrierte Produktion (IP)	Die Integrierte Produktion (IP) sucht einen Mittelweg zwischen konventionellem und biologischem Anbau. Dünger, Pestizide und Futtermittel werden nur so weit wie unbedingt nötig und nach bestimmten Richtlinien und Listen eingesetzt.
IPCC	Das Intergovernmental Panel on Climate Change (IPCC) verfasst aufgrund der Arbeiten von über 1 000 Klimaforschern Berichte zur Klimaänderung.
Kältetod	Der Kältetod geschieht bei Wechselwarmen, wenn Körperflüssigkeiten einfrieren, bei Gleichwarmen, wenn sie ihre Temperatur nicht mehr halten können.
Kardinalpunkte	Die Kardinalpunkte bezüglich eines Ökofaktors sind Minimum, Optimum und Maximum.
Kernkraft	Kernkraftwerke belasten die Luft weniger mit Kohlenstoffdioxid als Kraftwerke mit fossilen Energieträgern und die Belastung durch radioaktive Strahlung beträgt im Normalbetrieb weniger als 1% der natürlichen Belastung. KKW produzieren aber radioaktive Abfälle, die für Jahrhunderte sicher gelagert werden müssen. Das Risiko von Unfällen, die zu katastrophalen Verstrahlungen führen können, ist klein, aber vorhanden.
Kläranlage	In der Abwasserreinigungsanlage ARA wird das Abwasser in drei Schritten gereinigt.
– mechanische Stufe	In der mechanischen Stufe wird das Abwasser durch Zurückhalten und Absetzenlassen mechanisch geklärt.
– biologische Stufe	In der biologischen Stufe bauen aerobe Mikroorganismen im Belebungsbecken organische Stoffe ab und bilden Klärschlamm, der im Faulturm durch anaerobe Bakterien weiter abgebaut wird.
– chemische Stufe	In der chemischen Stufe werden Phosphate z. B. durch Zugabe von Eisen(III)-chlorid ausgefällt.
– Denitrifikation	Bei der Denitrifikation reduzieren anaerobe Bakterien Nitrat zu elementarem Stickstoff, der als Gas in die Luft entweicht.
– vierte Stufe	In einer vierten Stufe werden Mikroverunreinigungen durch Ozonisierung oxidiert oder durch Filtration über Aktivkohle entfernt.
Klärschlamm	Der ausgefaulte Schlamm aus dem Faulturm darf in der Schweiz wegen seines Schwermetallgehalts nicht mehr als Dünger verwendet werden. Er wird getrocknet und verbrannt oder deponiert.
Klimaänderung	Das Erdklima hat sich in den letzten Jahrzehnten deutlich verändert: Die globale Oberflächentemperatur ist seit 1850 um 0.74 °C gestiegen. Die Häufigkeit heftiger Niederschläge hat zugenommen. Gletscher und Festlandeis in Grönland und in der Antarktis und das Meereis in der Arktis haben abgenommen. Die Temperatur des Permafrostbodens ist gestiegen. Die Oberflächentemperatur der Ozeane hat zugenommen und der Meeresspiegel ist seit 1900 um 17 cm gestiegen.
Klimaänderung, Folgen	Durch die anthropogenen Treibhausgas-Emissionen wird die mittlere Jahrestemperatur im 21. Jahrhundert um 2–6 °C zunehmen. Der Meeresspiegel wird steigen. Die Niederschläge werden in den höheren Breiten zu-, in den Tropen und Subtropen abnehmen. Meeresströmungen werden sich ändern. Extreme Wettersituationen nehmen zu. Viele Arten werden aussterben, Ökosysteme werden destabilisiert. Erwärmung der Meere führt zum Absterben von Korallenriffen. Tropische Krankheitserreger werden sich ausbreiten. Klimazonen werden sich verschieben und in vielen Gebieten zu Nahrungs- und Wassermangel führen.
Klimaänderung, Verstärkung	Die Erwärmung führt zu Veränderungen, die die Erwärmung weiter verstärken: Die Löslichkeit für Kohlenstoffdioxid im Wasser sinkt, das Auftauen von Permafrostböden setzt Methan frei, mit den Schnee- und Eisflächen nimmt der Anteil der weissen, wärmereflektierenden Erdoberfläche ab. Steigende Temperaturen erhöhen die Verdunstung und die Wolkenbildung. Tiefe Wolken verstärken die Erwärmung, hohe vermindern sie.
Klimaxgesellschaft	Die Klimaxgesellschaft ist die Schlussgesellschaft der primären Sukzession. Die Stoffproduktion von Produzenten, Konsumenten und Destruenten ist ausgewogen, die Stoffkreisläufe sind geschlossen. Die Artenzahl ist hoch, die Dichteschwankungen sind gering. Die Spezialisten dominieren, K-Strategen überwiegen. Die Nahrungsketten sind lang und stark verzweigt.

Knöllchenbakterien	Knöllchenbakterien leben als Symbionten in Knöllchen an den Wurzeln von Hülsenfrüchtlern wie Bohnen oder Klee. Sie können Luftstickstoff assimilieren und tauschen einen Teil der Stickstoffverbindungen, die sie herstellen, gegen Zucker → Stickstoffkreislauf.
Koevolution	Koevolution ist die wechselseitige Anpassung von zwei interagierenden Arten in der Evolution.
Kohlenstoffdioxid	Kohlenstoffdioxid ist ein farbloses, geruchloses Gas, das bei der Atmung und bei der Verbrennung von organischen Stoffen entsteht. Seine Konzentration in der Luft ist durch die Verbrennung fossiler Brennstoffe (80%) und Brandrodungen seit 1750 um 35% auf 400 ppm gestiegen und verursacht ca. 60% des anthropogenen Treibhauseffekts.
Kohlenstoffmonoxid	Kohlenstoffmonoxid entsteht bei unvollständiger Verbrennung, ist giftig und trägt zum Sommersmog bei.
Kohlenstoffkreislauf	Kohlenstoff liegt in der Natur hauptsächlich als Kohlenstoffdioxid (in der Luft und im Wasser gelöst) in organischen Verbindungen (Biomasse und fossile Brennstoffe) und als Carbonat (in Sedimenten und Gesteinen) vor. Produzenten wandeln Kohlenstoffdioxid in organische Verbindungen um. Diese werden durch Konsumenten, Zerleger und Verbrennungsvorgänge wieder zu Kohlenstoffdioxid abgebaut.
Kommensalen	Kommensalen sind Lebewesen, die von einem Wirt profitieren, ohne ihn zu schädigen (wie gewisse Darmbakterien).
Konkurrenz	Die Konkurrenz beeinflusst die Verbreitung der Arten.
– innerartliche	Die innerartliche Konkurrenz limitiert das Wachstum einer Population. Bei höheren Tieren werden destruktive Folgen oft durch → Rangordnung oder → Revierverhalten vermieden.
– zwischenartliche	Die zwischenartliche Konkurrenz hat im Verlauf der Stammesgeschichte zur Einnischung durch die Spezialisierung der Arten geführt.
Konkurrenzstärke	Konkurrenzstarke Arten leben dort, wo die Bedingungen für sie optimal sind, während konkurrenzschwächere Arten in Bereiche ausweichen müssen, in denen die konkurrenzstärkeren Arten nicht (gut) gedeihen.
Konsumenten	Konsumenten sind heterotroph und müssen organische Stoffe mit ihrer Nahrung aufnehmen. Sie fressen andere Lebewesen: Primärkonsumenten sind Pflanzenfresser, Sekundärkonsumenten sind Fleischfresser, die vorwiegend Pflanzenfresser fressen, Tertiärkonsumenten sind Fleischfresser, die vorwiegend Fleischfresser fressen.
Kooperation	Die Lebewesen einer Population können kooperieren, z. B. bei Fortpflanzung, Brutpflege, Verteidigung, Nahrungserwerb.
K-Strategen	K-Strategen entwickeln sich langsamer, leben länger und sind meist grösser als r-Strategen. Sie haben weniger Nachkommen und sind den r-Strategen in der Konkurrenz überlegen. Ihre Dichte passt sich bei Veränderungen der Umweltbedingungen nur langsam an.
Kunstdünger	Kunstdünger sind mehrheitlich anorganische Mineraldünger, die die von den Nutzpflanzen in grösseren Mengen benötigten Mineralsalze enthalten.
Landschaftsveränderungen	Der Mensch verändert die Landschaft und ihre Biozönosen u. a. durch Abholzen von Wäldern, Flussbegradigungen und Trockenlegung von Feuchtgebieten, Bebauung, Abbau von Bodenschätzen, Gewinnung und Umgestaltung von Agrarflächen. Die Veränderung oder Zerstörung von Lebensräumen führt zum Aussterben vieler Arten.
Limitierender Faktor	Die Aktivitäten eines Lebewesens werden durch den Faktor limitiert, der vom Optimum am weitesten entfernt ist (Minimumfaktor, limitierender Faktor).
Litoral	→ Uferzone
Massentierhaltung	Bei der Massentierhaltung werden Tiere auf engem Raum nicht artgerecht gehalten.
Massenwechsel	Als Massenwechsel bezeichnet man das alternierende Zu- und Abnehmen der Populationsgrösse.
Maximum	Das Maximum ist der höchste Wert eines Ökofaktors, bei dem ein Lebewesen noch überlebt.

Metamorphose	Tiere mit Metamorphose (Insekten, Amphibien) haben eine Jugendform (Larve), die nicht in Konkurrenz steht zu den erwachsenen Tieren, weil sie andere Nischen hat.
Methan	Methan ist ein brennbares Gas, das beim anaeroben Abbau organischer Stoffe durch Methanbakterien (→ Biogas) entsteht. Es macht den Hauptteil des Erdgases aus. Die Methan-Konzentration in der Luft hat seit 1800 um 150% zugenommen und trägt 16% zum anthropogenen Treibhauseffekt bei. 60% der Emissionen sind anthropogen (Reisfelder, Rinder, Deponien, Erdgasverluste).
Mikroverschmutzung	Mikroverunreinigungen sind organische Stoffe aus Waschmitteln, Kosmetika, Medikamenten, Farben und Pestiziden, die Lebewesen schon in winzigen Konzentrationen schädigen können. Besonders problematisch sind Stoffe, die als Hormone wirken.
Mimikry	Mimikry ist die Nachahmung der Gestalt, Farbe oder Bewegung einer giftigen, ungeniessbaren oder wehrhaften Art durch eine harmlose.
Mineralisierer	→ Destruenten
Minimum	Das Minimum ist der tiefste Wert eines Ökofaktors, bei dem ein Lebewesen noch überlebt.
Modifikationen	Modifikationen entstehen, indem bestimmte Leistungen bzw. Körperteile oder Verhaltensweisen trainiert werden. Sie können bleibend oder vorübergehend sein, werden aber nie vererbt, weil sich das Erbgut nicht verändert.
Monokulturen	In Monokulturen wird nur eine Nutzpflanze angebaut. Monokulturen lassen sich mit grossen Maschinen und geringem Arbeitsaufwand bewirtschaften, führen aber auch zu einer einseitigen Nutzung des Bodens, fördern die Erosion und die Massenvermehrung von Schädlingen.
Mosaikmodell	Grosse Ökosysteme, die gesamthaft betrachtet stabil scheinen, bestehen meist aus vielen dynamischen Teilsystemen, in denen sich die Bedingungen und die Teil-Biozönosen relativ stark verändern. Das ganze Ökosystem ist ein Mosaik von Teilsystemen in unterschiedlichen Entwicklungsstadien. Die Summe ihrer Eigenschaften bleibt praktisch konstant.
Mutation	Mutationen sind spontane oder durch Strahlung oder Stoffe ausgelöste Veränderungen des Erbguts. Sie vergrössern den Genpool.
Mykorrhizapilze	Mykorrhizapilze leben als Symbionten an und in den Wurzeln von Bäumen. Sie beziehen Zucker und liefern Wasser und Mineralstoffe.
Nachhaltigkeit	Nachhaltig ist die Nutzung eines natürlichen Systems, wenn dieses dabei mit seinen wesentlichen Charakteristika langfristig erhalten bleibt.
Nährschicht	Die Nährschicht ist die lichtreiche, oberflächennahe Schicht eines Gewässers, in der mehr Biomasse produziert als verbraucht wird. Ein Teil dieses Materials sinkt in die → Zehrschicht ab.
Nahrungskette	→ Produzenten, → Konsumenten und → Destruenten bilden Nahrungsketten, in denen sich jedes Glied vom vorhergehenden ernährt.
Nahrungsnetze	In natürlichen Biozönosen sind die Nahrungsketten verzweigt und bilden Nahrungsnetze.
Nahrungspyramide	Eine Nahrungspyramide ist eine grafische Darstellung der Biomasse oder der Individuenzahl der Produzenten und der verschiedenen Konsumenten. Sie ist meist pyramidenförmig.
Neophyten	Neophyten sind fremde Pflanzenarten, die vom Menschen gewollt oder ungewollt in ein Ökosystem eingeführt werden und sich in diesem stark ausbreiten. Beispiele in der Schweiz: Riesenbärenklau und Ambrosia.
Neozoen	Neozoen sind fremde Tierarten, die vom Menschen gewollt oder ungewollt in ein Ökosystem eingeführt werden und sich hier stark ausbreiten. Beispiele: Kaninchen und Aga-Kröte in Australien, Regenbogenforelle, Signalkrebs und Asiatischer Marienkäfer in der Schweiz.
Nettoprimärproduktivität	Die Nettoprimärproduktivität ist die in einem bestimmten Zeitraum von den Produzenten auf einer bestimmten Fläche gebildete Biomasse. Sie beträgt je nach Ökosystem pro Jahr 10–2 500 g Trockenmasse/m^2.

Nettoproduktion	Die Nettoproduktion verbleibt von der → Bruttoproduktion nach Abzug des zur Energiebeschaffung dissimilierten Materials. Sie umfasst die Biomasse, die für das Wachstum und die Fortpflanzung aufgebaut wird.
Nicht fossile Energie	Nicht fossile Energiequellen sind die → erneuerbaren Energien (Wasserkraft, Sonnenenergie, Biomasse, Erdwärme) und Kernenergie.
Nitrifizierer	→ Stickstoffkreislauf
Ökofaktor	Ökofaktoren oder Umweltfaktoren sind die abiotischen Faktoren des Biotops und die biotischen Faktoren der Biozönose, die die Lebewesen beeinflussen.
– relative Wirkung	Die relative Wirkung eines Ökofaktors ist umso stärker, je weiter sein Wert vom Optimum entfernt ist → limitierender Faktor.
Ökologie	Die Ökologie befasst sich mit den Beziehungen zwischen den Organismen und ihrer belebten und unbelebten Umwelt und mit dem Stoff- und Energiehaushalt der Erde und ihrer Ökosysteme.
– angewandte	Die angewandte Ökologie analysiert die Belastungen der Umwelt und sucht Lösungen für die Umweltprobleme.
Ökologische Nische	Die ökologische Nische ist der Toleranzbereich einer Art, der durch alle für sie relevanten Umweltfaktoren definiert ist. Sie umfasst alle biotischen und abiotischen Umweltfaktoren, die für die Art von Bedeutung sind, und beschreibt die Rolle der Art innerhalb eines Ökosystems.
Ökologische Potenz	Die ökologische Potenz ist die Fähigkeit eines Lebewesens, Schwankungen eines Umweltfaktors innerhalb des Toleranzbereichs zu ertragen.
Ökosystem	Ein Ökosystem ist ein mehr oder weniger deutlich abgegrenzter Bereich, in dem bestimmte Bedingungen herrschen und der meistens viele verschiedenartige Lebewesen beherbergt. Ein Ökosystem besteht aus → Biotop und → Biozönose.
Oligotroph	Oligotroph heisst nährstoffarm (gr. *oligos* «wenig», gr. *trophe* «Nahrung»). In oligotrophen Gewässern erlaubt der geringe Mineralsalzgehalt nur ein bescheidenes Wachstum der Algen.
Optimum	Das Optimum ist der Wert eines Ökofaktors, bei dem ein Lebewesen die höchste Aktivität erreicht.
Osmoregulation	Salzwasserbewohner, die eine tiefere Salzkonzentration als die Umgebung haben, müssen aktiv Wasser aufnehmen, weil sie durch Osmose Wasser verlieren. Süsswasserbewohner müssen Wasser aktiv nach aussen befördern, weil durch Osmose Wasser eindringt.
Ozon	Ozon ist ein farbloses Gas mit charakteristischem Geruch, das als starkes Oxidationsmittel lebende Gewebe schädigt. Es beeinträchtigt beim Menschen die Lungenfunktion und bei Pflanzen das Wachstum. Ozon ist als Treibhausgas 2 000-mal wirksamer als Kohlenstoffdioxid und trägt darum trotz winziger Konzentration wesentlich zum anthropogenen Treibhauseffekt bei.
Ozonabbau	«Ozonkiller» wie FCKW (Fluor-Chlor-Kohlenwasserstoffe) steigen unverändert bis in die Stratosphäre auf. Hier spalten sie unter Einfluss kurzwelliger UV-Strahlung Chlor-Atome ab, die den Ozonabbau katalysieren. Der Abbau der Ozonschicht in der Stratosphäre verursacht auf der Erde eine Zunahme der kurzwelligen UV-Strahlung, die Zellen schädigt und Mutationen auslöst.
Ozonbildung	Ozon entsteht im Sommersmog aus den emittierten → Stickoxiden und → VOC.
Ozonloch	Das Ozonloch ist die im Süd-Frühjahr auftretende extreme Abnahme der Ozonkonzentration in der Stratosphäre über der Antarktis. Sie wird v. a. durch Chlor-Atome aus den FCKW verursacht.
Ozonschicht	In der Stratosphäre, in einer Höhe von 22–30 km, bildet sich unter Einwirkung kurzwelliger UV-Strahlen aus O_2 Ozon (O_3). Die Ozonschicht schützt die Lebewesen auf der Erde vor der kurzwelligen UV-Strahlung, indem sie diese absorbiert.
Parasiten	Parasiten leben auf oder in einem Wirt und ernähren sich von ihm, ohne ihn zu töten. Sie schaden dem Wirt meist durch das, was sie ausscheiden oder übertragen. Ektoparasiten wie Flöhe, Läuse und Zecken leben permanent oder temporär auf dem Wirt und sind meist weniger spezialisiert als Endoparasiten, die im Wirt leben, wie Bandwürmer, Bakterien oder Amöben.
Pelagial	Das Pelagial ist der Freiwasserbereich eines stehenden Gewässers. Hier leben neben aktiven Schwimmern die schwebenden Organismen des → Planktons.

Pestizide	Pestizide oder Biozide sind chemische Mittel, die gegen Schädlinge, Krankheitsüberträger oder unerwünschte Pflanzen und Tiere eingesetzt werden. Insektizide wirken gegen Insekten, Fungizide gegen Pilze, Herbizide gegen Unkräuter.
Phosphorkreislauf	Phosphor kommt in den Lebewesen in Form von organischen Verbindungen wie Nucleinsäuren und Phospholipiden und in anorganischen Phosphaten von Hartteilen wie Knochen, Zähnen und Schalen vor. Im Boden, in Gesteinen und im Wasser gibt es Phosphor in Form von anorganischen Phosphaten. Die Pflanzen nehmen Phosphat-Ionen auf und bilden organische Phosphorverbindungen. Diese werden von Konsumenten und Destruenten mit der Nahrung aufgenommen und wieder mineralisiert. Phosphate aus Abwässern (Fäkalien, Haushaltabfälle, Waschmittel) und gedüngten Böden eutrophieren die Gewässer.
Pioniergesellschaft	Die Pioniergesellschaft ist die Pflanzengesellschaft, die sich bei der Erstbesiedlung eines Biotops zuerst bildet. Sie entwickelt sich durch die Sukzession zur Klimaxgesellschaft.
Pionierpflanzen	Pionierpflanzen gedeihen in unbesiedelten Gebieten, weil sie extreme Bedingungen ertragen. Sie schaffen günstigere Bedingungen und Humus für andere Arten und werden im Verlauf der Sukzession von diesen verdrängt.
Pflanzenschutz	→ Schädlingsbekämpfung
Planstellen	Jede Art besetzt in einem Ökosystem eine bestimmte Planstelle.
– äquivalente	In Ökosystemen mit ähnlichen Bedingungen gibt es äquivalente Planstellen, die durch Arten mit ähnlichen Nischen und Fähigkeiten besetzt sind. Äquivalente Planstellen auf verschiedenen Kontinenten sind oft durch verschiedene Arten besetzt (→ Stellenäquivalenz).
Plankton	Das Plankton besteht aus Kleinlebewesen, die dank eingelagerten Fett-Tröpfchen, Gasblasen oder langen Fortsätzen schweben. Das Phytoplankton besteht aus Produzenten (Algen), das Zooplankton (Einzeller, Kleintiere) aus Konsumenten.
PM10	PM10 (Particulate Matter < 10 µm) ist → Feinstaub, dessen Partikel kleiner sind als 10 µm.
Population	Eine Population umfasst alle Individuen einer Art, die in einem Ökosystem leben und sich miteinander fortpflanzen könn(t)en.
Populationswachstum	Das Wachstum einer Population ergibt sich aus der Differenz zwischen Geburten und Sterbefällen und kann durch die relative Wachstumsrate r beschrieben werden.
– exponentielles	Das Wachstum ist exponentiell, wenn die relative Wachstumsrate konstant und grösser als 0 ist. Der jährliche Zuwachs der ganzen Population nimmt immer schneller zu.
– logistisches	Als logistisch bezeichnet man ein Wachstum, das sich nach der Versorgung (Logistik) richtet. Früher oder später geht bei jeder Population das exponentielle in ein logistisches Wachstum über. Die Umwelt (Nahrung, Feinde, Lebensraum, Epidemien, sozialer Stress etc.) bremst das Wachstum. Wenn die Individuenzahl die → Umweltkapazität K erreicht hat, wächst die Population nicht mehr.
ppb	parts per billion, $1/10^9$.
ppm	parts per million, $1/10^6$.
Primärkonsument	Primärkonsumenten fressen Pflanzen oder Pflanzenteile.
Primärproduktion	Produzenten nutzen etwa 1% der Sonnenenergie, die sie erreicht, zum Aufbau von Biomasse. Von dieser Bruttoprimärproduktion dient etwa die Hälfte zum Aufbau von Biomasse (Nettoprimärproduktion), die andere Hälfte wird dissimiliert.
Produktivität	Die Produktivität ist die in einem definierten Zeitraum auf einer bestimmten Fläche gebildete Biomasse.
– Nettoprimär-	Die Nettoprimärproduktivität ist die in einem bestimmten Zeitraum von den Produzenten auf einer bestimmten Fläche gebildete Biomasse. Sie beträgt je nach Ökosystem in einem Jahr 10–2 500 g Trockenmasse/m^2.
Produzenten	Produzenten sind autotroph. Sie stellen (meist) durch Fotosynthese organisches Material her und versorgen alle Lebewesen der Biozönose mit organischen Stoffen und Energie.
Profundal	→ Tiefenzone

Rangordnung	Bei Tierarten, die in Gruppen leben, wird oft eine Rangordnung festgelegt, die die innerartlichen Auseinandersetzungen vermindert.
Revierverhalten	Bei Tierarten mit Revierverhalten besetzen Einzeltiere oder Tiergruppen ein Revier und verteidigen es gegen Artgenossen.
RGT-Regel	Eine Erhöhung der Temperatur um 10 °C verdoppelt die Geschwindigkeit der chemischen Reaktionen, die den Lebensvorgängen zugrunde liegen.
r-Strategen	r-Strategen wie Insekten und Nagetiere sind meist klein, kurzlebig und sehr fruchtbar. Ihre Dichte passt sich den Bedingungen schnell an. Sie können einen neuen Lebensraum schnell besiedeln, werden dann aber von den K-Strategen weitgehend verdrängt.
Salpetersäure	Salpetersäure entsteht durch die Reaktion von NO_2 (aus Verbrennung bei hohen Temperaturen) mit OH-Radikalen. Sie trägt zum sauren Regen und zur Stickstoffdüngung aus der Luft bei.
Sauerstoffkreislauf	Der elementare Sauerstoff wird hauptsächlich von Lebewesen produziert (Fotosynthese) und beim Abbau von Biomasse verbraucht (Atmung, Verbrennung).
Saurer Regen	Regen und Schnee «reinigen» die Luft, indem sie wasserlösliche Substanzen auswaschen. Dadurch werden die Niederschläge sauer (pH-Wert 4.1). Der Säuregehalt (60% → Schwefelsäure, 30% → Salpetersäure) ist durch die Luftverschmutzung auf das 20-Fache gestiegen.
Schädlinge	Schädlinge nennt der Mensch Organismen, die seinen wirtschaftlichen Erfolg vermindern (z. B. als Nahrungskonkurrenten, Parasiten von Nutzpflanzen oder Nutztieren).
Schädlingsbekämpfung	Bekämpfung von Schädlingen mit biologischen, biotechnischen oder chemischen Methoden. Die biologische Schädlingsbekämpfung dezimiert die Schädlinge durch den Einsatz ihrer Feinde. Die biotechnische Schädlingsbekämpfung versucht, die Schädlinge abzuschrecken (z. B. mit Duftstoffen), zu fangen oder zu töten. Die chemische Bekämpfung von Schädlingen geschieht mit Pestiziden.
Schattenpflanzen	→ Sonnenpflanzen
Schwefeldioxid	Schwefeldioxid ist ein farbloses, stechend riechendes Gas, das Lebewesen schädigt. Schwefeldioxid entsteht durch Verbrennung schwefelhaltiger Brennstoffe (Kohle, Heizöl) und trägt durch Bildung von Schwefelsäure zum Wintersmog und zum sauren Regen bei.
Schwefelsäure	Schwefelsäure entsteht in der Luft durch die Reaktion von → Schwefeldioxid mit OH-Radikalen.
Schwer abbaubar	Schwer abbaubare organische Stoffe wie Lösungsmittel, Mineralölprodukte, Pestizide etc. werden auch in Kläranlagen nicht vollständig abgebaut. Sie können Wasserbewohner gefährden und ins Trinkwasser und in die Nahrung gelangen.
Schwermetalle	Schwermetalle aus der Metall-Industrie, aus der Müll- und Kohleverbrennung und aus Mineraldüngern gelangen ins Wasser. Sie sind nicht abbaubar, reichern sich im Boden und in den Sedimenten an und können in die Nahrung oder ins Trinkwasser gelangen. Viele sind in hohen Dosen toxisch.
Sekundärkonsument	Sekundärkonsumenten sind Fleischfresser. Sie erbeuten, töten und fressen Primärkonsumenten.
Selbstreinigung	Leicht abbaubare organische Verbindungen können im Wasser durch Destruenten abgebaut werden. Diese natürliche Selbstreinigung erfordert Zeit und Sauerstoff.
Selektion	Als Selektion bezeichnet man die Bevorzugung oder Benachteiligung bestimmter Varianten einer Population durch die Umwelt. Sie verkleinert den → Genpool.
Sommersmog	Der Sommersmog entsteht bei schönem Wetter in und bei Gebieten mit hohem Verkehrsaufkommen aus den anthropogenen Emissionen von → VOC und → Stickoxiden. Er enthält u. a. → Ozon.
Sonnenenergie	Indirekt steckt in fast allen Energieträgern Sonnenenergie. Die Sonne lässt Biomasse entstehen, treibt den Wasserkreislauf und die Windsysteme an. Zur direkten Nutzung kann in Sonnenkollektoren Wärme oder in Solarzellen (Fotovoltaik) Strom erzeugt werden. In Gebieten mit hoher Einstrahlung kann die Sonnenenergie auch zur Herstellung von Wasserstoff aus Wasser dienen.

Sonnenpflanzen	Sonnenpflanzen unterscheiden sich von Schattenpflanzen in ihren Lichtansprüchen. Sie leisten bei hohen Lichtstärken deutlich mehr als Schattenpflanzen. Bei sehr wenig Licht ist es umgekehrt.
Stagnation	Stagnation nennt man die stabile Schichtung des Wassers in einem stehenden Gewässer als Folge der durch die unterschiedliche Temperatur bedingten Dichteunterschiede. Weil das Wasser bei 4 °C seine höchste Dichte hat, ist die Temperatur in der Tiefe immer 4 °C. An der Oberfläche ist es im Sommer wärmer und im Winter kälter als 4 °C. Die Stagnation hat zur Folge, dass praktisch kein Sauerstoff von der Oberfläche in die Tiefe gelangt.
Stellenäquivalenz	In Ökosystemen mit ähnlichen Bedingungen gibt es ähnliche Nischen (äquivalente Planstellen). Diese können durch verschiedene Arten besetzt sein, weil sich in geografisch getrennten Teilen der Biosphäre verschiedene Arten entwickelt haben.
Stenök, steno-	Stenök (steno-ök) nennt man Arten mit kleiner ökologischer Potenz. Gilt die Aussage nur für einen Faktor, wird die Vorsilbe steno (gr. *steno* «eng») der Bezeichnung des Faktors vorangestellt, z. B. stenotherm.
Stickoxide	Stickoxide (NO und NO_2) entstehen bei hohen Verbrennungstemperaturen durch die Reaktion der beiden Luftbestandteile Stickstoff und Sauerstoff und bei der Verbrennung von Holz. Sie führen zusammen mit den VOC zur Bildung des Sommersmogs und tragen durch die Bildung von Salpetersäure zum sauren Regen und zur Stickstoffdüngung bei.
Stickstoff-Kreislauf	Stickstoff kommt vor als Gas N_2 in der Luft (78 Vol.-%), in Form von Nitrat- und Ammonium-Ionen im Boden und in den organischen Stickstoffverbindungen der Lebewesen (Proteine, Nucleinsäuren). Produzenten stellen aus Nitrat- und Ammoniumverbindungen organische Stickstoffverbindungen her, Konsumenten und Destruenten verwandeln organische Stickstoffverbindungen in Ammoniumverbindungen, nitrifizierende Bakterien verwandeln Ammonium in Nitrat, stickstofffixierende Bakterien verwandeln Luftstickstoff in Ammonium-Ionen, denitrifizierende Bakterien verwandeln Nitrat in N_2 (Denitrifikation). Der Mensch stellt aus Luftstickstoff Ammoniumverbindungen für Kunstdünger her. Motoren und Heizanlagen produzieren Stickoxide.
Stoffkreislauf	Jedes Element, das in den Stoffen der Lebewesen vorkommt, durchläuft (meist in Form verschiedener Verbindungen) einen bio-geochemischen Kreislauf, in dessen Verlauf es von den Lebewesen aus der unbelebten Natur aufgenommen und wieder abgegeben wird.
Stratosphäre	Die Stratosphäre ist die Schicht der Atmosphäre über der Troposphäre in 15–50 km Höhe.
Sukzession	Sukzession ist die Abfolge von Biozönosen in einem Ökosystem bei der Neubesiedlung (Primärsukzession) oder nach einer groben Störung (Sekundärsukzession). Die Primärsukzession führt von der Pioniergesellschaft zur Klimaxgesellschaft.
Symbiosen	Symbiosen sind Lebensgemeinschaften von zwei Arten, die sich gegenseitig nützen. Viele stehen im Zusammenhang mit Nahrungserwerb, Fortpflanzung oder Schutz vor Feinden.
Tertiärkonsument	Tertiärkonsumenten erbeuten, töten und fressen hauptsächlich Sekundärkonsumenten.
Tiefenzone	In der dunklen Tiefenzone (Profundal) eines Gewässers, wo Produzenten fehlen, leben hauptsächlich Zerleger wie Würmer, Krebse, Schnecken und Bakterien von der Biomasse, die absinkt.
Toleranzkurve	Die Toleranzkurve zeigt die Abhängigkeit der Aktivität eines Lebewesens von einem Ökofaktor.
Transpirationsstrom	Bei Kormophyten zieht die Transpiration das Wasser in den Gefässen nach oben, wo es z. B. für die Fotosynthese gebraucht wird oder verdunstet. Der Transpirationsstrom bringt auch gelöste Mineralstoffe nach oben.
Treibhauseffekt	Treibhausgase lassen die Strahlen der Sonne fast ungehindert zur Erde passieren, absorbieren aber die langwellige Infrarotstrahlung, die von der erwärmten Erde abgegeben wird, und erwärmen sich bzw. die Luft dadurch.
– natürlicher	Der natürliche Treibhauseffekt, der hauptsächlich auf Wasserdampf, Kohlenstoffdioxid, Ozon, Distickstoffmonoxid und Methan beruht, erhöht die mittlere Jahrestemperatur von –18 °C auf 15 °C.
– anthropogener	Nach den heutigen Erkenntnissen (Bericht des IPCC 2007) ist die Klimaänderung vorwiegend durch die anthropogenen Emissionen der Treibhausgase Kohlenstoffdioxid, Methan, Ozon, Fluor-Kohlenwasserstoffe und Distickstoffmonoxid verursacht.

Treibhauspotenzial	Das Treibhauspotenzial gibt die Treibhauswirkung eines Gases im Vergleich zu Kohlenstoffdioxid an.
Trophie-Ebene	Die Trophie-Ebene beschreibt die Position von Lebewesen in der Nahrungspyramide. Man unterscheidet Produzenten, Konsumenten und Destruenten. Bei den Konsumenten und Destruenten gibt es mehrere Ebenen.
Troposphäre	Die Troposphäre ist die unterste, etwa 15 km dicke Schicht der Atmosphäre. Sie enthält neben den Hauptkomponenten Stickstoff, Sauerstoff und Argon Spurengase wie Kohlenstoffdioxid, Methan, Lachgas, Kohlenstoffmonoxid, Ozon, Schwefeldioxid.
Uferzone	Die Uferzone (Litoral) ist durch die unterschiedliche Wassertiefe in Gürtel mit charakteristischen Pflanzengesellschaften und Bewohnern gegliedert: Bruchwald, Seggenried, Röhrichtgürtel, Schwimmblatt- und Tauchblattpflanzen.
Umwelt	Die Umwelt eines Lebewesens umfasst die abiotischen Faktoren des Biotops und die biotischen Faktoren der Biozönose, die sein Leben beeinflussen.
Umweltkapazität	Die Umweltkapazität ist die maximal mögliche Grösse einer Population in einem Ökosystem.
Umweltkrise	Die Hauptursachen für die starke Zunahme der Umweltprobleme in den letzten Jahrzehnten sind: Bevölkerungswachstum, Industrialisierung, steigende Güterproduktion, zunehmende Mobilität, wirtschaftlicher Wohlstand und Verstädterung.
Umweltschutz	Umweltschutz soll die Umwelt vor nachteiligen Wirkungen menschlicher Aktivitäten schützen bzw. die verursachten Gefahren und Schäden beheben. Er soll die Lebensgrundlagen des Menschen sichern und eine nachhaltige Nutzung der natürlichen Ressourcen durchsetzen.
Variabilität	Die Individuen einer Population stimmen in den arttypischen Merkmalen überein, unterscheiden sich aber in ihren individuellen Merkmalen, weil sich ihre Erbanlagen unterscheiden. Diese Variabilität erhöht die Überlebenschance der Population, v. a. wenn sich die Bedingungen ändern.
Verbreitung	Die mögliche Verbreitung wird durch die ökologische Potenz bestimmt. Euryöke Arten haben ein grosses potenzielles Verbreitungsgebiet, stenöke ein kleines. Das effektive Verbreitungsgebiet einer Art hängt davon ab, wie gut sie sich in der Konkurrenz mit anderen Arten durchsetzt.
Verlandung	Im Uferbereich stehender Gewässer bildet sich aus überschüssigem Pflanzenmaterial eine Schlammschicht, aus der sich Torf entwickelt. Die Wassertiefe nimmt ab und die Pflanzengürtel des Uferbereichs wandern Richtung Seemitte. Es findet eine Sukzession statt, bei der die Biozönosen des Uferbereichs aufeinanderfolgen. Der See verlandet. → Flachmoor.
VOC	VOC (Volatile Organic Compounds) sind leichtflüchtige organische Verbindungen, die bei 20 °C gasförmig sind oder leicht verdunsten (ohne Methan). Bei unvollständiger Verbrennung oder durch Verdunsten von Treibstoffen gelangen VOC in die Luft und tragen zur Bildung des Sommersmogs bei.
Volterra-Regeln	Die Volterra-Regeln beschreiben die Populationsdynamik eines einfachen Räuber-Beute-Systems. 1. Die Populationsgrössen von Räuber und Beute schwanken periodisch, wobei die Schwankungen der Räuberpopulation den Schwankungen der Beutepopulation verzögert folgen. 2. Trotz periodischer Schwankungen der Räuber- bzw. Beutepopulation sind die Mittelwerte der Populationsgrössen über einen längeren Zeitraum konstant. 3. Werden Räuber- und Beutepopulation dezimiert, erholt sich die Beutepopulation schneller als die Räuberpopulation.
Wachstumsrate	Die relative Wachstumsrate r gibt das Wachstum der Population pro Individuum an. $$\text{Relative Wachstumsrate} = \frac{\text{Geburtenzahl} - \text{Sterbefälle (im definierten Zeitraum)}}{\text{Individuenzahl (zu Beginn des Zeitraums)}}$$
Wald	Wälder sind Ökosysteme, in denen die Bäume ein geschlossenes Kronendach bilden, das die Lebensbedingungen wesentlich beeinflusst. Typisch ist die hohe Dichte an langlebigen Produzenten. Die Konkurrenz um Licht führt zu einer vertikalen Gliederung in verschiedene Stockwerke (Baumkronen, Sträucher, Kräuter, Moose und Pilze).

Wasserkraft	Wasserkraftwerke lieferten 2011 weltweit 15.3% (in der Schweiz 56%) des Stroms. Die Nutzung der Wasserkraft ist (abgesehen von Pumpspeicherwerken) nachhaltig und produziert praktisch kein Kohlenstoffdioxid, keine Luftbelastungen und keine Abfälle. Schattenseiten sind: Landschaftsveränderungen, Eingriffe in den Wasserhaushalt, Austrocknen von Fliessgewässern und Feuchtgebieten.
Wechselwarme	Bei Wechselwarmen ändert sich die Körpertemperatur mit der Aussentemperatur und ihre Aktivität schwankt entsprechend.
Wintersmog	Wintersmog wird durch Schwefeldioxid und Russ aus der Verbrennung schwefelhaltiger Brennstoffe (Kohle) verursacht.
Zehrschicht	→ Nährschicht
Zerleger	→ Destruenten
Zirkulation	Im Frühling und im Herbst findet in einem See eine Zirkulation zwischen Oberflächen- und Tiefenwasser statt, weil die Temperatur im ganzen See 4 °C beträgt.

Stichwortverzeichnis

A

Abiotische Ökofaktoren 16–43
Abwasserreinigung 202
Acker 151
Aga-Kröte 172
Agrarflächen 148
Akklimatisierung 22
Aktivitätsbereich 17
Allen'sche Regel 32
Ammonifikation 98
Anammox 205
Anpassung 21
Anpassungspotenzial 71
Artensterben 171
Artenvielfalt 83, 103
Aspektfolge 120
Atmosphäre 175
Ausfaulen 203
Aussetzen neuer Arten 172
Autotroph 88

B

Belebtschlamm 203
Benthal, Bodenzone 107
Bergmann'sche Regel 32
Bestäuber 66
Bevölkerungsentwicklung 137
Bewohner 128
Beziehungen zwischen Lebewesen 44–69
Bioakkumulation 155
Bio-geochemische Kreisläufe 96
Bioindikatoren 18
Biomassenpyramide 95
Biotop, Definition 12
Biotreibstoffe 170
Biozönose 87–106
– Definition 12
– Gleichgewicht 102
– Stabilität 102
– unvollständige 89
– vollständige 89
Blütenbildung 36
Blutparasiten 62
Boden 206
– Belastungen 206
– Degradation 207
– Erosion 209
– Verschmutzung 207
Brutfürsorge 46
Brutpflege 47
Bruttoprimärproduktion 92
Bruttoproduktion 93

D

Darwinfinken 49
Dauerstadien 19
DDT 155
Demografischer Übergang 138
Denitrifikation 204
Destruenten 89
Dissimilation 92, 97
Distickstoffmonoxid 183, 194
Düngung 153

E

Einnischung 48
Ektoparasiten 60
Emission 143
Endoparasiten 60
Energie in der Nahrungskette 93
Energiedurchfluss 92, 94
Energiepyramide 95
Energieverbrauch
– Entwicklung 160
– fossile Energieträger 160
Erdwärme 170
Erneuerbare Energie 167
Erosion 209
Euryök 17
Eurytherm 17
Eutroph 114
Eutrophierung 114

F

Fang-Wiederfang-Methode 71
Faultürme 203
Feindabwehr 56
Feinstaub 166
Forst 122
Fossile Energieträger 97, 160, 161
– Verbrennungsprodukte 162
Fotosynthese 34, 88
Fototropismus 35
Frass-Schutz 57
Fressfeind-Beute-Beziehungen 55
Fussabdruck, ökologischer 139

G

Genpool 70
Gewässerbelastung 198
Gewässergüteklassen 198
Gewässerverschmutzung 198
Gleichgewicht 102
Gleichwarme 26, 29
Grenzwerte 144
Gründüngung 153
Grüne Revolution 150

H

Herbizide 155
Heterotroph 88
Hitzestarre 28
Hochmoor 117
Höhenstufen 27

I

Immission 143
Innerartliche Beziehungen 44–48
Innerartliche Konkurrenz 44
Insektizide 155

J

Jahresperiodik 37

K

Kältestarre 28
Kardinalpunkte 16
Keimesruhe 31
Kernkraft 167
Kläranlage 202
Klärschlamm 203
Klimaänderung 177
– Folgen 184
– Prognosen 183
Knöllchenbakterien 67
Koevolution 57
Kohlenstoffdioxid 162, 180, 196
Kohlenstoffkreislauf 97
Kohlenstoffmonoxid 164
Kommensalen 63
Konkurrenz 44, 48
Konkurrenzausschluss 50
Konsumenten 88
Kooperation 44
Krankheitserreger 59
K-Strategen 103
Kunstdünger 153

L

Landschaftsveränderungen 171
Landtiere 39
Landwirtschaft 150
– biologische 158
– Integrierte Produktion 159
Laubfall 27, 42
Leitorganismen 198
Licht 34–37
Limitierender Faktor 20
Litoral, Uferzone 108
Luft 175
Luftbelastungen 162, 175–197
Luftqualität in der Schweiz 196
Luftschadstoffe 162, 176

M

Massentierhaltung 153
Massenwechsel 76
Maximum 17
Metamorphose 44
Methan 182
Mikroverunreinigungen 200
Mimikry 56
Mineralisierer 89
Minimum 17
Minimumgesetz 21
Modifikation 22
Monokulturen 151
Moor 117
Mosaikmodell 102
Mutation 22
Mykorrhiza 65

N

Nachhaltigkeit 136
Nährschicht 107
Nahrungsbedarf 148
Nahrungserwerb 55
Nahrungskette 90
Nahrungsnetz 90
Nahrungsproduktion 148
Nahrungspyramide 95
Neophyten 173
Neozoen 173
Nettoprimärproduktion 92
Nettoprimärproduktivität 92

Nettoproduktion 93
Nitrifikation 98, 204

O

Ökofaktoren
- abiotische 16–43
- biotische 44–69
- relative Wirkung 21

Ökologie
- Definition 11
- Fragen und Ziele 11

Ökologische Nische 20, 48
Ökologische Potenz 16
Ökologischer Fussabdruck 139
Ökosystem 12, 87–106
Oligotroph 114
Optimum 17, 52
Osmoregulation 38
Ozon 183, 187
Ozonabbau 192
- durch Distickstoffmonoxid 194
- durch FCKW 193
- Folgen 195

Ozonbildung 188
Ozonloch 194
Ozonschicht 192

P

Parasiten 58
- Ektoparasiten 58
- Endoparasiten 58
- höhere Pflanzen 63
- temporäre 58
- Wirtsspezifität 59

Pelagial, Freiwasserzone 111
Pestizide 154
Pflanzenschutz 154
Phosphat 99, 200
Phosphatfällung 204
Phosphorkreislauf 99
Pigmentierung 37
Plankton 111
Planstelle 49
PM10 166
Population 70
- Merkmale 71
- Populationsgrösse 71
- räumliche Verteilung 72
- Regulation der Dichte 76

Populationswachstum 73
- exponentielles 73
- logistisches 74

Primärkonsumenten 88
Primärproduktion 92
Produktivität 92, 126
Produktivitätspyramide 95
Produzenten 88
Putzersymbiosen 69

R

Rangordnung 46
Räuber und Beute 79
Resistenz 155

Revier 45
Revierverhalten 45
RGT-Regel 25
r-Strategen 103

S

Salpetersäure 190
Sauerstoffkreislauf 100
Saurer Regen 190
Schädlingsbekämpfung
- biologische 157
- biotechnische 158
- chemische 154

Schattenblatt 36
Schattenpflanzen 35
Schwarmbildung 57
Schwefeldioxid 163
Schwefelsäure 190
Schwermetalle 201
See 107–118
- Eutrophierung 114
- Freiwasserzone 111
- Gliederung 107
- Stagnation und Zirkulation 113
- Uferzone 108

Sekundärkonsumenten 88
Selbstreinigung 198
Selektion 22
Smog 187
Sommerschlaf 31
Sommersmog 187
Sonnenblatt 36
Sonnenenergie 34, 170
Sonnenpflanzen 35
Spektrum des Sonnenlichts 34
Stenök 17
Stenotherm 17
Stickoxide 164
Stickstoffelimination 204
Stickstoffkreislauf 98
Stickstoffverbindungen 201
Strahlenbelastung 167
Stratosphäre 175
Sukzession 105, 116, 124
- primäre 106
- sekundäre 106

Symbiose 64

T

Tagesperiodik 37
Teich 12
Temperatur 25–33
Temperaturregeln 32
Tertiärkonsumenten 88
Tiefenzone 107
Toleranzbereich 17, 20
Toleranzkurve 16
Treibhauseffekt 177
- anthropogener 178
- natürlicher 178

Treibhausgase 177
- anthropogene 180
- natürliche 178

Trophie-Ebenen 87
Troposphäre 175

U

Überlebensbereich 17
Überwinterung 27
Uferzone 107
Umwelt 12
Umweltbelastungen 135, 141
Umweltkapazität K 74
Umweltprobleme 141
Umweltschutz 143
UV-Strahlen 34

V

Variabilität 70
Veränderungen von Biozönosen 171
Verbreiter 66
Verbreitung 18, 52
Verbreitungsgebiet 18
Verdunstungsschutz 41
Vergeilung 36
Verlandung 116
Verursacherprinzip 144
Vielfalt und Stabilität 82, 103
VOC 165
Volterra-Regeln 80

W

Wachstumsrate 73
Wald 119–132
- Baumarten 122
- Entwicklung 121
- Nahrungspyramide 126
- Stoffproduktion 126
- Sukzession 124
- Waldtypen 124
- Wirkung und Bedeutung 130

Wärmehaushalt 32
Warntracht 56
Wasser 38–43
Wasserhaushalt
- Landpflanzen 40
- Wasserbewohner 38

Wasserkraft 169
Wechselwarme 26, 29
Wiederansiedlung 172
Winterruhe 30
Winterschlaf 30
Wintersmog 187
Wirtswechsel 59
Wüstenbewohner 40

Z

Zehrschicht 107
Zeigerarten 18
Zerleger 89
Zirkulation 113
Zwischenartliche Konkurrenz 48

Bildungsmedien für jeden Anspruch
compendio.ch/biologie

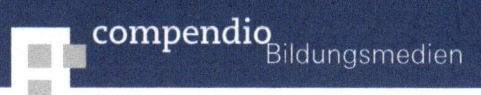

Biologie

Das Ende dieses Buchs ist vielleicht der Anfang vom nächsten. Denn dieses Lehrmittel ist eines von über 250 im Verlagsprogramm von Compendio Bildungsmedien. Darunter finden Sie zahlreiche Titel zum Thema Biologie. Zum Beispiel:

Biologie: Grundlagen und Zellbiologie
Humanbiologie 1
Humanbiologie 2
Genetik
Ökologie

Biologie bei Compendio heisst: übersichtlicher Aufbau und lernfreundliche Sprache, Repetitionsfragen mit Antworten, je nach Buch auch Kurztheorie, Glossar oder Zusammenfassungen für den schnellen Überblick.

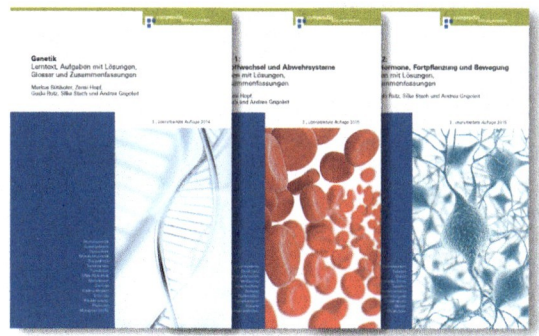

Eine detaillierte Beschreibung der einzelnen Lehrmittel mit Inhaltsverzeichnis, Preis und bibliografischen Angaben finden Sie auf unserer Website: compendio.ch/biologie

Nützliches Zusatzmaterial

**Professionell aufbereitete Folien
für die Arbeit im Plenum**

Zu den Lehrmitteln im Bereich Naturwissenschaften sind separate Foliensätze erhältlich. Sie umfassen die wichtigsten Grafiken und Illustrationen aus den Büchern und sind so aufgebaut, dass sie auch unabhängig von den Compendio-Lehrmitteln eingesetzt werden können. Alle nötigen Informationen finden Sie unter compendio.ch/biologie.

Alle Lehrmittel können Sie via Internet sowie per Post, E-Mail, Fax oder Telefon direkt bei uns bestellen:
Compendio Bildungsmedien AG, Neunbrunnenstrasse 50, 8050 Zürich
Telefon +41 (0)44 368 21 14, Telefax +41 (0)44 368 21 70, E-Mail: bestellungen@compendio.ch, www.compendio.ch

Bildungsmedien für jeden Anspruch
compendio.ch/verlagsdienstleistungen

Bildungsmedien nach Mass
Kapitel für Kapitel zum massgeschneiderten Lehrmittel

Was der Schneider für die Kleider, das tun wir für Ihr Lehrmittel. Wir passen es auf Ihre Bedürfnisse an. Denn alle Kapitel aus unseren Lehrmitteln können Sie auch zu einem individuellen Bildungsmedium nach Mass kombinieren. Selbst über Themen- und Fächergrenzen hinweg. Bildungsmedien nach Mass enthalten genau das, was Sie für Ihren Unterricht, das Coaching oder die betriebsinterne Schulungsmassnahme brauchen. Ob als Zusammenzug ausgewählter Kapitel oder in geänderter Reihenfolge; ob ergänzt mit Kapiteln aus anderen Compendio-Lehrmitteln oder mit personalisiertem Cover und individuell verfasstem Klappentext, ein massgeschneidertes Lehrmittel kann ganz unterschiedliche Ausprägungsformen haben. Und bezahlbar ist es auch.

Kurz und bündig:
Was spricht für ein massgeschneidertes Lehrmittel von Compendio?

- Sie wählen einen Bildungspartner mit langjähriger Erfahrung in der Erstellung von Bildungsmedien
- Sie entwickeln Ihr Lehrmittel passgenau auf Ihre Bildungsveranstaltung hin
- Sie können den Umschlag im Erscheinungsbild Ihrer Schule oder Ihres Unternehmens drucken lassen
- Sie bestimmen die Form Ihres Bildungsmediums (Ordner, broschiertes Buch oder Ringheftung)
- Sie gehen kein Risiko ein: Erst durch die Erteilung des «Gut zum Druck» verpflichten Sie sich

Auf der Website www.bildungsmedien-nach-mass.ch finden Sie ergänzende Informationen. Dort haben Sie auch die Möglichkeit, die gewünschten Kapitel für Ihr Bildungsmedium direkt auszuwählen, zusammenzustellen und eine unverbindliche Offerte anzufordern. Gerne können Sie uns aber auch ein E-Mail mit Ihrer Anfrage senden. Wir werden uns so schnell wie möglich mit Ihnen in Verbindung setzen.

Modulare Dienstleistungen
Von Rohtext, Skizzen und genialen Ideen zu professionellen Lehrmitteln

Sie haben eigenes Material, das Sie gerne didaktisch aufbereiten möchten? Unsere Spezialisten unterstützen Sie mit viel Freude und Engagement bei sämtlichen Schritten bis zur Gestaltung Ihrer gedruckten Schulungsunterlagen und E-Materialien. Selbst die umfassende Entwicklung von ganzen Lernarrangements ist möglich. Sie bestimmen, welche modularen Dienstleistungen Sie beanspruchen möchten, wir setzen Ihre Vorstellungen in professionelle Lehrmittel um.

Mit den folgenden Leistungen können wir Sie unterstützen:

- **Konzept und Entwicklung**
- **Redaktion und Fachlektorat**
- **Korrektorat und Übersetzung**
- **Grafik, Satz, Layout und Produktion**

Der direkte Weg zu Ihrem Bildungsprojekt: Sie möchten mehr über unsere Verlagsdienstleistungen erfahren? Gerne erläutern wir Ihnen in einem persönlichen Gespräch die Möglichkeiten. Wir freuen uns über Ihre Kontaktnahme.

Compendio Bildungsmedien AG, Neunbrunnenstrasse 50, 8050 Zürich
Telefon +41 (0)44 368 21 11, Telefax +41 (0)44 368 21 70, E-Mail: postfach@compendio.ch, www.compendio.ch